D0954948

Knaur.

*Im Knaur Taschenbuch Verlag sind von Andreas Franz
bereits erschienen:*

Julia-Durant-Krimis:
Jung, blond, tot
Das achte Opfer
Der Jäger
Das Syndikat der Spinne
Kaltes Blut
Das Verlies
Teuflische Versprechen
Tödliches Lachen
Mörderische Tage

Peter-Brandt-Krimis:
Tod eines Lehrers
Mord auf Raten
Schrei der Nachtigall
Das Todeskreuz

Sören-Henning-Krimis:
Unsichtbare Spuren
Spiel der Teufel

Außerdem von Andreas Franz:
Der Finger Gottes
Die Bankerin

Über den Autor:
Andreas Franz' große Leidenschaft war von jeher das Schreiben. Bereits mit seinem ersten Erfolgsroman *Jung, blond, tot* gelang es ihm, unzählige Krimileser in seinen Bann zu ziehen. Seitdem folgt Bestseller auf Bestseller, die ihn zu Deutschlands erfolgreichstem Krimiautor machten. Seinen ausgezeichneten Kontakten zu Polizei und anderen Dienststellen ist die große Authentizität seiner Kriminalromane zu verdanken. Andreas Franz ist verheiratet und hat fünf Kinder.
Weitere Informationen unter: www.andreas-franz.org

Andreas Franz

Letale Dosis

Kriminalroman

Knaur Taschenbuch Verlag

Besuchen Sie uns im Internet:
www.knaur.de

Vollständige Taschenbuch-Neuausgabe
April 2010
Copyright © 2002 by Droemer Verlag
Ein Unternehmen der Droemerschen Verlagsanstalt
Th. Knaur Nachf. GmbH & Co. KG, München
Dieser Titel erschien bereits unter den Bandnummern
61713 und 62460.
Alle Rechte vorbehalten. Das Werk darf – auch teilweise –
nur mit Genehmigung des Verlags wiedergegeben werden.
Redaktion: Marie-Luise Bezzenberger
Umschlaggestaltung: boooxs.com, artists@boooxs.com
Umschlagabbildung: iStock
Druck und Bindung: GGP Media GmbH, Pößneck
Printed in Germany
ISBN 978-3-426-50622-6

2   4   5   3   1

Für meine Frau Inge und meine Kinder Bernd,
Andreas II, Alexandra, Judith und Manuel, die
mit Gold nicht aufzuwiegen sind.
Für HKvS, einen Freund, wie man ihn nur
einmal im Leben findet. Und für meine Mutter,
die mir mit ihrem unerschütterlichen Glauben
und ihrer grenzenlosen Liebe schon früh gezeigt
hat, daß es Gott gibt.

*... Ihr gebt den Zehnten von Minze, Dill und
Kümmel und laßt das Wichtigste im Gesetz
außer acht: Gerechtigkeit, Barmherzigkeit
und Treue ...*
Matthäus 23:23

Prolog

Sie hörte es bereits an den Schritten, die langsam die knarrenden Stufen zu ihrem Zimmer heraufkamen. Sie wußte, es war wieder soweit, er würde versuchen, so leise wie möglich die Tür zu öffnen, sich blitzschnell ins Zimmer drängen und die Tür genauso schnell wieder hinter sich schließen. Bis vor wenigen Minuten noch hatte sie Radio gehört, ein paar Eintragungen in ihr geheimes Tagebuch gemacht, das sie so gut versteckt hielt, daß keiner es bis jetzt gefunden hatte. Eintragungen, die ihr ein wenig halfen, über das, was ihr widerfuhr, einigermaßen hinwegzukommen. Seit vier Jahren war das Tagebuch ihr ständiger Begleiter, dem sie all ihre Wut und Verzweiflung und Ohnmacht, all ihren Schmerz und all die Demütigungen, die ihr zugefügt wurden, anvertrauen konnte. Heute hatte sie nicht viel zu schreiben gehabt, nur ein paar Zeilen mit ihrer Vorahnung, doch sie wußte, die nächste Eintragung würde länger und voller Tränen sein, Tränen, die nicht mehr über ihre Wangen flossen, sondern die sie still in sich vergoß. Tränen, die mittlerweile einen tiefen See voll Leid gefüllt hatten. Und manchmal fragte sie sich, ob sie jemals eine Zeit erleben würde, in der dieser See allmählich austrocknete. Sie glaubte an Gott, so wie alle in diesem Haus vorgaben, an Gott zu glauben. Doch sie wußte inzwischen, daß die andern nur logen und betrogen, daß Gott in ihrem Leben keine wirkliche Rolle spielte, denn hätte er das getan, hätten sie *das* nicht zugelassen. Aber sie glaubte an Gott, wußte, er stand ihr selbst in der größten

Not bei, und wenn sie Gott auch nie gesehen, nicht einmal seine Stimme gehört hatte, sie wußte, er war da und sie konnte jederzeit zu ihm kommen und all ihren Ballast bei ihm loswerden. Und manchmal verspürte sie in Momenten tiefster Traurigkeit und Verzweiflung, wie eine sanfte Hand sie berührte, die ihr die Kraft gab, dies alles zu erdulden.

Sie hatte die Tür abgeschlossen, weil sie schon beim Abendbrot gespürt hatte, was später am Abend geschehen würde, wenn alle andern schliefen; wie er sie immer für kurze Momente ansah, Blicke, die sie schon tausendmal gesehen hatte, die wie Speerspitzen in ihr Herz drangen. Er hatte ihr verboten, das Zimmer abzuschließen, er hatte gesagt, niemand in diesem Haus bräuchte sich einzuschließen, es sei denn, jemand hätte etwas zu verbergen, doch das wäre nicht gut, denn Gott würde so etwas nicht gutheißen.

Sie war acht gewesen, als ihr Vater das erste Mal nachts in ihr Zimmer geschlichen kam, und sie würde nie den unbeschreiblichen Schmerz vergessen, den er ihr zugefügt hatte. Sie hatte damals schreien wollen, damit alle hörten, was geschah, doch er hatte ihr den Mund mit brutaler Gewalt zugehalten. Schließlich hatte er gesagt, dies wäre nur der Anfang, und sie dürfte unter keinen Umständen irgend jemand etwas davon erzählen, sonst würde das furchtbare Strafgericht Gottes über sie kommen, und was das bedeuten würde, wüßte sie – keine Möglichkeit, eines Tages an der Seite Gottes zu wohnen, in seiner Herrlichkeit und seiner allmächtigen Güte. Sie hatte ihm in dieser Nacht versprechen müssen, nie ein Wort darüber zu verlieren, und sie hatte es versprochen, denn sie wollte nicht ungehorsam sein. Es folgten Hunderte von diesen Nächten, in denen sie innerlich schrie und flehte und Gott anbettelte, ihr doch zu sagen, warum er zuließ, daß ihr das angetan wurde. Aber sie war noch viel zu jung, um wirklich zu begreifen, was mit ihr geschah.

Sie saß im Schneidersitz auf dem Bett, nur die kleine Lampe neben dem Bett brannte. Sie hatte die Hände gefaltet, ihr Blick war zur Tür gerichtet. Die Schritte verstummten, kein Knarren mehr. Es war kurz nach elf und eigentlich hätte sie längst schlafen wollen, doch weil sie wußte, was passieren würde, war sie extra aufgeblieben. Sie sah, wie die Klinke heruntergedrückt und wieder losgelassen wurde. Sie rührte sich nicht, starrte nur wie gebannt auf die Tür. Ein weiteres Mal bewegte sich die Klinke nach unten, wurde von außen gegen die Tür gedrückt. Leises Klopfen, sie bewegte sich nicht von der Stelle. Dann klopfte er wieder, diesmal etwas lauter und es klang wütend, doch noch immer leise genug, daß niemand sonst im Haus etwas davon mitbekam.

»Mach bitte sofort die Tür auf«, sagte er in zischendem Flüsterton. »Du weißt, ich kann auch anders!«

»Ich will schlafen«, sagte sie. »Es ist spät.«

»Wenn du hättest schlafen wollen, dann hättest du schon vor zwei Stunden das Licht ausgemacht. Also, mach auf!«

Sie wußte, wenn sie seinem Befehl nicht nachkam, würde es beim nächsten Mal noch schlimmer kommen. Sie erhob sich von ihrem Bett, ging wie in Trance zur Tür, drehte den Schlüssel, zog ihn schnell ab und steckte ihn in die Hosentasche.

Er stand vor ihr, ein großer, mächtiger Mann, dessen Augen sie scharf und unerbittlich ansahen. Er schubste sie in die Mitte des Zimmers, schloß die Tür hinter sich. Seine Augen waren zu Schlitzen verengt, als er mit seinem typischen Gang auf sie zukam und direkt vor ihr stehenblieb.

»Habe ich dir nicht schon tausendmal gesagt, du sollst diese Tür nicht abschließen?! Sollte das noch einmal vorkommen, werde ich dich leider bestrafen müssen. Hast du mich verstanden?«

Sie nickte nur.

»Warum bist du noch nicht ausgezogen? Ich denke, du wolltest schlafen.«

»Ich wollte mich gerade ausziehen«, erwiderte sie leise und mit gesenktem Blick.

»Dann tu es, meine Kleine«, sagte er plötzlich sanft und streichelte mit einer Hand über ihr Gesicht. »Ich werde so lange hierbleiben und aufpassen, daß du auch wirklich ins Bett gehst. Komm, zieh dich aus.« Er setzte sich auf die Bettkante.

Sie gehorchte, knöpfte die Jeans auf, streifte sie von den Beinen und legte sie auf den Stuhl. Danach zog sie das Sweatshirt über den Kopf mit dem dichten, braunen Haar. Sie trug jetzt nur noch ein Trägerhemd und einen Slip und weiße Tennissocken.

»Du willst doch nicht etwa mit Strümpfen ins Bett gehen, oder?« fragte er. »Das ist sehr ungesund.«

»Nein«, erwiderte sie mechanisch und zog auch die Socken aus. Sie ging zum Bett, schlug die Decke zurück und legte sich hinein. Er wandte seinen Kopf in ihre Richtung, wartete, bis sie die Bettdecke bis zu ihren Schultern gezogen hatte. Er legte sich neben sie, streichelte über ihr Gesicht, sie fühlte Ekel in sich aufsteigen. Sie schloß die Augen, um ihn nicht sehen zu müssen.

»Weißt du, du bist meine süße Kleine. Ein Mädchen wie dich habe ich mir immer gewünscht. So zart und rein und makellos.« Seine Hand glitt tiefer, berührte ihre noch kleinen Brüste, massierte sie. Sie hielt die Augen geschlossen, nur so war es einigermaßen zu ertragen. Sie spürte, wie er zwischen ihre Schenkel faßte und ihren Slip und wenig später den Reißverschluß seiner Hose herunterzog. Dann war er mit einem Mal über ihr, sein Glied drang ruckartig und schmerzhaft in sie ein. Erst bewegte er sich langsam, schließlich immer schneller und schneller, bis er ejakulierte und sich kurz darauf zur Seite drehte. Er atmete wie immer schwer, sah sie von der Seite an, sagte: »Mach dich sauber und zieh dich wieder an. Du mußt morgen früh aufstehen. Du schreibst doch morgen die Englischarbeit, oder?«

»Ja«, sagte sie leise.

»Ich hoffe, du hast gut gelernt. Ich will keine Versager in meiner Familie haben. Und Gott hat uns, vor allem aber dich, mit so vielen Talenten ausgestattet, daß es deine Pflicht ist, gute Arbeiten zu schreiben. Klar?«

»Ja.«

»Gut, dann mach mir keine Schande. Es wäre schlecht, wenn ausgerechnet du ...« Er winkte ab, lächelte auf einmal. »Nein, meine Kleine wird mir keine Schande machen. Das weiß ich. Wenn du gelernt hast, wird Gott schon dafür sorgen, daß alles gutgeht. Gute Nacht.«

Er verschwand, wie er gekommen war – leise, nur die Stufen knarrten ein wenig. Sie ging ins Bad, befreite sich von dem Schmutz, zog frische Unterwäsche an und legte sich ins Bett. Es war weit nach Mitternacht, als sie endlich einschlief.

Sie hatten zu Abend gegessen, und anschließend, wie immer Montags, eine Bibelstunde in dem weiträumigen Wohnbereich abgehalten. Trotz der seit Tagen anhaltenden Hitze, die sich wie eine riesige Glocke über die Stadt gelegt hatte, war es angenehm kühl in dem vollklimatisierten Haus. Joseph, der jüngste Sohn, las gerade ein paar Verse aus dem Matthäus-Evangelium vor, in denen Jesus seinen Jüngern sagt, wessen Glaube auch nur so groß wie ein Senfkorn ist, dem wird es möglich sein, zu einem Berg zu sagen: ›Rück von hier nach dort!‹, und er wird wegrücken‹, als das Telefon läutete. Alle blickten auf, bis der Vater sich nach dem dritten Klingeln erhob und den Hörer abnahm.

»Rosenzweig«, meldete er sich. Er hörte einen kurzen Moment zu, schließlich drückte er einen Knopf und legte den Hörer auf. Er wandte sich seiner Familie zu, sagte: »Ich muß nur kurz hoch ins Arbeitszimmer, ein wichtiges Gespräch. Ich bin gleich zurück.«

Mit langsamen, bedächtigen Schritten stieg er die Treppe hinauf, ein großgewachsener, schlanker Mann mit fülligem, grauem Haar. Im ersten Stock angelangt, ging er bis zum Ende des Flurs und öffnete die Tür, hinter der sich sein Arbeitszimmer befand. Er betrat es, schloß die Tür hinter sich, begab sich zum Schreibtisch, nahm den Hörer ab. Er sagte nur »Ja«, und »Sicher, gleich, ich dich auch« und »Bis morgen«.

Nach dem Telefonat setzte er sich auf seinen braunen Ledersessel, zog die rechte obere Schublade auf, holte die Spritze und das kleine Glas heraus, schraubte den Deckel ab, steckte die Nadel in die helle, opake Flüssigkeit und zog die Spritze auf. Er öffnete zwei Knöpfe an seinem Hemd, stach die Nadel unter die Haut über der Bauchdecke und drückte den Inhalt aus der Spritze. Er zog die Nadel heraus, blieb sitzen, legte die Spritze zusammen mit dem Glas zurück in die Schublade.

Er wollte gerade sein Hemd zuknöpfen, als er sich mit einem Mal an den Brustkorb faßte; er wollte schreien, rang nach Luft, sein Herz schien seinen Körper verlassen zu wollen. Seine Augen waren unnatürlich geweitet, er war nicht fähig, sie zu bewegen, nicht fähig, zu schlucken, seine Augenlider gehorchten nicht mehr, seine Augen waren starr auf einen Punkt im Zimmer gerichtet. Und was er sah, sah er doppelt. Er schmeckte das Blut, das aus irgendeiner winzigen Wunde in seinem Mund trat, sah, wie Blut aus seiner Nase auf den Schreibtisch tropfte. Er wollte sich von seinem Platz erheben, doch seine Beine gehorchten nicht, genauso wenig wie seine Hände, mit denen er zum Telefon greifen wollte. Sosehr er sich auch anstrengte, er vermochte kaum noch zu atmen, ein bleierner Gürtel, der immer enger um seine Brust gezogen wurde. Er schmeckte Blut, er sah Blut, spürte, wie alles in ihm sich allmählich auflöste. Er wollte schreien, seine ganze panische Angst hinausschreien, doch außer einem kaum hörbaren Krächzen drang kein Laut aus seiner Kehle. Er wußte, daß etwas Furchtbares mit ihm geschah, daß der Tod nur eine Frage von Minuten oder gar Sekunden sein würde. Doch er wußte nicht, warum er starb, warum er sterben mußte. Er versuchte ein weiteres Mal, aufzustehen, befahl seinen Beinen, ihn zu stützen, statt dessen sank er langsam nach vorn, sein Kopf schlug auf die Schreibtischplatte, ein Zittern und Zucken raste durch seinen Körper, ein letzter, verzweifelter Versuch, Luft zu bekommen, dann hörte sein Herz auf zu schlagen. Hans Rosenzweig war tot.

Als er auch nach einer Viertelstunde nicht wieder im Wohnzimmer erschien, ging Marianne Rosenzweig nach oben, um nach ihrem Mann zu sehen. Sie klopfte an die Tür, und als niemand antwortete, betrat sie das Zimmer. Das erste, was sie sah, war das zu einer Grimasse verzerrte Gesicht mit den weitaufgerissenen, starren Augen, das Blut, das aus seinem Mund und der Nase gelaufen war und sich über den Schreibtisch verteilt hatte. Sie schluckte schwer, trat näher an den Schreibtisch, sah ihren Mann an. Kaum eine Regung zeichnete sich in ihrem Gesicht ab. Sie sagte nur leise und fassungslos: »O mein Gott, warum?« Sie wagte nicht, noch einen Schritt näher an ihn heranzugehen, sie sah ihn nur an, regungslos, unfähig, sich zu bewegen. Nach einem Moment löste sie sich aus ihrer Starre; ohne etwas berührt zu haben, begab sie sich wieder nach unten, blieb vor ihren Söhnen stehen, sagte mit schwerer, bedächtiger Stimme: »Jungs, ihr müßt jetzt stark sein. Ich glaube, euer Vater ist tot.«

»Was?« fragte der dreizehnjährige Joseph entsetzt und ließ die Bibel auf den Tisch fallen. »Papa ist tot?«

»Ich fürchte ja. Es sieht fast so aus, als hätte er einen Herzinfarkt gehabt. Ich werde gleich Schwester Fink anrufen.«

»Dürfen wir nach oben gehen und …«

»Nein«, sagte Marianne Rosenzweig bestimmt. »Ihr geht nicht nach oben. Euer Vater ist tot, und ich möchte nicht, daß ihr ihn so seht.« Sie ging zum Telefon, nahm den Hörer in die Hand, wählte die Nummer von Dr. Laura Fink, ihrer Hausärztin. Nur der Anrufbeantworter meldete sich mit der Ansage, welcher Arzt in dieser Nacht Bereitschaftsdienst hatte. Sie legte auf, bevor die Ansage zu Ende war, griff nach ihrem braunen Telefonbuch, in dem sie die Privatnummer von Laura Fink notiert hatte, ein Vorzug, der nur einigen auserwählten Patienten vorbehalten war. Aber sie kannten sich schon so lange, daß sie ohne Bedenken bei ihr anrufen konnte. Sie meldete sich nach dem dritten Läuten.

»Fink.«

»Guten Abend, Laura. Hier ist Marianne Rosenzweig. Ich bitte dich … ich meine … könntest du so schnell wie möglich herkommen? Ich glaube, mein Mann ist tot.«

»Dein Mann? Wie … Einen Moment, ich ziehe mir nur schnell was über und werde so in zehn Minuten dasein.«

Laura Fink traf um kurz nach neun bei den Rosenzweigs ein. Die beiden Söhne Joseph und der achtzehnjährige Aaron saßen mumiengleich auf der Couch und blickten die junge Ärztin hilfesuchend an.

»Wo ist er?« fragte Dr. Fink, eine mittelgroße, eher unauffällige Erscheinung mit kurzen, braunen Haaren und einer fast knabenhaften Figur, die sie unter einem T-Shirt, Jeans und Leinenschuhen versteckte.

»Oben, in seinem Arbeitszimmer. Komm mit.« Marianne Rosenzweig schloß die Wohnzimmertür hinter sich und bat sie, ihr in den ersten Stock zu folgen. Sie öffnete die Tür, Laura Fink blieb kurz stehen, kniff die Augen zusammen, holte tief Atem und ging langsam auf den Schreibtisch zu, dessen halbe Platte mit Blut bedeckt war. Die Ärztin klappte wortlos ihre Tasche auf, holte eine Taschenlampe heraus, leuchtete in die Augen des Toten, dann zog sie Gummihandschuhe über und suchte nach dem Puls, der nicht mehr vorhanden war.

»Seltsam«, sagte sie nach einem Moment des Überlegens kopfschüttelnd und sah Marianne Rosenzweig an, die starr wie eine Statue in der Mitte des Raumes stand und mit ausdrucksloser Miene die Augen auf ihren Mann gerichtet hatte. »Wie du sicherlich weißt, war dein Mann noch vor einer Woche bei mir, um sich einem Generalcheck zu unterziehen. Bis auf seine Diabetes war er körperlich völlig in Ordnung, seine Blutwerte lagen im Normbereich, und auch sonst konnte ich keinen körperlichen Defekt wie zum Beispiel einen Herzfehler feststellen. Wir haben allerdings kein EKG gemacht, dazu bestand absolut kein Anlaß.« Sie stand jetzt direkt neben dem Toten, schüttelte erneut den Kopf. »Es ist dieser erhebliche Blutverlust, den ich mir beim besten Willen nicht erklären kann. Es gibt zwar einige eher seltene Krankheiten, die derartige Blutungen auslösen können, doch keine davon kommt bei deinem Mann in Frage. Wie gesagt, seine Laborwerte waren, bis auf den Blutzuckerspiegel, absolut in Ordnung, weshalb mir diese massiven Blutungen sehr rätselhaft sind. Wann hast du ihn gefunden?«

Marianne Rosenzweig blickte schnell auf, räusperte sich, sagte: »Bitte? Ah, Entschuldigung, ich bin etwas durcheinander. Vor etwa zwanzig Minuten. Wir hatten unseren Bibelabend, dann klingelte das Telefon, er ist in sein Zimmer gegangen, hat aber gesagt, er wäre gleich wieder da. Als er nach einer Viertelstunde nicht wieder herunterkam, wollte ich einfach sehen ... Und dann habe ich ihn gefunden.«

»Und was hat er hier gemacht?«

»Ich nehme an, er hat sich wie immer nach dem Abendessen sein Insulin gespritzt.«

»Mit dem Pen?« fragte Laura Fink, die Stirn in Falten gezogen.

»Nein, seiner ist vor ein paar Tagen kaputtgegangen, und er hatte noch keine Zeit, sich einen neuen zu besorgen. Deshalb mußte er wieder die Spritze nehmen.«

»Und wo ist das Insulin?«

»Er bewahrt es in der rechten oberen Schreibtischschublade auf. Warum fragst du?«

Dr. Laura Fink zog die Schublade heraus, nahm das Glas mit der opaken Flüssigkeit zwischen zwei Finger, roch daran, schüttelte den Kopf. Sie stellte das Glas auf den Tisch und nahm die Spritze, betrachtete sie eingehend und legte sie schließlich neben das Glas. Sie blickte Marianne Rosenzweig ratlos an, zog die Handschuhe aus, fragte: »Wie geht es dir? Brauchst du irgend etwas, zur Beruhigung, meine ich?«

Sie bewegte kaum merklich den Kopf, in ihren Augen war eine unendliche Leere. »Nein, ich brauche nichts. Was geschieht jetzt mit ihm?«

»Ich werde auf dem Totenschein vermerken ›Todesursache ungeklärt‹ und dann die Polizei rufen ...«

»Polizei?« fragte Marianne Rosenzweig ungläubig. »Warum die Polizei?«

»Nun, so leid es mir tut, aber ich kann die Todesursache deines Mannes nicht bestimmen. Zumindest fehlen mir dazu die Mittel.

Ich bin nur eine einfache praktische Ärztin. Es muß herausgefunden werden, woran dein Mann gestorben ist.«

»Er ist tot, reicht das denn nicht?«

»Leider nein. Du siehst doch selber, daß hier kein natürlicher Tod vorliegt. Ich kann auf den Totenschein nicht einfach schreiben: ›Tod durch Herz- und Kreislaufversagen‹, denn diese Todesursache ist nur sekundär, schließlich ist jeder Tod letztendlich eine Folge von Herz- und Kreislaufversagen. Woran er primär gestorben ist, das muß eine Autopsie ergeben. Dein Mann hatte ungewöhnlich massive Blutungen, und jetzt müssen Gerichtsmediziner klären, wodurch diese Blutungen hervorgerufen worden sind. Und außerdem sollten das Insulin und die Spritze untersucht werden ...«

»Heißt das, er wird aufgeschnitten?«

Laura Fink blickte achselzuckend zu Boden, schließlich nickte sie und antwortete: »Es wird sich leider nicht vermeiden lassen.«

Marianne Rosenzweig wandte sich ab, den Blick zur Tür gerichtet. Mit einem Mal begann sie leise zu schluchzen. Die Ärztin kam zu ihr, legte eine Hand auf ihre Schulter. »Hör zu, vielleicht wäre es doch besser, wenn ich dir etwas Valium geben würde. Es beruhigt, und vor allem wirst du damit heute nacht einigermaßen schlafen können.«

»Schlafen!« stieß sie mit bitterem Lachen hervor. »Wie soll ich jetzt schlafen? Wir hätten in genau einer Woche unseren zwanzigsten Hochzeitstag gefeiert. Aber er, was macht er? Er macht sich aus dem Staub ...! Nein, entschuldige, das wollte ich so nicht sagen. Er kann ja nichts dafür. Irgendeinen Grund für seinen Tod wird es schon geben. Finde diesen Grund heraus. Auch wenn mir der Gedanke, daß mein Mann aufgeschnitten wird, alles andere als angenehm ist.«

»Ich kann dich verstehen, Marianne. Aber egal, was ist, er wird nicht wieder lebendig. Und ich sage dir ganz ehrlich, ich möchte auch gerne wissen, woran er gestorben ist. Eine Frage – wie hat er sich das Insulin in der Regel injiziert, in den Arm, ins Bein, in den Bauch?«

»Ich weiß nicht, ich war nie dabei. Er hat nur einmal kurz erwähnt, daß er es meistens in den Bauch … Aber sieh doch selbst nach.«

»Tut mir leid, aber ich darf deinen Mann nicht bewegen, bevor die Polizei nicht alle Spuren gesichert hat.« Sie begab sich wieder zu dem Toten, bückte sich, sagte, ohne ihn zu berühren: »Du hast wohl recht. Die Knöpfe seines Hemdes sind noch offen.«

»Und?« fragte Marianne Rosenzweig, die sich wieder umgedreht hatte.

»Wie schon gesagt, eine Untersuchung in der Rechtsmedizin ist unumgänglich.«

»Was denkst du, woran er gestorben ist? Du vermutest doch etwas, oder?«

»Ich kann es nicht sagen, aber es könnte ein toxischer Schock gewesen sein.«

»Toxischer Schock? Was bedeutet das?«

»Es könnte, wohlgemerkt, es könnte Gift im Spiel gewesen sein. Was unter Umständen auch die Blutungen erklären würde. Aber erst eine Obduktion wird Klarheit bringen, was die Todesursache angeht.«

»Gift?!« Marianne Rosenzweig lachte schrill auf. »Wie soll Hans an Gift kommen?« fragte sie mit ungläubigem Blick. »Das ist absolut lächerlich, geradezu absurd!«

»Vielleicht irre ich mich auch …«

»Das tust du ganz bestimmt. In diesem Haus gibt es kein Gift, hier gibt es nicht einmal Tabak oder Alkohol, wie du weißt.«

»Natürlich weiß ich das, es ist auch nur eine Vermutung«, sagte Laura Fink und räusperte sich verlegen. »Um ganz ehrlich zu sein, ich weiß nicht, was die Todesursache ist. Aber ich werde jetzt die Polizei rufen und warten, bis die Beamten da sind. Alles weitere liegt dann nicht mehr in meinen Händen. Es tut mir leid, aber ich habe bestimmte Vorschriften ... und wenn ich die nicht einhalte ... Und du möchtest bestimmt nichts zur Beruhigung?«

»Nein«, erwiderte Marianne Rosenzweig, und mit einem Mal traten Tränen in ihre Augen und rollten langsam über die Wangen. Sie hatte den Blick zu Boden gerichtet, die Hände ineinander verkrampft. »Gott hat mir zwanzig wunderbare Jahre mit meinem Mann geschenkt, und Gott hat ihn jetzt zu sich gerufen ... Auch wenn Hans gerade in der Mitte seines Lebens stand ... Aber die Wege des Herrn sind für uns Menschen eben unergründlich. Ich werde darüber hinwegkommen, denn ich weiß, er wird auf mich warten, bis auch meine Zeit gekommen ist. Und eines Tages werden wir wieder vereint sein. Eine große, glückliche Familie. Er war ein guter Mann und ein liebevoller Vater.« Sie hielt kurz inne, sah Laura Fink an, lächelte auf einmal und fragte: »Ist es nicht schön zu wissen, daß es ein Leben nach dem Tod gibt?«

Die Angesprochene zuckte die Schultern. »Natürlich. Und egal wie lange es dauert, bis deine Zeit gekommen ist, er wird auf dich warten. Die ersten Tage oder Wochen werden nicht einfach für dich sein, aber du weißt ja, es gibt viele, die dir über diese schwere Zeit hinweghelfen werden.«

»Ja, das weiß ich. Und ich glaube fest daran, Hans eines Tages wiederzusehen. Wer Glauben hat, dem ist nichts unmöglich.«

»Sicher. Aber ich muß jetzt telefonieren. Kann ich das von hier machen?«

»Bitte, dort steht das Telefon.«

Laura Fink nahm den Hörer ab und wählte den Notruf 110 der Polizei. Als am andern Ende abgenommen wurde, meldete sie sich. »Hier ist Dr. Fink. Ich möchte Sie bitten, einen Wagen in die Weinbergstraße in Sindlingen zu Dr. Rosenzweig zu schicken. Ich habe hier einen männlichen Toten mit unklarer Todesursache.« Nach dem kurzen Gespräch legte sie auf, schaute zur Uhr.

»Der Wagen wird in wenigen Minuten hier sein. Ich warte solange.«

»Gehen wir nach unten«, sagte Frau Rosenzweig und begab sich zur Tür. Die junge Ärztin klappte ihre Tasche zu, nahm sie in die Hand und folgte Marianne Rosenzweig ins Wohnzimmer. Sie warteten fast schweigend auf den angeforderten Wagen, der bereits zehn Minuten später eintraf. Die beiden Streifenbeamten, ein etwa fünfunddreißigjähriger Mann und eine Endzwanzigerin, betraten das Haus. Laura Fink begleitete sie in das Büro des Toten. Der Mann kratzte sich am Kopf, fragte mit belegter Stimme: »Wie ist er gestorben?«

»Keine Ahnung, deshalb habe ich Sie ja gerufen. Die Todesursache ist nicht klar ersichtlich. Herr Rosenzweig litt an Diabetes, hat sich wohl auch Insulin gespritzt, doch Insulin bewirkt keine derartigen Blutungen.«

»Da müssen wir wohl die Kollegen vom KDD holen.«

»KDD?« fragte Dr. Fink.

»Kriminaldauerdienst. Ist hier irgendwas verändert worden?«

»Von mir nicht. Und soweit ich weiß, von Frau Rosenzweig auch nicht. Zumindest weist die Art und Weise, wie ich den Toten vorgefunden habe, darauf hin, daß er nicht bewegt worden ist. Der Blutstrom aus Nase und Mund verläuft sehr gleichmäßig.«

»Gut, dann werden wir die Kripo und die Spurensicherung rufen und den Tatort sichern. Mehr können wir auch nicht tun. Sie müssen allerdings hierbleiben, bis die Kollegen da sind. Sie werden wohl die eine oder andere Frage haben.« Und an seine Kollegin gewandt, sagte er: »Ruf doch mal über Funk beim KDD an. Und die sollen sich beeilen.«

Als die junge Beamtin den Raum verlassen hatte, fragte der Polizist: »Und was ist Ihre Vermutung?«

»Unter Umständen Gift, aber«, Laura Fink zuckte die Achseln, »beurteilen kann ich das nicht.«

»Okay, dann warten wir mal auf die andern.«

Nach weiteren zwanzig Minuten trafen die Beamten des KDD sowie die Spurensicherung und ein Fotograf ein.

»In Ordnung«, sagte einer der Beamten, ein noch junger Mann in Jeans und kurzärmeligem Hemd, nachdem er der Ärztin fast die gleichen Fragen gestellt hatte wie der Streifenbeamte, »dann werden wir als erstes den gesamten Raum fotografieren. Die Spurensicherung wird danach ihre Arbeit erledigen. Ich fürchte, wir müssen auch die Mordkommission einschalten. Irgendwie riecht´s hier gewaltig nach Mord, um nicht zu sagen, es stinkt. Mal sehen, wer heute Bereitschaft hat.« Er ging zum Auto, funkte die Zentrale an und bat um Unterstützung der Mordkommission. Wieder in Rosenzweigs Büro, sagte er: »Sie werden in etwa zwanzig Minuten hier sein. Wir sollen den Toten aber unter gar keinen Umständen anrühren.«

Laura Fink begab sich nach unten zu Frau Rosenzweig, sagte: »Es tut mir leid, was mit deinem Mann geschehen ist, aber ich wollte dir nur sagen, daß gleich auch noch ein paar Beamte von der Mordkommission kommen werden.«

»Das macht jetzt auch nichts mehr«, erwiderte Marianne Rosenzweig schulterzuckend. »Vielen Dank für deine Mühe. Wie und wann werde ich erfahren, woran mein Mann gestorben ist?«

»Ich denke, man wird die Todesursache recht schnell herausfinden. Vielleicht weiß man ja schon morgen früh etwas mehr. Womöglich ergibt sich ja allein schon aus der Untersuchung des Insulins etwas.«

»Woran ist Papa gestorben?« fragte Aaron, der ältere der beiden Söhne.

»Das weiß man noch nicht«, erwiderte seine Mutter.

»War es wegen seiner Zuckerkrankheit?«

»Frag mich nicht, aber morgen …«

»Ich werde Papa sehr vermissen …«

»Wir alle werden ihn vermissen. Aber ihr wißt ja, wir sehen ihn eines Tages wieder. So, und jetzt werde ich Bruder Schönau anrufen und ihm erzählen, was passiert ist.«

»Du bist sehr traurig, nicht?« sagte Aaron.

»Ja, ich bin traurig, sehr traurig sogar«, erwiderte Marianne Rosenzweig und strich ihm liebevoll mit der Hand übers Haar. »Und ich glaube, meine Traurigkeit wird in den nächsten Tagen noch schlimmer werden. Wir müssen jetzt zusammenhalten und gemeinsam diesen Weg der Trauer gehen.«

Sie umarmte ihre Söhne, lächelte ihnen aufmunternd zu, auch wenn ihr im Augenblick zum Heulen zumute war, ging zum Telefon und wählte die Nummer von Bruder Schönau. Sie sprach eine Viertelstunde mit ihm; er fragte, ob er vorbeikommen solle, doch sie wollte es nicht, nicht jetzt, wo das Haus von Polizei nur so wimmelte. Morgen früh vielleicht.

Montag, 22.15 Uhr

Julia Durant, Hauptkommissarin bei der Kripo Frankfurt, schlug den ihr von einer Kollegin so warm empfohlenen sogenannten Krimi zu und warf ihn auf den Tisch. Sie ärgerte sich über die vierundvierzig Mark, die sie für diese endlose Langeweile ausgegeben hatte; sie wußte, wenn es nicht spätestens nach fünfzig Seiten einigermaßen spannend und interessant wurde, würde auch der Rest des Buches eine einzige Quälerei sein. Sie hatte keine Ahnung, nach welchen Kriterien andere ihre Bücher auswählten, aber es waren mit Sicherheit nicht die gleichen, nach denen sie vorging. Für sie mußte ein Buch spannend, die Charaktere plastisch und die Handlung nicht zähflüssig wie Haferschleim und an den Haaren herbeigezogen sein, sie mußte sich statt dessen in die Gedanken- und Gefühlswelt der Protagonisten hineinversetzen und die Handlung miterleben können, als wäre sie direkt dabei. Das hatte sie jedoch bisher nur bei ganz wenigen Büchern vermocht, Bücher, die sie derart in ihren Bann zogen, daß sie gar nicht bemerkte, wie schnell die Zeit verflog, und enttäuscht war, wenn der Roman nach fünfhundert Seiten plötzlich zu Ende war.

Sie hatte die Beine hochgelegt, nahm die Fernbedienung in die rechte Hand und zappte sich durch ein paar Kanäle, bis sie bei Viva hängenblieb und sich einen Live-Mitschnitt von Bryan Adams ansah. Sie zündete sich eine filterlose Gauloise an, trank einen Schluck aus der Dose Bier, das jetzt warm und fade schmeckte. Sie erhob sich, schüttete den restlichen Inhalt in den Ausguß und ging zum Kühlschrank, um sich eine neue herauszuholen. Sie riß den Verschluß auf, stellte die Dose neben die Couch, nahm einen tiefen Zug an der Zigarette, schnippte die Asche in den Aschenbecher, sah kurz zum Fernseher, dann zum Fenster. Es war nicht ihr Tag gewesen; Büroarbeit, lange liegengebliebene Berichte fertigstellen, um halb fünf nach Hause fahren. Sie war kurz einkaufen gewesen, hatte ein wenig aufgeräumt, obgleich ein gründlicher Hausputz längst überfällig war. Die Fenster gierten nach Wasser, die Gardinen waren seit dem letzten Herbst nicht gewaschen worden, das letzte Mal, daß sie einen Staubsauger zur Hand genommen hatte, lag zwei oder drei Wochen zurück. Doch die seit nunmehr zwei Wochen anhaltende Hitze lähmte sie, und selbst jetzt, um diese Zeit, war es noch immer so warm und stickig in der Wohnung, daß sie bezweifelte, diese Nacht gut schlafen zu können.

Sie hatte ihren Vater anrufen wollen, doch der war wieder einmal nicht zu Hause, danach hatte sie es bei Susanne Tomlin in Südfrankreich versucht, aber auch dort hatte niemand den Hörer abgenommen, als letztes versuchte sie es bei Werner Petrol, auch hier nur der Anrufbeantworter. Sie hatte leichte, stechende

Schmerzen in der linken Schläfe. Es war nicht viel Aufregendes passiert in den letzten sechs Wochen, einige Routineeinsätze, ein versuchter Mord an einer Prostituierten im Sperrbezirk nahe des Hauptbahnhofs, die nie wieder ein normales Leben würde führen können, da der Täter ihr das Gesicht und die Brust zerschnitten hatte, sowie ein Raubmord an einer dreiundachtzigjährigen Frau, die allein in einem winzigen Haus in einem alten, heruntergekommenen Viertel gelebt hatte und von deren Mörder bislang jede Spur fehlte. Was den Fall jedoch besonders grausam und sinnlos machte, war die Tatsache, daß die alte Frau vor ihrem Tod von ihrem Peiniger noch vergewaltigt worden war und es sich nach Meinung des Polizeipsychologen bei dem Mörder um einen Mann handelte, der nicht nur äußerst gewaltbereit war, sondern auch sexuell extrem perverse Neigungen hatte.

Der erste Fall war kaum lösbar, da er sich innerhalb eines Milieus abgespielt hatte, in dem eigene Regeln und Gesetze herrschten, und Julia Durant und ihre Kollegen Hellmer und Kullmer bei ihren Befragungen auf eine Mauer des Schweigens stießen. Selbst die junge Frau, die längst außer Lebensgefahr war, aber für den Rest ihres Lebens deutliche Zeichen der Tat in ihrem Gesicht und an ihrem Körper tragen würde, gab vor, sich an nichts erinnern zu können. Also würde man diesen Fall bald zu den Akten legen.

Sie rauchte die Zigarette zu Ende, drückte sie aus, nahm die Bierdose und ging damit zum Fenster, das weit offenstand. Es war beinahe windstill, der nächtliche Himmel wolkenlos, aus den Bäumen drang noch vereinzelt das zaghafte Zwitschern von Vögeln. Aus einem Nachbarhaus erklang Klaviermusik, von irgendwoher kamen laute, sich zankende Stimmen. Sie wollte gerade einen Schluck nehmen, als das Telefon klingelte. Nach dem dritten Läuten hob sie ab, meldete sich. Sie hörte dem Beamten vom KDD zu, sagte nur, sie würde in etwa einer Viertelstunde mit einem Kollegen da sein. Sie trank die Dose halbleer, stellte sie in den Kühlschrank, rief kurz bei Hauptkommissar Frank Hellmer an, zog sich Jeans, eine blaue Bluse und Tennisschuhe an, nahm ihre Handtasche vom Sofa, machte den Fernsehapparat aus und verließ die Wohnung. »Scheißbereitschaft«, murmelte sie verärgert, während sie die Treppe hinunterging.

Hellmer, der seit knapp einem Jahr mit seiner Frau Nadine in einer noblen Villa in Hattersheim wohnte und nur ein paar Minuten zum Ort des vermeintlichen Verbrechens brauchte, war bereits da. Er stand zusammen mit den Beamten des KDD auf dem Flur.

»Und?« fragte sie ihn. »Was ist passiert?«

Er zuckte die Achseln. »Wenn ich das wüßte. Es sieht auf jeden Fall nicht nach einem natürlichen Tod aus. Aber schau´s dir selber an.«

Julia Durant betrat zusammen mit Hellmer den Raum, in dem drei Kollegen von der Spurensicherung bei der Arbeit waren.

»Wer hat ihn gefunden?« fragte sie, während sie sich auf den Schreibtisch zubewegte.

»Seine Frau.«

»Und wann?«

»Vor etwa anderthalb Stunden. Sie hat sofort ihre Hausärztin angerufen, die allerdings gleich die Polizei verständigte. Tja, und jetzt sind wir hier.«

»Wo ist die Ärztin?« fragte sie und warf einen langen Blick auf den Toten, dessen Gesicht in einer Lache aus geronnenem Blut lag.

»Ich bin Dr. Fink«, sagte die Frau, die jetzt hinter der Kommissarin stand.

Sie drehte sich zu ihr um, musterte die junge Frau, die zwar kein schönes, aber ein hübsches und sehr markantes Gesicht hatte, einen Augenblick, fragte: »Sie haben nichts berührt?«

»Nein. Ich habe lediglich seinen Puls gefühlt und ihm in die Augen geleuchtet. Alles andere wollte ich Ihnen überlassen.«

»Und, haben Sie eine Vermutung? Ich meine, was die Todesursache sein könnte?«

»Sicher, aber es ist nur eine Vermutung. Die extreme Blutung kann auf verschiedene Faktoren zurückzuführen sein, doch keine der, sagen wir ›normalen‹ Möglichkeiten, trifft auf Herrn Rosenzweig zu …«

»Wie kommen Sie darauf?«

»Nun, Herr Rosenzweig war bei mir in Behandlung, er litt seit etwa drei Jahren unter Diabetes mellitus und hat sich regelmäßig den notwendigen Untersuchungen unterzogen. Er war, bis auf seinen erhöhten Blutzuckerspiegel, ein kerngesunder Mann. Er war erst letzte Woche bei mir. Deshalb …«

Wieder wurde sie von der Kommissarin unterbrochen. »Welche normalen Faktoren können zu derartigen Blutungen führen?«

»Es gibt verschiedene Ursachen. Zum Beispiel eine extrem verminderte Zahl der Thrombozyten, das heißt der Blutplättchen, die für die Blutgerinnung verantwortlich sind, eine akute Bauchspeicheldrüsenentzündung, Leukämie, und einiges mehr. Doch bei der letzten Untersuchung lagen Herrn Rosenzweigs Blutwerte absolut im Normbereich. Seine Thrombozytenzahl war normal, es gab auch keinerlei Hinweise, die auf eine ernsthafte innere Erkrankung hindeuteten. Deshalb kommt mir dieser Tod, der offensichtlich durch Verbluten eingetreten ist, bei ihm mehr als merkwürdig vor. Ein potentieller Herzinfarkt oder ein Schlaganfall kann nie mit Sicherheit ausgeschlossen werden, wenn man lediglich die üblichen Laborwerte zugrunde legt. Aber Herr Rosenzweig ist weder an einem Herzinfarkt noch an einem Schlaganfall gestorben.«

»Und an was ist er Ihrer Meinung nach gestorben?«

»Es gibt bestimmte Toxinmischungen, die derartige Blutungen auslösen können …«

»Was für Toxine?«

»Nun, zum Beispiel Schlangengifte. Es gibt unter anderem einige sehr hochwirksame Schlangengifte, die ganz erheblich in die Blutgerinnung eingreifen und das Blut praktisch ungerinnbar machen. In solchen Fällen kommt es dann zu einer sogenannten Verbrauchskoagulopathie, bei der selbst geringste, mit bloßem Auge kaum sichtbare Wunden plötzlich anfangen zu bluten. Das können winzige Risse in der Haut sein, die man sich beim Rasieren zugezogen hat, oder mikroskopisch kleine Wunden in der Mundschleimhaut. Es kann aber auch, wie hier, zu starkem Nasenbluten kommen oder zu schweren inneren Blutungen. Ich würde sagen, Herr Rosenzweig ist sowohl innerlich als auch äußerlich verblutet.«

Julia Durant fuhr sich mit der linken Hand über den Mund, ließ einen Moment verstreichen, bevor sie ihre nächste Frage stellte. »Also, halten wir fest – Rosenzweig hat sich letzte Woche dem normalen Routinecheck bei Ihnen unterzogen, bei dem nichts Auffälliges festgestellt wurde, wie Sie sagen. Das einzige, woran er litt, war Diabetes, richtig?«

»Ja.«

»Okay, dann werden wir uns den Toten mal aus der Nähe anschauen.« Die Kommissarin ging um den Schreibtisch herum, ging in die Hocke und betrachtete den Toten. »Sein Hemd ist offen«, sagte sie, worauf Laura Fink antwortete: »Er ist, wie seine Frau sagt, gegen halb neun in sein Zimmer gegangen und hat sich das Insulin gespritzt. Danach hat er das Glas mit dem Insulin und die Spritze wieder in die Schreibtischschublade gelegt.«

»Und wieso ist beides jetzt auf dem Tisch?« fragte Julia Durant, den Blick auf die Ärztin gerichtet.

Sie machte ein etwas verlegenes Gesicht. »Ich habe beides herausgeholt und daran gerochen, konnte aber nichts Ungewöhnliches feststellen. Tut mir leid, wenn ich etwas falsch gemacht habe. Ich hatte allerdings Handschuhe an, falls Sie nach Fingerabdrücken suchen. Meine befinden sich nicht darauf.«

»Schon gut. Wir werden sowohl den Glasinhalt als auch die

Spritze untersuchen lassen. Und selbstverständlich eine Obduktion vornehmen lassen.« Sie sah Hellmer an, sagte: »Hilf mir mal, ihn richtig hinzusetzen.« Hellmer und Durant faßten den Toten an der Schulter und setzten ihn aufrecht hin.

»Was ist das?« fragte sie und deutete auf eine fast schwarze, runde Stelle von etwa zehn Zentimetern Durchmesser an der Bauchdecke. Dr. Fink kam zu ihr, befühlte die Stelle, schüttelte den Kopf, meinte lakonisch: »Um die Einstichstelle hat sich eine Gewebsnekrose gebildet.«

»Und was heißt das im Klartext?«

»Das heißt, daß das Gewebe hier abgestorben ist. Was im Prinzip meine Theorie nur erhärtet, daß wir es hier mit Gift zu tun haben. Und zwar mit einem äußerst wirksamen Gift. Herr Rosenzweig hat sich meiner Meinung nach alles, nur kein Insulin gespritzt.«

»Scheiße!« quetschte Julia Durant durch die Zähne. »Könnte es Selbstmord gewesen sein?«

»Unwahrscheinlich«, sagte Laura Fink kopfschüttelnd. »Rosenzweig war nicht suizidgefährdet. Er gehörte nicht zu denen, die sich das Leben nehmen. Schon gar nicht auf eine solche Weise ...«

»Sind Sie auch noch Psychologin oder Psychiaterin?« wurde sie von der Kommissarin etwas unwirsch unterbrochen.

»Nein«, erwiderte Laura Fink ruhig, als hätte sie den Ton nicht bemerkt, »aber ich kenne, oder besser kannte Herrn Rosenzweig seit vielen Jahren. Er war erfolgreich, angesehen, führte ein harmonisches Eheleben, soweit ich das beurteilen kann, und er war ein sehr engagiertes Kirchenmitglied. Außerdem, wie soll er denn an das Gift gekommen sein, wenn es denn Gift war?«

»Gut, schließen wir also Suizid aus. Dann war es Mord.« Sie sah die Ärztin an, sagte: »Danke für Ihre Hilfe. Ich denke, alles weitere werden wir der Gerichtsmedizin und dem Labor überlassen. Und dann sind wir gefragt. Sie können gehen. Es könnte aber sein, daß wir in den nächsten Tagen noch ein paar Fragen haben.«

Laura Fink verabschiedete sich und wollte gerade den Raum verlassen, als die Kommissarin sie zurückhielt. »Einen Moment noch«, sagte sie und machte ein nachdenkliches Gesicht. »Ich kenne Leute, die unter Diabetes leiden, und kaum einer von denen benutzt heutzutage noch eine Spritze. Es gibt doch so einen Apparat, der …«

»Sie meinen einen Pen. Tja, ich habe mich auch gewundert, daß er ihn nicht benutzt hat, aber Frau Rosenzweig sagte mir, seiner sei vor ein paar Tagen kaputtgegangen, und er sei noch nicht dazu gekommen, sich einen neuen zu besorgen. Er wollte das aber in den nächsten Tagen tun. Nun, er hatte das Insulin sicherlich noch bereitliegen, schließlich kann es immer mal vorkommen, daß ein empfindliches Gerät wie der Pen kaputtgeht, und man will ja kein Risiko eingehen. Aber hätte er ihn jetzt schon gehabt, ich bezweifle, daß ein Verbrechen dieser Art, wenn es denn eines war, möglich gewesen wäre. Aber was nützen jetzt noch Spekulationen. Er ist tot, und Sie müssen herausfinden, ob es Suizid oder Mord war. Gute Nacht.«

»Nur noch eine Frage«, sagte Durant, »wieviel Insulin spritzt sich ein Diabetiker in der Regel?«

Laura Fink zuckte die Schultern, sagte: »Das hängt vom Schweregrad der Krankheit ab. Aber in der Regel etwa einen bis anderthalb Milliliter. Warum?«

»Nur so. Sie können gehen.«

Julia Durant sah Hellmer an. »Dann werden wir uns mal um seine Frau kümmern.« Und an die beiden Männer in den grauen Anzügen gewandt: »Sie können ihn abtransportieren. Er kommt in die Rechtsmedizin.« Sie schürzte die Lippen, sah sich noch einmal im Raum um, sagte: »Komm, es gibt ein paar Fragen, die wir Frau Rosenzweig stellen müssen. Ach ja«, fuhr sie fort und deutete auf einen der Männer von der Spurensicherung, »die Flasche mit dem Insulin oder was immer da drin ist, kommt noch heute nacht ins Labor. Ich will morgen früh wissen, was das für´n Zeug ist. Fingerabdrücke von der Flasche und der Spritze sind doch schon genommen, oder?«

»Ja, natürlich.«

»Und wie viele Abdrücke habt Ihr gefunden?«

»Auf der Flasche zwei nicht identische.«

»Zwei? Ich hätte wetten können, daß nur die von Rosenzweig drauf sind. Dann werden wir doch gleich mal die Abdrücke seiner Frau und die der Söhne nehmen. Macht das doch mal bitte schnell, bevor wir da unten ein paar Fragen stellen. Obwohl, es könnte natürlich auch der Apotheker oder eine Angestellte …«

Sie machte eine Pause, überlegte, sagte: »Stop mal alle, bevor ihr geht, ich will erst sehen, wer von der Rechtsmedizin heute nacht Bereitschaft hat.« Sie nahm ihr Handy aus der Tasche und wählte eine Nummer. Nach einer Weile wurde sie verbunden.

»Morbs«, meldete sich eine barsche Stimme. Durants Gesicht hellte sich auf, als sie seine Stimme vernahm.

»Guten Abend, Professor Morbs, hier ist Durant vom K11. Das ist fast schon mehr als ein Zufall, daß ausgerechnet Sie heute nacht Dienst haben. Wir haben hier nämlich eine männliche Leiche, und die Todesursache ist im Augenblick noch völlig unklar. Der Mann ist an extremen Blutungen gestorben, nachdem er sich angeblich Insulin gespritzt hat. Die Hausärztin der Familie sagt, es könnte Gift, unter Umständen Schlangengift, im Spiel gewesen sein. Sie sind doch Spezialist für Gifte, vor allem Schlangengifte, und Sie haben doch auch schon mehrere Bücher darüber geschrieben. Hätten Sie nicht Lust, sich den Toten mal vor Ort anzuschauen?«

»Was für Blutungen?«

»Nase, Mund, Haut … Ach ja, um die Einstichstelle hat sich eine Gewebsnekrose gebildet, was laut Aussage der Ärztin ebenfalls ein Indiz für …«

»Sie hat wahrscheinlich recht«, wurde sie von Morbs unterbrochen. »Lassen Sie den Toten in die Gerichtsmedizin bringen, damit ich ihn mir gleich mal ansehen kann. Ich mach mich sofort auf den Weg. Und wenn noch etwas von dem angeblichen Insulin da ist, lassen Sie´s auch mitbringen.«

»Das heißt, Sie werden noch heute nacht …«

»Was glauben Sie denn?! Ich hab doch sonst nichts zu tun!«

»Und wann, glauben Sie, werden Sie sagen können …«

»Woher soll ich das wissen? Vielleicht morgen früh, vielleicht übermorgen, vielleicht in einer Woche. Sie werden schon warten müssen, bis ich mit meiner Arbeit fertig bin. Also, ich mach mich auf den Weg.« Morbs legte auf, ohne eine Erwiderung abzuwarten.

Julia Durant grinste Hellmer an. »Unser Giftspezi hat Dienst. So stell ich mir eine gute Zusammenarbeit vor. Und jetzt gehen wir runter, der Familie ein paar Fragen stellen.« Sie begab sich mit Hellmer hinunter ins Erdgeschoß, wo Marianne Rosenzweig und ihre beiden Söhne im Wohnzimmer saßen. Es war ein großer, in sanftes, indirektes Licht getauchter, abgestufter Raum, eingerichtet mit einer erlesenen, blauen Ledergarnitur und einer maßgefertigten, etwa sechs Meter langen und knapp drei Meter hohen Schrankwand, die sich rechtwinklig an der Wand entlangzog. Dicke Teppiche schluckten beinahe jeden Schritt. Etwa in der Mitte des Raumes gelangte man über zwei Stufen in den hinteren Teil, wo sich ein Kamin befand und, wie Julia Durant vermutete, echte Bilder großer Meister an den Wänden hingen.

»Frau Rosenzweig«, sagte die Kommissarin und trat einen Schritt näher, »wir haben uns noch nicht vorgestellt, ich bin Hauptkommissarin Durant und das ist mein Kollege Hellmer. Wir würden Ihnen gern noch ein paar Fragen stellen, wenn es Ihnen nichts ausmacht.«

Marianne Rosenzweig erhob sich und kam auf die beiden Beamten zu. Sie war eine kleine, zierliche Frau, die ein schlichtes, aber elegantes Sommerkleid trug; keine Schönheit, doch eine auffallende Erscheinung mit markanten Gesichtszügen, brünettem, bis auf die Schulter fallendem, leicht gewelltem Haar, grünen Augen und vollen, sinnlichen Lippen. Das einzige, was die Ebenmäßigkeit ihres Gesichts störte, waren die Falten um die Nase und die leicht heruntergezogenen Mundwinkel, die ihr ein etwas bitteres Aussehen verliehen und ihr Alter nur schwer schätzen ließen.

»Bitte, nehmen Sie doch Platz«, sagte sie mit leiser Stimme und deutete auf zwei Sessel. »Möchten Sie mit mir allein sprechen oder sollen meine Söhne dabei sein?«

»Vielleicht wäre es ganz gut, wenn wir uns zunächst allein unterhalten würden.«

»Aaron, Joseph, geht bitte solange auf eure Zimmer …«

»Wir haben später vielleicht auch noch ein paar Fragen an euch«, sagte die Kommissarin. Aaron und Joseph verließen wortlos den Raum und schlossen die Tür hinter sich. Julia Durant und Frank Hellmer setzten sich Frau Rosenzweig gegenüber. Bevor sie eine Frage stellen konnte, sagte Frau Rosenzweig: »Warum haben Sie von mir und meinen Söhnen Fingerabdrücke genommen?«

»Nun, die Spurensicherung hat Fingerabdrücke von mindestens zwei Personen auf der Flasche gefunden. Reine Routine.«

»Das heißt dann doch aber auch, daß Sie unter Umständen meine Söhne oder mich verdächtigen, mit dem Tod meines Mannes etwas zu tun zu haben. Oder irre ich mich da?«

»Frau Rosenzweig, der Tod Ihres Mannes ist sehr mysteriös. Und unsere Aufgabe ist es, herauszufinden, wer alles die Flasche angefaßt hat, außer Ihrem Mann natürlich. Haben Sie die Flasche heute berührt?«

»Nein, nicht daß ich wüßte. Ich habe mit seinem Insulin nichts zu tun. Warum also sollte ich es anfassen?«

»Gut, mehr wollten wir im Augenblick dazu auch nicht wissen. Die Auswertung der Fingerabdrücke wird bis morgen erledigt sein. Doch jetzt zu etwas anderem. Frau Rosenzweig«, sagte die

Kommissarin, »erzählen Sie mir doch bitte, wie sich der heutige Abend bei Ihnen abgespielt hat.«

Marianne Rosenzweig, die einen sehr gefaßten Eindruck machte, legte den Kopf ein wenig zur Seite, sah die Beamten an. Sie zuckte die Schultern, überlegte einen Moment, bevor sie antwortete: »Nun, mein Mann kam wie jeden Montag gegen neunzehn Uhr von der Arbeit, dann haben wir zu Abend gegessen und anschließend im Familienkreis eine Bibelstunde abgehalten. Ich weiß nicht genau, aber es war etwa halb neun, als das Telefon klingelte. Mein Mann ging ran und hat den Anruf in sein Arbeitszimmer umgestellt. Dann ging er nach oben und hat sich nach dem Telefonat wohl das Insulin gespritzt.«

»Wer hat angerufen?« fragte Hellmer neugierig.

»Keine Ahnung, mein Mann hat nichts gesagt. Aber hier rufen sehr oft Leute an, die meinen Mann sprechen wollen, und wenn ich jedesmal fragen würde, wer dran ist … Na ja, mein Mann war sehr beschäftigt, nicht nur beruflich, sondern auch in der Kirche. Sein Leben bestand im Prinzip nur aus Arbeit.«

»Was hat Ihr Mann beruflich gemacht?«

»Er ist – er war Unternehmensberater. Aber fragen Sie mich um Himmels willen nicht, was er da genau getan hat, ich habe mich ehrlich gesagt aus seinen beruflichen Angelegenheiten rausgehalten, ich hätte es sowieso nicht verstanden.«

»Hatte er sein eigenes Unternehmen?«

»Er hatte einen Kompagnon, mit dem zusammen er das Geschäft leitete. Und dann natürlich noch dreißig oder vierzig Angestellte. Aber wie gesagt, was seine Geschäfte anging, da kannte ich mich nicht aus.«

»Gut, Sie haben aber auch etwas von kirchlicher Arbeit erwähnt. Können Sie mir mehr darüber sagen?«

Marianne Rosenzweig lächelte auf einmal. »Wir gehören der *Kirche des Elohim* an, wenn Ihnen das etwas sagt. Es ist eine Kirche, in der jeder gefordert ist, einen Teil seines Lebens ehrenamtlich Gott zu weihen. Was nichts anderes heißt, als daß jeder eine bestimmte Berufung ausübt.«

»Ich habe von dieser Kirche gehört«, sagte Julia Durant. »Welche Funktion hatte Ihr Mann dort inne?«

»Er war einer der Berater des Regionshirten.«

»Regionshirte? Können Sie mir das etwas näher erläutern?«

»Der Regionshirte ist die oberste Autorität in der Region Kassel-Frankfurt-Mannheim. Das heißt, alle Gemeinden von Kassel über Frankfurt bis hinunter nach Mannheim gehören zu seinem Bereich. In Zahlen ausgedrückt, etwa zehntausend Mitglieder.«

»In Ordnung, belassen wir's dabei. Was mich viel mehr interessieren würde – hatte Ihr Mann Feinde?«

»Feinde? Keine Ahnung. Im Beruf vielleicht, es gibt immer Neider, die einem den Erfolg nicht gönnen, auch wenn man sich den hart erarbeitet hat. Aber wenn Sie Namen von mir hören wollen, damit kann ich nicht dienen. Und in der Kirche, nein. In der Kirche hat man keine Feinde. Es sind gute Leute, auch wenn es wie überall ein paar schwarze Schafe gibt. Aber die meisten sind gut und gottesfürchtig.«

Julia Durant lehnte sich zurück, öffnete die Handtasche, holte die Schachtel Gauloises heraus und wollte sich gerade eine anzünden, als Frau Rosenzweig sie freundlich zurückhielt. »Bitte, aber wir rauchen nicht, und …«

Die Kommissarin errötete leicht und steckte die Zigarette mit einem Murmeln wieder zurück.

»Entschuldigung, ich …«

»Schon gut. Es gibt ein paar Grundsätze, auf die wir Wert legen, und dazu gehört, daß wir nicht rauchen, keinen Alkohol trinken und überhaupt auf Genußmittel jeder Art verzichten. Ich verlange nicht, daß Sie das verstehen, doch bis jetzt hat es noch keinem von uns geschadet.«

Hellmer grinste nur, während Julia Durant sich eine Bemerkung verkniff. Statt dessen sagte sie: »Auch wenn es vielleicht zu persönlich erscheinen mag – aber wie war Ihre Ehe?«

Für den Bruchteil einer Sekunde zuckte Marianne Rosenzweig zusammen, ihr Blick wurde mit einem Mal kühl und abweisend. Mit Nachdruck sagte sie: »Wir haben eine ausgesprochen harmonische Ehe geführt. Ja, eine sehr harmonische Ehe. Wir hätten in Kürze unseren zwanzigsten Hochzeitstag gefeiert, doch leider ist etwas dazwischen gekommen. Nun, das Leben ist nicht berechenbar, ebensowenig der Zeitpunkt des Todes. Aber mit dem Tod haben Sie sicherlich mehr Erfahrung als ich. Ich habe noch nicht viele Menschen sterben sehen.«

»Hat Ihre Ärztin mit Ihnen über die mögliche Todesursache Ihres Mannes gesprochen?«

»Ja, das hat sie allerdings. Ich bin sehr überrascht und kann es kaum glauben. Warum sollte mein Mann sich Gift spritzen? Wenn er sich hätte umbringen wollen, dann hätte er doch sicherlich eine weniger qualvolle Methode gewählt, oder?« fragte sie und betrachtete dabei ihre schlanken, wohlgeformten Hände.

»Glauben Sie denn, daß Ihr Mann sich umgebracht hat?« fragte Hellmer und blickte die ihm gegenübersitzende Frau direkt an, die seinen Blick jedoch nicht erwiderte.

»Nein, ich wüßte nicht, warum er das getan haben sollte. Es gab keinen Grund, es gab absolut keinen Grund. Ich kann einfach nicht glauben, daß er tot ist.«

»Nun, Frau Rosenzweig, wir werden abwarten müssen, was die Obduktion und die Analyse des Insulins ergibt. Sollte sich allerdings herausstellen, daß sich in dem Fläschchen kein Insulin befunden hat, sondern ein hochwirksames Gift, dann wirft das natürlich die Frage auf, wie das Gift, wenn es Selbstmord war, in seinen Besitz gekommen ist, oder, sollte es Mord gewesen sein, wer das Gift in seinem Schreibtisch deponiert hat. Wobei auch hier die Frage ist, woher der Täter das Gift hatte. Und noch eine Frage beschäftigt mich; warum ist das Unglück ausgerechnet zu einem Zeitpunkt passiert, wo sein Injektionsapparat defekt war und er wieder eine normale Spritze benutzen mußte? Wer hatte alles Zugang zum Schreibtisch Ihres Mannes?«

Marianne Rosenzweig blickte auf, kniff die Augen zusammen und schien durch Hellmer hindurchzusehen. Sie schüttelte kaum merklich den Kopf. »Er selbst, ich, die Kinder und unsere Haushälterin. Aber ich habe sein Arbeitszimmer in den letzten Monaten nicht mehr betreten. Es war so eine Art Refugium für ihn, von dort führte er seine Telefonate, dort hat er den größten Teil seiner kirchlichen Arbeit erledigt, zumindest was das Administrative anging, und dorthin hat er sich zurückgezogen, wenn er einfach seine Ruhe haben wollte. Worauf wollen Sie eigentlich hinaus?«

»Wir gehen davon aus, daß Ihr Mann Opfer eines Gewaltverbrechens wurde. Und wenn diese Vermutung zutrifft, dann werden wir noch einige sicherlich unangenehme Fragen stellen müssen. Und um noch einmal auf Ihre Ehe zurückzukommen, auch wenn es jetzt vielleicht etwas hart klingt – hatte Ihr Mann ein Verhältnis? Jetzt, oder vielleicht früher einmal?«

Marianne Rosenzweig sah Julia Durant erst verwundert über die ungewöhnliche Frage an, dann wurde ihr Blick mit einem Mal eisig. »Hören Sie, ich sagte Ihnen bereits, unsere Ehe war sehr harmonisch! Mein Mann hatte kein Verhältnis, er hatte so etwas nicht nötig, wenn Sie verstehen, was ich meine. Außerdem ist Keuschheit und die damit verbundene eheliche Treue eines der obersten Gebote in unserer Kirche. Ehebruch kommt gleich hinter Mord und wird unweigerlich mit Ausschluß bestraft, es sei denn, der Ehebrecher bereut seine Tat. Genügt Ihnen das?«

»Vor wem muß er die Tat bereuen? Vor Gott?«

»Natürlich vor Gott, aber auch vor den Menschen. Es gibt so etwas wie ein Kirchengericht, das entscheidet, ob jemand wegen Ehebruchs oder anderer sexueller Verfehlungen ausgeschlossen wird oder ob er nur für eine Weile nicht am gemeinschaftlichen

Kirchenleben teilhaben darf. Für Sie mag das altmodisch und überholt klingen, aber Gottes Gesetze und Gebote haben sich zu keiner Zeit geändert. Und wir leben in einer sehr verderbten Welt, und gerade heute ist es mehr denn je notwendig, sich von dem fernzuhalten, was so oft als gut und für den Menschen nützlich angepriesen wird. Sehen Sie sich doch einmal die Filme an, die im Fernsehen gezeigt werden! Es gibt doch nur noch Sex und Mord.« Sie hielt einen Moment inne, bevor sie fortfuhr: »Nun, wir haben unseren Fernsehapparat abgeschafft. Man muß sich die Welt mit all ihren Perversionen nicht Tag für Tag ins Haus holen«, sagte sie mit einer Bitterkeit, die Julia Durant aufhorchen ließ. »Nein, das muß man wirklich nicht. Unsere Kinder sollen mit Werten aufwachsen, die heutzutage kaum noch etwas gelten oder gar gelehrt werden. Und damit meine ich vor allem moralische Werte.«

»Sagen Sie mir doch bitte noch etwas genauer, wie dieses Bereuen vor den Menschen aussieht. Gesteht man öffentlich seine – Sünden – ein, oder wie darf ich das verstehen?«

»Es kommt drauf an. Manchmal ja, manchmal nur vor den Ältesten der Gemeinde.«

»Kommt so etwas nicht einer Steinigung gleich? Nur weil jemand gefehlt hat, muß er vor andern quasi einen Seelenstriptease hinlegen und sich rechtfertigen?«

»Gott hat es so gesagt, und Gottes Wort allein zählt. Sie kennen offensichtlich unsere Kirche nur vom Namen her, die Grundsätze aber sind Ihnen fremd. Würden Sie die kennen, würden Sie sie auch verstehen. Aber ich weiß nicht, was das mit dem Tod meines Mannes zu tun haben soll.«

»Entschuldigen Sie, es war reines Interesse. Frau Rosenzweig«, fuhr die Kommissarin fort, »wir werden vermutlich schon morgen vormittag das Ergebnis der Obduktion haben. Wir werden dann noch einmal auf Sie zurückkommen. Ihre Söhne werden wir dann unter Umständen auch noch befragen. Das wär's fürs erste. Wenn Sie mir jetzt noch die Adresse der Firma Ihres Mannes geben könnten.«

»Die Firma heißt *Rosenzweig & Partner*. Sie befindet sich im Messeturm.«

»Ach ja, bevor ich´s vergesse, wie alt war Ihr Mann?«

»Fünfundfünfzig. Und ich bin neununddreißig, falls das Ihre nächste Frage sein sollte. Ich war gerade neunzehn, als wir geheiratet haben«, sagte sie kühl. »Neunzehn und unschuldig und naiv.« Nach dem letzten Wort stockte sie sofort, sah die Beamten kurz und verlegen an.

»Was meinen Sie mit unschuldig und naiv?« fragte Julia Durant.

»Nun, ich denke, ich muß diese Frage nicht im Detail beantworten, oder? Es reicht, wenn ich die Antwort kenne. Haben Sie sonst noch Fragen?«

»Nein, für heute nicht. Danke für Ihre Zeit und auf Wiedersehen.«

Julia Durant und Frank Hellmer standen auf und verabschiedeten sich. Frau Rosenzweig begleitete sie zur Tür. An ihrem Wagen angekommen, sagte die Kommissarin, nachdem sie sich eine Gauloise angezündet hatte: »Der hat sich nicht selbst umgebracht. Das war kaltblütiger Mord. Da verwette ich meinen Arsch drauf.«

»Ich auch«, erwiderte Hellmer. »Nur wird es verdammt schwierig werden, das auch zu beweisen.« Und nach einer kurzen Pause: »Ist dir was an der Frau aufgefallen?« fragte er.

»Was meinst du?«

»Als sie von dieser Kirche sprach und diesen ach so hohen moralischen Werten, da kam sie mir irgendwie weltfremd, abwesend vor. Und ich weiß nicht, als sie auf die eheliche Treue ihres Mannes angesprochen wurde, hat sie sich für einen Moment recht merkwürdig verhalten.«

»Inwiefern?« fragte Julia Durant, den Blick zu Boden gerichtet, und nahm einen langen Zug an der Zigarette.

»Auch wenn du mich vielleicht für spinnert hältst, aber ich glaube nicht an dieses Märchen, das sie uns aufgetischt hat, von wegen der ach so harmonischen Ehe. Irgendwas bei den beiden stimmte nicht.«

»Nein«, erwiderte die Kommissarin mit einem Lächeln, »ich halte das nicht für spinnert. So ähnliche Gedanken sind mir in dem Moment auch durch den Kopf geschossen. Ich denke mal, wenn wir ein bißchen rumschnüffeln, werden wir schon rausfinden, ob sie die Wahrheit gesagt hat. Aber«, fuhr sie fort, nachdem sie ihre Zigarette mit dem Schuh ausgetreten hatte, »heute nacht werden wir das nicht mehr klären. Und außerdem bin ich zu müde, um mir noch lange Gedanken darüber zu machen. Wir sehen uns morgen früh. Bis dann.« Sie wollte gerade in ihren Corsa einsteigen, als Hellmers Stimme sie zurückhielt. Er kam auf sie zu, blieb dicht vor ihr stehen und sagte: »Was sagt denn deine Intuition – würdest du ihr einen Mord zutrauen?«

»Keine Ahnung. Sie ist ziemlich undurchschaubar, zumindest im Moment noch. Wer weiß, vielleicht war es doch Selbstmord. Mach's gut.« Sie setzte sich in ihren Wagen, startete den Motor und fuhr los.

Auch Hellmer machte sich auf den Weg nach Hause, er hielt den linken Arm aus dem geöffneten Seitenfenster. Die Nacht war schwülwarm und sternenklar, kaum noch ein Auto begegnete ihm auf der Sindlinger Straße, die sich zwischen Feldern entlang bis nach Okriftel zog. Links, etwa hundertfünfzig Meter entfernt, zog sich der Main dahin, rechts konnte man bei Tag die sanft geschwungenen Kuppen des Taunus sehen. Es war kurz nach halb eins, als er zu Hause anlangte, er parkte den Wagen vor der Garage, schloß ihn ab und ging ins Haus. Seine Frau Nadine war noch wach, sie lag im Bett, die Beine angezogen und las. Sie blickte auf, als er ins Schlafzimmer kam, sah ihn schweigend an. Er zog sein Hemd und die Hose aus, sie fragte: »Und, was war?«

»Weiß nicht, auf jeden Fall etwas ganz Seltsames. Ich denke, die

Sache wird uns mehr Kopfzerbrechen bereiten, als wir uns im Moment vorstellen können. Ich geh nur schnell duschen. Bis gleich.«

Nadine Hellmer sah ihm nach, bis er im Bad verschwunden war, dann las sie weiter. Als er nach zehn Minuten zurückkehrte, legte sie das Buch auf den Nachtschrank, wandte ihm das Gesicht zu.

»Was gibt es denn so Seltsames?« fragte sie.

Frank Hellmer legte sich, nur mit einem Slip bekleidet, aufs Bett. »In Sindlingen ist so ein reicher Typ ziemlich übel verreckt. Und wenn die Hausärztin mit ihrer Vermutung recht behalten sollte, dann hat er sich statt Insulin Schlangengift gespritzt. Der Kerl ist einfach verblutet.«

»Und was glaubst du? War es Selbstmord?«

Hellmer schüttelte den Kopf. »Kaum. Ich hab jedenfalls noch nie davon gehört, daß sich jemand auf derartige Weise umgebracht hat. Außerdem gibt es bis jetzt keinen einzigen Hinweis darauf, daß er irgendeinen Grund gehabt hätte, sich das Leben zu nehmen.«

»Na ja, was soll's, ich will jetzt schlafen. Kann ich ein bißchen in deinen Arm kommen?«

»Hab ich jemals nein gesagt?« fragte Hellmer grinsend.

Nadine rutschte auf seine Seite, kuschelte sich an ihn und schon wenige Augenblicke später atmete sie tief und gleichmäßig. Bei Frank Hellmer dauerte es etwas länger, bis auch seine Augen zufielen, er hatte einfach das unbestimmte Gefühl, daß hinter dem Tod von Hans Rosenzweig eine Menge Dreck steckte. Und es alles andere als einfach werden würde, seinen Tod aufzuklären. Aber heute nacht wollte er nicht mehr darüber nachdenken, er wollte nur noch schlafen. Es blieben ihm nur wenige Stunden, bis er wieder im Büro sein mußte.

Julia Durant ging, nachdem sie die Wohnung betreten hatte, an den Kühlschrank, holte die noch halbvolle Dose Bier heraus und trank sie in einem Zug leer. Auf dem Anrufbeantworter war eine kurze Nachricht von Werner Petrol, der sich entschuldigte, sie nicht schon im Laufe des Tages angerufen zu haben, aber er hätte viel Arbeit gehabt und wäre nicht zum Telefonieren gekommen. Sie zog sich bis auf die Unterwäsche aus, wusch sich Hände und Gesicht und putzte sich die Zähne. Sie war müde, aber innerlich aufgewühlt. Sie nahm noch eine Dose Bier, riß den Verschluß auf, stellte sich ans offene Fenster. Kaum mehr ein Geräusch drang von der Straße nach oben, am Himmel waren, obgleich es wolkenlos war, nur wenige Sterne zu sehen. Sie trank in kleinen Schlucken, rauchte eine Zigarette. Seit sie bei der Mordkommission war, hatte sie es schon mit einigen seltsamen Morden und Todesfällen zu tun gehabt, doch was sie an diesem Abend gesehen hatte, gehörte in die Kategorie der äußerst bizarren Fälle. Sie leerte die Dose Bier, stellte sie auf den Wohnzimmertisch, drückte die Zigarette aus. Sie löschte das Licht, setzte sich aufs Bett, hielt den Kopf zwischen den Händen, schloß die Augen. Sie dachte daran, daß sie wieder einmal allein würde einschlafen müssen. Seit einem halben Jahr hatte sie einen festen Freund, und obgleich sie sich irgendwann einmal geschworen hatte, niemals eine Beziehung mit einem verheirateten Mann einzugehen, so hatte ihr Werner Petrol nur einmal tief in die Augen zu sehen brauchen, um diesen Schwur zu brechen. Er hatte ein Haus in Eltville, wo auch seine Familie wohnte, aber er besaß auch ein luxuriöses Penthouse in Frankfurt, in dem er sich drei bis vier Tage in der Woche aufhielt. Er war ein angesehener Mann, Chefarzt des St. Valentius Krankenhauses, einer psychiatrischen Klinik in der Nähe von Eltville im Rheingau. Anfang Vierzig, groß, schlank und sportlich, und er hatte jenes Charisma, von dem

Frauen in der Regel angezogen werden wie Bienen vom Nektar. Sie hatte ihn in *ihrer* Bar kennengelernt, wohin sie immer dann ging, wenn ihr die Decke auf den Kopf fiel und ihr Körper nach einem Mann verlangte. Am nächsten Tag hatte er sie angerufen und sie zum Essen eingeladen, obwohl sie nicht damit gerechnet hatte, jemals wieder etwas von ihm zu hören. Seitdem sahen sie sich regelmäßig, meist abends und nur selten am Wochenende, weil er dann seiner Familie gehörte. Doch nicht mehr lange, wie er seit jenem ersten Essen beteuerte, denn er hatte vor, sich von seiner Frau zu trennen. Als er ihr einmal ein Bild von ihr zeigte, wußte sie, warum. Sie sah aus wie ein biederes Hausmütterchen, mit mindestens zwanzig Kilo Übergewicht und jenem ausdruckslosen Gesicht, das man leicht und gern übersieht. Er hatte ihr erzählt, wie schlimm seine Ehe sei, daß er seine Frau nicht mehr anfassen mochte, andererseits waren da die drei Kinder, die alle noch zur Schule gingen und von denen das jüngste gerade zehn Jahre alt war. Er sagte, eine Trennung würde nicht einfach werden, vor allem, da seine Frau psychisch nicht die stärkste sei und er die Sache deshalb sehr behutsam angehen lassen müsse. Irgend etwas in Julia Durant wehrte sich gegen diese Beziehung, doch Petrol war ein phantastischer Liebhaber, auch wenn er bisweilen etwas außergewöhnliche Wünsche hatte, und sie hatte seit ihrer Scheidung vor fünf Jahren keine feste Beziehung gehabt, ihr Sexualleben sich auf fünf oder sechs One-Night-Stands im Jahr beschränkt. Die Sache mit Petrol aber war etwas anderes, sie verstanden sich nicht nur im Bett hervorragend, sie gingen auch hin und wieder ins Theater oder in ein Konzert oder bummelten durch die Straßen, und vor allem konnten sie sich prächtig unterhalten. Sie wußte nicht, ob es Liebe war, was sie für ihn empfand, aber es war zumindest Zuneigung. Worüber sie sich immer wieder Gedanken machte, war, weshalb er weiterhin fast jedes Wochenende bei seiner Familie verbrachte, wo er sich doch angeblich von seiner Frau trennen wollte. Sie hatte ihn schon einige Male gefragt und einmal sogar um eine klare Stellungnahme gebeten, doch er brachte jedesmal derart überzeugende Argumente vor, daß ihr nichts anderes übrigblieb, als ihm zu glauben.

Auch wenn ihr Kopf sagte, Petrol würde sich wahrscheinlich nie von seiner Frau scheiden lassen, so sprach ihr Bauch oder, wie sie es nannte, ihr Unterleib eine andere Sprache. Und insgeheim wußte sie, daß der Tag kommen würde, an dem ihre Beziehung ein Ende haben würde. Aber sie wollte nicht darüber nachdenken, sondern alles auf sich zukommen lassen. Und manchmal dachte sie auch, nicht der Typ für eine feste Partnerschaft zu sein. Ihre erste und einzige Ehe war eine Katastrophe gewesen, sie jung und verliebt, er erfahren und hinter jedem Rock her, und es hatte immerhin sieben Jahre gedauert, bis sie sein wahres Gesicht erkannte.

Morgen würde sie Petrol wiedersehen, sie würden die Nacht miteinander verbringen und ihr Hormonhaushalt würde danach wieder in Ordnung sein. Sie legte sich hin, zog die dünne Bettdecke bis zum Bauch und drehte sich auf die Seite. Für einen Moment dachte sie an Rosenzweig und wie erbärmlich sein Tod gewesen sein mußte, doch dann verdrängte sie diese Gedanken wieder und sagte sich, am Morgen wäre noch genug Zeit, diesen Fall zu behandeln. Sie wälzte sich eine halbe Stunde unruhig von einer Seite auf die andere, selbst die dünne Decke war zu warm. Schließlich, nach einer halben Ewigkeit, hüllte Schlaf sie ein.

Dienstag, 1.12 Uhr

Marianne Rosenzweig war noch einige Zeit, nachdem die Beamten gegangen waren, unruhig im Wohnzimmer auf und ab gegangen, schließlich rief sie, obgleich es bereits nach Mitternacht war, eine gute Freundin an, Vivienne Schönau, mit der sie etwa eine Stunde redete. Nach dem Gespräch warf sie einen langen Blick ins Wohnzimmer, knipste das Licht aus, begab sich ins Bad, wusch sich, zog das Nachthemd an und ging ins Schlafzimmer. Sie legte sich ins Bett, das auf einmal viel zu groß für sie war, sie rutschte auf die andere Seite, wo ihr Mann immer geschlafen hatte, vergrub ihr Gesicht in seinem Kissen, dem noch etwas von seinem Duft anhaftete. Sie wollte beten, aber ihr fielen keine Worte ein, gähnende Leere in ihrem Kopf. Sie lag lange wach, drehte sich auf die Seite, und mit einem Mal begann sie zu weinen. Erst bei Anbruch der Morgendämmerung schlief sie ein, wachte aber schon nach zwei Stunden wieder auf. Sie fühlte sich wie gerädert, ihr war übel, ihr Kopf schmerzte. Im Bad erbrach sie zähen, grünen Schleim. Als sie in den Spiegel schaute, glaubte sie, das Gesicht einer alten Frau vor sich zu sehen.

Dienstag, 7.45 Uhr

Hauptkommissar Berger, der Leiter der Mordkommission, war bereits seit einer dreiviertel Stunde im Büro, als kurz hintereinander die Kommissare Kullmer und Hellmer hereinkamen. »Guten Morgen, meine Herren«, sagte Berger und lehnte sich in seinem Stuhl zurück. Seine Augen waren rotunterlaufen, Schweißperlen standen auf seiner Stirn, es roch nach Alkohol. Er verschränkte die Arme hinter dem Kopf und sah Hellmer an. »Ich habe gehört, Sie hatten gestern abend zu tun? Erzählen Sie.« Hellmer setzte sich Berger gegenüber, zündete sich eine Marlboro an, inhalierte, blies den Rauch an die Decke. Er schlug die Beine übereinander, zog die Stirn in Falten, sagte: »Tja, das war´n Ding. Kollegin Durant und ich sind nach Sindlingen gerufen worden, wo ein gewisser Rosenzweig an heftigen Blutungen gestorben ist, nachdem er sich angeblich Insulin gespritzt hat. Die Hausärztin meint, es deute alles darauf hin, daß der Mann sich ein absolut tödliches Gift gespritzt hat. Mehr kann ich im Augenblick auch nicht sagen, nur so viel, daß zum Glück Professor Morbs Bereitschaft hatte und er die Leiche noch heute nacht untersuchen wollte. Es spricht einiges dafür, daß Rosenzweig sich statt Insulin Schlangengift injiziert hat. Mal sehen, was die Obduktion und die Analyse des Fläschchens ergeben.«

»Selbstmord?« fragte Berger, ohne seine Haltung zu verändern.

»Ziemlich unwahrscheinlich. Wer sich umbringen will und sich ein solches Gift verabreicht, der ist nicht ganz klar im Kopf. Aber laut Aussage dieser Dr. Fink, der Hausärztin, und auch von Frau Rosenzweig war der Mann in keiner Weise suizidgefährdet. Er hatte keine lebensbedrohliche Krankheit, es ging ihm finanziell blendend, sie führten eine, wie seine Frau behauptet, glückliche Ehe und auch sonst sind weder irgendwelche physischen noch psychischen Defekte bekannt. Was im Prinzip nur einen Schluß zuläßt, der Mann ist ermordet worden.«

»Haben Sie schon einen Verdacht?«

»Nein, obwohl, es kommen nur sehr wenige Personen in Frage, die das Insulin durch Gift ersetzt haben könnten. Wenn Gift im Spiel war, wohlgemerkt.« Er nahm einen weiteren Zug an der Zigarette, schnippte die Asche in den Aschenbecher, als die Tür aufging und Julia Durant hereinkam.

»Morgen«, murmelte sie und hängte ihre Tasche über den Stuhl, holte eine Schachtel Zigaretten heraus und zündete sich eine an.

»Und, schon was von Morbs gehört?« fragte sie.

»Du siehst nicht gerade aus wie jemand, der eine besonders gute Nacht hatte«, sagte Hellmer grinsend.

»Ah, leck mich! Ich hab keine Lust, über meine Nacht zu reden. Hat sich Morbs schon gemeldet oder nicht?«

»Bis jetzt nicht. Aber wir können ja mal anrufen und den neuesten Stand der Dinge erfragen.«

»Ich bitte darum«, sagte die Kommissarin.

Hellmer nahm den Hörer und wählte die Nummer der Rechtsmedizin. Er stellte den Lautsprecher an, damit alle mithören konnten. Ein Kollege von Morbs war am Apparat.

»Hier Hellmer, Mordkommission. Könnte ich bitte mit Professor Morbs sprechen?«

»Einen Moment, ich hole ihn.«

Es dauerte etwa eine Minute, bis Morbs am Telefon war.

»Morbs.«

»Hellmer. Können Sie schon irgend etwas über die Todesursache von Rosenzweig sagen?«

»Das kann ich allerdings. Ich wollte Sie sowieso gleich anrufen. Also, Rosenzweig ist an starken äußeren, vor allem aber inneren Blutungen gestorben. Wir nennen das eine Verbrauchskoagulopathie, die fast immer zum Tod führt. Da der Mann laut seiner Hausärztin noch vor einer Woche vollkommen normale Blutwerte hatte, kommt aufgrund der Blutungen und der Gewebsnekrose hier in allererster Linie Schlangengift in Frage, wobei ich jedoch noch nicht sagen kann, welches Gift verwendet wurde …«

»Sind nicht alle Schlangengifte gleich?« unterbrach ihn Hellmer.

»Guter Mann, man unterscheidet in der Regel zwischen zwei Arten von Schlangengift mit unterschiedlichen Wirkungsweisen; die eine greift in die Blutgerinnung ein, das heißt, das Blut wird ungerinnbar und führt zu den hier vorliegenden starken Blutungen, die andere basiert hauptsächlich auf Neurotoxinen, die zu einer Lähmung des Zentralnervensystems führen. Und jetzt muß man auch wieder unterscheiden zwischen Giften mit einer besonders hohen Toxizität und solchen, die weniger toxisch sind. Und es gibt einige Giftschlangen, vor allem in Australien, bei denen beide Faktoren vorkommen, die neurotoxische und die in die Blutgerinnung eingreifende Variante. Die letztgenannten Schlangen gelten auch als die für den Menschen gefährlichsten. Allerdings kommt es auch immer auf die Menge des injizierten Giftes an und …«

»Und was heißt das genau? Ich meine, wieviel Gift wird von einer Schlange abgegeben?«

»Nun, ich sehe, Sie kennen sich mit Schlangen nicht besonders gut aus, aber es gibt Schlangen, die nur ein paar Mikrogramm Gift injizieren, das heißt nur ein paar Millionstel Gramm, wobei diese Menge aber unter Umständen schon genügen kann, einen Menschen von etwa fünfundsiebzig Kilogramm innerhalb weniger Minuten bis zu einigen Stunden nach erfolgtem Biß zu töten. Andere Schlangen wiederum müssen zwei oder drei Milliliter verabreichen, um einen Menschen in einer bestimmten Zeit zu töten. Ich lasse gerade den Restinhalt der Flasche auf vier spezielle Gifte untersuchen, die schon in geringsten Mengen zu einem raschen Tod führen können; das Gift der Sandrasselotter, *Echis carinatus* oder *Echis coloratus*, das zu den wirksamsten uns bekannten Schlangengiften zählt und das von seiner Zusammensetzung her zu den bei Rosenzweig aufgetretenen Symptomen führt; das der asiatischen Kettenviper, *Vipera russelli*, das ebenfalls derart heftige Blutungen auslösen kann, sowie *Dendrotoxin* sprich Mambagift und das *Taipoxin* des australischen Taipans, die beide unbehandelt zu letalen Lähmungen des Zentralnervensystems führen. Außerdem hat das Gift des Taipans die außerordentliche Eigenschaft, nicht nur auf das Zentralnervensystem zu wirken, es verfügt außerdem über gerinnungshemmende Faktoren, die auch die bereits genannten Blutungen herbeiführen können. Wichtig ist vielleicht noch zu sagen, daß Schlangengifte besonders schnell wirken, wenn beim Biß eine Vene getroffen wird, und das Gift dadurch extrem schnell in die Blutbahn gelangt, oder wenn es, wie Insulin, subkutan, also unter die Haut injiziert wird. Erfolgt die Injektion intramuskulär, so ist es eher unwahrscheinlich, daß die Wirkung derart verheerend ist, es sei denn, es wird eine überdurchschnittlich hohe Dosis verabreicht und ein wichtiges Blutgefäß getroffen. Ich denke aber, wir werden das Gift noch heute bestimmen und bis zum späten Nachmittag genau sagen können, welches Gift Verwendung gefunden hat. Solange müssen Sie sich leider noch gedulden.«

»Aber Sie schließen Gift nicht aus, oder?« fragte Hellmer.

»Ich schließe es nicht nur nicht aus, der Mann ist definitiv an Gift gestorben. Seine Thrombozytenzahl war praktisch null, wenn man bedenkt, daß ein gesunder Mensch etwa hundertfünfzig- bis vierhunderttausend Kubikmillimeter hat. Sie haben das wahrscheinlich gar nicht gesehen, aber Rosenzweig hatte am ganzen Körper riesige Hämatome, sein Magen und sein Darm waren mit Blut gefüllt, außerdem hatte er Gehirnblutungen. Die Frage ist nicht, ob er an Gift gestorben ist, sondern an welchem Gift. Aber wir arbeiten dran. Und wie gesagt, ich melde mich, sobald ich Näheres weiß. Noch irgendwelche Fragen?«

»Nein, im Augenblick nicht. Vielen Dank für Ihre Hilfe und daß Sie sich für uns die Nacht um die Ohren geschlagen haben.«

»Keine Ursache. Bis später.«

Hellmer legte den Hörer auf, sah in die Runde, grinste. »Unser lieber Morbs. Ist so richtig in seinem Element. Aber gut, der Mann kennt sich mit Giften aus, und jetzt will er uns natürlich beweisen, wie gut und vor allem wie schnell er ist.«

»Also Gift«, sagte Kommissarin Durant und nickte nachdenklich. Sie streckte den Rücken, legte den Kopf in den Nacken, schloß für einen kurzen Moment die Augen. »Dann brauchen wir jetzt den Vergleich der Fingerabdrücke von der Flasche und der Spritze und ob einer dieser Abdrücke mit dem eines der Familienangehörigen übereinstimmt. Was ist eigentlich mit dem Bericht der Spurensicherung? Haben die sich noch nicht gemeldet?«

Berger schüttelte den Kopf. »Bis jetzt nicht. Aber bitte, hier ist das Telefon. Rufen Sie an.«

Ein Beamter meldete sich bereits nach dem zweiten Läuten.

»Hier Durant, Mordkommission. Es geht um den Fall Rosenzweig in Sindlingen. Sind die Fingerabdrücke schon verglichen worden?«

»Augenblick, ich hole den Kollegen.«

Julia Durant rollte die Augen, wartete, zündete sich eine weitere Gauloise an.

»Entschuldigung, daß es so lange gedauert hat … Ja, wir haben die Fingerabdrücke auf der Flasche mit denen von Frau Rosenzweig und ihren Söhnen verglichen. Auf der Flasche sind nur die von ihm und seiner Frau.«

»Danke, das war's schon«, sagte sie und legte auf. »Scheiße! Große, gottverdammte Scheiße! Sie hat gestern abend steif und fest behauptet, die Flasche nicht angerührt zu haben. Und jetzt?«

Sie zuckte die Achseln, sagte: »Dann müssen wir sie uns wohl oder übel noch mal vornehmen. Okay, Hellmer und ich fahren jetzt nach Sindlingen. Sobald wir zurück sind, sehen wir uns zu dritt mal in der Firma von Rosenzweig um. Und dann dürfte der Tag auch schon wieder rum sein.«

Auf dem Weg zum Parkplatz fragte Hellmer: »Glaubst du, daß …«

»Im Augenblick glaube ich noch gar nichts. Und wenn sie tausendmal die Flasche angefaßt hat, so beweist das noch längst nichts. Auch wenn sie gestern gesagt hat, sie hätte sie nicht berührt, so kann das einfach an der Aufregung gelegen haben. Die Ärztin hat sie schließlich auch in der Hand gehabt, wenn auch mit Handschuhen, hat sie dann aber auf den Tisch gestellt. Und wer weiß, vielleicht hat Frau Rosenzweig ja in Gedanken die Flasche berührt, konnte sich aber später nicht mehr daran erinnern. Auch wenn natürlich die Möglichkeit besteht, daß es nicht so war. Du weißt, was ich meine.«

»Ich hoffe nur, du hast unrecht. Und irgendwie glaube ich auch nicht, daß die Frau mit dem Tod ihres Mannes etwas zu tun hat. Aber fragen wir sie einfach noch einmal.«

Sie brauchten im morgendlichen Verkehr etwa eine halbe Stunde, bis sie vor dem Haus der Rosenzweigs anlangten. Auf der Fahrt dorthin hatten sie die Seitenfenster heruntergekurbelt, die Sonne brannte bereits jetzt mit unbarmherziger Kraft von einem wolkenlosen, blaßblauen Himmel. Sie sprachen kaum ein Wort, jeder hing seinen eigenen Gedanken hinterher. Kurz nachdem sie geklingelt hatten, wurde ihnen die Tür geöffnet. Aaron, der ältere der beiden Söhne, stand vor ihnen. Er war blaß und wirkte übernächtigt. Er trug ein T-Shirt und Jeans, er war barfuß.

»Guten Morgen. Wir möchten bitte noch einmal mit Ihrer Mutter reden«, sagte Julia Durant. Der junge Mann nickte nur und ließ die Beamten an sich vorbei eintreten. »Sie ist im Wohnzimmer.«

Zwei Männer und eine Frau saßen Frau Rosenzweig gegenüber. Sie hoben die Köpfe, als Durant und Hellmer hereinkamen.

»Guten Tag, Frau Rosenzweig«, sagte die Kommissarin, worauf sich die drei Fremden von ihren Sitzen erhoben. Einer der Männer kam auf sie zu. »Sie sind von der Polizei?« fragte er und reichte erst Julia Durant, dann Frank Hellmer die Hand. Ohne eine Erwiderung abzuwarten, fuhr der kleine Mann mit dem schütteren, dunkelblonden Haar, dem Designeranzug und den italienischen Schuhen, den die Kommissarin auf Anfang bis Mitte Fünfzig schätzte, fort: »Ich bin Walter Schönau, der Herr dort hinten ist Herr Heimann und die Dame ist Frau Reich. Wenn wir stören, gehen wir natürlich wieder.«

»Sind Sie Freunde des Hauses?« fragte die Kommissarin.

»Nun, wir sind Freunde und gehören auch der gleichen Kirche an wie Frau Rosenzweig. Frau Reich ist übrigens nicht nur eine Freundin des Hauses, sie ist auch so etwas wie der seelische Beistand von Frau Rosenzweig.«

Marianne Rosenzweig, die wie ein Häufchen Elend auf der Couch saß, die gefalteten Hände auf den Knien, sah die Polizisten aus leeren Augen an, unter denen sich tiefe Ränder gebildet hatten.

»Sie brauchen nicht zu gehen, dennoch würden wir uns ganz gerne erst einmal allein mit Frau Rosenzweig unterhalten. Aber es wäre nett, wenn Sie uns nach dem Gespräch noch kurz zur Verfügung ständen.«

»Selbstverständlich«, sagte Schönau mit einem kühlen Blick aus seinen stechenden, grauen Augen und nickte seinen beiden Begleitern kurz zu, woraufhin sie das Zimmer verließen und die Tür hinter sich schlossen. Julia Durant und Hellmer nahmen auf zwei Sesseln Platz. Die Kommissarin meinte, stumme Tränen bei Marianne Rosenzweig zu sehen.

»Was führt Sie her?« fragte sie und schaute kurz auf, bevor sie den Blick wieder auf ihre Hände richtete. »Haben Sie herausgefunden, woran mein Mann gestorben ist?«

»Ja, und deswegen sind wir auch hier«, sagte Hellmer mit ernster Miene und beugte sich vor. »Ihr Mann ist, wie bereits gestern von Ihrer Ärztin vermutet wurde, an Gift gestorben …«

»An Gift?« fragte sie und lachte schrill und unwirklich auf. »Tatsächlich? Was für Gift?«

»Nach dem, was wir von unserem Gerichtsmediziner vorhin erfahren haben, kommt nur Schlangengift in Frage. Haben Sie eine Erklärung, wie ein solches Gift in den Besitz Ihres Mannes gelangt sein könnte?« fragte er weiter.

Marianne Rosenzweig sah Hellmer ungläubig an. »Nein«, sagte sie und schüttelte energisch den Kopf. »Woher soll ich das wissen?« Sie lachte bitter auf, zog die Mundwinkel nach unten. »Schlangengift! Das klingt so absurd, so lächerlich … und doch so unglaublich grausam. Ich verstehe es nicht.«

»Nun, wir verstehen es auch nicht. Genauso wenig, wie wir verstehen, daß außer den Fingerabdrücken Ihres Mannes auch Ihre auf dem Glas gefunden wurden. Können Sie uns das erklären?« fragte Hellmer eindringlich.

»Nein«, erwiderte Marianne Rosenzweig mit zitternder Stimme. »Das kann ich nicht. Soll das etwa heißen, *ich* hätte meinem Mann das Gift untergemischt? Verdächtigen Sie etwa mich, meinen Mann ermordet zu haben? Du meine Güte, in was für einer Welt leben wir eigentlich?!«

»Wir leben in einer schrecklichen Welt, Frau Rosenzweig. Sie haben uns doch gestern abend erst von dieser Welt erzählt. Und Sie haben außerdem gesagt, Sie hätten das Arbeitszimmer Ihres Mannes seit Monaten nicht mehr betreten. Wie kommt es dann, daß Ihre Fingerabdrücke auf der Flasche waren, wo er doch in der Regel den Pen benutzt hat, und es wohl in den wenigen Tagen kaum eine Gelegenheit gegeben haben könnte, die Insulinflasche anzufassen?«

»Sie unterstellen mir tatsächlich, meinen Mann ermordet zu haben«, flüsterte sie und sah Hellmer ungläubig an. »Ich habe noch nie in meinem Leben die Hand gegen eines meiner Kinder erhoben, ich habe noch nie einem von Gott geschaffenen Wesen ein Leid zugefügt. Und ich beteuere Ihnen, mit dem Tod meines Mannes nichts zu tun zu haben. Aber bitte, sperren Sie mich ein, wenn Sie meinen, das mit Ihrem Gewissen vereinbaren zu können …«

Julia Durant unterbrach die erregte Frau und fuhr beschwichtigend fort: »Frau Rosenzweig, wir haben nicht vor, Sie einzusperren. Wir wollen lediglich wissen, wie Ihre Fingerabdrücke auf die Flasche gekommen sind.«

»Ich weiß es doch nicht. Gestern abend, als Laura kam, ich meine die Ärztin …«

»Sie sind per du mit Frau Dr. Fink?«

»Sie gehört auch zu unserer Gemeinde. Wir kennen uns seit vielen Jahren … Auf jeden Fall hat sie das Fläschchen aus der Schublade genommen und es auf den Tisch gestellt. Ich kann mich zwar nicht erinnern, aber es könnte sein … ich meine, ich stand unter Schock oder so etwas, und vielleicht habe ich die Fla-

sche angefaßt, aber wenn, dann sicher nicht, um mich damit ver-
dächtig zu machen. Fragen Sie Dr. Fink, vielleicht hat sie ja gesehen, ob ich … Ach, ich weiß es einfach nicht. Außerdem, es war
ja keine neue Flasche, es war eine Flasche, die er in Reserve hatte
für den Fall, daß sein Pen einmal kaputtgeht. Vielleicht ist das
eine Erklärung?«

»Vielleicht. Seit wann genau war der Pen kaputt?« fragte die
Kommissarin.

Marianne Rosenzweig hob die Schultern, sagte: »Ich glaube seit
Donnerstag abend. Ja, es war Donnerstag, als er abends das erste
Mal wieder eine normale Spritze nehmen mußte. Da er von Frei-
tagmorgen bis Samstagabend geschäftlich unterwegs war, hat er
mich gebeten, in der Apotheke einen neuen Pen zu besorgen. Ich
habe das aber am Freitag vor lauter Terminen vergessen, und als
ich am Samstag zur Apotheke ging, hieß es, sie müßten erst einen
bestellen. Sie müssen wissen, es ist eine kleine, nicht sonderlich
gut ausgestattete Apotheke, aber wir kennen die Leute, seit wir
hier wohnen und … Ich bin aber gestern nicht dazu gekommen,
und mein Mann hat noch gestern abend gesagt, er würde ihn sich
heute vor der Arbeit selbst abholen. Mehr kann ich dazu nicht sagen.«

»Was sind das für Termine, die Sie haben oder hatten?«

Frau Rosenzweig lächelte zum ersten Mal an diesem Morgen.
»Sie haben zum Teil mit der Kirche zu tun, zum Teil sind es persönliche Termine.«

»Inwiefern persönlich?«

»Muß ich auf diese Frage antworten?«

»Sie müssen natürlich nicht, aber es wäre vielleicht besser, wenn
Sie es täten.«

Die Frau wandte den Blick wieder zu Boden, zögerte einen Augenblick, schließlich sagte sie: »Ich treffe mich etwa zweimal in
der Woche mit Bekannten, Freundinnen, um genau zu sein, und
diese Treffen dauern in der Regel mehrere Stunden. Dann besu-

che ich jeden zweiten Tag meine Mutter, sie lebt in einem Senio-
renheim in der Nähe von Gießen. Ich pflege das Grab meines Vaters und passe ab und zu auf die Enkelkinder meines Mannes aus
erster Ehe auf. Reicht Ihnen das?«

»Ihr Mann war schon einmal verheiratet?«

»Ja, aber diese Ehe liegt mehr als zwanzig Jahre zurück. Es war
eine kurze und schreckliche Zeit für ihn.«

»Und was haben Sie am Freitag gemacht?«

»Da war ich bei meiner Mutter, wie immer montags, mittwochs
und freitags.«

»Sie sprachen aber vorhin von mehreren Terminen, die Sie am
Freitag hatten.«

»Hören Sie immer so gut zu?«

»Das gehört zu unserem Job.«

»Ich hatte auch noch einen Termin bei einer Psychologin.« Es
schien ihr schwerzufallen, diesen Satz über die Lippen zu bringen.

»Warum haben Sie das nicht gleich gesagt?«

»Warum?« Sie zuckte die Schultern, machte ein verlegenes
Gesicht. »Ich dachte, Sie würden sich bestimmt fragen, wozu
braucht eine Frau wie ich, die so fest an Gott glaubt, eine Psychologin? Ich brauche aber eine, und sie hilft mir.«

»Es gibt viele Menschen, die psychologische Hilfe in Anspruch
nehmen. Deswegen braucht man sich nicht zu schämen.«

»Ich tue es aber, ich schäme mich, weil ich nicht die Kraft auf-
bringe, mein Leben und meine Defizite selbst in den Griff zu bekommen. Wenn Sie verstehen, was ich meine.«

»Wie heißt diese Psychologin?« fragte Julia Durant.

»Sabine Reich. Es ist die junge Frau, die draußen wartet.«

»Und darf ich fragen, weshalb Sie sich einer Behandlung unterziehen?«

»Was macht es schon, wenn ich es Ihnen sage – ich leide seit
etlichen Jahren unter unerklärlichen Angstzuständen, ich

habe manchmal das Gefühl, als wolle eine übermächtige Kraft mich von innen heraus zerstören. Ich habe gefleht und gebetet, Gott möge mir die Kraft geben, diese Angst zu überwinden, mich dieser Macht zu stellen, aber der einzige Weg, den er mir gezeigt hat, war der zu Frau Reich. Und ich denke, Gott wirkt bisweilen durch andere Menschen. Sie ist ein Segen für mich.«

»Die beiden Männer sind Mitglieder Ihrer Kirche. Frau Reich aber nicht, oder?«

»Doch, sie gehört auch unserer Kirche an. Sie lebt allerdings noch nicht lange in unserem Bereich. Es war auch mehr Zufall, daß ich auf sie gestoßen bin. Ich dachte mir jedenfalls, was könne mir Besseres passieren als eine Psychologin, die auch noch die gleichen Glaubensgrundsätze vertritt wie ich. Habe ich damit Ihre Frage ausführlich genug beantwortet?« fragte sie mit leicht ironischem Unterton.

Julia Durant nickte. »Das haben Sie. Macht es Ihnen etwas aus, wenn wir Frau Reich nachher ein paar Fragen stellen?«

»Was meinen Sie damit? Wollen Sie wissen, ob und wie die Therapie angeschlagen hat? Ja, das macht mir etwas aus. Es ist eine Angelegenheit zwischen mir und Frau Reich.«

»Nun, Sie haben uns bereits gesagt, daß Sie unter Angstzuständen leiden …«

»Richtig, und mehr werde ich dazu auch nicht sagen. Nicht einmal …« Sie stockte, zögerte, kniff die Lippen zusammen. Sie schluckte schwer, sah die Beamten nur an.

»Nicht einmal was?« fragte Hellmer schließlich.

»Vergessen Sie´s. Gibt es noch etwas?« fragte Marianne Rosenzweig mit einem Mal kühl und abweisend.

»Nein, im Augenblick nicht. Aber sobald wir Neues erfahren, werden wir Ihnen Bescheid geben.«

»Was kann es schon noch Neues geben?«

Hellmer neigte den Kopf ein wenig zur Seite, sagte: »Nun, zum

Beispiel, durch welches Schlangengift Ihr Mann getötet wurde ...«

Frau Rosenzweig schüttelte nur den Kopf. »Als wenn mich das interessieren würde! Hören Sie, mein Mann ist tot, und mir ist im Augenblick völlig egal, durch was für ein Gift er gestorben ist. Er ist tot, und er wird nicht wieder lebendig, wenn ich weiß, was für ein Gift der Mörder meinem Mann in die Flasche getan hat.«

Die Kommissarin warf einen kurzen Blick auf Hellmer, der sich zurückgelehnt hatte und sich im Zimmer umsah.

»Frau Rosenzweig, ist Ihnen irgend etwas darüber bekannt, daß Ihrem Mann gedroht wurde? Ich meine, gab es vielleicht Anrufe, die er oder Sie sich nicht erklären konnten? Oder Schreiben ohne Absender mit eindeutigen Drohungen?«

Marianne Rosenzweig schüttelte den Kopf. »Nein, ich weiß nichts von irgendwelchen Drohungen. Es gab einmal vor zwei oder drei Jahren jemanden, der ein paarmal hier angerufen und meinen Mann beschimpft hat ... Was genau er aber gesagt hat, weiß ich nicht, mein Mann hat es mir nicht gesagt.«

»Es war aber ein Mann?« fragte Julia Durant weiter.

»Wenn ich ehrlich bin, kann ich nicht einmal diese Frage beantworten. Ich kann mich nicht erinnern, daß er speziell von einem Mann oder einer Frau gesprochen hat. Es könnte ein Mann, es könnte aber auch genauso gut eine Frau gewesen sein.«

»Eine letzte Frage noch – sind Sie, wie gestern abend, auch heute noch der Meinung, daß Selbstmord bei Ihrem Mann ausgeschlossen werden kann?«

»Wissen Sie, es gibt eine Menge Leute, denen ich einen Selbstmord zutrauen würde. Aber mein Mann, nein. Es gab nichts, weswegen er einen derartigen Schritt hätte unternehmen sollen. Und er war auch nicht der Mann, der sich ohne einen Abschiedsbrief einfach so auf und davon gemacht hätte. Soviel Anstand hätte er besessen. Er ist umgebracht worden, und ich habe nur eine Bitte, finden Sie heraus, wer ihn getötet hat.«

»Frau Rosenzweig, Ihr Mann ist gestern abend gestorben, und außer ihm waren nur Sie und Ihre beiden Söhne im Haus. Es wird sehr schwer werden, denjenigen zu finden, der ihm das Gift untergeschoben hat. Es sei denn, er war es selbst.«

Julia Durant und Frank Hellmer erhoben sich, während Marianne Rosenzweig sitzen blieb. »Wir werden uns jetzt noch kurz mit Frau Reich und den beiden Herren unterhalten und anschließend Ihren Söhnen ein paar Fragen stellen. Auf Wiedersehen.«

Frau Rosenzweig erwiderte nichts, sah Hellmer und Durant nur mit leerem Blick an. Sie nickte.

Schönau, Heimann und Frau Reich saßen auf dem geräumigen Flur und unterhielten sich. Von den beiden Söhnen Aaron und Joseph war nichts zu sehen. Die Unterhaltung verstummte sofort, als die Kommissare auf den Flur traten.

Schönau stand auf, fragte: »Und, wissen Sie schon, wie Herr Rosenzweig ums Leben gekommen ist?«

»Ja, aber wir würden uns jetzt gerne kurz mit Ihnen unterhalten. Sie sagen, Sie sind Freunde des Hauses. Das heißt ja wohl, daß Sie Herrn Rosenzweig gut kannten, oder?«

»Das würde ich so sagen. Hans und ich waren seit bald dreißig Jahren befreundet«, sagte Schönau. »Und weil ich ihn so gut kannte, ist es mir schleierhaft, wie jemand auf die wahnsinnige Idee kommen konnte, ihm Gift in sein Insulin zu mischen.«

»Darf ich Ihren Worten entnehmen, daß Herr Rosenzweig Ihrer Meinung nach keine Feinde hatte?« fragte Julia Durant.

Schönau senkte den Blick, überlegte einen Moment, bevor er antwortete: »Feinde! Du meine Güte, wer hat keine Feinde? Es gibt immer Neider oder Konkurrenten, doch ich kann mir beim besten Willen niemanden vorstellen, der zu einer solch grausigen Tat fähig wäre.«

»Herr Schönau, es gibt nichts auf dieser Welt, was nicht möglich wäre. Und keinen Menschen, der unter bestimmten Umständen nicht zu einem Mörder werden könnte. Aber vielleicht können wir uns einen Moment ungestört unterhalten?« Sie sah kurz Hellmer an und sagte: »Wenn du und Herr Heimann vielleicht in der Zwischenzeit ...« Hellmer nickte nur.

»Natürlich«, sagte Schönau und warf Heimann und Reich einen kurzen Blick zu. »Gehen wir doch hinaus in den Garten.«

Auf dem Weg nach draußen sprach keiner ein Wort, erst in dem großzügig angelegten Garten mit der ausgedehnten Rasenfläche sagte Schönau: »Frau Rosenzweig hat uns vorhin erzählt, was gestern geschehen ist. Sie ist nicht so stark, wie es vielleicht im ersten Augenblick den Anschein hat. Es hat sie sehr mitgenommen, und ich denke, wir werden uns in der nächsten Zeit viel um sie kümmern müssen. Sie weiß einfach nicht, was sie von der ganzen Sache halten soll. War es nun Mord, oder hat er seinem Leben doch selbst ein Ende gesetzt?«

Die Kommissarin blieb stehen, Schönau ging noch einige Schritte, wandte sich dann um.

»Hätte er denn einen Grund gehabt, sich das Leben zu nehmen?« fragte sie.

»Nein«, erwiderte Schönau kopfschüttelnd. »Er hatte keinen. Er war ein gläubiger Christ und ein liebevoller Ehemann und Vater. Er lebte in materiellem Wohlstand, ohne dabei die wahren Ziele in diesem Leben aus dem Auge zu verlieren. Sein Auge war stets auf die Herrlichkeit Gottes gerichtet, und er gehörte zu den wenigen, vor denen ich wirklich großen Respekt und auch Hochachtung habe. Wo immer er war, er lebte das Evangelium, das Christus uns gelehrt hat. Er war ein großartiger Mensch.«

Julia Durant konnte sich ein Lächeln nicht verkneifen, sie verzog kurz den Mund, ging auf Schönau zu, blieb direkt vor ihm stehen. Er war eine Idee kleiner als sie. »Er war also ein großartiger Mensch. Er hatte keine direkten Feinde, und er war ein Christ, wie er im Buche steht. Hab ich das richtig verstanden?«

»Ich höre sehr wohl den spöttischen Unterton aus Ihrer Frage heraus«, sagte Schönau, »doch es ist genau so, wie Sie sagen.

Wenn jemand das Christentum würdig vertrat, dann er. Er war ein Ausnahmemensch. Von mir aus können Sie mich für überdreht halten, aber ich stehe dazu. Er war etwas Besonderes. Und er war immer für andere da, wenn man ihn brauchte.«

»Was sind Sie von Beruf?« fragte die Kommissarin und wechselte das Thema.

»Ich bin Bankier. Warum interessiert Sie das?«

»Bankier. Dann gehört Ihnen die Schönau Bank?«

»Ja, sie befindet sich seit vier Generationen in Familienbesitz. Und ich denke, daran wird sich auch in der fünften Generation nichts ändern.«

»Hatten Sie und Herr Rosenzweig auch beruflich miteinander zu tun?«

»Dann und wann. Aber meist beschränkte sich unser Kontakt auf die Kirche. Wir haben uns jeden Sonntag gesehen und ab und zu auch unter der Woche. Wissen Sie, die *Kirche des Elohim* ist eine Herausforderung für jedes Mitglied. Jeder, der sich taufen und sein altes Leben hinter sich läßt, geht eine gewisse Verpflichtung ein. Und jeder weiß vorher, was ihn oder sie erwartet, bevor er oder sie im Wasser untergetaucht wird zur Vergebung der Sünden und um als neuer Mensch wieder hervorzukommen. Aber wir sind sicher nicht hier, um über die Kirche zu sprechen; wahrscheinlich kann man nicht bei der Polizei arbeiten und gleichzeitig an Gott glauben …«

»Mein Vater ist Priester, das heißt, er war es. Er ist jetzt im Ruhestand. Und ich glaube an Gott und weiß, daß es Dinge zwischen Himmel und Erde gibt, die wir mit unserem normalen Verstand nicht begreifen können. Aber das nur am Rande. Wenn Sie so fest davon überzeugt sind, daß Herr Rosenzweig Opfer eines Verbrechens wurde, wer könnte Ihrer Meinung nach dann als Täter in Frage kommen? Frau Rosenzweig? Oder einer der Söhne? Oder die Haushälterin? Oder jemand, den wir noch nicht kennen?«

Schönaus Stimme wurde mit einem Mal schneidend. »Hören Sie, Frau Kommissarin, lassen Sie Frau Rosenzweig und ihre Söhne aus dem Spiel! Keiner von ihnen hätte das geringste Motiv, den Ehemann oder Vater zu beseitigen. Das ist geradezu lächerlich. Doch wie es scheint, gehört ein derart pervertiertes Denken zu Ihrem Beruf, oder? Jede noch so absurde Möglichkeit einzubeziehen und dann unter Umständen eine löchrige Indizienkette zusammenzuflicken, nur um einen Täter zu haben! Nein, verwerfen Sie diesen Gedanken ganz schnell! Keine der von Ihnen aufgezählten Personen kommt auch nur im entferntesten für eine solch verwerfliche Tat in Frage. Sehen Sie sich die arme Frau doch an! Sie hat die ganze Nacht kein Auge zugetan, sie ist völlig aufgelöst. Bevor Sie kamen, hat sie fast eine Stunde lang nur geweint, und ich versichere Ihnen, es waren keine Krokodilstränen. Ich habe sie so noch nie gesehen. Sie hat zwar alles, was sie braucht, um gut zu leben, aber ist es ein gutes Leben, wenn der Mensch, der einem alles bedeutet, mit einem Mal nicht mehr da ist? Wenn man nachts ins Bett geht und plötzlich allein darin schlafen muß, nachdem man zwanzig Jahre lang dieses Bett geteilt hat? Nein, das ist kein gutes Leben, auch wenn sie sich mit der Zeit daran gewöhnen wird. Und wir werden alles tun, um ihren Schmerz über diesen entsetzlichen Verlust so gering wie möglich zu halten. So, und wenn Sie jetzt keine weiteren Fragen mehr haben, dann würde ich gern noch einmal nach Frau Rosenzweig sehen«, er warf einen Blick auf seine Armbanduhr, »und dann in die Bank fahren.« Er griff in die rechte Innentasche seines Anzugs, holte eine Karte hervor und reichte sie der Kommissarin. »Hier, sollten Sie noch irgendwelche Informationen benötigen, meine Adresse und Telefonnummer. Sie können mich selbstverständlich auch in der Bank erreichen.«

»Nur noch eine Frage – kennen Sie sich mit Schlangen aus?«

Schönau lächelte überheblich. »Schlangen? Ich kenne nur die eine aus der Heiligen Schrift, nämlich jene, die Adam und Eva verführte, woraufhin sie aus dem Paradies ausgestoßen wurden. Schlangen interessieren mich nicht, nur Fische. Warum fragen Sie?«

»Nur so. Im Augenblick deutet alles darauf hin, daß Herr Rosenzweig durch Schlangengift ums Leben kam.«

»Na ja, Frau Rosenzweig hat einige Andeutungen in diese Richtung gemacht, sie sprach von der Möglichkeit, daß Gift … Aber das ist doch Theorie, oder?«

»Es ist keine Theorie, sondern inzwischen erwiesen. Wir müssen nur noch herausfinden, von welcher Schlange das Gift stammte.«

»Ist das jetzt nicht egal? Ich meine …«

»Belassen wir´s fürs erste dabei. Danke für Ihre Mühe. Wir werden vielleicht wieder von uns hören lassen.«

Sie betraten das Haus, wo Hellmer immer noch mit Heimann beschäftigt war. Julia Durant ging auf Sabine Reich zu und bat sie, kurz mit ihr sprechen zu dürfen. Sie stand wortlos auf, folgte der Kommissarin in den Garten.

Sie war etwa so groß wie Julia Durant, hatte halblanges, kastanienbraunes Haar, das in der Sonne rötlich schimmerte, große, dunkle Augen, die etwas Warmes hatten, und einen sanft geschwungenen Mund mit einer vollen, sinnlichen Unterlippe. Sie trug eine lockere, dunkelblaue Sommerbluse und Jeans, eine sportliche und gleichzeitig sehr frauliche Erscheinung, die nach *Roma* duftete. Julia Durant schätzte ihr Alter auf etwa dreißig Jahre, eine ausgesprochen hübsche, junge Frau, die, so vermutete sie, eine geradezu magnetische Anziehungskraft auf Männer haben mußte. Auf die meisten zumindest. Auf Kullmer auf jeden Fall.

»Frau Reich«, sagte Julia Durant, als sie im Garten waren, »ich habe nur ein paar Fragen an Sie.« Sie holte die Schachtel Zigaretten aus ihrer Tasche, fragte: »Macht es Ihnen etwas aus, wenn ich rauche?«

»Nein«, erwiderte Sabine Reich lachend, sie hatte eine angenehme, warme Stimme, »mir macht es nichts aus. Ich gehöre nicht zu denen, die … Aber lassen wir das. Was wollen Sie von mir wissen?«

»Frau Rosenzweig sagte mir, sie sei bei Ihnen in Behandlung. Sie sind Psychotherapeutin?«

»Ja, unter anderem. Ich mache Psychoanalyse und natürlich auch Psychotherapie. Aber wenn Sie etwas über die Therapie von Frau Rosenzweig wissen wollen, so muß ich Sie leider enttäuschen. Ich unterliege, wie Sie wissen, der Schweigepflicht. Es sei denn, Frau Rosenzweig gibt ihr Einverständnis.«

Julia Durant hatte sich eine Gauloise angezündet. Nach dem ersten Zug sagte sie: »Sie hat mir erzählt, daß sie unter Angstzuständen leidet und deswegen Ihre Hilfe in Anspruch nimmt. Mich würde interessieren, welcher Art diese Angstzustände sind und woher sie rühren.«

»Tut mir leid, darauf kann und darf ich Ihnen keine Antwort geben.«

»Wußte Herr Rosenzweig über die Therapie Bescheid?«

»Ich weiß es nicht, ich denke aber schon. Warum?«

»Nur so. Und Herr Rosenzweig, hat er sich auch schon einmal von Ihnen behandeln lassen?«

Sabine Reich lachte auf, schüttelte den Kopf. »Der – niemals! Rosenzweig hätte sich lieber eine Kugel in den Kopf gejagt, bevor er zu einem Therapeuten gegangen wäre. Ich denke aber auch, daß er nicht unbedingt einen nötig hatte. Ich kannte ihn zwar nicht besonders gut, wir haben uns fast nur sonntags in der Kirche gesehen, doch mein Eindruck von ihm war der eines gestandenen, gradlinigen Mannes, der jederzeit genau wußte, was er wollte und was er tat. Im Gegensatz zu einigen andern, denen es vielleicht ganz gut täte, wenn sie mal eine Therapie machen würden.«

»Was meinen Sie damit?« fragte die Kommissarin nach einem weiteren Zug an der Zigarette.

Sie gingen langsam nebeneinander über den Rasen, Sabine Reich hatte die Hände hinter dem Rücken verschränkt, den Blick zu Boden gerichtet. »Wissen Sie, Frau Rosenzweig ist beileibe nicht die einzige, die unter Angstzuständen leidet. Es gibt viele Kirchenmitglieder, die unter Angst, Depressionen, Paranoia, sogar Schizophrenie leiden, denen ihr – nennen wir es Credo – es aber nicht erlaubt, sich in die Hände eines geschulten Therapeuten zu begeben. Die meisten hängen noch der antiquierten Vorstellung an, alle Probleme ließen sich allein mit der Hilfe Gottes lösen. Nur die wenigsten sind bereit einzusehen, daß Gott nicht immer und überall sein kann, sondern er Möglichkeiten hier auf der Erde geschaffen hat, damit den Kranken geholfen werden kann. Es gibt sogar viele, die körperlich krank sind und sich weigern, einen Arzt aufzusuchen, die meinen, daß es ausreiche, ein paar Brüder kommen und die Hände auflegen zu lassen, und damit wären alle Schmerzen und Krankheiten beseitigt. Es gibt schon ein paar seltsame Typen in der Kirche. Doch es ist sehr, sehr schwer, die Leute davon zu überzeugen, daß Ärzte, egal welcher Fachrichtung, auch einen Zweck auf dieser Erde erfüllen. Und es ist vor allem schwer, gegen antiquierte Vorstellungen anzukämpfen.«

»Und warum gehören Sie dann dieser Kirche an? Ich meine …«

»Das Evangelium ist wahr, das Problem sind die Menschen und was sie daraus machen. Das Problem ist Heuchelei und Lüge. Es gibt viele Probleme, zu viele, um sie alle aufzuzählen. Lassen Sie es mich so formulieren«, sagte sie und sah die Kommissarin mit einem unergründlichen Lächeln an, bevor sie fortfuhr: »In der Kirche gibt es einen liberalen Zweig, einen konservativen und einen ultrakonservativen. Ich gehöre dem liberalen an.«

Julia Durant nahm einen letzten Zug an der Zigarette, ließ sie auf den Boden fallen und drückte sie mit der Schuhspitze aus.

»Und welchem gehörte Rosenzweig an?«

Wieder lächelte Sabine Reich, sie ließ einen Augenblick verstreichen, bevor sie antwortete: »Eher dem konservativen. Vielleicht in einigen Bereichen auch dem ultrakonservativen. Es hing wohl ein wenig von seiner Tagesform ab.«

»Und Schönau?«

»Ultra«, sagte sie immer noch lächelnd.

»Frau Reich, halten Sie es für möglich, daß Herr Rosenzweig Selbstmord begangen hat?«

Sabine Reich überlegte einen Moment, verzog kurz die Mundwinkel, sagte kopfschüttelnd: »Nein, er war einfach nicht der Typ dafür. Er war sehr ausgeglichen und ruhte in sich selbst, wie es so schön heißt. Für mich ist Selbstmord so ziemlich ausgeschlossen. Wodurch sich für mich natürlich wiederum die Frage stellt, wer dann für seinen Tod verantwortlich ist. Diese Frage beschäftigt mich, seit ich von seinem Ableben erfahren habe.«

»Seine Frau?«

»Nein«, sagte Sabine Reich energisch. »Sie ist eine stille, ergebene Ehefrau. So, wie sich das für ein gutes weibliches Mitglied der Kirche gehört.«

»Was heißt das, still und ergeben? Unterwürfig?«

»Die Frau soll dem Manne untertan sein, so heißt es jedenfalls. Tja, sie hat es wohl nie anders gelernt, schließlich gehört ihre Familie schon seit vier oder fünf Generationen der Kirche an. Wenn man so erzogen wird, was kann man da schon anderes erwarten? Aber sie ist eine liebe, herzensgute Frau. Das sage ich Ihnen als ihre Therapeutin und weil ich sie auch in der Kirche nie anders erlebt habe. Aber was sich genau innerhalb der Familie abgespielt hat, darüber kann ich Ihnen natürlich nichts sagen.«

»Und die Söhne?«

»Joseph und Aaron? Im Leben nicht. Sie kommen beide nach der Mutter, sie sind sehr stille, fast verschlossene Jungs, die … ja, sie sind so still, daß man sie kaum bemerkt. Nein, keiner von beiden wäre dazu fähig. Ich hatte manchmal den Eindruck, als ob sie ihren Vater fast abgöttisch geliebt hätten. Und er sie. Und außerdem, welches Motiv sollten Frau Rosenzweig oder ihre Söhne gehabt haben? Ich glaube, Sie werden den Täter außerhalb des Hauses suchen müssen. Fragen Sie mich aber um Himmels willen nicht, wo.«

An den Bäumen angelangt, die die Grenze des Grundstücks markierten, machten sie kehrt und gingen zum Haus zurück.

»Gibt es noch andere Mitglieder der Kirche außer Frau Rosenzweig, die bei Ihnen in Behandlung sind?«

»Natürlich gibt es die. Auch wenn die Schamgrenze bei den meisten sehr hoch liegt. Bisweilen glaube ich, sie sind der Meinung, etwas Ungesetzliches, Abnormales zu tun, wenn sie zu mir kommen, um sich mit ihren Problemen und Sorgen an mich zu wenden. Doch wenn sie einmal diese Hemmschwelle überwunden haben, dann merken sie sehr schnell, daß es weder ungesetzlich noch abnormal noch in irgendeiner Weise unvereinbar mit den Grundsätzen der Kirche ist. Aber es ist zu neunundneunzig Prozent die jüngere Generation bis etwa vierzig, die meine Hilfe in Anspruch nimmt. An die Alten ist kaum ranzukommen. Aber das ist nicht mein Problem. Ein sechzig- oder siebzigjähriger Mensch ist ohnehin kaum noch therapierbar.«

»Gut, Frau Reich, das soll's für jetzt gewesen sein. Ich bedanke mich bei Ihnen, und sollte ich noch irgendwelche Fragen haben, dann melde ich mich.«

»Sicher. Aber ich hätte noch eine Frage – wissen Sie schon Näheres, wie genau Herr Rosenzweig umgekommen ist? Es heißt, es könnte Gift im Spiel gewesen sein.«

»Das ist richtig. Wie es aussieht, hat er sich statt Insulin Schlangengift injiziert.«

»Schlangengift? Ich kenne mich mit Schlangen nicht weiter aus, aber ist das nicht ein sehr qualvoller Tod?«

»Es ist ein qualvoller Tod. Und die alles entscheidende Frage ist, woher kam das Gift und wer hat es in die Flasche getan beziehungsweise hat die Flaschen vertauscht? Eine Frage, die, wie es aussieht, nicht so leicht zu beantworten sein wird.«

»Ich hoffe, Sie finden die Lösung bald. Und wenn ich Ihnen irgendwie helfen kann ...«

Sie waren wieder am Haus angelangt, Hellmer wartete vor der Tür und rauchte. Nachdem Sabine Reich wieder im Haus war, sagte Julia Durant: »Und, hast du Informationen, die weiterhelfen könnten?«

»Ich hab mit diesem Heimann gesprochen und noch ein paar Worte mit den Jungs gewechselt. Ich denke, dieser Fall wird eine harte Nuß.«

»Was ist dieser Heimann für ein Typ? Er hat auf mich keinen sonderlich sympathischen Eindruck gemacht«, sagte Julia Durant.

»Dein Eindruck täuscht nicht. Er kommt mir aalglatt vor. Es war eine einzige große Laudatio, die er auf Rosenzweig gehalten hat. Rosenzweig scheint demnach ein wahrer Supermann gewesen zu sein. Und wie war es bei dir?«

»Genau das gleiche. Vor allem Schönau. Nur die Reich war ein bißchen zugänglicher. Sie gehört, wie sie selbst sagt, dem liberalen Zweig der Kirche an. Aber wenn man allen glauben kann, einschließlich dieser Laura Fink, dann haben die Rosenzweigs eine Bilderbuchehe geführt, waren glücklich, er ein erfolgreicher Geschäftsmann, in keiner Weise suizidgefährdet, ein in sich ruhender Mann, und so weiter, und so weiter. Und natürlich ist Frau Rosenzweig über jeden Zweifel erhaben. Und die Kinder auch. Scheiße! Komm, wir gehen zum Wagen.«

Sie liefen schweigend zum Auto, stiegen ein, kurbelten die Fenster herunter, um die stickige, heiße Luft zu vertreiben. Julia Durant zündete sich eine weitere Zigarette an, Hellmer startete den Motor.

»Weißt du«, sagte sie und fuhr sich kurz mit der Zunge über die Lippen, »wenn dieser Rosenzweig wirklich der Supermann war, als der er von allen hingestellt wird, warum mischt dann jemand Gift in sein Insulin?«

»Und was sagt deine Intuition heute?« fragte Hellmer grinsend. Ebenfalls grinsend erwiderte die Kommissarin: »Sie sagt mir, daß Laudatio hin, Supermann her, Rosenzweig irgendwo einen schwarzen, vielleicht sogar einen rabenschwarzen Fleck hatte, einen so großen schwarzen Fleck, daß irgend jemand es für nötig befunden hat, ihn zu beseitigen. Und ich denke, wir sollten einmal Rosenzweigs Leben auf das genaueste durchleuchten. Mal sehen, ob wir nicht etwas finden. Und ich bin sicher, wenn wir lange genug suchen, werden wir auch fündig werden. Du weißt ja, wie das geht, ein bißchen an der Fassade kratzen wirkt manchmal schon Wunder. Aber komm, fahren wir zurück in unser geliebtes Präsidium, dann werden wir eine Kleinigkeit essen und uns danach ein wenig in Rosenzweigs Büro umhören. Mal sehen, ob auch dort alle Rosenzweig für einen ehrenwerten Supermann halten. Halten? Gehalten haben? Ach, egal. Jetzt erst mal weg hier.«

Dienstag, 11:15 Uhr

Als Julia Durant und Frank Hellmer das Büro betraten, saß nur Kullmer hinter seinem Schreibtisch und tippte einen Bericht in den Computer. Er sah kurz auf, speicherte den Text, lehnte sich zurück, fragte: »Und, wie ist es gelaufen?«

»Beschissen«, erwiderte Hellmer und setzte sich. »Alle, mit denen wir gesprochen haben, gehören dieser *Kirche des Elohim* an. Wenn man all dem, was die erzählt haben, glauben kann, dann war dieser Rosenzweig so was wie ein Heiliger ohne Heiligenschein. Reich, aber immer im Dienste seines Nächsten. Scheiße, wer´s glaubt! Keiner wird auf so eine Weise ins Jenseits befördert, wenn er nicht einen gewaltigen Haufen Dreck am Stecken hat. Aber wir fahren ja nachher noch in seine Firma. Wo ist übrigens der Chef?«

Kullmer lehnte sich zurück, steckte sich einen Kaugummi in den Mund. »Ist nur mal kurz raus. Wird wohl gleich wieder hier sein. Und ihr seid überzeugt, daß es sich um Mord und nicht Selbstmord handelt?«

»Absolut. Es spricht nichts, aber auch gar nichts für einen Selbstmord. Es mag ja Perverse geben, die die unmöglichsten Sachen anstellen, um sich umzubringen, aber Rosenzweig gehörte nicht dazu, da sind wir uns sicher.«

»Na gut, vor ein paar Minuten hat Morbs angerufen. Er hat das Gift schneller identifizieren können, als er gedacht hat. Berger hat alles aufgeschrieben. Hört sich jedenfalls nicht sehr gut an.«

»Was ist es denn?« fragte Julia Durant neugierig.

»Keine Ahnung, irgend so ein Schlangengift. Fragt Berger. Und wann fahren wir in die Firma von Rosenzweig?«

Julia Durant schaute zur Uhr, halb zwölf. Sie sah Kullmer kurz an, sagte: »Kurz nach zwölf, nachdem wir eine Kleinigkeit gegessen haben.« Sie hatte den Satz kaum beendet, als Berger hereinkam. Er hievte seinen massigen Körper auf den Stuhl, blickte Durant und Hellmer an.

»Was hat Ihre Befragung ergeben?« fragte er und steckte sich eine Zigarette an.

»Wir haben noch einmal Frau Rosenzweig, ihre Söhne und drei Mitglieder aus ihrer Kirche befragt, die gerade bei ihr waren, um ihr so was wie seelischen Beistand zu leisten. Im Prinzip haben wir keine besonderen Erkenntnisse gewonnen. Außer der, daß Rosenzweig ein höchst integrer Mensch war, und seine Frau ihm in nichts nachsteht.«

»Ist das Ihre Meinung oder die der Befragten?«

»Natürlich die der Befragten«, sagte die Kommissarin und nahm ebenfalls Platz. »Die würden Stein und Bein schwören, daß Rosenzweig niemals Selbstmord begangen hätte, daß aber auch seine Frau niemals in der Lage wäre und, und, und … Sie kennen das ja.«

»Aber Sie wissen, wir müssen im Augenblick noch immer beide Theorien im Auge behalten, Selbstmord und Mord. Morbs hat mich vor ein paar Minuten angerufen und mir die Giftanalyse durchgegeben. Moment, ich hab´s aufgeschrieben – es handelt sich um zwei verschiedene Sorten Gift, und zwar um das des australischen Taipans und das der Sandrasselotter. Wie er sagte, eine geradezu verheerende Kombination. Zum einen werden die Nervenfunktionen völlig lahmgelegt, zum andern die Blutgerinnung aufgehoben. Die Frage ist natürlich, wie kam der- oder diejenige an diese Gifte? Wie Morbs sagte, ist es fast ein Ding der Unmöglichkeit, in Deutschland an Taipangift zu kommen, weil es hier angeblich weder einen Zoo noch eine Zoohandlung gibt, die diese Schlangen hat oder in der man sie kaufen kann. Zudem gehört der Taipan zu den geschützten Arten, und seine Ausfuhr aus Australien steht unter Strafe. Sandrasselottern hingegen werden hier und da sogar von Privatpersonen gehalten, wobei man aber nicht nachvollziehen kann, wer das im einzelnen ist.«

Julia Durant zündete sich eine Gauloise an, inhalierte und blies den Rauch zur Decke. Sie sah Berger an, dann zum Fenster hin. »Ich möchte noch einmal persönlich mit Morbs sprechen. Wir haben es hier also mit zwei absolut tödlichen Giften zu tun. Das heißt, wenn wir von Mord ausgehen, dann wollte der Täter vollkommen sicher gehen, daß Rosenzweig auch wirklich stirbt … Verrecken wäre wohl der bessere Ausdruck.«

Berger ging auf die letzte Bemerkung nicht ein, sagte nur: »Wenn es Mord war, dann haben Sie wohl recht.«

Julia Durant griff zum Telefon, wählte die Nummer der Gerichtsmedizin. Sie ließ sich mit Morbs verbinden, der wenig später am Apparat war.

»Morbs«, meldete er sich mit seiner bekannt barschen Stimme.

»Hier Durant. Professor Morbs, ich habe eben erfahren, daß Sie die Gifte identifizieren konnten. Können Sie mir Näheres dazu sagen?«

»Wenn Sie konkreter werden könnten …«

»Entschuldigung. Sie haben Taipangift und, Moment, Sandras-selottergift gefunden. Wie schwer ist es, an diese Gifte heranzukommen?«

»Fast unmöglich. Zumindest, was den Taipan betrifft. Sicher gibt es immer wieder Personen, die illegal unter Schutz stehende Tiere einführen, doch bei einer Schlange wie dem Taipan ist es nicht einfach, ihn den langen Weg von Australien hierher zu transportieren. Die Transporttemperatur der Schlange darf nämlich nicht für längere Zeit unter zwanzig Grad Celsius sinken, sonst fällt sie in eine Art Starre und geht unter Umständen ein. Und wie ich schon Ihrem Kollegen sagte, gibt es meines Wissens nach in Deutschland keine Taipane. Weder in Zoos noch in Zoohandlungen.«

»Und wie kann man dann an dieses Gift gelangen?«

»Wer töten will und dabei einen bestimmten Plan vor Augen hat, wird immer eine Möglichkeit finden, das dafür notwendige Mordinstrument auch zu besorgen. In diesem Fall das Gift.«

»Halten Sie als Gerichtsmediziner denn Selbstmord in diesem Fall für möglich?«

»Nein. Wir haben eine ausführliche Autopsie durchgeführt und zum Beispiel keinerlei Hinweise auf schwere körperliche Erkrankungen vorgefunden, was ja oftmals der Grund dafür ist, daß jemand seinem Leben ein Ende setzt, weil er nicht länger leiden will. Auch war sein Gehirn ohne Befund. Außer seinem Diabetes war Rosenzweig gesund. Der Mann ist meiner Meinung nach auf eine sehr raffinierte Weise getötet worden. Eine Weise, wie ich sie in meiner jetzt fast dreißigjährigen Laufbahn als Mediziner noch nicht erlebt habe. Noch Fragen?«

»Eine noch. Wieviel Insulin spritzt sich ein Diabetiker in der Regel? Ich meine, ich habe diese Frage auch schon der Hausärztin gestellt, würde aber gern von Ihnen noch eine Bestätigung haben.«

»Einen Milliliter, vielleicht auch anderthalb, es kommt auf die Schwere der Erkrankung an. Aber glauben Sie mir, ein Milliliter reines, das heißt vakuum- oder gefriergetrocknetes *Taipoxin* beziehungsweise *Echis-Gift* subkutan injiziert ist eine hundertprozentig tödliche Dosis, da Schlangengift in frischem Zustand zu etwa fünfzig bis neunzig Prozent aus Wasser besteht. Denn in einem bis anderthalb Milliliter finden sich je nach Konzentration etliche Milligramm Gift. Und wenn ich Ihnen sage, daß eine *Echis carinatus* bei einem tödlich verlaufenden Biß nur einen kleinen Tropfen abgibt und man diesem Tropfen jetzt auch noch das Wasser entzieht und die verbleibenden Toxine gefriertrocknet, dann können Sie sich vorstellen, was allein ein Milligramm bewirkt. Ähnlich verhält es sich bei dem Taipan, der allein aufgrund seiner Größe und der Länge seiner Giftzähne mehr Gift injiziert und dessen Gift unter allen uns bekannten Schlangengiften zu denen mit der höchsten Toxizität zählt. Sie müssen wissen, eine Sandrasselotter wird zwischen einem halben Meter und höchstens achtzig Zentimeter lang, der Taipan hingegen bis zu drei Metern. Aber ich möchte noch etwas besonders hervorheben – es gibt zwei verschiedene Arten des Taipans, den in Nord- und Nordost-Australien und Nordguinea beheimateten normalen Taipan, *Oxyuranus scutellatus*, und dann noch den in Zentralaustralien heimischen Wüstentaipan, *Oxyuranus microlepidotus*, dessen Gift noch um ein vielfaches stärker ist und dessen genaue Zusammensetzung bis heute nicht eindeutig identifiziert werden konnte. Wir sind noch nicht ganz sicher, welche dieser beiden Taipanarten in Frage kommt, auffällig ist nur, daß aus dem *Taipoxin* vor allem die sogenannten Phospholipasen A_2 herausgefiltert wurden, die zu den Neurotoxinen zählen und, einmal injiziert, extrem stark auf die präsynaptische Membran der Nervenendplatte wirken, was letztendlich zu einer vollständigen Lähmung der gesamten Körpermuskulatur und zum Tod durch Atemlähmung führt. Aber um die Sache abzuschließen, es ist nicht einfach, an derartige Gifte zu gelangen, es ist aber auch nicht unmöglich.«

»Eine letzte Frage noch – angenommen, Rosenzweig wäre ein Gegengift gespritzt worden, hätte er dann überlebt?«

»In diesem Fall kaum. Wobei es in Deutschland ohnehin kein Taipan-Antiserum gibt. Aber wir haben es hier wie gesagt mit zwei völlig unterschiedlichen Toxinen zu tun, und …. Ach, was soll´s. Und jetzt viel Spaß bei der Suche nach dem Mörder. Es wird mit Sicherheit nicht einfach für Sie werden.«

»Wir werden ihn trotzdem finden. Vielen Dank für Ihre Mühe und die schnelle Arbeit. Wiederhören.« Julia Durant legte den Hörer auf, preßte die Lippen aufeinander, nahm einen letzten Zug an der Zigarette, drückte sie im Aschenbecher aus.

»Also, Sie haben es gehört, Morbs schließt Selbstmord aus. Und ich auch, wenn ich ehrlich bin. Und außerdem wissen wir jetzt eine ganze Menge über die Zusammensetzung und Wirkungsweise von Schlangengiften, zumindest von einigen«, setzte sie grinsend hinzu. »Auch wenn das meiste von dem, was Morbs mir erzählt hat, für mich böhmische Dörfer sind … Phospho … Scheiße!«

»Und Sie?« fragte Berger, ohne auf die letzte Bemerkung von Durant einzugehen, den Blick auf Hellmer gerichtet.

»Ich schließe mich meiner Kollegin an, ich schätze auch, es war Mord. Kaltblütiger, überlegter Mord. Wobei wir noch nicht den Hauch eines Motivs haben. Aber wir werden eines finden. Vielleicht schon heute nachmittag, wenn wir die Mitarbeiter von Rosenzweig befragen.«

Berger wollte gerade eine weitere Frage stellen, als das Handy von Julia Durant klingelte. Sie holte es aus der Tasche, meldete sich.

»Hallo, hier ist Werner …«

»Moment, ich geh mal kurz raus.« Sie ging auf den Flur, schloß die Tür hinter sich. »Was gibt es?« fragte sie mit gedämpfter Stimme.

»Bist du gerade sehr beschäftigt?« fragte Werner Petrol.

»Ziemlich. Wir bearbeiten gerade einen reichlich bizarren Todesfall. Ich war deswegen die halbe Nacht auf den Beinen.«

»Dann fällt unser Treffen heute abend aus?« fragte er. Es klang enttäuscht.

»Nicht unbedingt, aber ruf mich doch so gegen sechs noch mal kurz an. Ich denke nicht, daß ich heute abend arbeiten muß. Aber ich habe Bereitschaft, das weißt du ja.«

»Ja, ja, sicher. Ich melde mich später wieder. Bis dann, und denk dran, du fehlst mir.«

»Hattest du wenigstens ein schönes Wochenende bei deiner Familie?« fragte sie mit dem ihr eigenen, zum Teil bitterbösen Sarkasmus, den sie dann und wann aufblitzen ließ.

»Nein, es war nicht schön. Ich fühle mich nur wohl, wenn ich mit dir zusammen bin. Es gibt keine Frau auf dieser Welt, die ich mehr liebe als dich, das weißt du doch.«

»Wenn das wirklich so ist, dann weißt du ja, was du zu tun hast. Ich bin keine Spielzeugpuppe, Werner. Und ich will bald mal Fakten sehen und nicht andauernd hingehalten werden.«

»Mein Gott, was bist du heute gereizt! Hab ich dir irgendwas getan? Oder ist es nur wegen diesem blöden Fall?«

»Keine Ahnung, es sind wahrscheinlich mehrere Sachen auf einmal. Bis nachher.« Sie drückte den Aus-Knopf, blieb ein paar Sekunden mit dem Rücken an die Wand gelehnt stehen, den Kopf in den Nacken gelegt, die Augen geschlossen. Sie spürte das Pochen ihres Herzens, wünschte sich, jetzt zu Hause zu sein und einfach zu schlafen. Sie hatte leichte, stechende Schmerzen in der linken Schläfe, sie würde gleich eine Aspirin nehmen, damit die Schmerzen nicht schlimmer wurden. Sie löste sich von der Wand, ihre Beine waren schwer, sie drückte die Klinke hinunter und trat wieder ins Büro. Sie nahm ein Aspirin, hoffte, die Wirkung würde bald einsetzen und der Schmerz nicht stärker werden.

Sie sagte: »Kommt, gehen wir was essen und dann zu Rosenzweig & Partner. Bin mal gespannt, was seine Mitarbeiter uns zu sagen haben.«

Dienstag, 12.00 Uhr

Durant und Hellmer aßen jeder eine Currywurst mit Pommes frites und tranken Cola, während Kullmer einen Hamburger und ein Glas Wasser zu sich nahm. Nach dem Essen machten sie sich gemeinsam auf den Weg zum Messeturm, in dem Rosenzweigs Firma untergebracht war. Sie gingen die wenigen hundert Meter vom Präsidium zum Messeturm zu Fuß. Das große Thermometer am Platz der Republik zeigte zweiunddreißig Grad, der Himmel war fast wolkenlos. Auf dem Weg besprachen sie, welche Fragen gezielt gestellt werden sollten. Rosenzweigs Büro lag im dreiundzwanzigsten Stock. Nachdem sie sich angemeldet hatten, fuhren sie mit dem Aufzug nach oben, wo sie bereits von einer Mitarbeiterin empfangen wurden. Eine attraktive junge Frau mit langen, blonden Haaren und tiefblauen Augen, die einen kurzen, grünen Rock und eine fast durchsichtige beige Bluse trug, die leicht über den großen, festen Brüsten spannte. Sie sah die Beamten neugierig an; Kullmer war nicht in der Lage, seinen Blick von der beachtlichen Oberweite mit dem großen, dunklen Warzenhof abzuwenden. Julia Durant registrierte es amüsiert, verkniff sich aber ein Lächeln. Sie stellte sich und ihre Kollegen vor, die junge Frau sagte: »Ich heiße Claudia Neumann und bin die Sekretärin von Dr. Rosenzweig. Es war schrecklich für uns alle zu erfahren, was mit ihm geschehen ist. Dr. Köhler, der Partner von Dr. Rosenzweig, ist heute leider nicht im Haus, er wollte die ganze Woche über in London bleiben, wir haben ihn allerdings bereits über das Geschehen unterrichtet, weshalb er schon morgen zurückkommen wird. Aber kommen Sie doch bitte mit hinein, Sie werden sicherlich einige Fragen haben. Und wenn schon die Mordkommission hier vorbeischaut …«

Claudia Neumann ließ den Satz unbeendet und ging mit wippendem, fast aufreizendem Schritt vor ihnen durch die Glastür in den großzügig aufgeteilten Bürotrakt, die Tür schloß sich fast lautlos hinter ihnen. Es war angenehm kühl. Die junge Frau blieb stehen, sagte: »Was kann ich also für Sie tun?«

»Wir sind hier, um Ihnen und auch den andern Mitarbeitern ein paar Fragen zu stellen. Es wird sicherlich eine Weile in Anspruch nehmen, läßt sich aber leider nicht vermeiden. Ich fange am besten gleich mit Ihnen an, während meine Kollegen und später auch ich nacheinander alle im Augenblick Anwesenden befragen. Wo können wir uns ungestört unterhalten?« fragte Julia Durant.

»In meinem Büro. Wenn Sie mir bitte folgen wollen.« Sie wartete, bis die Kommissarin eingetreten war, schloß die Tür hinter sich. Sie deutete auf einen Stuhl vor ihrem Schreibtisch, sie selbst nahm hinter dem Tisch Platz. Julia Durant sah sich kurz in dem freundlich eingerichteten Büro um, dem drei hohe Hydrokulturpflanzen eine beinahe gemütliche Atmosphäre verliehen.

»Darf man hier rauchen?« fragte sie und fügte gleich hinzu, auf die geschlossene Tür rechts neben sich deutend: »Ist dort das Büro von Dr. Rosenzweig?«

»Ja, warum?«

»Ich würde gern nachher einen Blick hineinwerfen und es dann versiegeln. Wir werden uns das Büro morgen genauer ansehen.«

»Muß das sein?« fragte Claudia Neumann.

»Leider ja. Sobald der Verdacht auf eine Straftat besteht, müssen wir leider auch das Büro von Ihrem Chef durchsuchen, um so möglicherweise Hinweise auf das Tatmotiv und vielleicht sogar auf den Täter zu finden.«

Claudia Neumann nickte, erwiderte: »Kann ich verstehen. Und im übrigen können Sie ruhig rauchen, ich rauche selbst.«

»Okay«, sagte die Kommissarin, nachdem sie sich eine Zigarette angesteckt hatte, »dann wollen wir mal in medias res gehen. Ihr Name ist also Claudia Neumann. Darf ich fragen, wie alt Sie sind?«

»Einunddreißig. Warum?«

»Nur so, für die Statistik. Seit wann arbeiten Sie für Dr. Rosenzweig?«

»Seit knapp sieben Jahren. Ich habe Betriebswirtschaft und Englisch studiert und bin sofort danach in dieses Unternehmen gekommen.«

»Und Sie haben von Anfang an sozusagen als rechte Hand von Dr. Rosenzweig gearbeitet?«

»Nein, die ersten zwei Jahre war ich ausschließlich im kaufmännischen Bereich tätig, habe hier und da im Außendienst gearbeitet, aber seit fünf Jahren arbeite ich direkt mit Dr. Rosenzweig zusammen.«

Julia Durant nahm einen Zug an ihrer Zigarette, ließ den Rauch lange in den Lungen, bevor sie ihn durch die Nase ausblies. »Erzählen Sie mir etwas über Ihren Chef. Was für ein Mensch war er? Was wissen Sie über sein Privatleben, über seine Vorlieben, über seine Schwächen? War er in Ihren Augen gerecht, hat er bisweilen zu Jähzorn geneigt, ich möchte mir einfach ein Bild von ihm machen können.«

Claudia Neumann lehnte sich zurück, sie faltete die Hände über dem Schoß, schaute einen Moment auf ihre langen, schlanken Finger mit den dunkelrot lackierten Nägeln, schließlich drehte sie sich mit ihrem Stuhl und sah aus dem Fenster, wo sich weit hinten am Horizont schemenhaft der Taunus abzeichnete.

»Was für ein Mensch war er?« wiederholte sie leise die erste Frage der Kommissarin. Sie seufzte auf, drehte sich wieder um, die großen, blauen Augen auf Durant gerichtet. »Er war ein sogenannter Workaholic. Ohne Arbeit machte das Leben keinen Sinn für ihn. Er brauchte die Arbeit, wie andere ihre Hobbies oder überhaupt ihre Freizeit brauchen. Und wie das bei solchen Menschen oftmals üblich ist, können es andere einem nie wirklich recht machen.«

»Wie hat sich das geäußert?«

»Er wurde schon ab und zu mal laut und heftig, aber ich habe mich mit der Zeit an seine Launen gewöhnt. Im Prinzip war er aber ein recht umgänglicher Mensch, womit ich nicht sagen möchte, daß er einfach war. Dr. Köhler ist völlig anders. Mit ihm kann man über alles reden, und er gibt einem nie das Gefühl, in irgendeiner Form etwas Geringeres zu sein als er. Bei Dr. Rosenzweig war es manchmal genau umgekehrt. Bei ihm habe ich schon das eine oder andere Mal geglaubt, daß er sich für etwas Besseres hielt. Aber das war sein Problem und nicht meines. Ich habe meine Arbeit erledigt, so gut ich konnte, und ich denke, er war im großen und ganzen recht zufrieden mit mir. Sonst hätte er mich wohl nicht so lange in diesem Büro behalten«, fuhr sie mit einem Lächeln fort, das sicher fast jeden Mann um den Verstand bringen konnte.

»Und sein Privatleben? Was wissen Sie darüber?«

Claudia Neumann zuckte die Schultern. »Wenig. Er hat eigentlich nie über sein Privatleben gesprochen. Ab und zu hat seine Frau hier angerufen oder einer seiner Söhne, aber ich weiß im Prinzip nichts. Sein Privatleben war so etwas wie ein Geheimnis. Tut mir leid, wenn ich Ihnen da nicht weiterhelfen kann.«

Die Kommissarin drückte ihre Zigarette aus, lehnte sich zurück. »Das macht nichts. Wie ist denn so im allgemeinen das Betriebsklima? Gibt es vielleicht jemanden, der mit Rosenzweig überhaupt nicht auskam oder umgekehrt?«

Wieder ließ die junge Frau eine Pause verstreichen, bevor sie antwortete. Sie zündete sich eine Zigarette an, nahm zwei Züge, sah Julia Durant durch den Rauch hindurch an.

»Bevor ich dazu etwas sage, würden Sie mir vielleicht eine Frage beantworten? Wie ist Dr. Rosenzweig gestorben? Hier kursieren die wildesten Gerüchte, seit wir heute morgen die schreckliche Nachricht erhalten haben.«

»Genau wissen wir es auch noch nicht, aber es deutet alles darauf hin, daß er ermordet wurde.«

»Und wie?«

»Darauf kann ich Ihnen leider noch keine Antwort geben. Nicht, bevor wir genau wissen, ob es Selbstmord oder Mord war. Könnten Sie sich denn vorstellen, daß er Selbstmord begangen hat?«

Claudia Neumann schüttelte den Kopf und sagte: »Nein, jeder, nur der nicht. Der hing am Leben wie ein Ertrinkender am Strohhalm. Unmöglich. Wenn Sie wählen müssen zwischen Mord und Selbstmord, dann war es Mord.«

»Wobei ich wieder bei der Frage wäre, ob es jemanden hier gibt …«

»Schon gut«, unterbrach sie die junge Frau, »natürlich gibt es Mitarbeiter, die weniger gut mit Dr. Rosenzweig auskamen. Die einfach seine Art nicht ertragen konnten, seinen Befehlston, wenn er sagte, dies und jenes müsse unbedingt noch heute erledigt werden und es schon achtzehn Uhr war oder später. Und es gibt sicher einige, die er besonders getriezt hat.«

»Namen?« fragte Julia Durant mit hochgezogener Stirn.

»Wenn ich Namen nenne, dann heißt das aber noch lange nicht, daß sie gleich Mörder sein müssen. Ich gehe davon aus, daß Sie meine Information absolut vertraulich behandeln.«

»Selbstverständlich. Es geht auch nicht darum, jetzt auf Gedeih und Verderb jemanden zu finden, der ihn umgebracht haben könnte, ich möchte mir einfach nur ein Bild von Rosenzweig machen. Und dazu zählt, sowohl seine positiven als auch seine negativen Eigenschaften kennenzulernen. Mehr nicht.«

»Ich kann Ihnen mindestens drei Mitarbeiter nennen, die nicht sonderlich gut auf ihn zu sprechen sind oder waren. Da ist zum einen Herr Günther aus der Finanzbuchhaltung, dann Herr Kastner aus der Personalabteilung, und Frau Gröben, die Sekretärin von Dr. Köhler. Von deren Problemen mit Dr. Rosenzweig weiß ich ganz sicher.«

Julia Durant zündete sich eine weitere Zigarette an, fragte: »Und um was für Probleme handelte es sich dabei?«

Claudia Neumann fuhr sich mit der Zunge über die Lippen, zuckte die Achseln. »Da bin ich überfragt, zumindest was Details angeht. Ich weiß lediglich von Herrn Kastner, daß er mit Rosenzweigs Personalpolitik nicht einverstanden war. Ihn hat wohl auch die Unnachgiebigkeit gestört, die mein Chef manchmal an den Tag legte. Ich kann mich an einige Gelegenheiten erinnern, wo die beiden mächtig aneinander geraten sind und es dabei durchaus recht laut zuging. Einmal hat Rosenzweig ihm sogar fristlos gekündigt, hat die Kündigung dann aber aus irgendwelchen unerfindlichen Gründen wieder zurückgenommen. Das liegt nicht einmal ein Jahr zurück. Auch war er in keiner Weise kritikfähig, wobei andererseits seine Kritik an anderen bisweilen überzogen hart ausfiel.«

»Übte er diese Kritik auch an Ihnen?«

»Natürlich. Wenn er einen schlechten Tag hatte, was nicht selten vorkam, dann stand ich oft in der Schußlinie. Doch wie gesagt, ich habe es hingenommen und mir nur meinen Teil gedacht. Abends, wenn ich das Büro verlasse, lasse ich auch den Job hinter mir. Ich denke positiv.«

Julia Durant stützte den linken Arm auf die Lehne und fuhr sich mit der Hand nachdenklich übers Kinn. »Komisch, wenn ich Ihnen so zuhöre, kommt mir Rosenzweig gar nicht mehr wie ein Heiliger vor.«

»Heiliger?« fragte Claudia Neumann lachend. »Ein Heiliger war der bestimmt nicht. Er war ein gewiefter Geschäftsmann, der mit allen Wassern gewaschen war; er konnte manchmal sogar ziemlich rücksichtslos vorgehen. Ich denke, das Bild von einem Heiligen sollten Sie schleunigst vergessen. Wie kommen Sie überhaupt darauf?«

»Wissen Sie etwas über seine Kirche?«

»Was für eine Kirche?« fragte die junge Frau erstaunt.

»Schon mal was von der *Kirche des Elohim* gehört?«

»Natürlich. Hat er der etwa angehört?«

»Ja, er gehörte dieser Kirche an, und alle, mit denen wir heute morgen gesprochen haben, haben nur Lobeshymnen auf Rosenzweig gesungen.«

»Da kann ich ja nur lachen! Zum einen erstaunt mich, daß Rosenzweig überhaupt christliche Anwandlungen hatte, zum andern, daß offensichtlich keiner hier davon gewußt hat. Ich habe ihn immer für einen überzeugten Atheisten gehalten. Aber so kann man sich täuschen. Nur eines kann ich Ihnen sagen, ein Heiliger war der ganz sicher nicht. Dazu war er zu machtbesessen. Sehen Sie sich doch nur den Namen der Firma an …«

»Rosenzweig & Partner?«

»Genau, Rosenzweig & Partner. Das Merkwürdige ist doch, daß Rosenzweig und Köhler zu je fünfzig Prozent am Unternehmen beteiligt sind, aber nur Rosenzweigs Name wird im Titel genannt.«

»Und was meint Köhler dazu?«

»Keine Ahnung. Die Firma existierte ja schon lange, bevor ich hier angefangen habe. Ich kann mir aber nicht vorstellen, daß er besonders glücklich darüber ist. Nur, es besteht eben ein Unterschied zwischen den beiden – Rosenzweig war ein knallharter Geschäftsmann, der, um es salopp auszudrücken, auch mal unkonventionelle Wege beschritten hat, um zu seinem Ziel zu gelangen, während Köhler zwar auch nicht ohne ist, aber mit seinen Geschäftspartnern und Kunden immer fair umgeht.«

Julia Durant nahm einen weiteren Zug an der Zigarette, bevor sie fragte: »Was meinen Sie mit unkonventionellen Wegen?«

Claudia Neumann holte tief Luft, setzte ein ernstes Gesicht auf.

»O ja, ich weiß, man soll das Andenken eines Toten nicht beschmutzen, und das habe ich auch nicht vor. Aber ich denke mir, wenn Rosenzweig mit andern in einer bisweilen ziemlich, sagen wir ›offenen‹ Weise umgehen konnte, dann kann ich mir diese Offenheit jetzt auch erlauben.« Sie zuckte die Schultern, fuhr fort: »Es gab bestimmte Dinge, bei denen er es mit dem Gesetz nicht so genau genommen hat. Aber das scheint in der heutigen Geschäftswelt Usus zu sein.«

»Er nahm es mit dem Gesetz nicht so genau? War er in irgendwelche kriminellen Machenschaften verwickelt?« fragte die Kommissarin neugierig.

»Nun, kriminelle Machenschaften würde ich es nicht nennen, aber es gab da so Geschichten mit der Steuer, wenn Sie verstehen. Vor knapp vier Jahren hatten wir ein Tief und haben rote Zahlen geschrieben. Es wurde sogar gemunkelt, daß die Firma unter Umständen Konkurs anmelden müßte. Rosenzweig hat es aber geschafft, aus rot wieder schwarz zu machen, indem er Gelder am Finanzamt vorbei ins Ausland transferiert hat. Ich glaube, nicht einmal Köhler wußte davon.«

»Und woher wissen Sie es?«

»In meiner Position bekommt man Einblicke in gewisse Dinge. Es werden bestimmte Schriftstücke aufgesetzt, Telefonate geführt, Transaktionen getätigt und so weiter. Er hat einige wichtige Sachen zwar allein gemacht, doch ich habe zufällig einmal ein Papier in die Hände bekommen, aus dem klar hervorging, daß ein sehr hoher Betrag auf ein Luxemburger Konto überwiesen wurde. Und ich denke, das war nicht das einzige Mal. Wenn Rosenzweig gewußt hätte, was ich alles wußte, er hätte mich vermutlich umgebracht.«

»Sie meinen wirklich, er hätte Sie umgebracht?« fragte Julia Durant zweifelnd und zog an ihrer Zigarette.

»Na ja, das ist vielleicht übertrieben, aber mit Sicherheit hätte er mich hochkant rausgeschmissen.«

»Aber Sie hätten ihn mit Ihrem Wissen doch auch erpressen können?«

»Ein anderer hätte es vielleicht gemacht, aber ich nicht. Ich zähle nicht zu den Mutigen dieser Welt.«

»Diese Luxemburger Transaktion war vor vier Jahren, sagen Sie. Und wie hoch war der Betrag?«

»2,2 Millionen.«

»Ein ganz schöner Batzen Geld. In welchem Bereich liegt denn der Umsatz der Firma im Jahr?«

»Kommt drauf an, aber so zwischen vierzig und fünfundvierzig Millionen. Wobei man nicht vergessen darf, daß der Mietpreis hier verdammt hoch ist.«

»Und wie ging es dann weiter?«

»Wie gesagt, wir haben ab da wieder schwarze Zahlen geschrieben und das Finanzamt hat es nicht gecheckt, obwohl wir vor zwei Jahren eine Buchprüfung hatten. Die Firma stand absolut sauber da. Ich weiß auch nicht, wie er das gemacht hat. Aber auf jeden Fall muß irgendwer die Bilanzen geschönt haben.«

Julia Durant drückte ihre Zigarette aus und zündete sich gleich eine neue an. Sie inhalierte, überlegte, sah dabei kurz zu der jungen Frau, die ihr gegenüber saß und ihren Blick erwiderte. Plötzlich fragte sie aus einem Gefühl heraus: »Sagen Sie, kennen Sie einen Walter Schönau?«

Wieder lächelte Claudia Neumann. »Natürlich. Die *Schönau Bank* ist unsere Hausbank. Wir haben zwar noch andere Konten, doch das meiste läuft über diese Bank. Warum fragen Sie?«

»Ich habe Walter Schönau heute morgen kennengelernt. Er gehört auch der Kirche an. Hatten die beiden regelmäßigen Kontakt?«

»Weiß ich nicht. Aber wenn sie in der gleichen Kirche waren, dann ja wohl zwangsläufig.«

»Und diese Transaktionen, von denen Sie sprachen, liefen die über Schönau?«

»Auch da muß ich leider passen. Aber ich könnte mir schon vorstellen, daß Schönau seine Finger mit im Spiel hatte. Es hat ja schon einmal das Gerücht gegeben, daß Schwarzgelder bei oder mit Hilfe von Schönau gewaschen wurden. Aber das ist wie gesagt nur ein Gerücht.«

Julia Durant lächelte auf einmal, sagte: »Sie sprechen nicht sonderlich freundlich über Ihren ehemaligen Chef. Hat das Gründe?«

»Ich sage nur die Wahrheit. Und glauben Sie mir, es macht mir nicht das geringste aus, so hart das auch klingen mag. Um genau zu sein, Dr. Rosenzweig war manchmal ein echter Kotzbrocken, den kaum einer richtig ausstehen konnte. Wir waren immer heilfroh, wenn er auf Geschäftsreise ging, dann hatte man nämlich das Gefühl, mal wieder tief durchatmen zu können.«

»Eine letzte Frage noch – hatte Rosenzweig jemals ein Verhältnis mit einer andern Frau?«

Claudia Neumann lachte wieder auf, erhob und stellte sich ans Fenster, sah hinunter auf die Straße, wo die Menschen und die Autos wie Spielzeug wirkten. Nach einer Weile drehte sie sich um, lehnte sich gegen die Fensterbank und stützte sich mit beiden Händen auf. »Hatte Rosenzweig ein Verhältnis?« Sie lächelte spöttisch, mit einem Mal wurde ihr Blick ernst. »Es kann sein, ich weiß es aber nicht. Und ich werde den Teufel tun und mir den Mund verbrennen. Denn auch das sind nur Gerüchte, nichts weiter. Und ich gebe nichts auf Gerüchte, sondern nur auf Fakten. Und ich habe diesbezüglich keine Fakten für Sie.«

»Und die Gerüchte, wie lauten die?«

»Tut mir leid, kein Kommentar. Versuchen Sie´s bei meinen Kollegen oder Kolleginnen, vielleicht wissen die mehr. Aber bitte, lassen Sie mich aus dem Spiel. Ich könnte durch eine solche Aussage in Teufels Küche kommen.«

Julia Durant erhob sich von ihrem Stuhl, holte eine Karte aus ihrer Tasche und reichte sie Claudia Neumann. »Wenn Ihnen noch etwas einfällt, was für unsere Ermittlungen von Bedeutung sein könnte, rufen Sie mich an. Ich bedanke mich für Ihre Hilfe.«

»Gern geschehen.«

»Ach ja, ich hätte doch noch eine Frage – kennen Sie jemanden, der ein Motiv gehabt haben könnte, Rosenzweig umzubringen?«

Die junge Frau schüttelte leicht den Kopf, schien zu überlegen, sagte: »Nein, auch wenn er ab und an unausstehlich war, so kenne ich von den Mitarbeitern hier niemanden, dem ich so etwas zutrauen würde. Aber man steckt ja nie in den Menschen drin.«

»Das ist wahr. Aber ich würde mich jetzt gerne mit Herrn Kastner unterhalten. Würden Sie mir freundlicherweise sein Büro zeigen?«

»Ich begleite Sie dorthin.«

»Aber vorher würde ich gern noch einen Blick in Dr. Rosenzweigs Büro werfen.«

Claudia Neumann öffnete die Tür, sagte: »Bitte schön, sehen Sie sich um.«

Julia Durant betrat den etwa dreißig Quadratmeter großen Raum, in dessen Mitte ein wuchtiger, kieferfarbener Schreibtisch stand. An zwei Wänden befanden sich Regale, von denen eines mit Büchern, das andere mit Akten gefüllt war, auch hier gab es wie bei Claudia Neumann Hydrokulturen, dazu aber noch eine braune Ledergarnitur mit einer Couch und zwei Sesseln und einem Glastisch. An der dritten Wand standen drei ebenfalls kieferfarbene Aktenschränke.

»Haben Sie oder einer Ihrer Kollegen seit heute morgen hier etwas angefaßt?« fragte die Kommissarin.

»Nein, warum?«

»Es ist einfach wichtig.« Sie ging zum Schreibtisch, wollte eine Schublade herausziehen, doch sie ließ sich nicht öffnen. »Gibt es einen Schlüssel für den Schreibtisch?«

»Natürlich gibt es den, aber Dr. Rosenzweig hat ihn immer mitgenommen. Genau wie die für die Schränke.«

»Und Sie haben keinen Zweitschlüssel?«

»Tut mir leid, nein.«

»Seltsam«, murmelte Durant, »es hätte doch immerhin mal sein können, daß Dr. Rosenzweig krank wurde oder auf Geschäftsreise war und dringend ein paar Unterlagen aus seinem Büro brauchte. Gab es nie eine Gelegenheit, wo er Sie anrief und Sie bat, dieses oder jenes aus seinem Büro zu holen?«

»Nein, nicht seit ich hier bin.«

»Ich kann nur hoffen, wir finden die Schlüssel bei ihm zu Hause, sonst werden wir den Tisch und auch die Schränke aufbrechen müssen.«

Claudia Neumann zuckte nur die Schultern, die Kommissarin verließ Rosenzweigs Büro wieder. »Aber abschließen können Sie das Büro doch, oder?«

»Nein«, erwiderte Claudia Neumann verlegen lächelnd, »auch dafür habe ich keinen Schlüssel.«

»Und wer garantiert mir, daß heute oder morgen früh keiner das Büro betritt?«

»Ich. Bevor ich das Haus verlasse, schließe ich meine Tür ab, und nur ich habe einen Schlüssel dafür.«

»Haben Sie mal ein Blatt Papier für mich? Ich möchte nur kurz etwas schreiben und es an die Tür von seinem Büro kleben und zwar mit Uhu oder einem Pritt-Klebestift. Das ist so gut wie ein Siegel.«

Sie schrieb ›*Polizeisiegel, Betreten verboten, Julia Durant, Hauptkommissarin*‹, gab auf vier Ecken des Papiers etwas Klebstoff und befestigte eine Hälfte am Rahmen, die andere an der Tür.

»So, das müßte genügen. Wenn Sie mich jetzt bitte zu Herrn Kastner bringen würden.«

Kastner saß hinter seinem Schreibtisch und machte von Hand ein paar Notizen. Er blickte auf, als die beiden Frauen sein Büro betraten.

»Herr Kastner, das ist Kommissarin Durant von der Kripo. Sie würde sich gerne mit Ihnen unterhalten.«

»Selbstverständlich«, sagte Kastner und schoß von seinem Stuhl hoch. Julia Durant schätzte ihn auf Anfang Vierzig, er war eher klein, hatte aber eine jugendliche Ausstrahlung, trug Jeans und ein kurzärmeliges, weißes Hemd, dessen zwei oberste Knöpfe offenstanden. Er kam hinter seinem Schreibtisch hervor und reichte der Kommissarin die Hand. Das einzige, was ihr negativ auffiel, waren seine Augen, die etwas Verschlagenes hatten, und der seltsame Geruch im Raum, eine Mischung aus Alkohol und Zigaretten.

»Kastner. Wenn Sie bitte Platz nehmen wollen«, sagte er mit leicht geröteten Wangen. Claudia Neumann machte kehrt und schloß die Tür hinter sich.

»Was kann ich für Sie tun?« fragte er. »Es ist wirklich furchtbar, daß ...«, er schüttelte den Kopf.

Julia Durant machte ein ernstes Gesicht, sagte: »Sicher ist es das, doch Sie brauchen sich nicht zu verstellen, denn nach dem, was ich bereits erfahren habe, war Rosenzweig nicht sonderlich beliebt.«

Kastner errötete noch mehr, räusperte sich, versuchte sich locker zu geben, doch es gelang ihm nicht. »Aber ich möchte Ihnen nur ein paar Fragen stellen. Seit wann arbeiten Sie für Rosenzweig & Partner?«

»Seit zwölf Jahren.«

»Und wie war Ihr Verhältnis zu Dr. Rosenzweig?«

»Ich hatte kein Verhältnis zu ihm. Tut mir leid, das sagen zu müssen, doch Rosenzweig und ich sind uns aus dem Weg gegangen, soweit das möglich war. Das heißt, ich bin ihm aus dem Weg gegangen. Manchmal ließ es sich aber leider nicht vermeiden, daß wir aneinandergeraten sind.«

»Und wie sah dieses Aneinanderraten aus? Haben Sie mit ihm gestritten, diskutiert, sind laute Worte gefallen?«

»Mit Rosenzweig zu diskutieren war praktisch unmöglich. Er ließ keine andere Meinung gelten als die eigene. Wenn Sie wissen wollen, wie ein Tyrann aussieht, dann brauchen Sie nur Rosenzweig zu nehmen. Er war das Abbild eines Tyrannen«, sagte Kastner verächtlich. »Ganz im Gegensatz zu seinem Kompagnon, Dr. Köhler. Mit dem kann man immer reden.«

»Wenn Sie mit Rosenzweig gestritten haben, worum ging es dann meistens?«

Kastner zuckte die Schultern, blickte an Durant vorbei zur Wand. Er zögerte einen Moment, schließlich sagte er: »Ich bin vor zwölf Jahren in dieses Unternehmen gekommen, um die Personalabteilung zu übernehmen. Als Rosenzweig das Einstellungsgespräch mit mir geführt hat, machte er einen freundlichen, großzügigen Eindruck. Doch das sollte sich schnell ändern. Kaum hatte ich hier angefangen, hat er an fast allem herumkritisiert, was ich tat. Dabei lag die Entscheidung, wer eingestellt wurde oder nicht, im wesentlichen bei mir. Oder auch, wer gehen mußte. Natürlich mußten bei wichtigen Einstellungen Rosenzweig und auch Dr. Köhler ihr Einverständnis geben, aber Rosenzweig wollte die absolute Kontrolle über alles haben. Nun, ich bin nicht leicht einzuschüchtern, deshalb bin ich einen konsequenten Kurs in meinem Job gegangen. Sehen Sie, hier arbeiten insgesamt vierundvierzig Leute. Und ich bin sozusagen die erste Anlaufstation, wenn jemand Probleme hat, sei es mit einem Kollegen oder einer Kollegin, wenn es um eine Gehaltserhöhung geht und so weiter. Eigentlich ist mein Aufgabenfeld sehr weit gefächert. So habe ich zum Beispiel auf Wunsch einiger Mitarbeiter durchgesetzt, daß Raucher und Nichtraucher getrennt arbeiten. Ich habe ein detailliertes Konzept vorgelegt, das von der Belegschaft sehr positiv aufgenommen wurde. Nur Rosenzweig war wieder einmal nicht damit einverstanden. Er hat mich noch am gleichen Tag in sein Büro beordert, um mir seine Meinung zu dem Konzept darzulegen. Ich weiß nicht mehr genau, was alles gesagt wurde, auf jeden Fall endete es in einem Riesenkrach. Ich habe ihm wohl auch ein paar unschöne Dinge an den Kopf geworfen, woraufhin er mir fristlos gekündigt hat. Gut, sagte ich mir, wenn er es so will, soll er es haben. Ich habe einen befreundeten Anwalt angerufen und mich noch am selben Abend mit ihm besprochen. Er hat mir einige sehr nützliche Tips gegeben, und … Na ja, schon am nächsten Morgen hat Rosenzweig die Kündigung zurückgenommen.«

»Was für Tips waren das?«

»Ich glaube nicht, daß die Ihnen bei der Klärung Ihres Falles von Nutzen sein werden. Ich bin jedenfalls immer noch hier, und ich denke, in Zukunft wird die Arbeit um einiges streßfreier sein.«

»Hatten Sie Rosenzweig mit irgend etwas in der Hand?« fragte die Kommissarin mißtrauisch.

Kastner zögerte mit der Antwort, wieder röteten sich seine Wangen, ein Zeichen von Nervosität. Doch er schüttelte den Kopf, sah Julia Durant für den Bruchteil einer Sekunde an und sagte, ohne die Kommissarin dabei noch einmal anzusehen: »Nein, ich habe Rosenzweig nicht erpreßt, falls Sie darauf hinaus wollen.«

Julia Durant glaubte ihm nicht, sein rotes Gesicht machte sie mißtrauisch, die Art und Weise, wie er den letzten Satz sagte, etwas kehlig und gepreßt, den Blick zu Boden gerichtet, als scheute er den direkten Augenkontakt, seine verkrampfte Haltung. Sie spürte, Kastner hatte etwas gegen Rosenzweig in der Hand gehabt, das diesen sofort veranlaßt hatte, die Kündigung rückgängig zu machen.

»Waren Sie jemals bei ihm zu Hause?« fragte sie.

»Der Himmel bewahre, nein. Keine zehn Pferde hätten mich jemals zu ihm nach Hause gebracht. Ich war froh, wenn ich ihn nicht zu Gesicht bekam.«

»Dann kennen Sie auch seine Frau und die Kinder nicht?«

»Nein, überhaupt nicht. Warum wollen Sie das wissen?«

»Nur so, Routine. Ich habe bereits Frau Neumann gefragt und frage jetzt auch Sie, ob Ihnen irgend jemand einfällt, der von Rosenzweig vielleicht so sehr gereizt wurde, daß er ihn umgebracht hat? Ein betrogener Ehemann, eine verschmähte Geliebte? Wissen Sie etwas über Rosenzweigs Affären?« Diesmal formulierte sie die Frage bewußt anders als bei Claudia Neumann.

»Mir ist keine Affäre bekannt. Und auch sonst, ich meine, er war nicht gerade das, was man sich unter einem Musterchef vorstellt, doch man konnte immer darauf gefaßt sein, daß er im nächsten Moment explodiert. Ich kann Ihnen da nicht weiterhelfen.«

»In Ordnung. Dann haben Sie vielen Dank, daß Sie sich Zeit für mich genommen haben, ich werde Sie jetzt wieder Ihrer Arbeit überlassen und mich mit meinen Kollegen besprechen. Auf Wiedersehen.«

»Wiedersehen«, murmelte Kastner und machte die Tür hinter der Kommissarin zu. Drinnen lehnte er sich gegen die Tür, schloß die Augen, seine Schläfen pochten, er hatte dicke Schweißperlen auf der Stirn, obgleich es in dem Raum angenehm kühl war. Er ging hinter seinen Schreibtisch, zog die unterste Schublade hervor und nahm eine unter Akten versteckte Flasche Wodka heraus. Er schraubte den Verschluß ab, trank in schnellen Schlucken, wischte sich den Mund mit dem Handrücken ab und legte die wieder verschlossene Flasche zurück in ihr Versteck. Er atmete ein paarmal kräftig ein und wieder aus, lehnte sich zurück, die Hände hinter dem Kopf verschränkt und dachte nach.

Die meisten Mitarbeiter von Rosenzweig & Partner waren von Hellmer, Kullmer und Durant befragt worden, es fehlten nur noch zwei, eine Dame aus dem Schreibbüro und Frau Gröben, die Sekretärin von Dr. Köhler. Hellmer und Kullmer unterhielten sich mit Jessica Wagner aus dem Schreibbüro, einer jungen Frau von höchstens zweiundzwanzig Jahren. Sie hatte ein ausgesprochen hübsches Gesicht, das umrahmt war von dunkelbraunem, welligem, bis weit über die Schultern fallendem Haar, große, dunkle, feurige Augen und einen lolitahaften Ausdruck, der offensichtlich besonders Kullmer auf- und gefiel. Julia Durant begab sich zu Frau Gröben, einer Mittvierzigerin, die gerade ein Telefonat auf französisch führte. Die Kommissarin blieb in der Tür stehen, wartete, bis das Telefongespräch beendet war, sah, daß ein Aschenbecher auf dem Tisch stand und zündete sich eine Gauloise an. Amelie Gröben lächelte etwas verkniffen und bat Julia Durant, Platz zu nehmen.

»Guten Tag, Frau Gröben. Wie Sie sicherlich schon wissen, bin ich von der Kriminalpolizei und hätte ein paar Fragen an Sie.«

»Ich stehe Ihnen zur Verfügung«, sagte die dunkelblonde Frau mit den grünen Augen, die einen gelben, bis über die Knie reichenden Rock und eine weiße Bluse trug. Sie war eine sehr gepflegte Erscheinung, die jünger aussah, als sie in Wirklichkeit war. Sie hatte die Ellbogen auf dem Tisch abgestützt und drehte einen Kugelschreiber zwischen den Fingern. »Wenn ich nur noch Ihren Namen erfahren dürfte?« sagte sie immer noch lächelnd.

»Tut mir leid, wenn ich mich nicht vorgestellt habe, ich bin Hauptkommissarin Julia Durant. Frau Gröben, Sie haben ja inzwischen längst von Dr. Rosenzweigs Tod gehört. Können Sie mir etwas zu seiner Person sagen? Was für ein Mensch er war, wie Sie zueinander standen …«

Das Lächeln verschwand augenblicklich aus dem Gesicht der Angesprochenen. Sie zog die Stirn in Falten, blickte auf ihre Finger, die noch immer den Kugelschreiber hielten, schließlich lehnte sie sich zurück, schluckte und sah die Kommissarin an.

»Zu seiner Person?« Sie zuckte die Schultern. »Nachdem Sie und Ihre Kollegen nun schon fast die gesamte Belegschaft befragt haben, werden Sie sicher wissen, was für ein Mensch Dr. Rosenzweig war. Ich habe dem eigentlich nichts weiter hinzuzufügen.«

»Woher wissen Sie, was die andern gesagt haben?«

»Eine Kollegin hat es mir vor ein paar Minuten erzählt.« Sie verzog für den Bruchteil einer Sekunde verächtlich die Mundwinkel, sagte: »Ich glaube kaum, daß ich andere oder neue Informationen für Sie habe.«

»Nun, das mag sein, trotzdem würde ich gerne von Ihnen, die Sie mit am längsten für Rosenzweig & Partner arbeiten, Ihre persönliche Meinung über den Toten hören.«

Frau Gröben schloß kurz die Augen, schüttelte kaum merklich den Kopf. »Mit ihm oder für ihn zu arbeiten konnte die Hölle sein. Man mußte einfach jede Sekunde aufpassen, was man sagte, wie man es sagte … Und trotzdem war man nie sicher vor seinen Launen. Ich bin seit bald zwanzig Jahren hier, und für mich ist Rosenzweigs Tod, so hart es auch klingen mag, kein Verlust. Ich denke, Dr. Köhler wird die Firma auch allein leiten können, vor allem aber wird hier endlich Ruhe einkehren. Zweifelsohne war Rosenzweig ein begnadeter Geschäftsmann, der bei den Kunden ein außerordentliches Ansehen genoß, nur hier, in diesen Räumen, hatte er dieses Ansehen längst verspielt. Ich glaube, kaum einer mochte ihn, nicht einmal die Schleimer, die sich einen Vorteil erhofften, indem sie ihm den Speichel von den Schuhen leckten. Das war auch das einzige, was Rosenzweig gefiel, Speichellecker, denn Speichellecker kriechen auf dem Boden und man kann sie leicht treten. Und um auf Ihre andere Frage zurückzukommen – wir standen nicht zueinander, wir standen gegeneinander. Ich habe seine Art nie akzeptiert und habe es ihn auch einige Male recht deutlich spüren lassen. Ich bin sicher, er hätte mich nur allzu gerne schon vor Jahren fristlos gefeuert, doch ich war und bin die Sekretärin von Dr. Köhler, und nur der kann mich rausschmeißen.«

Julia Durant lächelte in sich hinein, ohne etwas auf die Ausführungen von Frau Gröben zu erwidern. Statt dessen fragte sie: »Und Frau Neumann, wie ist Ihr Verhältnis zu ihr? Sie müssen natürlich nicht auf diese Frage antworten, aber es würde mich dennoch interessieren.«

»Frau Neumann ist eine ganz nette Person. Mich wundert es, daß sie es so lange als Rosenzweigs Sekretärin ausgehalten hat. Bevor sie kam, haben die Damen etwa im Halbjahres-Zyklus gewechselt. Aber das hat wahrscheinlich mit Frau Neumanns besonders ... offenherziger ... Art zu tun, wenn Sie verstehen, was ich meine.« Sie machte eine kurze Pause, bevor sie süffisant lächelnd fortfuhr: »Nun, welcher Mann befindet sich nicht gern in der Umgebung einer derart attraktiven jungen Frau, die über solch überaus hervorstechende körperliche Merkmale verfügt? Sie weiß eben ihre weiblichen Reize gezielt einzusetzen. Und Rosenzweig war schließlich auch nur ein Mann. Manchmal hat er sie auch mit auf Geschäftsreise genommen.«

»Interessant. Was meinen Sie konkret damit, daß Rosenzweig auch nur ein Mann war?«

»Na ja, es gibt Gerüchte. Ob an denen etwas dran ist oder nicht, kann ich nicht beurteilen. Aber wie heißt es doch so schön, in jedem Gerücht steckt ein Körnchen Wahrheit.«

»Könnten Sie vielleicht noch etwas deutlicher werden? Hatte Dr. Rosenzweig vielleicht ein Verhältnis mit einer Kollegin? Mit Frau Neumann?«

Frau Gröben zog die Stirn in Falten, lächelte vielsagend und sagte: »Vielleicht, vielleicht auch nicht. Wie gesagt, es sind nur Gerüchte.«

»In Ordnung, dann wollen wir auch nicht auf Gerüchte hören. Wie mir gesagt wurde, kommt Dr. Köhler schon morgen aus London zurück. Wie kam er mit Rosenzweig aus? Schließlich waren sie Partner.«

»Fragen Sie ihn selbst, wenn er wieder da ist. Ich möchte nicht für ihn sprechen.«

»Gut, dann habe ich im Moment keine weiteren Fragen. Ich wünsche noch einen schönen Tag, und ich oder einer meiner Kollegen werden morgen noch einmal reinschauen.« Julia Durant stand auf und verließ das Büro. Hellmer und Kullmer standen auf dem Gang und unterhielten sich leise.

»Kommt, laßt uns gehen und draußen eine Bilanz ziehen. Mal sehen, ob eure genau so ausfällt wie meine.«

Dienstag, 15.30 Uhr

Sie bestiegen den Aufzug, fuhren ins Erdgeschoß und traten ins Freie, wo die Hitze sie wie ein Keulenschlag traf.

»Also«, begann die Kommissarin, »was haben eure Befragungen ergeben?«

Hellmer zündete sich eine Marlboro an, inhalierte und stieß den Rauch durch die Nase aus. Er machte ein abschätzendes Gesicht, sagte: »Von wegen Heiliger! Wenn es stimmt, was seine Angestellten über ihn sagen, dann war Rosenzweig ein eiskalter Geschäftsmann. Aber er war angesehen. Auf jeden Fall scheint er aber genau das Gegenteil von dem gewesen zu sein, was die Leute aus seiner Kirche über ihn sagen. Die Frage ist nur, ob wir damit auch ein Mordmotiv haben.«

»Und Sie?« fragte Julia Durant an Kullmer gewandt.

»Genau das gleiche. Im Prinzip war Rosenzweig der bestgehaßte

Mann in seiner Firma. Details waren aber aus den Leuten nicht rauszukriegen.«

»Habt ihr irgendwas von einem Gerücht gehört, nachdem Rosenzweig ein Verhältnis gehabt haben soll?«

»Nein«, sagte Hellmer und schüttelte den Kopf. »Warum fragst du?«

»Weil zwei der Sekretärinnen von einem solchen Gerücht gesprochen haben. Nur wollten sie keinen Namen nennen, weil es eben nur ein Gerücht sei. Doch ich erinnere an Frau Rosenzweig, die uns gestern abend klipp und klar zu verstehen gegeben hat, daß Ehebruch gleich hinter Mord käme und unweigerlich mit Ausschluß aus der Kirche geahndet würde, es sei denn, der Sünder bekennt seine Tat öffentlich. Was aber, wenn Rosenzweig nicht der moralische Saubermann war, als der er sich nach außen hin dargestellt hat? Zumindest in der Kirche? Ach ja, bevor ich´s vergesse, ein Saubermann war er ohnehin nicht, denn vor vier Jahren hat er, als seine Firma kurz vor dem Konkurs stand, einige Millionen am Finanzamt vorbei nach Luxemburg geschafft und so das Unternehmen vor dem Ruin gerettet. Und jetzt ratet mal, wer die Hausbank von *Rosenzweig & Partner* ist? Die *Schönau Bank*, dessen Vorsitzender und Inhaber der ehrenwerte Walter Schönau persönlich ist. Jener Walter Schönau, den wir heute morgen bei Frau Rosenzweig angetroffen haben. Ich möchte wetten, daß auch er bei dieser illegalen Transaktion seine Finger im Spiel hatte. Und ich bin gespannt, was Schönau zu sagen hat, wenn ich ihm ein bißchen fester auf den Zahn fühle.«

Hellmer nahm einen letzten Zug an seiner Zigarette und ließ sie auf den Bürgersteig fallen. »Du meinst, Schönau deckt seinen Freund Rosenzweig? Oder er hat gar gemeinsame Sache mit ihm gemacht? Das würde dann allerdings in der Kirche wie eine Bombe einschlagen. Nur bräuchten wir handfeste Beweise, daß sowohl Rosenzweig als auch Schönau Dreck am Stecken haben. Und die zu beschaffen, wird schwer werden.« Er blieb stehen, fuhr sich mit der rechten Hand über das Kinn, sagte, nachdem auch die beiden andern stehengeblieben waren: »Außerdem suchen wir doch eigentlich nach einem Mörder und nicht nach Beweisen für Rosenzweigs mangelnde Integrität.«

»Ach komm, diesen kleinen Spaß gönnen wir uns zwischendurch. Ich bin ziemlich sicher, der Fall wird so oder so bald gelöst sein.«

»Wenn du meinst«, sagte Hellmer, und Kullmer fügte hinzu: »Ich will Ihnen ja keinen Dämpfer versetzen, aber was ist, wenn das, was man über Rosenzweig sagt, schlicht und ergreifend gelogen ist? Sie wissen doch, es gibt viele Neider, wenn man erfolgreich ist. Und ein paar von den Leuten, mit denen ich gesprochen habe, gehören nicht unbedingt zu denen, mit denen ich gern zusammenarbeiten möchte. Insgesamt erscheint mir das Betriebsklima etwas sehr frostig.«

»Ach, kommen Sie, mehr als vierzig Angestellte können doch nicht lügen!«

»Und was, wenn doch?«

»Sie meinen das wirklich ernst?«

»Was heißt ernst. Man muß zumindest jede Möglichkeit in Betracht ziehen. Wir sollten einmal Leute befragen, die nicht direkt mit Rosenzweig zu tun hatten, Geschäftspartner und Kunden, Nachbarn.«

»Stimmt. Er war sehr angesehen bei seinen Geschäftspartnern, und scheinbar nicht nur dort. Das hat jedenfalls seine Sekretärin gesagt, auch wenn sie sonst kaum ein gutes Haar an ihrem Chef gelassen hat. Eine auffällige Erscheinung übrigens, wie ich finde. Oder was meinen Sie?« fragte die Kommissarin und warf Kullmer einen leicht spöttischen Blick zu. »Ihre Kragenweite? Oder besser gesagt – Oberweite?«

»Hahaha! Mir wird gleich schlecht vor Lachen«, erwiderte Kullmer gereizt.

»Na ja, ich meine ja nur. Sie hat zumindest ein paar höchst bemerkenswerte körperliche Vorzüge. Und das ist Ihnen doch sicher nicht entgangen?«

»Können wir vielleicht von etwas anderem reden? Ich habe, falls es Sie interessiert, seit einem Jahr eine feste Beziehung, werte Hauptkommissarin Durant! Und ich habe nicht vor, diese Beziehung aufs Spiel zu setzen.«

»Schon gut, tut mir leid. Ich verspreche, ich werde Sie nie wieder auf dieses Thema ansprechen. Und jetzt erstatten wir noch kurz Berger einen Bericht, und danach fahre zumindest ich nach Hause. Und morgen wird Rosenzweigs Büro durchsucht. Einer von euch kümmert sich am besten noch heute darum, ob die Schlüssel für den Schreibtisch und die Schränke bei ihm zu Hause sind.«

Dienstag, 17.10 Uhr

Julia Durant verließ das Präsidium um kurz nach fünf. Die Kopfschmerzen waren verschwunden, ebenso die leichte Übelkeit, die sie den ganzen Tag über verspürt hatte. Sie wollte noch ein paar Lebensmittel und etwas zu trinken einkaufen, die Wohnung in einen einigermaßen vorzeigefähigen Zustand bringen und ein Bad nehmen. Zu Hause angelangt holte sie die Post aus dem Briefkasten, zwei Rechnungen, zwei Werbebriefe, die sie gleich in den Papierkorb vor dem Haus warf, sowie ein Brief von ihrer Freundin Susanne Tomlin aus Südfrankreich. Sie steckte den Brief und die Rechnungen in die Einkaufstaschen, lief die Treppe hinauf zu ihrer Wohnung, öffnete die Tür und kickte sie mit dem Absatz wieder zu. Die Hitze hatte sich mittlerweile in jeder Ritze der Wohnung festgesetzt, die Vorhänge blähten sich auf wie Segel, als der immer noch heiße Südwind gegen sie blies. Sie stellte die Taschen in der Küche ab, nahm den Brief von Susanne Tomlin, riß den Umschlag auf und las. Es ging ihr gut, wie immer, und wie immer zu dieser Zeit fragte sie, ob Julia Durant nicht Lust hätte, während der Sommerferien Urlaub in dem traumhaften Haus am Mittelmeer zu machen. Sie zuckte die Schultern, murmelte ›Mal sehen, was sich machen läßt‹, legte den Brief auf den Tisch. Sie wollte gerade die Taschen auspakken, als das Telefon läutete. Sie nahm den Hörer nach dem zweiten Klingeln ab.

»Hallo, Schatz, ich bin's, Werner. Ich sollte mich gegen sechs melden, hier bin ich. Wie sieht es heute abend aus? Kannst du vorbeikommen?«

»Kannst du nicht herkommen? Ich war gerade einkaufen und könnte uns auch was zu essen machen.«

»Kein Problem. Wann soll ich da sein?«

»Ich will nur noch schnell ein bißchen aufräumen und ein Bad nehmen. Sagen wir halb acht?«

»Einverstanden. Halb acht bei dir. Bis nachher, ich freu mich schon.«

»Bis dann. Tschüs.«

Sie legte auf, überlegte einen Moment. Eigentlich hatte sie keine Lust, heute abend mit Werner Petrol zusammenzusein, sie war müde und erschöpft und durchgeschwitzt, und im Augenblick nicht in der Stimmung für große sexuelle Kapriolen, was sich jedoch, wie sie aus der Vergangenheit kannte, sehr schnell ändern konnte. Doch wenn er kam, endete es immer im Bett, und meistens war es auch schön und sie fühlte sich hinterher gut und ausgeglichen. ›Was soll's‹, dachte sie, packte die Einkaufstaschen aus, verstaute die Milch, die Butter, die Salami und die Teewurst sowie die beiden Sechserpack Bier im Kühlschrank und legte die Bananen und die Tomaten in den Obstkorb, obgleich ihre Mutter früher immer gesagt hatte, daß Obst und Gemüse nicht nebeneinander gehörten. Das Glas Gurken, die Dose Tomatensuppe und das Brot stellte sie in den Vorratsschrank, in dem sich außer vier Dosen Thunfisch nichts befand.

Sie ging ins Bad, ließ Wasser einlaufen, prüfte die Temperatur und begab sich zurück in die Küche, um das Geschirr vom Vortag und das vom Frühstück zu spülen. Als sie fertig war, schaute sie nach dem Wasser, goß den Rest vom Schaumbad dazu, warf die leere Flasche in den Abfalleimer, räumte das Wohnzimmer auf, in dem verstreut Unterwäsche, Blusen, eine Jeans und Schuhe lagen, die sie bis auf die Jeans und die Schuhe in den jetzt überquellenden Wäschekorb schmiß, zuletzt leerte sie den Aschenbecher, wischte mit einem Tuch darüber, warf drei leere Bierdosen in den Abfallkorb und stellte den Aschenbecher zurück auf den Tisch. Sie drehte das Wasser ab, ging ins Schlafzimmer, machte das Bett und öffnete das nach Norden gerichtete Fenster, sah sich noch einmal kurz um und fand, sie hätte für heute ihren hausfraulichen Pflichten Genüge getan, holte eine Dose Bier aus dem Kühlschrank, riß den Verschluß auf und trank sie in großen Schlucken bis zur Hälfte leer. Sie nahm die Dose mit ins Bad, stellte sie auf den Wannenrand und entkleidete sich. Als sie nackt war, warf sie einen langen Blick in den Spiegel, fand sich bis auf den Bauch einigermaßen ansehnlich und stieg in die Wanne. Sie lehnte sich zurück, das Wasser tat ihr gut, sie schloß die Augen, griff blind nach dem Bier und nippte jetzt nur noch daran, bis die Dose leer war. Sie warf einen Blick auf die kleine Quarzuhr neben dem Waschbecken, Viertel vor sieben. Sie wusch sich, blieb noch fünf Minuten im Wasser sitzen, bevor sie aus der Wanne stieg und sich abtrocknete. Sie sprühte sich etwas Deo unter die Achseln, legte einen Hauch von Lippenstift auf, zog frische Unterwäsche und eine kurze Hose an, die ihre braunen Beine sehr vorteilhaft zur Geltung brachte, danach ein eng geschnittenes, weißes Oberteil, das ihren Busen wie eine zweite Haut umspannte. Sie bürstete ihr dunkles, halblanges Haar, warf einen letzten Blick in den Spiegel. Sie nickte zufrieden, bis auf die leichten Ränder unter den Augen war sie mit ihrem Aussehen zufrieden.

Sie ging in die Küche, schnitt vier Scheiben Brot ab, schmierte dünn Butter darüber und belegte die Scheiben mit Salami, Gouda und Thunfisch, schnitt zwei Tomaten klein, die sie zusammen mit ein paar Cornichons und Zwiebelringen auf einen Extrateller legte. Sie stellte zwei Teller auf den Wohnzimmertisch, legte Messer und Gabel dazu, anschließend schaltete sie den Fernseher ein. Der Wetterbericht war der gleiche wie seit Tagen, Hitze am Tag, wolkenloser Himmel und schwülwarme Nächte. Sie drückte Kanal einunddreißig, MTV. Sie ging noch einmal in die Küche, holte einen Topf aus dem Schrank, schüttete die Tomatensuppe mit Nudeln und Klößchen hinein und dazu noch einmal die gleiche Menge Wasser. Sie verrührte alles mit einem Schneebesen und stellte den Topf auf den Herd. Sie wollte sich gerade setzen, als das Telefon erneut klingelte.

»Durant.«

»Hallo, Julia, hier ist dein Vater. Wie geht es dir?«

Sie lehnte sich zurück, legte die Beine auf den Tisch, antwortete:

»Es geht. Ich habe in den letzten Tagen ein paarmal versucht, dich zu erreichen, aber ...«

»Ich war verreist. Du kennst mich doch, seit ich nicht mehr arbeite und allein in diesem Haus lebe, muß ich einfach ab und zu raus. Und jetzt wollte ich mich eigentlich nur zurückmelden. Das nächste Mal sage ich Bescheid, bevor ich wegfahre. Versprochen.«

»Du solltest es lieber nicht versprechen, denn ich kann mich erinnern, dieses Versprechen nicht zum ersten Mal zu hören«, sagte sie grinsend. »Wo warst du denn?«

»Eine Woche Nordsee. Das Wetter hätte zwar besser sein können ...«

»Hör mir auf mit diesem verdammten Wetter. Ich kann die Hitze hier bald nicht mehr ertragen. Und da oben war es kühl?« fragte sie zweifelnd.

»Kühl, und ab und zu hat es geregnet. Aber nun zu dir, was macht die Arbeit?«

Durant seufzte auf, steckte sich eine Gauloise an. »Es ist schon komisch, aber du fragst mich jedesmal dann nach meiner Arbeit, wenn gerade etwas passiert ist. Hast du einen sechsten Sinn?«

»Vielleicht. Aber was ist denn passiert?«

»Du weißt ja, eigentlich dürfte ich mit dir gar nicht darüber sprechen, aber ich weiß auch, daß du es für dich behältst. Na ja, gestern abend ist so ein reicher Typ auf eine recht merkwürdige, um nicht zu sagen, perverse Weise ums Leben gekommen. Auch wenn wir Selbstmord nicht ganz ausschließen können, so liegt die Wahrscheinlichkeit dafür bei weniger als einem Prozent. Wir sind alle überzeugt, daß er umgebracht wurde. Und heute haben wir den ganzen Tag damit zugebracht, alle möglichen Leute zu verhören, einschließlich der Belegschaft seines Unternehmens.« Sie nahm einen weiteren Zug an ihrer Zigarette, fuhr fort: »Es ist schon seltsam, mit was für Fällen man bei der Mordkommission so konfrontiert wird. Im Fernsehen zeigen sie fast immer nur, wie jemand erschossen oder erstochen wird, aber die Wirklichkeit sieht oft ganz anders aus. Tja, was soll´s.«

»Wie ist er denn gestorben?«

»Gestorben?« fragte Julia Durant und lachte auf. »Der ist nicht gestorben, der ist im wahrsten Sinn des Wortes krepiert. Eigentlich wollte er sich Insulin spritzen, aber irgend jemand hat ihm eine sehr hohe Dosis Schlangengift, genaugenommen zwei verschiedene Sorten Schlangengift, unter das Insulin gemischt. Der Mann ist innerlich und äußerlich verblutet. Und das Komische daran ist, daß eines dieser Gifte in Deutschland laut Auskunft unseres Rechtsmediziners überhaupt nicht zu haben sein dürfte, weil diese Schlange zu den geschützten Tierarten zählt und nicht aus Australien ausgeführt werden darf. Und irgend jemand war auch noch so schlau, die wirksamsten Teile des Giftes zu extrahieren. Wir stehen vor einem Rätsel, wie du dir unschwer vorstellen kannst.«

»Das ist allerdings das erste Mal, daß ich von einem solchen Mordfall höre. Und ihr habt noch keine Spur?«

»Nein, wir haben alle befragt, die wir heute geschafft haben, jetzt müssen wir noch Geschäftspartner und eventuell Mitglieder aus seiner Kirche befragen ...«

»Was für eine Kirche?« fragte Durants Vater neugierig.

»Hab ich das noch gar nicht erzählt? Der Tote gehörte der *Kirche des Elohim* an, was dir sicherlich ein Begriff ist. Mit drei Leuten aus dieser Kirche haben wir heute morgen bereits gesprochen, wobei sie uns den Ermordeten als eine Art Heiligen darstellten. Seine Mitarbeiter waren allerdings ganz anderer Meinung. Wir wissen noch nicht, was wir davon halten sollen. Erzähl du mir doch mal was von dieser Kirche, damit ich beim nächsten Mal nicht unvorbereitet bin.«

»Viel weiß ich nicht, außer daß es sich um eine fast auf der ganzen Welt verbreitete Kirche handelt, die sehr stark missionarisch tätig ist, ähnlich wie die Zeugen Jehovas oder die Mormonen. Ansonsten hört man wenig über diese Kirche, obgleich sie in den etwa zweihundertfünfzig Jahren seit ihrem Bestehen einen beachtlichen Zulauf erfahren hat. Soweit mir bekannt ist, sind Mitte des achtzehnten Jahrhunderts einige Deutsche unter der Führung eines gewissen Schmidt oder Schmied nach Amerika ausgewandert, weil sie dort das Gelobte Land vermuteten, vor allem aber, weil sie ihre Ruhe haben wollten, denn hier wurden sie vor allem von den Protestanten heftig unter Druck gesetzt, von denen sie sich abgespalten hatten. In Amerika begann dann ihre Blüte, sie wurden immer größer und mächtiger, mußten aber auch dort in der Anfangszeit zahlreiche Verfolgungen erdulden. Ein großes Problem war die Polygamie, die aber seit weit über hundert Jahren auch von der Kirche her nicht mehr erlaubt ist. Aber viel mehr kann ich dir leider nicht sagen.«

102

»Schade, ich hatte gehofft, du wüßtest mehr über sie.«

»Ich habe mich nie viel mit Sekten beschäftigt. Wozu auch, ich hatte genug in meiner eigenen Gemeinde zu tun. Ich hoffe, es dauert nicht zu lange, bis ihr den Mörder schnappt.«

Julia Durant wollte gerade noch etwas fragen, als es an der Tür klingelte. Sie sagte: »Du, ich muß Schluß machen, es hat geklingelt. Ich ruf dich an. Und paß gut auf dich auf. Bis bald.«

Sie legte den Hörer auf und ging zur Tür. Sie drückte auf den Knopf der Sprechanlage, fragte, wer da sei. Es war Werner Petrol. Sie öffnete die Tür. Nur wenige Sekunden später stand Petrol vor ihr. Er hatte wieder dieses jungenhafte Grinsen, trug eine helle Sommerhose und ein grünes Lacoste-Hemd. Er neigte den Kopf ein wenig zur Seite, sah Julia Durant tief in die Augen, trat noch einen Schritt näher und drückte ihr einen Kuß auf die Lippen.

»Hallo, mein Schatz«, sagte er mit sonorer Stimme und betrat die Wohnung. »Wie war dein Tag? Anstrengend, wie ich vermute.«

»Wie kommst du darauf?« erwiderte sie und zündete sich eine Zigarette an. Sie setzte sich aufs Sofa, die Beine hochgelegt.

»Nur so, du siehst etwas müde aus. Oder macht dir die Hitze zu schaffen?«

»Keine Ahnung. Vielleicht ist heute nur nicht mein Tag. Hast du Hunger? Ich hab uns was zu essen gemacht.«

»Eine Kleinigkeit könnte ich vertragen«, sagte er, setzte sich auf die Tischkante und streichelte über Julia Durants nackte Beine. Sie sah ihn von unten herauf an, zog an der Zigarette und blies ihm den Rauch ins Gesicht.

»Du rauchst zuviel«, sagte er mit gespieltem Ernst. »Irgendwann ruinierst du dich noch damit.«

»Na und?« erwiderte sie schnippisch. »Es ist mein Leben. Und wenn es dir nicht gefällt, kannst du gehen. Du weißt ja, wo die Tür ist.«

»Wow, Madame scheint sehr gereizt zu sein. Was machen wir

denn dagegen?« fragte er und blickte sie herausfordernd an. »Ich wüßte da ein phantastisches Mittel, und … schließlich habe ich dich seit fünf Tagen nicht mehr gesehen.«

»Ist das mein Problem? Ich bin immer verfügbar, nur du nicht. Und ich sage dir ganz ehrlich, ich spiele dieses Spiel nicht mehr lange mit. Irgendwann ist Schluß. Ich habe von deiner Hinhaltetaktik die Nase voll.«

Petrol setzte sich neben Durant, legte einen Arm um ihre Schulter. Sie mochte es, von ihm berührt zu werden, doch sie wollte es ihm heute abend nicht zeigen. Sie gab sich abweisend.

»Komm, versteh mich doch. Ich habe dir schon ein paarmal zu erklären versucht, daß ich alles Menschenmögliche tue, um diese auch für mich höchst unbefriedigende Situation endlich zu bereinigen. Aber gut Ding will nun mal Weile haben. Sei nicht böse, bitte«, sagte er lächelnd.

»Bitte, komm mir nicht schon wieder mit diesem Dackelblick. Seit wir zusammen sind, erzählst du mir von deiner furchtbaren Ehe, wie unwohl du dich bei deiner Frau fühlst, du hast sogar schon gesagt, du würdest dich vor ihr ekeln, und trotzdem bist du mehr mit ihr zusammen als mit mir. Ich weiß nicht, aber irgendwie paßt da was nicht. Und schon als wir uns kennengelernt haben, hast du mir gesagt, daß deine Ehe zerrüttet wäre und du bereits einen Anwalt beauftragt hättest, alles für eine Scheidung notwendige in die Wege zu leiten. Und was ist bis jetzt passiert? Komm, sag´s.«

»Du bist ein echter, ein waschechter Skorpion, was?« sagte Petrol mit einem Anflug von Zynismus und nahm seinen Arm von ihrer Schulter. »Und heute hast du so richtig schön deinen Stachel ausgefahren, um zuzustechen. Aber bitte, tu dir keinen Zwang an. Ich kann dir nur eines sagen – ich liebe dich und sonst keine andere Frau. Ich habe, seit ich dich kenne, meine Frau nicht mehr angerührt, geschweige denn eine andere. Das schwöre ich dir. Du bist die Frau, für die ich alles geben würde …«

»Nur deine Ehe würdest du nicht aufgeben«, unterbrach sie ihn mit beißendem Spott und sprang auf. »Ihr Männer seid doch alle gleich! Ihr glaubt, mit ein paar schönen Worten und ein bißchen Zärtlichkeit ließen sich alle Probleme aus der Welt schaffen. Aber das zieht nicht bei jeder Frau. Vor allem nicht bei mir. Nicht mehr, hast du mich verstanden? Entweder sehe ich bald Ergebnisse oder wir ...« Sie stockte, drückte ihre Zigarette aus, drehte sich zu ihm hin, blickte ihm in die Augen.

»Oder wir?« fragte er mit ernster Miene.

»Wir werden uns nicht mehr sehen. Ich bin sicher, du wirst sehr schnell eine andere Dumme finden, die dir die Story von dem ach so gebeutelten Ehemann abnimmt. Nur eines solltest du ganz schnell aus deinem Hirn streichen – ich bin nicht dumm.« Sie steckte die Hände in die Taschen der Shorts, sah auf ihn hinunter, lächelte spöttisch. »So, und jetzt habe ich Hunger. Die Suppe steht schon seit einer ganzen Weile auf dem Herd, Herr Professor.«

»Bist du jetzt zufrieden?« fragte er beleidigt und stand ebenfalls auf.

»Zufrieden?« Sie wölbte kurz die Lippen, grinste ihn an. »Zufrieden, nein. Aber es mußte einfach mal raus. Und wenn du nicht blöd bist, hast du verstanden, was ich meine.«

»Skorpione! Irgendwer hat mir mal gesagt, Löwe und Skorpion paßten nicht zusammen. Er hat wohl recht gehabt.«

»Ich gebe zwar nichts auf diesen Humbug, aber ... Ißt du jetzt mit oder nicht?«

»Mir ist der Appetit vergangen. Hast du ein Bier?«

»Im Kühlschrank. Bedien dich.«

Petrol holte sich eine Dose Bier und trank sie in einem Zug aus. Er zerdrückte die leere Dose mit der rechten Hand und warf sie in den Abfalleimer. »Okay, eine Kleinigkeit zu essen kann ich doch vertragen. Und ich schwöre dir, ich werde dir beweisen, daß ich es ernst mit uns meine. Wenn ich dir nicht innerhalb der nächsten drei Monate die Beweise vorlege, gehe ich freiwillig. Einverstanden?«

»Drei Monate und keinen Tag länger … Weißt du«, sagte sie, während sie die Suppe in die Tassen füllte, »ich habe eine verdammt beschissene Ehe hinter mir, ich bin von meinem Mann von vorn bis hinten belogen und betrogen worden. Und ich habe keine Lust, noch einmal so etwas durchzumachen. Lieber gehe ich in ein Kloster und lebe im Zölibat. Es liegt an dir, es nicht so weit kommen zu lassen.«

»Ich habe es dir versprochen. Und jetzt bitte ich dich, den Rest des Abends nicht mehr davon zu sprechen.«

»In Ordnung«, sagte sie und brachte die Suppentassen zum Tisch, »und du tu mir einen Gefallen, iß mit und spiel nicht die beleidigte Leberwurst, das steht dir nämlich nicht. Vor allen Dingen kann ich diesen Dackelblick nicht ab.«

Petrol nahm die Teller mit den belegten Broten und den Tomaten, Gurken und Zwiebeln und kam hinterher. Er setzte sich neben Durant und begann zu essen. Während des Abendbrots schwiegen sie. Danach räumte Julia Durant den Tisch ab, schaltete den Fernseher aus und die Stereoanlage an, legte eine CD von Whitney Houston ein und drehte den Regler auf Zimmerlautstärke.

Es war kurz nach neun, die Sonne hatte sich hinter dem Taunus zur Ruhe gesetzt, und mit ihr auch der Wind. Sie zog die Vorhänge zurück, hoffte, die Nacht würde einigermaßen erträglich werden. Sie stand einen Moment am Fenster, die Arme aufgestützt, als Petrol von hinten kam und sie umarmte.

»Es ist ziemlich warm in deiner Wohnung. Ich würde das nicht aushalten«, sagte er.

»Klar, wer sich eine Klimaanlage leisten kann …«

»Wenn du willst, lasse ich eine installieren. Obwohl, es wird bestimmt nicht mehr lange dauern, bis wir zusammenziehen.«

Sie erwiderte nichts, sie wußte, sie würde nie mit Petrol zusammenziehen. Er war ein Lügner und er hatte Angst. Aber er war ein charmanter Lügner.

Dämmerung brach über Frankfurt herein, der Horizont war ein Farbenspiel aus gelben und roten Tönen, als das Telefon klingelte. Julia Durant löste sich aus der Umarmung und nahm den Hörer ab.

»Durant«, meldete sie sich.

»Entschuldigen Sie, daß ich so spät noch anrufe, aber ich möchte mit Ihnen reden.«

»Wer ist denn da?«

»Neumann, Claudia Neumann. Haben Sie einen Moment Zeit?«

»Schießen Sie los.«

»Ich habe keine ruhige Minute mehr gehabt, seit Sie bei mir im Büro waren. Und ich denke, bevor Sie es über andere Kanäle erfahren, sage ich es Ihnen lieber selbst ...« Sie hielt inne, schien zu überlegen, wie sie das, was sie sagen wollte, in passende Worte fassen konnte.

»Was möchten Sie mir sagen?« fragte die Kommissarin ruhig.

»Sie haben mich doch gefragt, ob ich von einem Verhältnis von Dr. Rosenzweig weiß. Ja, ich weiß, daß er eins hatte, es ist nicht nur ein Gerücht. Ich kann Ihnen auch den Namen dieses Verhältnisses nennen ...« Wieder stockte sie, wieder ließ sie eine Weile verstreichen, bis Durant sie fragte: »Und, wie ist der Name?«

»Ich war das Verhältnis. Es tut mir leid, wenn ich es Ihnen nicht schon heute nachmittag gesagt habe, aber ...«

»Ach, wissen Sie, ich habe es fast geahnt. Aber es ist gut, daß Sie es mir sagen. Und ich schlage vor, wir unterhalten uns morgen früh über Details. Wenn Sie die Unterhaltung nicht in Ihrem Büro führen möchten, dann können Sie auch aufs Präsidium kommen, oder wir gehen einen Kaffee trinken. Wie es Ihnen am liebsten ist. Sie haben sicher eine Menge zu erzählen, oder?«

»Vielleicht. Können Sie um neun ins Café Krämer kommen? Es

ist nur zwei Häuser vom Marriott Hotel entfernt. Man kann sich dort gut unterhalten. Und bitte, kommen Sie allein.«

»In Ordnung, um neun im Café Krämer, und ich werde allein sein. Bis morgen und danke, daß Sie mich angerufen haben.«

Claudia Neumann legte wortlos auf. Julia Durant blickte einen Moment versonnen auf den Hörer, ein leichtes Lächeln umspielte ihren Mund. Dann legte auch sie auf und setzte sich auf die Couch.

»Wer war das?« fragte Petrol und kam näher.

»Hat etwas mit userm aktuellen Fall zu tun. Betriebsgeheimnis.«

Petrol hob zwei Finger, sagte: »Ich schwöre, keiner Menschenseele auch nur ein Sterbenswörtchen zu verraten. Ich bin Arzt und an meine Schweigepflicht gebunden.«

»Ein andermal. Ich habe jetzt keine Lust.«

Durant und Petrol verbrachten die Nacht miteinander, er war so zärtlich und einfühlsam wie lange nicht mehr. Sie genoß seine Berührungen, seine Lippen, wie er in sie eindrang und seinen Höhepunkt immer wieder geschickt hinauszögerte. Es war nach Mitternacht, als sie das Licht löschte und neben Petrol einschlief. Sie mußten beide um sieben Uhr aufstehen, doch während sie nur eine Viertelstunde zum Präsidium brauchte, mußte er eine dreiviertel Stunde fahren, bis er in der Klinik war. Sie schlief tief und traumlos.

Mittwoch, 7.45 Uhr

Petrol hatte die Wohnung bereits um kurz nach sieben verlassen. Julia Durant frühstückte, nachdem er gegangen war, Cornflakes und trank eine Tasse Kaffee, kleidete sich danach an, zog die Vorhänge zu, ließ aber die Fenster offen und ging die Treppen hinunter, holte die Zeitung aus dem Briefkasten und stieg in ihren Opel Corsa. Auf der Fahrt ins Präsidium rauchte sie eine Zigarette, sie hatte die Fenster heruntergekurbelt und genoß den jetzt noch angenehm milden Wind, der ihr Gesicht umwehte. Sie fühlte sich frisch und trotz der nur sechs Stunden Schlaf ausgeruht. Sie stellte den Wagen im Präsidiumshof ab und lief hinauf in ihr Büro.

Berger und Kullmer saßen bereits hinter ihren Schreibtischen, kurz nach ihr traf Hellmer ein. Sie stellte sich ans Fenster und sah hinunter auf die Mainzer Landstraße und den Platz der Republik und fragte sich, wann die seit Jahren andauernden Bauarbeiten endlich beendet sein würden. Den ganzen Tag über war der Platz der Republik ein schier undurchdringliches Nadelöhr, besonders schlimm aber war es während des morgendlichen Berufsverkehrs, wenn die Pendler in die Innenstadt drängten.

»Ich hatte gestern abend einen interessanten Anruf«, sagte sie nach einer Weile und drehte sich um. »Ich werde mich um neun im Café Krämer mit einer Dame treffen, die mir bestimmt einige interessante Details über Rosenzweig berichten wird.«

»Und um was geht´s, wenn man fragen darf?« sagte Berger, der Durant von der Seite anschaute und dessen Atem wieder, wie fast jeden Morgen seit zwei Jahren, streng nach Alkohol roch.

»Nun, ich habe gestern einige Leute gefragt, ob Rosenzweig eventuell ein Verhältnis hatte. Aber keiner wollte mit der Sprache rausrücken, lediglich zwei seiner Mitarbeiterinnen sagten, es gäbe Gerüchte. Gestern abend hat mich allerdings eine der Frauen angerufen und behauptet, es wäre nicht nur ein Gerücht, sondern sie hätte auch Fakten. Und wie es aussieht, hat sie noch mehr anzubieten, als nur Fakten über eine außereheliche Beziehung von Rosenzweig. Ich lasse mich überraschen. Eins ist auf jeden Fall klar, Rosenzweig mag zwar in seiner Kirche ein Moralapostel gewesen sein, ansonsten haben ihn moralische Grundsätze einen feuchten Dreck geschert. Aber solche Sachen sind wir ja inzwischen gewohnt, ich erinnere nur an den werten Stadtdekan Domberger. Aber das ist Schnee von gestern.«

»Und wie ist der Name der Person, mit der Sie sich gleich treffen werden?« fragte Berger weiter. »Oder ist das ein Geheimnis?«

»Nein, es ist kein Geheimnis. Sie heißt Claudia Neumann und war Rosenzweigs Sekretärin.«

»Die mit den ...«, Kullmer grinste und machte eine eindeutige Geste mit den Händen.

»Genau die«, erwiderte Durant ebenfalls grinsend und fügte spöttisch hinzu: »Aber haben Sie mir nicht erst gestern gesagt, daß Sie seit längerem in einer festen Beziehung leben? Ich meine, so etwas gehört zu haben.«

»Hab ich vielleicht gesagt, daß ich irgendwas mit der Kleinen anfangen will? Hinsehen wird doch wohl noch erlaubt sein, schließlich stellt sie ihre Dinger ja praktisch öffentlich zur Schau.«

»Sie werden sich allein mit ihr treffen?« fragte Berger, ohne auf das Geplänkel zwischen Durant und Kullmer einzugehen.

»Natürlich. Ich glaube kaum, daß sie mit einem Mann über diese Sachen reden würde.«

»Hat sie denn schon angedeutet, wer mit Rosenzweig eine Affäre hatte?« fragte Hellmer und kratzte sich am Kopf. Er holte eine Zigarette aus der Brusttasche seines Hemdes, ließ das Sturmfeuerzeug aufflammen.

»Nein«, log die Kommissarin und steckte sich ebenfalls eine Zigarette zwischen die Lippen, Hellmer gab ihr Feuer. »Ich denke, ich werde es gleich erfahren.« Sie warf einen Blick zur Uhr, zog an ihrer Gauloise, schnippte die Asche in den Aschenbecher. »Ich schlage vor, Hellmer und Kullmer kümmern sich derweil um Rosenzweigs Büro, und es wäre gut, wenn ihr später noch mal bei Frau Rosenzweig vorbeischauen und fragen könntet, wann und wie oft die Haushälterin ins Haus kommt. Sollte sie gerade da sein, ihr wißt ja, was zu tun ist. Und wenn es heute noch klappt, nehmen wir uns ein paar der Geschäftspartner vor. So, wenn ich zu Ende geraucht habe, mache ich mich auf den Weg.

Ich werde die paar Meter zu Fuß gehen. Ich kann nicht sagen, wie lange ich mit der Neumann sprechen werde, doch ich denke, ich bin spätestens gegen elf, halb zwölf wieder hier. Meine Herren«, sagte sie und drückte die Zigarette aus, »ich verabschiede mich. Wir sehen uns später, und dann weiß ich hoffentlich mehr. Bis nachher.«

Mittwoch, 8.55 Uhr

Julia Durant betrat das kleine Café, blieb in der Tür stehen, sah sich um. In der rechten hinteren Ecke erblickte sie Claudia Neumann, die einen kurzen, blauen Rock und eine gelbe Bluse trug und vor einer Tasse Tee saß. Sie hielt eine Zigarette in der Hand, die Schachtel Dunhill lag auf dem Tisch. Die Kommissarin ging auf sie zu, sagte »Hallo« und setzte sich der jungen Frau gegenüber. Sie machte einen übernächtigten und sehr nervösen Eindruck, ihre Finger, die die Zigarette hielten, zitterten kaum merklich. Bis auf drei weitere Gäste, die jeder für sich an einem Tisch saßen und frühstückten und dabei Zeitung lasen, waren sie allein. »Hallo«, erwiderte Claudia Neumann den Gruß. Im Gegensatz zu gestern wirkte sie gehemmt und unsicher. Sie hielt die Zigarette in der linken Hand, mit der rechten rührte sie im Tee. »Möchten Sie etwas essen?« fragte sie verlegen lächelnd. »Ich kenne kein Café, in dem es bessere Croissants gibt. Sie haben aber auch belegte Brötchen, und natürlich Kuchen. Ich lade Sie ein, ich finde, ich bin es Ihnen irgendwie schuldig.«

Julia Durant lächelte ebenfalls und schüttelte den Kopf. »Nein, Sie sind mir gar nichts schuldig. Und ich habe gerade erst gefrühstückt, ich habe keinen Hunger. Aber einen Kaffee könnte ich vertragen.«

Claudia Neumann winkte eine Kellnerin heran, bestellte ein Kännchen Kaffee für Durant und ein Croissant für sich. Nachdem beides auf dem Tisch stand, fragte die Kommissarin: »Also, wollen wir?«

»Es muß wohl sein. Und es ist mir auch egal, wer davon erfährt und ob es mich den Job kostet, es war in letzter Zeit ohnehin nur noch ein ständiges Katz- und -Maus-Spiel zwischen einigen Angestellten und mir. Und die Gröben wußte auch Bescheid, zumindest vermute ich es, denn die Art, wie sie sich mir gegenüber verhalten hat, na ja ... Von mir aus kann alle Welt erfahren, was zwischen Rosenzweig und mir war.«

»Eine Frage, bevor Sie anfangen – sind Sie verheiratet, oder leben Sie in einer festen Partnerschaft?«

Claudia Neumann schüttelte den Kopf. »Weder noch. Ich lebe allein. Ab und zu habe ich einen Freund, aber ... ich weiß nicht, manchmal habe ich einfach das Gefühl, nicht bindungsfähig zu sein. Ich muß irgend etwas an mir haben, was die Männer vergrault.«

»Ihr Äußeres ist es aber bestimmt nicht«, sagte Julia Durant. »Ich würde sagen, es ist beeindruckend. Meine Kollegen jedenfalls ... Sie sehen prima aus.«

»Danke«, erwiderte die junge Frau und errötete leicht. »Aber wir sind nicht hier, um über mein Aussehen zu sprechen. Ich denke, wir sollten es schnell hinter uns bringen.« Sie blickte auf ihren Tee, nahm den Löffel heraus und legte ihn neben die Tasse. Sie drückte die Zigarette aus und zündete sich gleich eine neue an, ein Zeichen für ihre Nervosität.

»Gut, dann erzählen Sie doch einfach, was zwischen Ihnen und Rosenzweig gewesen ist.«

Claudia Neumann nahm die Tasse, führte sie zum Mund und nahm einen Schluck. Sie stellte die Tasse zurück und begann: »Ich habe ja gestern schon gesagt, daß ich seit sieben Jahren bei *Rosenzweig & Partner* beschäftigt bin. Die ersten zwei Jahre war es ein ganz normales Arbeitsverhältnis, ich hatte auch nicht den Eindruck, als ob Rosenzweig – oder Hans – etwas von mir wollte. Eines Tages aber mußte er geschäftlich nach Berlin, und weil seine damalige Sekretärin gekündigt hatte, hat er mich gefragt, ob ich nicht Lust hätte, ihn zu begleiten, er hätte ein paar wichtige Verhandlungen zu führen und bräuchte dafür jemand, der mitschrieb. Ich habe mir nichts weiter dabei gedacht, schließlich ist es nicht unüblich, daß ein Chef seine Sekretärin mit auf Geschäftsreise nimmt. Im Flugzeug hat er sich noch völlig normal benommen, aber als wir ins Hotel kamen, waren bereits zwei Zimmer für uns reserviert und zwar die Zimmer 418 und 419, ich erinnere mich noch ganz genau daran. Wir haben also Tür an Tür gewohnt, und das Fatale war, daß es auch noch eine Verbindungstür zwischen den Zimmern gab.

Im Prinzip hätte er mich für diese Reise gar nicht gebraucht, das habe ich aber erst dort gemerkt. Noch am gleichen Abend haben wir in einem Nobelrestaurant gegessen, und etwas an der Hotelbar getrunken ...«

»Alkohol?« fragte Julia Durant zweifelnd, die sich noch gut daran erinnerte, daß Frau Rosenzweig gesagt hatte, Alkohol und Tabak seien in der Familie und für Kirchenmitglieder tabu.

»Ja, wir haben jeder zwei oder drei Martinis getrunken. Später hat er mich gefragt, ob wir in den Blauen Salon gehen wollen, dort würde eine Kapelle spielen und wir könnten tanzen. Ich wußte nicht genau, wie ich die Situation einschätzen sollte ... Jedenfalls war es weit nach Mitternacht, als wir auf unsere Zimmer gingen. Er hat mich gebeten, noch ein Glas Wein mit ihm zu trinken, was ich eigentlich gar nicht wollte, aber er hat mich praktisch dazu gedrängt. Wir haben also Wein getrunken und mit einem Mal rückte er mit der Sprache raus. Ich sehe ihn noch vor mir sitzen, als wäre es gestern, wie er das Glas zwischen den Fingern hielt und einen fast kümmerlichen Eindruck machte. Er hat gesagt, er hätte mich schon die ganze Zeit, seit ich in der Firma arbeitete, beobachtet, und ihm wäre aufgefallen, daß ich ausgesprochen flexibel sei. Und daß die Chancen für mich sehr gut

ständen, auf der Karriereleiter sehr weit nach oben zu klettern.«
Sie hielt inne, trank einen Schluck Tee, überlegte.

»Und dann hat er Ihnen ein Angebot gemacht?« fragte Julia Durant.

»Allerdings. Er hat auch gar nicht lange um den heißen Brei herumgeredet, er sagte, ich würde ihm gefallen, seine Ehe wäre ein einziger Trümmerhaufen, er hätte seit Monaten nicht mehr mit seiner Frau geschlafen und, und, und ... Na ja, er wäre eben ein Mann, und er bräuchte ab und zu ein wenig Aufmerksamkeit. Es sollte auch nicht zu meinem Schaden sein.« Sie schüttelte den Kopf, fuhr fort: »Ich hatte von solchen Sachen bisher nur gehört oder gelesen, aber ich hätte nie für möglich gehalten, daß ich selbst eines Tages in eine solche Situation geraten könnte. Ich war auch etwas angetrunken, und wenn man zuviel getrunken hat, sieht die Welt ohnehin immer etwas schöner aus, also, um es kurz zu machen – ich habe mit ihm geschlafen.«
Sie seufzte, lächelte dabei etwas versonnen, bevor sie fortfuhr:
»Er war kein schlechter Liebhaber, weiß Gott nicht, er hatte eben Erfahrung. Die ganze Sache ging vier Jahre; vier Jahre, in denen wir regelmäßig sexuellen Kontakt hatten. Ein paarmal sogar im Büro, nachdem alle gegangen waren ... Überhaupt liebte er es ab und zu an außergewöhnlichen Orten, wenn Sie verstehen«, sagte sie lächelnd, bevor ihr Gesicht wieder ernst wurde. »Während der vier Jahre hat er mich mit Geschenken überhäuft, Schmuck, Parfüm, Möbel, eine sündhaft teure Stereoanlage, er hat mir sogar ein Auto gekauft. Ich war sein Objekt der Begierde und er hat es sich etwas kosten lassen, dieses Objekt auch zu besitzen. Vor einem Jahr war mit einem Mal Schluß. Er hat gesagt, wir sollten die Sache beenden, hat aber keinen Grund angegeben. Was sollte ich machen? Er hatte den Anfang bestimmt und auch das Ende. Kurz darauf habe ich erfahren, daß er ein Verhältnis mit einer andern Kollegin angefangen hatte, ein junges Ding von gerade mal zwanzig Jahren, die im Schreibbüro sitzt. Wie es

scheint, hat er, je älter er wurde, immer jüngeres Fleisch gebraucht. Nun, ich habe keine Szene gemacht und auch sonst den Mund gehalten, schließlich war ich zu keiner Zeit verliebt in ihn gewesen. Einmal hat er mir angeboten, meinen Arbeitsvertrag zu kündigen und mir eine stattliche Abfindung zu zahlen und mich bei einem befreundeten Geschäftspartner zu gleichen Konditionen unterzubringen. Ich habe ihn gefragt, warum, worauf er antwortete, daß er mich liebte und mir mit der andern nicht weh tun wolle, aber er könne nun mal nichts für seine Gefühle. Ich habe ihm gesagt, er bräuchte sich keine Gedanken zu machen, ich würde seinen Gefühlen nicht im Weg stehen. Deshalb bin ich noch immer bei der Firma. Und was ich gestern gesagt habe, daß er bisweilen unausstehlich war, das stimmt nur bedingt. Er war kein so übler Kerl, wie die andern ihn alle hinstellen, ich habe gestern nur ins gleiche Horn gestoßen, obwohl ich dazu gar nicht berechtigt war. Es tut mir leid. Ich glaube, Hans war ein gefühlsmäßig sehr zerrissener Mann, der einfach mit sich selber nicht klarkam. Und ja, ich bedaure seinen Tod. Er hat sich mir gegenüber stets fair und korrekt verhalten. Und zu einer Affäre gehören immer zwei. Ich hätte damals in Berlin genauso gut nein sagen können.«

»Und Sie hatten kein schlechtes Gewissen, wo Sie doch wußten, daß er verheiratet war und Kinder hatte?«

»Mein Gott, am Anfang schon, doch irgendwie habe ich ihm die Geschichte von seiner kaputten Ehe geglaubt. Und solange seine Frau nichts davon mitbekam … Bestimmt denken Sie jetzt von mir, daß ich eine – Hure – bin …« Sie zuckte die Schultern, wieder dieser verlegene Gesichtsausdruck. »Vielleicht bin ich auch eine, ich weiß es nicht.«

»Nein, das denke ich nicht, Frau Neumann. Ich habe einige Jahre bei der Sitte gearbeitet und sehr viel mit Huren zu tun gehabt … Sie sind keine.« Julia Durant zündete sich eine Zigarette an, ließ einen Moment verstreichen, dachte *wie sich doch die Geschich-*

ten ähneln – Neumann und Rosenzweig, ich und Petrol! Sie fragte: »Und seine illegalen Transaktionen?«

»Ich schwöre Ihnen, darüber weiß ich nichts, außer dem, was ich Ihnen gestern gesagt habe. Das hat er allein gemacht, oder zusammen mit Schönau, und vielleicht sogar auch mit Köhler. Ich habe darüber keine weiteren Informationen.«

»Und die junge Dame aus dem Schreibbüro – weiß sie von Ihrem früheren Verhältnis mit Rosenzweig?«

»Nein. Das hätte er nie getan, ich meine, er hätte nie mit ihr darüber gesprochen. Auf seine Verschwiegenheit konnte man sich jederzeit verlassen. Ich denke, er hatte auch vor mir schon einige andere Affären, doch hat er sich mir gegenüber nie darüber geäußert. Was das betraf, war er ein Gentleman. Wollen Sie etwa mit ihr sprechen?«

»Ich bin am Überlegen. Ich müßte es so deichseln, daß sie mir freiwillig alles erzählt. Ich halte Sie da natürlich völlig raus. Gibt es noch etwas, was Sie mir über ihn sagen können?«

»Nein«, sagte Claudia Neumann kopfschüttelnd, »das war's eigentlich.«

Julia Durant lehnte sich zurück, rauchte und überlegte. Schließlich sagte sie: »Da fällt mir noch etwas ein. Sie haben gestern von diesem Kastner gesprochen. Diese Sache mit seiner fristlosen Kündigung, die am nächsten Tag schon wieder zurückgenommen wurde. Was glauben Sie, könnte der Grund dafür gewesen sein? Wußte er vielleicht von Ihnen und Rosenzweig und hat ihn damit erpreßt?«

Claudia Neumann nickte, während sie sich eine Zigarette anzündete. »Wie es aussieht, ja. Nur, ich kann es nicht beweisen. Doch ich erinnere mich, wie er mich danach ein paarmal recht seltsam angeschaut und dabei so komisch gegrinst hat. Und einmal, bei der letzten Weihnachtsfeier, da war er betrunken, kam zu mir, legte einen Arm um mich und sagte mit einem widerlich schleimigen Grinsen, was Rosenzweig kann, das könnte er schon lan-

116

ge. Ob ich nicht Lust hätte, es auch mal mit ihm zu probieren. Ich habe ihn einfach stehengelassen. Später ist er besoffen in der Ecke eingeschlafen. Ich konnte diesen Kastner von Anfang nicht ausstehen, er ist einfach ein Widerling. Wissen Sie, in Gedanken ist der bestimmt schon oft mit mir ins Bett gestiegen, aber in Wahrheit ist er nur ein kleiner Wichser. Er muß von uns gewußt haben und hat allem Anschein nach dieses Wissen als Druckmittel gegen Hans eingesetzt. Ich habe einfach keine andere Erklärung.«

»Ich werde mit Ihrer Kollegin aus dem Schreibbüro sprechen und vor allem auch noch einmal mit Kastner reden. Und vielleicht können Sie mir noch etwas über Schönau sagen?«

Sie lachte kurz und trocken auf, sagte: »Schönau ist ein Schwein. Gibt nach außen das Bild eines ehrenwerten, über jeden Zweifel erhabenen Mannes ab, in Wirklichkeit ist er einfach nur ein mieser Typ. Ich kann mich an einen Empfang in den Privaträumen seiner Bank erinnern, wo er plötzlich mit einem sehr jungen Mädchen, das höchstens fünfzehn Jahre alt war, für eine halbe Stunde verschwunden ist. Schönau ist später wieder zu uns gestoßen, das Mädchen habe ich nicht mehr gesehen. Und das war mit Sicherheit nicht seine Tochter, denn so, wie er sie angefaßt hat, faßt man keine Tochter an. Mehr kann ich über ihn nicht sagen.«

»Wie kamen Sie auf diesen Empfang?«

»Hans. Es waren einige Geschäftskunden eingeladen, die meisten davon sind ohne Begleitung gekommen, es wurde viel getrunken und … na ja, auch das ist Vergangenheit.«

»Und die *Kirche des Elohim* sagt Ihnen bestimmt nichts?«

»Nur der Name. Aber daß Hans Mitglied dieser Kirche gewesen sein soll, ist mir völlig neu. Er hat überhaupt kaum über sein Privatleben gesprochen, ich glaube, das meiste habe ich damals, ganz zu Beginn, in Berlin erfahren. Danach hat er sich in Schweigen gehüllt.«

»Nun, nicht nur Rosenzweig war Mitglied dieser Kirche, Schönau ist es auch.«

»Schönau?« fragte Claudia Neumann ungläubig und steckte sich eine weitere Zigarette an. »Dieser Dreckskerl soll ein Christ sein? Im Leben nicht!«

»Es ist aber so. Oder sagen wir besser, er gehört der Kirche an, ein Christ ist er sicher nicht, wenn es stimmt, was Sie sagen. In dieser Kirche gelten nämlich sehr hohe moralische Grundsätze, Ehebruch kommt gleich hinter Mord ... Damit hat Rosenzweig aber auch ganz klar die Richtlinien der Kirche gebrochen.«

»Ich weiß nichts über diese Kirche und mit welchen Grundsätzen er in Konflikt stand. Ich weiß nur, wir hatten etwas miteinander, und das liegt jetzt schon über ein Jahr zurück. Alles andere interessiert mich nicht.«

Claudia Neumann trank ihren Tee aus und rauchte die Zigarette zu Ende. Sie holte ihr Portemonnaie heraus und zahlte. Gemeinsam verließen sie das Café. Auf der Straße reichte Claudia Neumann der Kommissarin die Hand und sagte: »Ich bin froh, daß ich das hinter mir habe. Danke.«

»Ich habe zu danken. Und sollte Ihnen noch irgend etwas einfallen, lassen Sie es mich wissen. Ach ja, ich wollte eigentlich noch mit in die Firma und Kastner und dieser jungen Dame – wie heißt sie gleich? – ein paar Fragen stellen.«

»Jessica Wagner. Kommen Sie doch einfach mit.«

»Meinen Sie nicht, daß es etwas auffällig ist, wenn Sie und ich zusammen ...«

»Ich sagte doch schon, mir ist scheißegal, was jetzt passiert. Wenn ich meine Kündigung kriege ...«, sie zuckte die Achseln und fuhr fort, »ich finde ganz schnell eine neue Stelle. Rosenzweigs persönliche Sekretärin gewesen zu sein, öffnet mir praktisch jede Tür. Gehen wir.«

Als sie in den Aufzug stiegen, der sie in den dreiundzwanzigsten Stock bringen sollte, fragte Claudia Neumann: »Ich würde aber zu gern noch eine Frage von Ihnen beantwortet haben – wie ist er gestorben?«

Julia Durant überlegte, sah Claudia Neumann einen Moment mit prüfendem Blick an. Schließlich sagte sie: »Ich darf es Ihnen eigentlich nicht sagen, aber … Sie müssen mir versprechen, mit keinem Menschen darüber zu reden. Schließlich handelt es sich hier um einen Mordfall.«

»Versprochen. Ich gehöre nicht zu denen, die tratschen und Gerüchte in die Welt setzen.«

»Ihnen war doch sicher bekannt, daß Rosenzweig Diabetiker war, oder?«

»Ja.«

»Nun, er wollte sich am Montagabend eine Insulinspritze setzen, hat sich aber statt des Insulins Schlangengift gespritzt. Sein Todeskampf hat zwar nicht lange gedauert, aber sein Sterben war doch sehr qualvoll.«

»Mein Gott, Schlangengift! Wer macht denn so was?«

»Offensichtlich jemand, der Rosenzweig nicht sonderlich wohl gesonnen war. Und diesen Jemand gilt es zu finden.«

»Ich hoffe inständig, Sie kriegen diesen verfluchten Schweinehund. Niemand hat einen solchen Tod verdient.«

Der Aufzug hielt mit einem sanften, kaum merklichen Ruck, die Tür öffnete sich beinahe lautlos. Claudia Neumann steckte die Chipkarte in den dafür vorgesehenen Schlitz, worauf die Tür leise summte. Bevor sie die Tür aufmachte, sagte sie flüsternd: »Wo Kastner sitzt, wissen Sie ja bereits. Jessica Wagner arbeitet im letzten Büro rechts. Auf Wiedersehen und viel Erfolg.«

Julia Durant wollte erst mit Kastner sprechen. Sie klopfte an, ein deutliches »Herein« kam von drinnen. Sie trat in das Zimmer, in dem wie gestern der Geruch von Zigarettenrauch und Alkohol in der Luft lag. Kastner hatte leicht gerötete Augen, er rauchte eine filterlose Rothändle. Auf seinem Computer lief der Bildschirmschoner.

»Guten Morgen, Herr Kastner«, sagte die Kommissarin und nahm unaufgefordert auf dem Stuhl vor seinem Schreibtisch Platz. Sie holte ebenfalls eine Zigarette aus ihrer Tasche. »Sie werden sich wundern, daß ich noch einmal hier auftauche, aber ich habe noch ein paar Fragen an Sie.«

»Bitte, schießen Sie los«, sagte Kastner, der Julia Durant durch den Rauch hindurch musterte. »Ich habe nichts zu verbergen.«

»Gut, um so einfacher wird es für mich. Sie haben mir gestern erzählt, daß Rosenzweig Ihnen wegen eines Disputs einmal fristlos gekündigt hätte, diese Kündigung aber schon am nächsten Tag wieder zurückgenommen hat. Dürfte ich den Grund für diesen für Rosenzweig sicherlich ungewöhnlichen Sinneswandel erfahren?«

»Wieso, hat das etwa was mit seinem Tod zu tun?«

»Beantworten Sie bitte nur meine Frage, anstatt mir mit Gegenfragen zu kommen. Sie sagen, Sie haben nichts zu verbergen. Rosenzweig ist tot, also, was hindert Sie, mir den Grund zu nennen?«

Kastner drückte seine Zigarette im überquellenden Aschenbecher aus, stützte beide Ellbogen auf die Tischplatte, faltete die Hände und berührte mit den Spitzen der Zeigefinger seine Nase.

»Ich habe Ihnen doch gesagt, ich hatte mich mit meinem Anwalt besprochen. Er hat mir ein paar Tips gegeben und …«

»Ach, kommen Sie! Sie und ich wissen beide, daß das nicht stimmt!« unterbrach ihn die Kommissarin barsch. »Ich will jetzt die Wahrheit von Ihnen hören. Und sollten Sie sie mir nicht sagen, werde ich es tun. Also, was ist?«

»Kein Kommentar«, sagte Kastner und lehnte sich zurück, die Arme demonstrativ über der Brust verschränkt.

»In Ordnung«, sagte Julia Durant und erhob sich. »Dann lassen Sie mir keine andere Wahl. Hatte Rosenzweig ein Verhältnis? Oder gar mehrere?«

»Keine Ahnung.«

»Doch, er hatte eins. Ich weiß es. Und Sie wußten es auch die ganze Zeit über. Wie haben Sie es herausgefunden?«

Kastner überlegte, suchte nach den passenden Worten, sagte: »Ich wußte überhaupt nicht, daß ...«

Durant winkte unwirsch ab, beugte sich nach vorn und stützte sich mit beiden Händen auf dem Schreibtisch ab. Kastner errötete noch mehr, er wich dem Blick der Kommissarin aus. »Sie haben es gewußt. Und wenn Sie mir nicht augenblicklich sagen, was Sie wußten und woher, werde ich Sie wegen des dringenden Verdachts festnehmen, mit dem Tod von Dr. Rosenzweig etwas zu tun zu haben. Also, ich höre!«

Kastner sank in seinem Stuhl zusammen, stammelte kaum hörbar: »Ich habe lediglich bemerkt, daß er und seine Sekretärin immer direkt nebeneinander liegende Zimmer gebucht hatten. Mit Verbindungstür, versteht sich. Nun, ein Gentleman schweigt natürlich, es sei denn, er wird herausgefordert. Reicht Ihnen das?« fragte er und verzog bei den letzten Worten verächtlich die Mundwinkel.

»Und damit hatten Sie ihn in der Hand. Wahrscheinlich haben Sie immer noch die kopierten Belege seiner Hotelrechnungen, die Sie seiner Frau übergeben hätten, falls er die Kündigung nicht zurückgenommen hätte. War es so?«

»Und wenn schon! Ich bin noch hier, er nicht mehr. Aber wenn Sie mir jetzt einen Mord in die Schuhe schieben wollen, nein, werte Kommissarin, dann liegen Sie total schief. Wer immer Rosenzweig auf dem Gewissen hat, ich war´s nicht!«

»Habe ich das behauptet? Ich wollte nur wissen, was für ein Mensch Sie sind. Jetzt weiß ich´s.« Sie sah ihn abschätzend an, verzog die Mundwinkel zu einem bösen Lächeln.

»Gar nichts wissen Sie!« schrie Kastner erregt. »Rosenzweig, dieses Arschloch, hat sich immer einfach alles genommen, was er wollte – und auch bekommen! Die Gefühle anderer interessierten ihn einen Dreck! Er …«

»Bevor Sie weitersprechen, Herr Kastner, wenn Sie Probleme mit Frauen haben, dann ist das ganz allein Ihre Sache. Es tut mir nur leid, wenn jemand wie Sie zu Erpressung greifen muß, um damit Macht zu demonstrieren. Einen schönen Tag noch – und trinken Sie nicht soviel, es ist nicht gut für die Leber und macht außerdem impotent.«

Kastner sah ihr mit zu Schlitzen verengten Augen nach, bis die Tür hinter ihr ins Schloß gefallen war. Er zog die unterste Schublade heraus und holte die Flasche Wodka hervor. Er nahm einen tiefen Schluck, schraubte sie wieder zu und legte sie zurück unter die Akten. »Gottverdammtes Miststück!« fluchte er und zündete sich mit zittrigen Fingern eine Zigarette an. »Dich müßte man mal so richtig durchficken!«

Jessica Wagner tippte gerade einen Bericht ab, als die Kommissarin in das Büro trat, in dem noch drei weitere Frauen an Computern saßen und schrieben. Alle vier blickten gleichzeitig auf.

»Jessica Wagner?« sagte Julia Durant und ging auf die junge Frau mit den langen, dunkelbraunen Haaren und den dunklen, feurigen Augen zu. Ihr Gesicht hatte etwas Mädchenhaftes, ihre Ausstrahlung etwas Prickelndes, zumindest was Männer betraf.

»Ja, bitte?« fragte die Angesprochene mit unschuldigem Augenaufschlag und sanfter, weicher Stimme.

»Hauptkommissarin Durant. Ich würde Ihnen gerne ein paar Fragen stellen. Gibt es hier irgendwo einen Raum, wo wir uns ungestört unterhalten können?«

»Das Konferenzzimmer. Aber ich habe doch schon gestern Ihren Kollegen alles gesagt, was ich weiß.«

»Nun, meine Kollegen haben aber nicht die gleichen Fragen gestellt, die ich habe.«

Jessica Wagner erhob sich, kam hinter dem Schreibtisch hervor und bat die Kommissarin, ihr zu folgen. Sie war eine Spur größer, ihr Gang leicht und schwebend, ihr Po bewegte sich im Rhythmus ihrer Schritte.

»Hier ist das Konferenzzimmer. Was möchten Sie von mir wissen?« fragte sie und stellte sich mit dem Gesicht zum Fenster.

Durant drückte die Tür ins Schloß, sagte: »Frau Wagner, wie standen Sie persönlich zu Dr. Rosenzweig?«

»Diese Frage habe ich bereits Ihren Kollegen beantwortet.«

»Um ehrlich zu sein«, sagte Durant, »das glaube ich nicht. Zumindest haben Sie nicht alles erzählt. Sie haben jetzt die Gelegenheit dazu.«

Jessica Wagner drehte sich um. »Was wissen Sie denn?«

»Hatten Sie mit Dr. Rosenzweig eine sexuelle Beziehung? Wenn ja, wie lange hat diese gedauert und welche Gegenleistung haben Sie dafür erhalten?«

Jessica Wagner sah Durant ungläubig an, schüttelte den Kopf. »Ich hätte nicht gedacht, daß irgend jemand dahinterkommen würde. Aber gut, wir hatten ein Verhältnis. Und wenn Sie wissen wollen, wann wir das letzte Mal miteinander geschlafen haben – es war am Montag, hier im Haus. Wenige Stunden, bevor er starb.«

»Wann genau?«

»Irgendwann zwischen halb vier und vier.«

»Aber da haben doch noch alle gearbeitet, oder?« fragte Julia Durant überrascht.

»Ach, wissen Sie, wenn man unbedingt will, findet sich immer eine Gelegenheit, es zu tun.«

»Und wie lange ging diese Beziehung schon?«

»Ein Jahr.«

»Sie wußten aber, daß er verheiratet war?«

»Natürlich. Aber das zwischen uns war rein sexuell. Ich weiß nicht, ob er in mich verliebt war, ich war es jedenfalls nicht. Ich habe einen festen Freund, der natürlich nichts von der Sache weiß und es auch nicht wissen sollte. Ich weiß, was Sie jetzt sagen wollen; er hätte mein Vater sein können, aber das hat mir nichts ausgemacht. Es ist nur schade, daß es so zu Ende gehen mußte. Ich glaube, er war ein sehr einsamer Mann. Auch wenn er nach außen immer ein wenig hart und ungeheuer selbstbewußt auftrat, so war er doch in Wirklichkeit ein sehr verletzlicher Mensch. Er hat mir manchmal sogar ein wenig leid getan. Warum, kann ich nicht sagen, es war einfach so … Ja, und er hat sich die Beziehung mit mir eine Menge kosten lassen.« Nach einer kurzen Pause fuhr sie fort: »Wollen Sie das jetzt an die große Glocke hängen?«

»Nein, ich wollte einzig und allein herausfinden, was für ein Mensch Rosenzweig war. Ich denke, ich habe eine Antwort darauf erhalten. Danke schön.«

»War´s das schon?« fragte Jessica Wagner etwas erstaunt.

»Ja, mehr wollte ich nicht wissen. Ist Dr. Köhler eigentlich im Haus?«

»Er müßte in seinem Büro sein.« Sie kam auf Julia Durant zu, blieb vor ihr stehen, sagte: »Darf ich fragen, wann die Beerdigung sein wird?«

»Keine Ahnung, aber ich denke, man wird Sie rechtzeitig davon unterrichten. Aber ich will Sie jetzt nicht länger von Ihrer Arbeit abhalten. Sie haben mir übrigens sehr geholfen.«

Dr. Köhler stand gerade bei Frau Gröben, als Julia Durant an die Tür klopfte. Er drehte sich um, ein mittelgroßer Mittfünfziger mit Halbglatze, der einen dunkelblauen Anzug trug und auf den ersten Blick einen sympathischen, offenen Eindruck machte.

»Ja, bitte?« fragte er.

»Das ist …«, wollte Frau Gröben bereits sagen, als die Kommissarin ihr ins Wort fiel: »Hauptkommissarin Durant von der Mordkommission. Dr. Köhler?«

»Ah ja, treten Sie doch bitte näher.« Und an seine Sekretärin gewandt: »Keine Anrufe, bitte.« Er reichte Durant die Hand, sein Händedruck war fest, aber nicht zu fest. Er bat sie, ihr in sein Büro zu folgen.

»Bitte, nehmen Sie doch Platz. Kann ich Ihnen etwas zu trinken anbieten? Nur Alkohol gibt es hier nicht.«

»Bei *Ihnen* vielleicht nicht«, konnte sie sich nicht verkneifen zu sagen, »aber ich kenne hier jemanden, der offensichtlich Probleme damit hat.«

»Wer?« fragte Köhler mit zu Schlitzen verengten Augen. »Von mir aus kann jeder soviel trinken, wie er will, nur hier im Büro ist es verboten.«

»Schauen Sie sich einfach mal um, es ist gar nicht so schwer, die betreffende Person zu finden. Es ist nur ein Tip. Aber ich bin nicht hier, um mit Ihnen über Alkoholiker zu sprechen. Mich interessiert vielmehr, wie Sie und Dr. Rosenzweig miteinander auskamen. Seit wann Sie sich kannten, wann Sie beschlossen haben, diese Firma zu gründen und so weiter.«

Köhler setzte sich auf den Stuhl neben Julia Durant, fuhr sich mit dem Zeigefinger über die Lippen. »Wir kannten uns von der Uni. Wir haben beide Betriebswirtschaft studiert, haben im selben Jahr promoviert und uns eigentlich ganz spontan dafür entschieden, nicht für andere zu arbeiten, sondern unsere eigenen Chefs zu sein.«

»Und wie kommt es, daß es *Rosenzweig & Partner* und nicht *Rosenzweig & Köhler* heißt?«

Köhler lächelte fast verschmitzt, bevor er antwortete: »Als wir die Firma gründeten, haben wir uns alle möglichen Namen überlegt, doch keiner hat uns so richtig gefallen. Natürlich war eine unserer ersten Überlegungen, sie *Rosenzweig & Köhler* zu nennen, doch mir, wohlgemerkt *mir* gefiel das nicht. Köhler ist ein langweiliger Name, den man eher mit Kohle und Schmutz in Verbindung bringt. Wir wollten aber etwas Dynamisches haben. Also nannten wir uns *Rosenzweig & Partner*. Mein Name muß nicht unbedingt im Firmenlogo stehen, ich bin zu fünfzig Prozent beteiligt, das genügt mir.«

»Und wie war das Verhältnis zwischen Ihnen und Dr. Rosenzweig?«

»Verhältnis, du meine Güte. Das hört sich so intim an. Wie gesagt, wir waren Partner, wir hatten Aufgabenteilung und -trennung, und keiner schrieb dem andern vor, was er zu tun hatte. Es war ein beinahe ideales Arbeitsverhältnis. Ich muß dazu vielleicht noch sagen, daß ich sehr viel unterwegs bin, ich schaue nur zwei- oder dreimal im Monat hier rein, während Hans etwa fünfzig Prozent seiner Zeit hier im Haus verbracht hat. Sie müssen wissen, wir haben sehr viele Kunden, nicht nur in Deutschland, sondern auch in Österreich und der Schweiz, sogar in Frankreich und Italien. Und Kundenpflege ist das A und O unseres Geschäfts. Nicht umsonst zählen wir mittlerweile zu den Top Five in Europa.« Er hielt inne, den Blick zu Boden gerichtet, schlug die Beine übereinander, schüttelte kaum merklich den Kopf. »Ich frage mich nur, wie es jetzt ohne ihn weitergehen soll. Ein Mann wie er ist schwer zu ersetzen. Und das sage ich nicht nur, weil er tot ist, sondern weil er das gewisse Etwas hatte, dieses untrügliche Gespür fürs Geschäft. Im Gegensatz zu mir, der ich ein absoluter Kopfmensch bin, handelte er bisweilen einfach aus dem Bauch heraus oder, wie Sie es vielleicht nennen würden, intuitiv. Das war vielleicht auch ein Grund für unseren Erfolg.«

»Aber hatten Sie vor einigen Jahren nicht auch einmal eine Durststrecke? Wie ich gehört habe, stand die Firma kurz vor dem Konkurs.«

»Das ist nur bedingt richtig«, erwiderte Köhler lächelnd. »Ich gebe zu, wir hatten ein Loch, doch es war nicht so schlimm, wie es vielleicht von andern dargestellt wird. Um Konkurs anzumelden, hätten wir schon noch sehr viel tiefer sinken müssen, sehr, sehr viel tiefer, wenn Sie verstehen. Nein, das stand zu keiner Zeit zur Debatte.«

»Hatten Sie auch außerhalb der Firma Kontakt miteinander?«

»Selten. Schauen Sie, ich bin eingefleischter Junggeselle. Ich habe ein Haus in der Nähe von Bad Nauheim, und wenn ich einmal zu Hause bin, dann will ich auch entspannen. Außerdem hatte Dr. Rosenzweig auch noch eine recht zeitintensive ehrenamtliche Tätigkeit inne, weshalb sich unsere Beziehung fast ausschließlich auf die Firma beschränkte.«

»Eine letzte Frage noch – wie beliebt war Dr. Rosenzweig?«

Wieder lächelte Köhler, schaute Julia Durant von der Seite an, sagte: »Ich weiß nicht, ob er überhaupt beliebt war, denn er war ein absoluter Powermensch, und wenn er einmal eine Entscheidung getroffen hatte, dann mußte diese auch sofort umgesetzt werden. Das kommt natürlich bei wenig flexiblen Menschen nicht sonderlich gut an, aber er war nun einmal so, es gehörte einfach zu seinem Wesen. Und der Erfolg der Firma spricht letztendlich für sich.«

»Und Sie, mochten Sie ihn?«

»Wenn man sich fast fünfunddreißig Jahre lang kennt, stellt sich diese Frage nicht mehr. Ich wußte, wie ich ihn zu nehmen hatte, und umgekehrt war es genauso ... Aber gestatten Sie mir eine Frage – wie ist er gestorben?«

Julia Durant wurde von dieser Frage überrascht, sagte: »Gibt es denn diesbezüglich keine Gerüchte?«

»Nein, deshalb würde ich es ja gern von Ihnen erfahren.«

»Alles deutet darauf hin, daß Dr. Rosenzweig ermordet wurde, deswegen wurde ja auch die Mordkommission eingeschaltet. Details kann und darf ich leider nicht bekanntgeben, während die Ermittlungen laufen.«

»Und haben Sie schon eine heiße Spur?«

»Es gibt eine Menge Spuren, die wir verfolgen, und irgendeine davon wird uns über kurz oder lang zum Täter führen. Dr. Köhler, ich will Ihre Zeit nicht länger in Anspruch nehmen, ich bedanke mich für Ihre Hilfe und hoffe, Sie werden einen einigermaßen adäquaten Ersatz für Dr. Rosenzweig finden.«

Sie erhob sich und reichte Köhler die Hand. Er stand ebenfalls auf, hielt ihre Hand lange in seiner, sagte: »Ich hoffe, Sie finden den- oder diejenige bald, die ihm und seiner Familie das angetan hat. Lassen Sie es mich wissen, wenn Sie die Person haben. Auf Wiedersehen.«

Köhler begleitete Durant nach draußen, hielt ihr die Tür auf und blieb stehen, bis sie in den Aufzug stieg. Mit einem leisen Surren setzte er sich in Bewegung. In der Halle kamen ihr Hellmer und Kullmer entgegen.

»Und?« fragte sie, »habt ihr die Schlüssel?«

»Sie waren in seinem Aktenkoffer. Und die Haushälterin kommt viermal in der Woche, Montag, Dienstag, Donnerstag und Freitag. Wir können also erst morgen mit ihr sprechen.«

»Okay. Viel Spaß beim Wühlen«, sagte sie grinsend und ging davon.

Mittwoch, 11.15 Uhr

Auf der Straße zündete sie sich eine Gauloise an, dachte über das Gehörte nach. Sie ging mit gemäßigten Schritten – eine schnellere Gangart ließ die Hitze nicht zu – zum Präsidium. Berger war allein im Büro, blickte auf, als sie eintrat.

»Puh, das ist vielleicht eine Hitze«, stöhnte sie und setzte sich. Ohne auf diese Bemerkung einzugehen, fragte Berger: »Und, was hat Ihr Gespräch ergeben? Neue Erkenntnisse?«

»Ja, einige. Rosenzweig hatte vier Jahre lang ein Verhältnis mit seiner Sekretärin. Er hat sich dieses Verhältnis auch einiges kosten lassen, wie die junge Dame mir erzählte. Vor einem Jahr wandte er sich dann einer noch jüngeren Kollegin zu, die im Schreibbüro arbeitet. Beide haben mir völlig unabhängig voneinander gesagt, daß Rosenzweig im Grunde ein einsamer, aber großzügiger Mann war. Auch sein Partner, Dr. Köhler, mit dem ich mich eben noch unterhalten habe, hatte eigentlich nur Positives über ihn zu berichten. Aber es gibt offensichtlich viele Neider in dieser Firma, vor allem einen, der hinter das Verhältnis zwischen Rosenzweig und dieser Neumann gekommen ist und ihn damit erpreßt hat. Rosenzweig hatte ihm einmal fristlos gekündigt, am nächsten Morgen aber die Kündigung plötzlich wieder zurückgenommen, was eigentlich völlig im Widerspruch zu seinem sonstigen Handeln stand. Aber wenn dieser Kastner sein Wissen an Rosenzweigs Familie weitergegeben hätte, dann wäre das für Rosenzweig ein Skandal ohnegleichen gewesen, wenn man bedenkt, wie hoch die moralische Latte in der *Kirche des Elohim* hängt. Er wäre nicht nur bei seiner Frau unten durch gewesen, er hätte wohl auch in der Kirche die Koffer packen müssen. Deshalb hat er sich erpressen lassen.«

Berger hatte sich mit dem Stuhl zum Fenster hin gedreht, blickte hinaus, drehte einen Stift zwischen den Fingern.

»Haben Sie schon einmal darüber nachgedacht, daß seine Frau vielleicht doch von den Eskapaden ihres Mannes wußte, und daß wir damit eventuell ein Motiv hätten? Wer weiß, wie lange und mit wie vielen Frauen er sie schon betrogen hatte, sie hat diese Demütigung einfach nicht mehr ausgehalten, und irgendwann ist bei ihr eine Sicherung durchgebrannt. Und wenn wir den Faden weiterspinnen, dann haben wir als Mordwaffe Gift, eine Waffe, die bevorzugt von Frauen eingesetzt wird. Und wer hatte schon Zugang zu seinem Schreibtisch, außer er selbst und seine Frau? Würde das ausreichen, um sie vorläufig festzunehmen?« fragte Berger und drehte sich wieder um.

Julia Durant zuckte die Achseln, sah Berger nachdenklich an.
»Ich weiß nicht so recht, aber ich habe zweimal mit ihr gespro-

chen, und irgend etwas sagt mir, sie hat es nicht getan. Nur, wer
dann? Auf der andern Seite haben Sie recht, sollte sie von seinen
Affären tatsächlich gewußt haben, dann hätten wir auch ein Motiv für die Tat.« Sie rieb sich mit der rechten Hand über die Stirn,
schloß die Augen, legte den Kopf in den Nacken. Nach ein paar
Sekunden sagte sie: »Trotzdem bleibe ich vorläufig dabei, sie
war es nicht.«

»Spricht hier wieder einmal Ihre Intuition?« fragte Berger grinsend.

»Vielleicht. Sie hätten die Frau selbst sehen müssen, dann wüßten Sie, was ich meine. Sie ist keine Mörderin, zuviel spricht dagegen. Zum einen gehört ihre Familie schon seit etwa vier Generationen dieser Kirche an, zum andern bedeutet ihr selbst diese
Kirche eine Menge, und sie würde um nichts in der Welt ihr See-
lenheil aufs Spiel setzen, schon gar nicht durch ein solches Verbrechen. Sie gehört eher zu jener Sorte Frauen, die alles, egal was
es ist, schweigend und ohne zu murren erdulden. Vorausgesetzt,
sie wußte, was ihr Mann so trieb. Aber es könnte eine Möglichkeit geben, das herauszufinden. Ich weiß nicht, ob ich es gestern
erwähnt habe, aber Frau Rosenzweig befindet sich zur Zeit in
psychotherapeutischer Behandlung. Die Therapeutin heißt Sabine Reich und gehört ebenfalls dieser Kirche an. Ich könnte sie
zumindest fragen, ob Frau Rosenzweig jemals von der Untreue
ihres Mannes gesprochen hat. Wenn ja, dann müßten wir sie uns
noch einmal vornehmen, wenn nein, dann könnten wir unter
Umständen schweren Schaden anrichten, wenn wir sie mit etwas
konfrontierten, wovon sie bis jetzt überhaupt nichts weiß. Wissen Sie, durch meine Erfahrung, was die Kirche im allgemeinen
betrifft ...«

»Sie meinen, weil Ihr Vater Priester ist oder war?«

»Genau. Ich habe eine Menge Menschen kennengelernt, für
die das Kirchenleben so eine Art Lebensinhalt geworden ist.
Und weil Frau Rosenzweig seit ihrer Geburt zu dieser Kirche ge-

hört und diese Kirche somit auch ihr Lebensinhalt wurde, erzwungen oder nicht, so ist sie doch das Auffangbecken schlechthin, wenn man Probleme hat. Wir könnten ihr einen ungeheuren Schlag versetzen, wenn wir etwas sagen, was sie gar nicht hören will und möglicherweise auch gar nicht hören muß. Deswegen will ich vorher mit dieser Psychologin reden. Verstehen Sie das?«

»Was ist das für eine Frau, diese Psychologin?«

»Ganz nett, locker, zählt sich zum liberalen Zweig der Kirche. Sie dürfte so zwischen dreißig und fünfunddreißig sein, sieht ganz gut aus und scheint nicht alles so bierernst zu nehmen. Ich ruf mal schnell bei ihr an und will sehen, daß ich gleich bei ihr vorbeifahre.« Sie stand auf, holte das Branchenverzeichnis, suchte unter der Sparte Psychologen den Eintrag von Sabine Reich, notierte die Nummer und schlug das Buch wieder zu. Sie nahm den Hörer vom Telefon, wählte die Nummer.

»Reich.«

»Hier Durant, von der Kripo. Wir haben uns gestern ...«

»Ich weiß. Was gibt es? Ich bin gerade mitten in einer Sitzung.«

»Tut mir leid, wenn ich störe, aber ich müßte Ihnen noch ein paar Fragen stellen. Wann ist Ihre Sitzung denn zu Ende?«

»Um zehn vor zwölf. Danach habe ich Mittagspause. Wenn Sie wollen, können Sie vorbeikommen oder mich noch einmal anrufen.«

»Ich würde lieber vorbeikommen. Ihre Praxis ist in Höchst, ich könnte so gegen zwölf bei Ihnen sein.«

»In Ordnung, ich warte auf Sie.«

Julia Durant sah Berger an, sagte: »Dann werde ich mich mal auf den Weg machen.«

»Tun Sie das. Und viel Erfolg.«

Durant nahm ihre Tasche und lief mit schnellen Schritten zu ihrem Corsa, der in der prallen Sonne stand und dessen Inneres sich auf über fünfzig Grad aufgeheizt hatte. Sie schloß die Tür auf,

131

wartete einen Moment, bis sie einstieg, startete den Motor und fuhr vom Hof. Um zwei Minuten vor zwölf parkte sie den Opel vor der Praxis von Sabine Reich.

Mittwoch, 12.00 Uhr

Die Kommissarin gelangte durch die offene Tür ins kühle Treppenhaus, ging fünf Stufen nach oben, wo sich hinter der linken von drei Türen die Praxis befand. Sie klingelte, hörte Schritte näher kommen, die Tür wurde geöffnet.

»Kommen Sie rein«, sagte Sabine Reich lächelnd und ließ Julia Durant an sich vorbei eintreten.

»Wollen Sie sich hier mit mir unterhalten, oder würde es Ihnen viel ausmachen, mit mir essen zu gehen, ich habe nämlich einen Bärenhunger und seit heute morgen um sieben nichts mehr gegessen. Ich habe ein Stammlokal gleich um die Ecke. Dort gibt es die garantiert besten Spaghetti Bolognese in der ganzen Stadt.«

»Gern. Normalerweise hole ich mir mein Mittagessen an der Imbißbude, und das ist wohl auf die Dauer nicht das richtige.«

»Genau, und deswegen kommen Sie heute mit mir zum Italiener.«

Das kleine, schmucke Lokal war etwa zur Hälfte besetzt. Über dem Tresen hingen leere Chianti-Flaschen, es roch verführerisch nach südländischen Gewürzen und Parmesankäse. Sie setzten sich an einen runden Tisch genau gegenüber der Tür, wo sie einigermaßen ungestört waren. Aus unsichtbaren Lautsprechern klangen leise italienische Schlager, der Kellner, ein freundlicher, junger Mann, reichte ihnen die Karte. Julia Durant bestellte ein kleines Bier, Sabine Reich Orangensaft. Als der Kellner mit den Getränken kam, bestellten sie beide die so angepriesenen Spaghetti Bolognese und je einen italienischen Salat mit Mozzarella. Während sie auf das Essen warteten, sagte Sabine Reich: »Was gibt es denn so Wichtiges, weswegen Sie sich mit mir treffen müssen?«

»Auch wenn Sie mir vielleicht nur ungern Auskunft geben, ich hätte einige Fragen zu Frau Rosenzweig.«

»Was für Fragen? Wenn es um die Therapie geht, dann sind mir aufgrund meiner Schweigepflicht die Hände gebunden, das wissen Sie.«

»Es gibt aber auch Ausnahmen. Eine ist zum Beispiel, wenn durch eine Aussage eine Person von einem Mordverdacht entlastet wird.«

Sabine Reich machte ein ernstes Gesicht, beugte sich ein wenig nach vorn, sagte: »Augenblick, soll das etwa heißen, daß Sie Frau Rosenzweig für eine kaltblütige Mörderin halten?«

»Im Augenblick soll das gar nichts heißen, es könnte aber sein, daß dieser Verdacht sich erhärtet. Vor allem mein Vorgesetzter sieht gewisse Zusammenhänge, die gegen Frau Rosenzweig sprechen. Sie könnten mir jedoch helfen, ein klareres Bild von ihr zu bekommen, indem Sie mir einfach ein paar Fragen beantworten. Ich denke, es ist auch in Ihrem Sinn, Ihre Patientin von jeglichem Verdacht zu befreien.«

»Natürlich. Aber Details aus meinen Sitzungen …«

»Ich will keine Details aus Ihren Sitzungen mit Frau Rosenzweig. Ich will nur ihr Leben und ihre Situation ein wenig besser kennenlernen. Und vor allem möchte ich sie nicht mit etwas konfrontieren, wovon sie eventuell nichts weiß. Das ist alles. Und wie Sie wissen, unterliege auch ich einer Schweigepflicht. Ich habe jedenfalls meinem Boß gesagt, daß ich Frau Rosenzweig keinen Mord zutraue. Ich habe meine Gründe dafür.«

Sabine Reich lächelte auf einmal, fragte: »Was für Gründe? Weibliche Intuition?«

Julia Durant lächelte jetzt ebenfalls. »Das gleiche hat mich mein Boß vorhin auch schon gefragt. Kann sein.«

»Es ist auf jeden Fall interessant zu erfahren, daß auch die Polizei nicht nur mit Kopf und Technik, sondern ab und zu auch mit dem Bauch arbeitet. Sind Sie eigentlich schon lange bei der Mordkommission?«

»Seit vier Jahren. Vorher war ich bei der Sitte. Und davor in München. Mein Vater lebt in einem kleinen Ort in der Nähe von München. Er ist Priester im Ruhestand ...«

»Sie kommen aus einer Pfarrersfamilie? Dann haben Sie in Ihrem Leben sicher schon viel über Gott gehört, oder?«

»Zwangsläufig.«

»Und was sagt Ihr Vater dazu, daß seine Tochter einen derart gefährlichen Beruf gewählt hat?«

»Anfangs war er nicht besonders glücklich darüber, er hätte mich wohl lieber als Krankenschwester oder irgendwo im Büro gesehen, aber inzwischen hat er sich damit abgefunden. Wir haben einen sehr guten Kontakt, vor allem seit meine Mutter gestorben ist. Und außerdem ist der Beruf gar nicht so gefährlich, wie man die Leute glauben machen möchte. In den jetzt fast zehn Jahren bei der Kripo habe ich nur zweimal die Waffe gezogen, ohne jedoch schießen zu müssen. In der Öffentlichkeit wird das Bild eines Kriminalbeamten meist stark verfälscht. Es wird immer so hingestellt, als bestünde unser Alltag aus nichts als Prügeleien, Schießereien und wilden Verfolgungsjagden, was absoluter Blödsinn ist. Und die meisten denken natürlich, Leichen würden unseren Weg pflastern, woran das Fernsehen nicht ganz unschuldig ist. In Wirklichkeit besteht der Polizeialltag aus eher langweiliger und langwieriger Ermittlungsarbeit, Akten durchwühlen, alte Fälle bearbeiten, na ja, was eben in einem Polizeibüro so anfällt.«

Der Kellner kam mit dem Salat, stellte die beiden Teller auf den Tisch, Sabine Reich und Julia Durant begannen zu essen.

»Also«, fragte Sabine Reich kauend, »was wollen Sie von mir wissen?«

»Zuallererst, was für ein Mensch ist Frau Rosenzweig?«

Sabine Reich wartete mit der Antwort, bis sie den Mund leer hatte, überlegte, sagte dann: »Sie ist eine eher stille, introvertierte Frau. Es ist schwer, irgendwelche Gefühlsregungen bei ihr auszumachen, und ich habe zehn Sitzungen gebraucht, bis sie überhaupt etwas zugänglicher wurde. Sie wirkt auf mich, als hätte sie eine riesige Mauer um sich gebaut, ohne Fenster und ohne Türen, hinter der sie ihr ganz eigenes Leben lebt. Ich kenne die Ursache dafür nicht, aber ich denke, ich werde sie noch herausfinden. Das einzige, was ich sicher weiß, ist, daß sie seit einigen Jahren unter Angstzuständen und Panikattacken leidet, dies aber nie publik machen würde, aus Angst – was für ein Hohn –, die andern in der Kirche könnten sie dafür auslachen. Mich wundert sowieso, daß sie mit Ihnen darüber gesprochen hat. Der einzige Grund, den ich für diese Offenheit sehe, ist, daß Sie nicht zur Kirche gehören, also ist es auch egal, ob sie es Ihnen sagt oder nicht.«

»Aber Dr. Rosenzweig kannte das Problem seiner Frau?«

»Ich vermute fast, sie ist auf sein Drängen hin zu mir gekommen. Freiwillig hätte sie es wohl nie getan. Aber wie gesagt, es ist nur eine Vermutung. Vielleicht hatte er aber auch gar keine Ahnung.«

Sie hatten den Salat aufgegessen, der Kellner brachte die Spaghetti und nahm die leeren Teller mit.

»Frau Reich, nennen Sie mir einen triftigen Grund, weshalb Frau Rosenzweig ihren Mann nicht getötet haben kann.«

»Frau Durant, Sie wissen so gut wie ich, daß jeder Mensch in Ausnahmesituationen zu einem Mord fähig ist. In jedem von uns schlummert ein Mörder. In dem einen mehr, im andern weniger. Aber die einen leben ihre Aggressionen oder ihren Frust aus, die andern fressen alles Leid, das ihnen zugefügt wird, in sich hinein. Frau Rosenzweig hat es sicher nicht immer leicht gehabt in ihrem Leben, ihre Kindheit war geprägt von einem überaus dominanten Vater und einer Mutter, die sich ihrem Mann bedingungslos unterwarf. Dazu kam der Druck der Kirche, dem sie sich zu keiner Zeit widersetzen konnte. Außerdem hat sie einen Mann aus der Kirche geheiratet, der in etwa die gleiche Dominanz an den Tag legte wie ihr Vater. Sie hat früh gelernt, was es in der Kirche bedeutet, eine Frau zu sein. Erst seit vielleicht zwanzig Jahren beginnen die Verkrustungen aufzubrechen, und die jungen Leute, zu denen ich mich trotz meiner vierunddreißig Jahre auch noch zähle, fangen an, nicht mehr nur die Kirche als das allein Seligmachende zu sehen. Sie hinterfragen gewisse Dinge, werden offener, was nicht zuletzt auch auf die Medien zurückzuführen ist. Ich glaube, vor dreißig oder vierzig Jahren hätte ich mich dieser Kirche nicht angeschlossen, weil ich von jeher ein etwas rebellischer Mensch bin und dort kein Forum gefunden hätte. Aber mittlerweile gibt es viele Gleichgesinnte, und es macht mir Spaß, den Alten hin und wieder Kontra zu geben.«

»Und was können Sie mir noch über Frau Rosenzweig sagen?«

Sabine Reich schien einen Moment zu überlegen, bevor sie mit einem zarten Lächeln, das sie noch hübscher machte, antwortete: »Sie ist die gutmütigste Frau, der ich je begegnet bin. Egal, wann man sie braucht, sie wird ihre Hilfe niemals verweigern. Ich möchte Ihnen eine Geschichte erzählen, die sich vor etwa zweieinhalb Jahren abgespielt hat. Ein abgerissener, zerlumpter Bettler stand plötzlich vor ihrer Tür. Fast jeder andere Mensch hätte die Tür gar nicht erst aufgemacht oder sie gleich wieder zugeschlagen. Dieser Mann, dreckig und stinkend, stand also da und bat um eine Kleinigkeit zu essen und etwas zu trinken. Frau Rosenzweig hat ihm aber nicht nur diesen Wunsch erfüllt, sie hat ihn sogar ins Haus gebeten, damit er sich an den Tisch setzen konnte, auf einen dieser sündhaft teuren Chippendale-Stühle. Sie hat ihm eine richtige Mahlzeit aufgetischt, damit er satt wurde. Als er fertig gegessen hatte und schon gehen wollte, hat sie ihn gefragt, wo er denn schlafen wolle. Er sagte, er wisse es nicht, aber er würde schon irgendwo einen Platz finden. Und wissen Sie, was Frau Rosenzweig daraufhin gemacht hat? Sie hat ihm angeboten, die Nacht in einem der Gästezimmer zu verbringen. Sie hat ihm Badewasser eingelassen, seine schäbige Kleidung in die Mülltonne geworfen, bei einem Bekannten angerufen, der ein Bekleidungsgeschäft hat und neue Kleidung für ihn bestellt. Der Mann hat nicht nur diese eine Nacht bei den Rosenzweigs verbracht, sondern er hat fast einen Monat bei ihnen gewohnt. Wie sich herausstellte, war er durch höchst unglückliche Umstände zum Bettler geworden, denn eigentlich hatte er eine hervorragende Ausbildung genossen, hatte sogar als Rechtsanwalt gearbeitet, doch eines Tages war ihm ein fataler Fehler unterlaufen, der seine Karriere ruinierte. Und nicht nur das, auch seine Frau, gewohnt, in relativem Wohlstand zu leben, verließ ihn mit den beiden Kindern, verbreitete Lügen über ihn, die jeder glaubte, verkaufte das Haus und alles was dazugehörte und ließ sich mit den Kindern in einer andern Stadt nieder. Und so ging es rapide bergab mit ihm. Hätte er die Rosenzweigs nicht gehabt, würde er heute wahrscheinlich nicht mehr leben.«

»Woher kennen Sie diese Geschichte?« fragte Julia Durant zweifelnd.

»Nun, dieser Mann ist heute ein Mitglied unserer Kirche, er hat wieder einen guten Job in einer Anwaltskanzlei, und vor allem hat er seinen Lebensmut wiedergefunden. Er selbst hat diese Geschichte einmal in der Gemeinde erzählt. Und genau deswegen würde ich meine Hand für Frau Rosenzweig ins Feuer legen, daß sie mit dem Mord an ihrem Mann nichts zu tun hat. Jemand, der soviel Nächstenliebe hat, bringt nicht den eigenen Mann um. Sie wäre vielleicht fähig, Hand an jemanden zu legen, der ihren Kindern etwas angetan hat, doch … nein, jeder, nur sie nicht.«

»Und was hat Dr. Rosenzweig von der Hilfsbereitschaft seiner Frau gehalten?«

»Keine Ahnung, aber ich denke, es hat ihm nicht viel ausgemacht. Er war im Prinzip auch hilfsbereit, wenn auch auf eine andere Art; er hätte dem Mann wahrscheinlich auch etwas zu essen gegeben, ihm dann noch einen Hunderter in die Tasche gesteckt und sich nicht weiter drum gekümmert, was aus ihm geworden wäre.«

Julia Durant wandte sich wieder ihrem Essen zu, ließ eine Weile verstreichen, bevor sie sagte: »Wir sind uns doch einig, daß alles, was wir hier besprechen, absolut vertraulich ist, oder?«

»Das sagte ich vorhin schon. Und so, wie ich mich auf Sie verlasse, so können Sie auch mir vertrauen. Kein Wort nach außen.«

»Okay, dann möchte ich Ihnen eine sehr wichtige Frage stellen. Hat Frau Rosenzweig Ihnen gegenüber jemals etwas von außerehelichen Beziehungen ihres Mannes erwähnt?«

»Bitte?« fragte Sabine Reich mit ungläubigem Blick und ließ die Gabel sinken. »Rosenzweig und außereheliche Beziehungen? Sind Sie da sicher?«

»Sie hat also nie gesagt, ihr Mann würde sie betrügen?«

»Nein, und ich kann es mir auch nicht vorstellen. Ist das ein Gerücht oder Fakt?«

»Es ist Fakt. Ich habe mit zwei Frauen gesprochen, mit denen Rosenzweig über mehrere Jahre hinweg intensiven sexuellen Kontakt hatte. Und jetzt verstehen Sie vielleicht, weshalb ich mit Ihnen sprechen wollte. Wenn Frau Rosenzweig nämlich von seinen Affären gewußt hat, dann könnten wir hier ein Motiv haben. Die Frage ist nämlich, wie lange läßt sich eine Frau demütigen? Und ich weiß aus Erfahrung, es gibt kaum eine schlimmere Demütigung, als wenn der eigene Mann permanent fremdgeht. Das wäre nicht das erste Mal der Grund für Mord unter Eheleuten.«

»Nein«, sagte Sabine Reich entschieden, »sie wußte es nicht. Und selbst wenn sie es gewußt hätte, auch dann wäre sie nicht zu einer solchen Tat fähig gewesen. Sie ist nicht der Typ dafür, und das sage ich Ihnen als ihre Therapeutin. Sie hätte es stillschweigend hingenommen und auf den Tag gewartet, an dem er alt genug gewesen wäre, sich nicht mehr nach andern Frauen umschauen zu müssen. Und ich bitte Sie, der Tod ihres Mannes ist schon Belastung genug, erzählen Sie ihr nicht auch noch von seinen Eskapaden. Ich glaube, das würde sie nicht mehr verkraften, sie würde zerbrechen. Vertrauen Sie weniger Ihrem Kopf als Ihrem Bauch.« Sie schob den noch halbvollen Teller zur Seite, trank einen Schluck von ihrem Orangensaft. »Ich bin wirklich sehr überrascht, das von Rosenzweig zu hören. Sonntags gab er sich immer ganz anders. Aber auch die Mitglieder dieser Kirche erliegen, wie Sie sehen, dann und wann der Versuchung des Fleisches. Aber deswegen würde ich Rosenzweig nie verurteilen. Ich weiß nämlich, daß seine Frau sexuell eher zurückhaltend ist, wie sie mir selbst gesagt hat. Aber sie hat ihren Mann geliebt, das spürte man immer wieder. Es war einfach die Art, wie sie von ihm sprach, immer voller Hochachtung und Respekt. Sie hätte ihm nicht weh tun können.«

Julia Durant schob die letzte Gabel in den Mund, trank den Rest von ihrem Bier, steckte sich eine Zigarette an.

»Ich danke Ihnen, Frau Reich, Sie haben mir sehr geholfen. Ich denke, ich werde meinen Chef überzeugen können, nichts gegen Frau Rosenzweig zu unternehmen. Es sei denn, es sollten noch weitere belastende Fakten auftauchen, was ich aber nicht glaube.«

»Sie werden den Täter woanders suchen müssen«, sagte Sabine Reich und erhob sich. »Frau Rosenzweig ist wie eine Auster, nach außen, vor allem Fremden gegenüber, mit einer etwas rauhen Schale, doch in ihrem Innern steckt eine kostbare Perle.«

Julia Durant wollte gerade ihr Portemonnaie hervorholen, als Reich abwinkte. »Lassen Sie stecken, ich bin hier Stammgast und zahle meine Rechnung immer am Ende des Monats. Das Essen geht auf mich.«

»Danke sehr. Vielleicht kann ich mich einmal revanchieren.«

»Mal sehen. Ich muß jetzt aber zurück in die Praxis, um eins ist mein nächster Termin. Schönen Tag noch, und wenn Sie noch Fragen haben, hier ist meine Karte, da steht auch meine Privatnummer drauf. Tschüs.«

Julia Durant blieb noch ein paar Sekunden auf dem Bürgersteig stehen und sah der jungen Psychologin nach, die ihr immer sympathischer wurde. Schließlich ging sie durch die sengende Mittagssonne zu ihrem Wagen, stieg ein und startete den Motor. Sie fuhr zurück ins Präsidium.

Mittwoch, 13.25 Uhr

Hellmer und Kullmer waren bei Berger im Büro, als Julia Durant eintraf. Sie waren gerade dabei, die Bürodurchsuchung auszuwerten, Durant hörte sich den Rest an. Sie hatten nur kurz Akteneinsicht genommen, aber auf den ersten Blick nichts Verdächtiges finden können. Ein paar Fachleute waren inzwischen hingeschickt worden, die die Akten besser und vor allem mit geschultem Blick würden sichten können. Berger wandte sich Durant zu, fragte: »Und Sie, haben Sie bei dieser Reich mehr über die Rosenzweig in Erfahrung bringen können?«

»Ich glaube, wir können Frau Rosenzweig von der Liste der Tatverdächtigen streichen. Ihre Therapeutin sagt, daß diese Frau niemals zu einer solchen Tat fähig wäre. Sie hat mir einiges aus ihrem Leben geschildert, und es macht, nachdem ich mir das alles angehört habe, wenig Sinn, sie weiter zu verdächtigen. Das ist alles.«

»Gut, aber dann erklären Sie mir doch bitte, wie dieses Gift ins Haus gelangt ist? Rosenzweig wird es ja wohl kaum selbst dort deponiert haben, oder?« fragte Berger leicht ungehalten.

»Nein, natürlich nicht …«

»Was ist eigentlich mit der Haushälterin?« fragte Berger.

»Die ist erst morgen wieder da«, sagte Hellmer schnell und trank einen Schluck aus der Coladose, die er sich aus dem Automaten auf dem Flur gezogen hatte.

Julia Durant schlug die Beine übereinander, ihr war heiß, die Luft im Büro stickig. Sie kniff die Lippen zusammen, schüttelte den Kopf. »Wenn man nur herauskriegen könnte, wie das Gift ins Haus kam! Wenn wir das wissen, haben wir auch den Täter.«

»Bist du da ganz sicher?« fragte Hellmer und blickte Durant an. Sie erwiderte seinen Blick, zog die Stirn fragend in Falten.

»Na ja«, fuhr er fort, »was, wenn Rosenzweig die Flasche selbst ins Haus gebracht hat, im guten Glauben, daß darin sein Insulin wäre? Ich meine, was, wenn das Gift schon vorher drin war?«

»Dann hätte er es am Montag besorgt, auf dem Weg von der Arbeit nach Hause«, sagte die Kommissarin und fuhr fort: »Aber das halte ich für ziemlich ausgeschlossen, denn wie mir Frau Wagner aus dem Schreibbüro berichtet hat, hatte sie mit ihm noch in der Firma Geschlechtsverkehr, und das zu einer Zeit, als noch die meisten Angestellten anwesend waren. Und er kam, wie Frau Rosenzweig sagte, gegen neunzehn Uhr nach Hause. Hätte er das Insulin in einer Apotheke besorgt, dann hätten die ihm mit Sicherheit kein Schlangengift gegeben. Nein, das halte ich für ausgeschlossen.«

»Und du bist sicher, seine Frau hat nichts von seiner Umtriebigkeit gewußt?«

»Ziemlich. Und wenn schon, sie war es nicht!« sagte sie mit energischem Tonfall. »Hier hat jemand auf unglaublich raffinierte Weise gearbeitet. Der wußte genau, daß wir ihm nur sehr, sehr schwer auf die Schliche kommen werden. Wenn überhaupt. Ich meine, man muß ja erst mal jemanden finden, der einem konzentriertes Schlangengift besorgt, dazu noch von einer Schlange, die es in Deutschland überhaupt nicht gibt. Dann muß es dem Insulin beigefügt werden, ohne daß der Benutzer es merkt.« Sie machte eine Pause, überlegte, fuhr dann fort: »Hat es eigentlich jemals in der neueren Kriminalgeschichte einen ähnlichen Mord gegeben? Es wäre vielleicht ganz gut, wenn wir das herausfinden könnten. Denn wenn es so etwas schon mal gab, könnte es ja unter Umständen sein, daß der Täter einen solchen Mord kopiert hat. Können Sie mal nachsehen, ob Sie was finden?« fragte sie Kullmer.

»Kein Problem. Das wird aber einige Zeit dauern.«

»Ist mir klar. Was mich aber immer noch beschäftigt, ist die Frage, was hat Rosenzweig so Furchtbares getan, daß jemand ihn umgebracht hat? Daß er in den Augen des Täters nur noch den Tod verdient hat?«

»Die Neumann oder die Wagner?« fragte Hellmer.

»Kaum. Die hatten keinen Haß auf ihn. Eher dieser Kastner, der Personalchef. Aber der ist ein widerlicher Typ, ein Möchtegern-Macho und ein versoffenes Arschloch. Zugegeben, er hat Rosenzweig erpreßt, aber er hätte ihn nicht umgebracht, dazu fehlen ihm einfach die Kaltblütigkeit und der Mumm. Wie gesagt, er ist Alkoholiker und … Vergessen wir ihn einfach.«

»Was«, fragte Kullmer, »wenn jemand die Flaschen vertauscht hat? Ich meine, ein Diabetiker spritzt sich ja nicht nur einmal am Tag Insulin, sondern drei-, vier-, fünfmal. Er hat es mit ins Büro genommen und irgendwer hat die Flaschen einfach ausgetauscht. Das wäre doch immerhin eine Möglichkeit, oder?«

»Aber wer im Büro hätte denn wissen können, daß sein Pen am Donnerstag kaputtgegangen ist und er wieder zur Spritze greifen mußte? Das ist mir etwas zu hypothetisch. Nein, ich bin überzeugt, die ganze Sache hat sich bei ihm zu Hause abgespielt, aber seine Frau hat damit nichts zu tun. Es wäre auch viel zu offensichtlich, sie hätte sich vorher ausmalen können, wenn sie einen solch perfiden Plan gehabt hätte, daß wir ganz schnell auf sie gekommen wären. Die Fälle, in denen Frauen mit Gift gearbeitet haben, waren meist viel subtiler angelegt. Hier ein bißchen Arsen, dort ein bißchen Rattengift, und das alles über einen Zeitraum von Wochen oder Monaten. Erst klagt das Opfer eine Weile über Übelkeit und Kopfschmerzen, dann über Kreislaufprobleme, bis es zu spät ist. Für mich ist klar, daß Rosenzweig in irgend etwas verwickelt war, was ihn letztendlich das Leben gekostet hat. Nur was?«

»Ein Päderast oder Pädophiler?« fragte Hellmer.

»Unwahrscheinlich. Auch wenn seine Liebschaften jung waren, so waren sie doch immerhin schon mündige Frauen. Er hat nicht wahllos in der Gegend rumgevögelt, und schon gar nicht mit Kindern.«

»Organisiertes Verbrechen?«

»Dann hätten sie ihm einfach eine Kugel ins Genick gejagt. Nein, erst wenn wir seine wirklich dunkle Seite kennen, haben wir womöglich einen Ansatzpunkt. Aber die zu finden, mein Gott, das wird eine verdammt harte Nuß. Seine dunkle Seite sind aber nicht seine Liebschaften, da bin ich mir sicher. Er hat sie zwar geheimgehalten, der Hauptgrund dafür liegt aber auf der Hand – die Kirche. Er war auch nur ein Rädchen im großen Getriebe dieses religiösen Vereins, und für ihn war es natürlich wichtig, den Schein der moralischen Integrität zu wahren. Und deswegen war er für Kastner auch erpreßbar. Und wenn auch kaum einer von Rosenzweigs Mitgliedschaft in der Kirche wußte, Kastner wußte es. Er hat aber den Mund gehalten, bis Rosenzweig ihm die Kündigung auf den Tisch geknallt hat.«

»Und wie wollen Sie jetzt weiter vorgehen?« fragte Berger, der sich aus seinem Sessel hievte, zur Kaffeemaschine ging und sich einen Kaffee einschenkte. Er stellte sich ans Fenster und schaute hinaus.

»Spurensuche.« Sie seufzte auf, holte sich ebenfalls einen Kaffee und trank in kleinen Schlucken. »Wir müssen das Leben von Rosenzweig bis ins kleinste Detail durchleuchten, bis wir die Tür finden, hinter der sein großes Geheimnis verborgen liegt. Ich werde auf jeden Fall noch einmal mit seiner Frau sprechen, mich ein wenig mit ihr über die Kirche unterhalten, sie in einen Small-talk verwickeln und versuchen, sie auf diese Weise zum Reden zu bringen. Und ich möchte das ganz allein machen, denn ich denke, wenn wir wieder zu zweit bei ihr auftauchen, macht sie gleich die Schotten dicht. Sie ist, zumindest was die Polizei angeht, sehr mißtrauisch. Wenn man allein schon bedenkt, daß sie glaubt, wir würden sie für eine kaltblütige Mörderin halten. Ich will nur, daß sie mir vertraut und vielleicht dadurch Dinge preisgibt, die sie höchstens ihrer besten Freundin erzählen würde. Ich muß es einfach versuchen.«

»Viel Glück«, bemerkte Kullmer, der lässig auf seinem Stuhl hockte, die Beine übereinander geschlagen und einen Kaugummi zwischen seinen Zähnen knetete.

»Und Sie versuchen herauszufinden, ob es schon mal einen oder mehrere ähnliche Todesfälle gegeben hat?«

»Klar, was bleibt mir anderes übrig? Aber für Sie tue ich doch alles«, sagte er grinsend.

»Das ist mir aber ganz neu. Ist mir da etwas entgangen?«

»Kann schon sein.«

»Also gut, ich schau mal nach, ob die Rosenzweig jetzt zu Hause ist, und du«, sie deutete auf Hellmer, »gehst noch einmal alle Aussagen der Personen durch, mit denen du gesprochen hast beziehungsweise mit denen wir zusammen gesprochen haben. Schreib alles auf und mach dir Notizen, und wenn dir irgend etwas nur ein bißchen merkwürdig vorkommt, markier es. Ich weiß, du brauchst gar nichts zu sagen, es ist ein Scheißjob.«

Sie trank ihren Kaffee aus, stellte den Becher auf den Tisch, stand auf. »Ich fahr jetzt mal raus zu Frau Rosenzweig. Sollte es nicht zu spät werden, komme ich noch mal im Büro vorbei, sonst wißt ihr ja, wo ihr mich erreichen könnt.«

Julia Durant nahm ihre Tasche, öffnete die Tür und war gerade auf dem Weg nach draußen, als Frank Hellmer ebenfalls aufstand und ihr folgte. Er machte die Tür hinter sich zu, ging ein paar Schritte neben der Kommissarin her, blieb mit einem Mal an der Treppe stehen und sagte mit strahlendem Blick: »Hör mal, ich wollte dir was sagen. Ich meine, wir verstehen uns ganz gut, und ich denke mir, du solltest die erste sein, die es erfährt – Nadine ist schwanger.«

Durant sah Hellmer für einen Augenblick nur an, dann machte sie einen Schritt auf ihn zu und umarmte ihn.

»Herzlichen Glückwunsch. Nach der Fehlgeburt habt ihr sicher eine ganze Weile mit euch gerungen, ob ihr es noch einmal probieren sollt, oder?«

»Ja, schon. Aber letztlich wollten wir es beide. Sie hat mich vorhin angerufen und mir gesagt, der Schwangerschaftstest sei positiv. Ich weiß nicht, womit ich das verdient habe, eine solche Frau, wir brauchen nicht jeden Pfennig umzudrehen, und jetzt auch noch ein Kind. Ehrlich, ich könnte schreien vor Freude.«

Julia Durant grinste und sagte: »Dann tu´s doch. Aber erst, wenn ich draußen bin. Muß ja nicht gleich jeder mitbekommen, daß mein Mitarbeiter eigentlich in die Klapsmühle gehört. Aber Spaß beiseite, ich freue mich für dich und Nadine. Und hoffentlich geht diesmal alles klar. Sie soll gut auf sich aufpassen.« Mit einem Mal wurde ihr Blick ernst und melancholisch, sie sagte mit einem gezwungenen Lächeln, das Hellmer nicht verborgen blieb: »Ich muß jetzt aber los. Richte ihr einen schönen Gruß von mir aus.«

»Mach ich«, sagte Hellmer, dessen Gesicht plötzlich auch ernst geworden war. Er sah seiner Kollegin hinterher, wie sie die Treppe hinunterlief und vermutlich darüber nachdachte, daß der Wunsch, ein Kind zu haben, für sie nie in Erfüllung gehen würde..

»Scheiße«, sagte er leise zu sich selbst.

Walter Schönau hatte gerade seine Sitzung mit dem Aufsichtsrat der Bank beendet, er saß allein in seinem großen Büro mit
den wuchtigen Schränken und dem riesigen Schreibtisch aus
massiver Eiche. Er blickte auf den neben dem Bücherschrank
stehenden Tisch, der mit Geschenken überhäuft war, als das Telefon klingelte, dessen Nummer nur wenige Personen kannten.
Normalerweise wurden Anrufer über seine Sekretärin zu ihm
verbunden, doch es gab bestimmte Leute, die nicht erst mit Frau
Bergmann sprechen wollten.

»Hallo, Dr. Schönau«, sagte die Stimme am andern Ende der
Leitung. »Happy Birthday to you, alter Knabe. Wie geht's dir
heute?«

»Danke, bis auf leichte Herzschmerzen kann ich nicht klagen.
Freut mich, daß du anrufst, aber ich hatte gedacht, wir würden
uns nachher im Büro sehen? Ist was dazwischen gekommen?«

»Hmh, nur ein bißchen. Ich habe noch einen wichtigen Termin,
und es könnte sein, daß es später wird. Wie lange wirst du im
Büro sein?«

»Auf jeden Fall, bis alle gegangen sind. Das weißt du doch.
Wann sehe ich dich?«

»So kurz nach sechs?« fragte der Anrufer.

»Aber nicht später. Ich muß schließlich auch meiner Frau erklären, warum ich ausgerechnet heute so spät nach Hause komme.
Sie hat für heute abend Gäste eingeladen und … na ja, du weißt
doch, wie das ist. Ich kann mich da nicht einfach ausklinken.
Aber wir können ja nachher noch besprechen, ob du auch zur
Feier kommst oder nicht. Du bist ja schließlich niemand Frem-
des«, sagte er grinsend.

»Mal sehen. Auf jeden Fall wird heute noch jemand vorbeikommen und ein Päckchen für dich abgeben. Du mußt es aber gleich
aufmachen, sonst geht es kaputt.«

»Was geht kaputt? Du machst mich ganz neugierig.«

»Laß dich überraschen. Es waren auf jeden Fall die schönsten Exemplare, die ich auftreiben konnte. Bis nachher, entweder in deinem Büro oder bei dir zu Hause. Mach´s gut …«

»Moment noch, sollten wir uns nicht vorher sehen, was ich sehr bedauern würde, wann wird denn das Päckchen kommen?«

»Ich denke, so zwischen halb und sieben. Solange solltest du aber unbedingt im Büro bleiben. Ich habe versucht, den Kurier für früher zu bestellen, aber du kennst das ja … So, und jetzt muß ich wirklich Schluß machen, sonst komme ich mit meinen Terminen überhaupt nicht mehr klar. Ciao, und bis später.«

Schönau legte den Hörer auf, lächelte vor sich hin, obgleich der Schmerz wieder einsetzte. Er betätigte die Sprechanlage und bat seine Sekretärin, ihm ein Glas Wasser zu bringen. Nach einer Minute stand das Glas vor ihm, er zog die mittlere Schublade seines Schreibtischs auf, holte ein Päckchen Tabletten heraus, steckte zwei auf einmal in den Mund und spülte sie mit dem Wasser hinunter. Er hoffte, der Eisenpanzer um seine Brust würde sich allmählich lockern, die Schmerzen aufhören. Er drehte sich ein wenig mit dem Sessel, drückte noch einmal auf den Knopf der Sprechanlage, bat Frau Bergmann, in der nächsten halben Stunde keine Anrufe durchzustellen. Dann lehnte er sich zurück, den Blick auf das vier Meter breite und zwei Meter hohe, in die Wand eingelassene Meerwasseraquarium gerichtet. Der Anblick der sich im Wasser bewegenden Fische beruhigte ihn jedesmal aufs Neue. Auch wenn er die Namen der meisten Fische nicht kannte, so faszinierten sie ihn einfach, ihre zum Teil leuchtenden und bei Nacht bisweilen phosphoreszierenden Farben, die Stille, die von ihnen ausging, die keine Hektik und keinen Streß kannten, die einfach nur ihre Runden drehten. Nach wenigen Minuten löste sich der Eisenpanzer, er konnte wieder tief durchatmen. Noch zwei Wochen, dann würden sie ihm einen Bypass legen, und damit die immer häufiger werdenden Anfälle verschwinden. Er hatte Angst vor dem Eingriff, auch wenn Laura Fink sagte, eine solche Operation wäre heutzutage ein Kinderspiel. Aber sie hatte auch gesagt, wenn er sich der Operation nicht unterziehen würde, wäre sein Leben über kurz oder lang in ernster Gefahr. Sie sprach von einem möglichen schweren Herzinfarkt und den Folgen, sollte er ihn überleben. Und er wußte, das Leben wäre dann nicht mehr lebenswert. Doch heute hatte er Geburtstag und er wollte nicht darüber nachdenken, was in zwei Wochen war. Er wollte diesen Tag einfach nur genießen, und er hoffte, der Rest des Nachmittags würde so verlaufen, wie er es sich vorgestellt hatte. Nach einer halben Stunde sagte er Frau Bergmann Bescheid, daß er wieder zur Verfügung stehe.

Mittwoch, 15.15 Uhr

Marianne Rosenzweig war nicht allein zu Hause, eine sehr gepflegte Dame in einem beigen Sommerkostüm war bei ihr. Sie tranken Kaffee, ein paar Plätzchen standen auf dem Tisch.

»Darf ich vorstellen, Hauptkommissarin Durant, Lieselotte Heimann«, sagte Marianne Rosenzweig und deutete auf die Frau, die die Kommissarin aus grünen Augen kühl und distanziert musterte und lediglich ein »Guten Tag« murmelte.

»Heimann? Ich habe gestern einen Herrn Heimann kennengelernt. Sind Sie verwandt?« fragte Durant und trat näher.

»Wir sind verheiratet«, sagte Lieselotte Heimann kurz angebunden. »Soll ich gehen?«

»Sie brauchen nicht zu gehen«, sagte Durant, »aber wenn Sie mich ein paar Minuten mit Frau Rosenzweig allein lassen würden …«

»Ich werde ein bißchen in den Garten gehen, Marianne. Du kannst ja auch rauskommen, wenn ihr fertig seid.« Sie stellte ihre Tasse auf den Tisch, erhob sich und verließ den Raum, eine Wolke schweren Parfüms wehte hinter ihr her, zu schwer für diese Hitze.

»Nehmen Sie Platz«, sagte Marianne Rosenzweig und deutete auf einen Sessel. Sie wirkte heute noch nervöser, tiefe Ringe lagen unter ihren Augen, ihre Hände zitterten leicht.

»Wie geht es Ihnen heute?« fragte die Kommissarin, während sie sich setzte.

»Ich würde übertreiben, wenn ich sagen würde, es geht mir gut. Ich habe seit Montag praktisch nicht mehr geschlafen. Im Augenblick erscheint alles einfach nur sinnlos. Möchten Sie auch einen Kaffee? Ich habe allerdings nur Caro Kaffee, wir trinken keinen Bohnenkaffee. Sie können natürlich auch Wasser oder einen Fruchtsaft haben.«

»Nein danke, machen Sie sich keine Mühe. Ich will mich auch nicht lange aufhalten.« Sie machte eine kurze Pause, sortierte ihre Gedanken, sagte: »Frau Rosenzweig, meine Kollegen und ich sind gestern und heute noch einmal sämtliche uns bisher vorliegenden Fakten durchgegangen, und ich muß Ihnen leider sagen, daß Sie im Augenblick als Hauptverdächtige gelten, das Gift in das Insulinfläschchen Ihres Mannes getan zu haben. Ich muß allerdings hinzufügen, daß ich die Auffassung meiner Kollegen nicht teile. Ich persönlich halte Sie nicht für eine Mörderin.«

Marianne Rosenzweig nickte nur müde, verzog den Mund zu einem undefinierbaren, apathischen Lächeln. »Natürlich bin ich die Hauptverdächtige, das weiß ich selbst. Sie haben meine Fingerabdrücke, wer sonst sollte in diesem Haus außer mir und meinen Söhnen Zugang zum Arbeitszimmer meines Mannes haben, wer außer mir kommt überhaupt in Frage? Ich bin mir durchaus bewußt, daß ich schlechte Karten habe.« Sie hielt inne, nahm einen Schluck von ihrem Kaffee, behielt die Tasse in der Hand. »Aber ich war es nicht. Ich hätte so etwas nie gekonnt. Wissen Sie, ich habe Hans geliebt, auch wenn ich ihm diese Liebe vielleicht zu selten gezeigt habe, oder auf eine andere Weise, als er es sich vorgestellt hat.«

»Was meinen Sie damit?« fragte Julia Durant.

Marianne Rosenzweig seufzte auf, schüttelte den Kopf. »Wissen Sie, ich hätte ihm eigentlich noch so viel zu sagen gehabt, aber das wirklich Wichtige schiebt man immer weiter vor sich her, und dann ist es auf einmal zu spät und man kann das, was man sagen oder tun wollte, nicht mehr sagen oder tun. Ich war bestimmt keine sonderlich gute Ehefrau, zumindest nicht die Ehefrau, wie sie sich die meisten Männer wünschen – Heilige und Hure in einem. Ich war keine Heilige, und schon gar keine Hure. Nicht einmal für ihn. Obwohl ich genau wußte, welche Bedürfnisse er hatte.«

Julia Durant hatte sich das Gespräch schwieriger vorgestellt, hatte nicht gedacht, daß Marianne Rosenzweig so offen mit ihr sprechen würde.

»Was meinen Sie, was für Bedürfnisse hatte er Ihrer Meinung nach?«

Frau Rosenzweig blickte zur Seite, ein paar Tränen lösten sich aus ihren Augen und liefen ihr über die Wangen. Es dauerte einen Moment, bis sie weitersprechen konnte, sie nahm ein Taschentuch, wischte die Tränen ab, schneuzte sich kaum hörbar. »Wissen Sie, ich bin in einem Elternhaus groß geworden, in dem Keuschheit und Anstand und Sittlichkeit sehr groß geschrieben wurden. Nicht einmal das Wort Sexualität durfte in den Mund genommen werden, dieses Wort allein hatte schon etwas Verwerfliches an sich. Wenn einer meiner Brüder oder meine Schwester oder ich ein schlimmes Wort sagten, wurde uns im wahrsten Sinne des Wortes eingeprügelt, nie wieder so etwas zu sagen. Unsere Sprache habe rein und ehrfürchtig zu sein – aber die Schläge waren es nicht, obgleich ich sie noch heute manchmal zu spüren glaube. Und dann lernte ich als junges Ding, ich war noch nicht einmal achtzehn, Hans kennen, einen Mann, der bereits eine Ehe hinter sich hatte. Er hatte etwas an sich, das mich von Anfang an faszinierte. Seine Ruhe und seine Gelassenheit, ich habe mich bei ihm einfach geborgen gefühlt. Wir haben geheiratet, als ich neunzehn war, gegen den Willen meiner Eltern, für die Hans viel zu alt war. Nun, ich habe versucht, ihm das zu geben, was er sich wünschte, aber ich habe es nie geschafft. Ich habe ihm zwar zwei Söhne geboren, doch im sexuellen Bereich hat es bei uns zu keiner Zeit gestimmt. Und ich weiß, er war unzufrieden damit, auch wenn er mich das nie spüren ließ. Und manchmal habe ich mich tatsächlich gefragt, ob er nicht irgendwo eine Geliebte hatte«, sie lächelte auf einmal und wirkte so zart und zerbrechlich, daß Julia Durant sie am liebsten in den Arm genommen hätte. »Ja, Sie haben mir diese Frage vorgestern gestellt und ich habe darauf geantwortet, niemals ... Aber ich wußte die ganze Zeit über, daß er seine sexuelle Aktivität unmöglich vergraben haben konnte. Ich weiß nicht, ob er eine Geliebte hatte, ich hätte es auch nicht wissen wollen, es hätte einfach mein Weltbild zerstört, und ich wollte weiter in meiner kleinen, beschränkten Welt leben. Ich weiß nur eines, Hans war kein schlechter Mensch. Er war immer gut zu mir und zu den Kindern.«

»Hat Ihr Mann Ihnen denn jemals gezeigt, daß er sich mehr von Ihnen wünschte?«

»Nicht direkt. Er hat ein paarmal versucht, meine körperlichen Blockaden zu durchbrechen, aber es ist ihm nicht gelungen. Ich denke, mir ist dadurch vieles entgangen. Ich meine damit viele schöne Dinge.«

»Frau Rosenzweig, haben Sie irgendeinen Verdacht, wer Ihrem Mann statt Insulin Schlangengift in die Flasche getan haben könnte?«

»Das ist es ja, ich zermartere mir seit vorgestern abend ununterbrochen den Kopf darüber, doch ich komme zu keinem Ergebnis. Sosehr ich mich auch drehe und wende, ich finde niemanden, dem ich so etwas zutrauen würde. Und deswegen werde ich wohl am Ende auf der Strecke bleiben und das ausbaden müssen, was ein anderer angerichtet hat. Diese Welt ist keine gerechte Welt, nicht wahr?« fragte sie mit traurigem Blick.

»Im Moment brauchen Sie überhaupt nichts auszubaden. Ich führe die Ermittlungen in diesem Fall, und ich bestimme, ob und wann jemand verhaftet wird. Wir lassen gerade das Büro Ihres Mannes durchsuchen, vielleicht finden wir dort ein paar Hinweise, die uns zum wahren Täter führen. Es kann aber auch sein, daß die Untersuchungen sich noch lange hinziehen werden.«

»Frau Durant, sagen Sie, Sie waren doch sicher schon bei meinem Mann im Büro und haben die Angestellten befragt. Was sagen die über ihn?«

»Es gibt unterschiedliche Aussagen. Einige hielten ihn für einen harten Geschäftsmann, einige hatten kaum eine Meinung und wieder andere haben recht positiv von ihm gesprochen.«

»Wer hat positiv über ihn gesprochen – Frau Neumann?« fragte sie mit einem leicht bitteren Unterton.

»Unter anderem. Warum betonen Sie gerade Frau Neumann?«

»Wissen Sie, ich habe sie nur einmal ganz kurz gesehen und irgendwie gedacht, daß sie vielleicht … na ja, Sie können sich denken, was ich sagen will. Wissen Sie etwas darüber? Sie können es mir ruhig sagen.«

»Nein«, log Julia Durant und sah Marianne Rosenzweig an, die ihren Blick erwiderte und die Antwort mit einem seltsamen Lächeln hinnahm, so, als durchschaute sie diese wohlgemeinte Lüge.

»Macht nichts, ich will es auch gar nicht wissen. Wenn er etwas mit ihr gehabt hätte, dann wäre es ohnehin nur eine sexuelle Beziehung gewesen. Es ist egal. Es ist egal, so wie alles im Augenblick egal ist. Ich weiß nicht, wie es weitergehen soll.«

»Sie haben noch Ihre beiden Söhne …«

»Die können mir aber nicht den Mann ersetzen. Und auch meine

Freunde können es nicht. Alle sagen, dort, wo er jetzt ist, hat er es besser und es geht ihm gut und eines Tages werde ich ihn wiedersehen. Aber wann wird das sein? In mir ist momentan nur eine tiefe Leere, und ich weiß nicht, wie ich diese Leere jemals wieder füllen soll. Er war nun mal der wichtigste Mensch in meinem Leben.«

»Sie werden es schaffen, Frau Rosenzweig, da bin ich sicher ...«

»Aber meine Angst, ich habe manchmal das Gefühl, sie bringt mich um. Er hat mir Halt gegeben, wenn ich mich schlecht gefühlt habe, und ganz gleich, wo er war, er war da. Ich weiß nicht, ob Sie das nachvollziehen können, aber ich habe ihm blind vertraut. Ich habe ihn wirklich geliebt, und ich hoffe, ich werde ihn eines Tages wiedersehen ... Und jetzt habe ich Ihnen die Ohren vollgequatscht, und Sie wollten es wahrscheinlich gar nicht hören.«

»Doch, Frau Rosenzweig, ich wollte es hören. Ich wollte mit Ihnen sprechen und herausfinden, wie Sie zu Ihrem Mann gestanden haben. Jetzt weiß ich es. Und es beruhigt mich. Danke für das Gespräch. Und sollte Ihnen noch irgend etwas einfallen, was mir weiterhelfen könnte, hier ist meine Karte. Sie können mich jederzeit anrufen. Und jetzt will ich Ihre Zeit nicht länger beanspruchen, Ihre Freundin wartet bestimmt schon auf Sie.«

Marianne Rosenzweig lächelte, sagte: »Sie kann warten. Wir sehen uns so oft ... Wissen Sie eigentlich schon, wann die Beerdigung stattfinden kann?«

»Die Autopsie ist abgeschlossen und ich denke, Sie können die Bestattung für Anfang nächster Woche einplanen.« Julia Durant erhob sich, reichte Frau Rosenzweig die Hand, verabschiedete sich, blieb in der Tür noch einmal stehen und sagte: »Sie brauchen keine Angst zu haben, ich meine, ich jedenfalls glaube nicht, daß Sie etwas mit dem Tod Ihres Mannes zu tun haben. Auf Wiedersehen.«

Marianne Rosenzweig blieb in der Eingangstür stehen, bis Julia

Durant in ihren Wagen gestiegen war. Die Kommissarin fuhr los, zündete sich eine Gauloise an, kurbelte die Scheibe herunter und dachte nach. Sie nahm das Handy aus ihrer Tasche und wählte die Nummer des Präsidiums. Berger war selbst am Apparat.

»Sie war es nicht«, sagte Durant. »Ich habe noch keinen Menschen kennengelernt, der sich so gut hätte verstellen können. Es ist einfach unmöglich, daß sie ihren Mann umgebracht hat, dazu hing sie viel zu sehr an ihm.«

»Aber sie ist und bleibt vorläufig unsere einzige Verdächtige«, sagte Berger.

»Sicher. Aber nur so lange, bis wir den wahren Täter gefunden haben. Und wir werden ihn finden, mein Wort darauf. Ich komme übrigens nicht mehr ins Präsidium, ich fahre gleich nach Hause.«

»Dann sehen wir uns morgen.« Berger wollte gerade auflegen, als Durants Stimme ihn zurückhielt.

»Ach ja, haben unsere Experten sich schon aus Rosenzweigs Büro gemeldet?«

»Bis jetzt nicht. Scheint wohl etwas länger zu dauern. Schönen Abend noch.« Berger legte auf. Julia Durant drückte den Aus-Knopf, als das Handy gleich darauf piepte. Werner Petrol.

»Kannst du heute abend vorbeikommen?« fragte er.

»Heute abend? Ich dachte, mittwochs bist du immer länger in der Klinik.«

»Normalerweise ja, nur heute ist eine Ausnahme. Ich bin ab halb sieben in meiner Wohnung. Wenn du Lust hast …«

»Mal sehen. Ich ruf dich auf jeden Fall vorher an …«

»Ich komme eigentlich nur wegen dir. Wir könnten essen gehen, oder ins Kino …«

»Kino ist schlecht, weil ich Bereitschaft habe. Essen gehen ist okay. Aber wie gesagt, ich ruf vorher an.«

»Dann bis nachher, und … ich sehne mich nach dir. Ich hoffe, du weißt das.«

»Bis später.« Sie beendete das Gespräch abrupt. Sie hatte eigentlich vorgehabt, den Abend allein zu verbringen, bei ein oder zwei Dosen Bier, die Beine hochgelegt und dabei fernzusehen. Sie würde sich überlegen, ob sie den Abend mit Petrol verbringen wollte. Bis sie zu Hause anlangte, dachte sie unentwegt an das Gespräch mit Marianne Rosenzweig. Wie es schien, war sie tatsächlich die Frau, als die sie Sabine Reich geschildert hatte – auf eine gewisse Weise rein und unschuldig, und unendlich naiv. Und sie tat ihr irgendwie leid.

Mittwoch, 17.54 Uhr

Walter Schönau war seit etwas über einer Stunde allein in seiner Bank, er hatte noch ein paar Briefe unterschrieben, die seine Sekretärin morgen wegschicken würde.

Nachdem er das erledigt hatte, drückte er einen Knopf auf dem Telefon, kurz danach meldete sich seine Frau: »Schönau.«

»Hallo, Vivienne, ich bin´s. Ich wollte dir nur kurz sagen, daß ich ein klein wenig später komme als geplant, aber ich habe vorhin einen Anruf bekommen und muß noch auf ein dringendes Paket warten …«

»Moment mal, um acht kommen die Gäste!« fuhr Vivienne Schönau ihm verärgert ins Wort. »Gäste, die du selbst zu deinem Geburtstag eingeladen hast.«

»Bitte, reg dich nicht auf, ich warte nur noch auf das Paket und fahre dann sofort nach Hause. Ich verspreche dir, nicht später als acht da zu sein. Nicht böse sein, okay?«

»Dich möchte ich einmal pünktlich erleben«, sagte sie. »Aber wenn du um acht nicht hier bist, fangen wir ohne dich an, nur damit du das weißt.«

»Einverstanden. Aber ich werde da sein.«

Nach dem kurzen Gespräch lehnte er sich zurück, drehte sich mit dem Sessel und betrachtete sein Aquarium. Er war stolz darauf, erfreute sich jeden Tag aufs Neue an den Fischen, sie vermittelten ihm die Ruhe, die er häufig nicht hatte und erst bekam, wenn er ein paar Minuten auf das Wasser und die beruhigenden Bewegungen darin schaute. Er warf einen Blick zur Uhr, kurz vor sechs. Er schüttelte den Kopf, glaubte nicht mehr, daß sein Besucher kommen würde. Kaum hatte er den Gedanken zu Ende gebracht, klingelte es. Er betätigte die Sprechanlage.

»Hallo, Liebling, ich bin´s.« Schönaus Gesicht hellte sich auf, er erhob sich, ging mit langsamen Schritten ins Erdgeschoß zur Hintertür und öffnete sie.

»Schön, dich zu sehen«, sagte er und umarmte sie. »Komm, gehen wir nach oben.«

»Und, wie war dein Tag, ich meine, man wird schließlich nur einmal fünfzig?« fragte sie, setzte sich auf die Schreibtischkante, holte eine Schachtel Zigaretten aus der Tasche und zündete sich eine an. Mit lasziven Bewegungen führte sie die Zigarette zum Mund, inhalierte, blies den Rauch in Schönaus Richtung.

»Du sollst doch nicht rauchen«, sagte Schönau grinsend. »Du ruinierst noch deine Gesundheit damit.«

Ebenfalls grinsend erwiderte die Angesprochene: »Und du sollst auch nicht die Ehe brechen oder sonst irgend etwas tun, was gegen die Gebote verstößt. Du kommst nämlich in die Hölle dafür.«

»Ich weiß, ich weiß, ich bin ein schlechter, durchtriebener Mensch. Aber so ist das nun mal mit den fleischlichen Gelüsten, sie lassen mich einfach nicht los. Und dabei bin ich schon fünfzig, ein Alter, in dem man meinen müßte, doch etwas ruhiger und ausgeglichener zu sein. Aber du faszinierst mich eben. Kann ich etwas dafür, wenn du wie ein Vulkan in mein Leben trittst?«

»Ach, Liebling, wir beide wissen doch ganz genau, was gut, und auch, was richtig ist. Laß die andern reden, die sind auch nicht viel besser. Ich sage mir jeden Tag aufs Neue, man lebt nur einmal. Und solange man kann, sollte man das Leben auch genießen, wenn man die Chance dazu hat.« Sie stand auf, kniete sich vor Schönau, legte die Hände auf seine Oberschenkel, sah ihn von unten herauf mit aufforderndem Blick an, während seine Augen in ihren tiefen Ausschnitt mit den vollen Brüsten tauchten.

»Du hast Geburtstag, und dafür werde ich dir heute jeden Wunsch erfüllen. Wie hättest du es denn am liebsten? Sag es und ich bin bereit.«

»Mach mit mir, was du willst«, sagte er erregt und blickte ihr in die Augen.

»Die Praktikantinnenstellung, wie immer?« fragte sie schelmisch grinsend.

»Ich habe aber keine Zigarre, und wir sind auch nicht auf der Toilette.«

»Du brauchst keine Zigarre, bleib einfach sitzen und entspann dich.« Mit behenden Bewegungen knöpfte sie seine Hose auf, streichelte über sein schon jetzt leicht erigiertes Glied. »Dein kleiner Mann wird allmählich erwachsen«, sagte sie und drückte ein wenig fester auf seinen Penis. Sie nahm ihn zwischen die Finger, massierte ihn, stülpte schließlich ihren Mund darüber. Schönau schloß die Augen, er stöhnte, seine Hände griffen in ihre Haare, suchten nach ihrer Brust.

»Ich will dich ficken«, sagte er leise. »Bitte, laß mich dich ficken.«

»Das geht heute leider nicht«, sagte sie bedauernd und sah ihn für einen Moment an, »du kannst mich nicht ficken, ich habe meine Tage. Ich war wohl etwas voreilig, als ich gesagt habe, ich würde dir jeden Wunsch erfüllen. Tut mir leid. Das nächste Mal wieder.«

»Schade. Dann mach weiter, ich liebe es, wenn du … Oh, mein Gott!«

Sie streichelte seine Hoden, spürte und hörte seine Erregung. Es dauerte nicht einmal fünf Minuten, bis Schönau ejakulierte. »Mein Gott«, sagte er mit gerötetem Gesicht, »wie machst du das bloß? Du brauchst mich nur zu berühren, und schon fühle ich mich wie ein junger Kerl.«

»Du bist doch auch nicht alt«, sagte sie und wischte sich mit einem Taschentuch erst den Mund, danach mit einem anderen seinen Penis ab. »Du kannst es noch oft haben. Und beim nächsten Mal darfst du mich auch wieder ficken.«

Sie warf einen kurzen Blick zur Uhr, zwanzig nach sechs. »Ein kleines Vorab-Geburtstagsgeschenk. Ich hoffe, es hat dir gefallen.« Sie strich den schwarzen Lederrock gerade, unter dem sie schwarze Nylons trug, knöpfte ihre weiße Bluse zu, stand auf und zündete sich eine weitere Zigarette an. Es klingelte.

»Das wird wohl dein Geburtstagsgeschenk sein«, sagte sie, während sie inhalierte. »Geh schon, mach auf. Ich warte solange. Ich will schließlich dein Gesicht sehen. Und während du nach unten gehst, gehe ich mal kurz aufs Klo.«

Schönau erhob sich, ging nach unten, vergewisserte sich aus reiner Vorsicht durch den Türspion, wer draußen stand, öffnete schließlich die Tür. Ein junger, muskulöser Mann mit langen, aber gepflegten Haaren stand vor ihm und hielt ein großes, ziemlich schweres Paket in Händen. Schönau bat ihn, das Paket nach oben in sein Büro zu tragen und auf den Schreibtisch zu stellen. Als der junge Mann sich zum Gehen wandte, holte Schönau einen Zehnmarkschein aus seiner Jackentasche und reichte ihn dem Boten. Er ließ die Tür offen, wartete einen Moment, faßte sich mit der linken Hand ans Kinn, lächelte vor sich hin, überlegte, was sich wohl unter dem Papier befinden mochte. Während er nachdachte, kam sie wieder zur Tür herein, machte sie hinter sich zu. Sie hatte die Lippen nachgezogen und etwas Lidschatten aufgelegt. Sie lehnte sich, die Hände hinter dem Rücken verschränkt, an die Tür, ein undefinierbares Lächeln umspielte ihre Lippen.

»Was ist da drin?« fragte er neugierig wie ein kleines Kind.

»Mach es auf. Es ist nur für dich. Ganz allein für dich. Ich habe mich exzellent beraten lassen und mich schließlich dafür entschieden. Es wird dir gefallen.«

»Also gut«, sagte er, »dann will ich doch mal sehen, was das für eine große Überraschung ist.« Er machte einen Schritt nach vorn, riß die Verpackung ab und blickte auf einen mit etwa zehn Litern Wasser gefüllten Plastikbehälter, in dem bewegungslos zwei wunderschön gezeichnete, etwa zwölf bis fünfzehn Zentimeter lange, kegelförmige Meerestiere lagen. An dem Behälter klebte ein Zettel, auf dem nur stand: »*Herzlichen Glückwunsch zum Geburtstag, Liebling. Das sind die schönsten Exemplare, die ich für Dein Aquarium auftreiben konnte. Ich hoffe, sie gefallen Dir.*«
Keine Unterschrift. Er legte den Zettel auf den Schreibtisch, grinste sie an.

»Was ist das?« fragte er.

»Gefallen sie dir nicht?« fragte sie zurück.

»Doch, sie sind einfach prächtig … Du bist in jeder Beziehung einfallsreich.«

»Ich dachte mir, sie könnten eine wahre Zierde und Bereicherung für dein Aquarium sein. Es ist eigentlich verboten, sie einzuführen, aber ich habe einen Weg gefunden. Du kennst mich ja, ich finde immer einen Weg, wenn ich mir etwas in den Kopf gesetzt habe. Nun mach schon, setz sie in dein Aquarium.«

Einen Moment betrachtete er die regungslosen Wesen, er zog das Jackett aus, krempelte den rechten Ärmel hoch und griff ins lauwarme Wasser. Er nahm eines der Tiere vorsichtig am vorderen, dickeren Ende in die Hand, um es nicht zu verletzen, betrachtete es eine Weile, meinte, kurz hintereinander ein paar leichte Stiche in den Zeigefinger zu verspüren, stieg auf den Stuhl und setzte das Tier in sein Aquarium zu den Fischen.

»Stechen die?« fragte er stirnrunzelnd.

»Sie sind harmlos, keine Sorge«, bemerkte sie lachend. »Sie er-

nähren sich von winzigen Fischen, die sie auf diese Weise auf-
spießen.«

»Sie sind doch hoffentlich nicht giftig?« fragte er etwas mißtrauisch.

»Liebling«, sagte sie und löste sich von der Tür, kam auf ihn zu
und legte beide Arme um seinen Hals. »Ich würde bestimmt
nicht hier stehen und zusehen, wenn … Ach, du bist dumm.«

»Schon gut«, erwiderte er und holte gleich darauf mit der gleichen Behutsamkeit das zweite Tier aus dem Behälter, diesmal einige kaum spürbare Stiche in seine Hand. Auch dieses Tier ließ
er in das warme Wasser seines Aquariums gleiten, blieb noch
ein wenig davor stehen, um sich an dem Anblick zu erfreuen,
schließlich drehte er sich um, seine Augen leuchteten, er ging zu
ihr, nahm sie in den Arm, sagte: »Danke. Das ist wirklich das
schönste und ausgefallenste Geschenk, das ich heute bekommen
habe. Du bist in jeder Hinsicht eine äußerst phantasievolle Frau.
Ganz anders als Vivienne, und das weißt du. Ich liebe dich.«

»Ja«, sagte sie und löste sich aus seiner Umarmung, setzte sich
wieder auf die Schreibtischkante und zündete sich eine weitere
Zigarette an. »Ich muß gleich gehen«, fuhr sie fort.

»Und was ist mit heute abend?« fragte er. »Kommst du auch? Ich
will dich wenigstens sehen.«

»Ich werde kommen, aber etwas später. So gegen neun. Einverstanden?«

»Einverstanden«, sagte er, schien einen Moment zu überlegen,
beschloß, den Plastikbehälter auf der Toilette zu leeren.

Er griff danach, berührte den Behälter, doch er spürte ihn nicht.
Seine rechte Hand war taub. Allmählich breitete sich dieses Gefühl über den ganzen Arm aus, sein Herz begann wie wild in seinem Brustkorb zu hämmern, als wollte es ihn zersprengen, er
mußte sich hinsetzen, weil ihm schwindlig wurde. Mit letzter
Kraft schaffte er es bis zum Sessel, fiel hinein. Er schloß die Augen, fühlte eine große Müdigkeit in sich aufsteigen, aber er woll-

te nicht einschlafen, nicht jetzt, nicht heute. Heute war doch sein Geburtstag, und bei ihm zu Hause warteten eine Menge Gäste auf ihn.

Er sah sie an, flüsterte kaum hörbar: »Was ist los mit mir? Mir ist so komisch, als müßte ich ersticken. Was ist das?«

Sie drehte sich auf dem Tisch, inhalierte, blies den Rauch in seine Richtung, ihr Blick war kalt und unbarmherzig. »Tja«, sagte sie mit zynischem Lächeln, »ich schätze, die Party heute abend wird ohne dich stattfinden. Schade, denn ich werde da sein. Und du wirst mich auch nicht mehr ficken können. Es ist vorbei … Liebling! Aus und vorbei.«

»Du hast mich angelogen«, flüsterte er, wollte aufstehen, doch seine Glieder gehorchten nicht mehr. »Das war Gift.« Seine Zunge wurde immer schwerer, er vermochte kaum noch zu sprechen.

»Du brauchst keine Angst zu haben, es dauert nicht lange«, sagte sie kühl. »Nicht, wenn man ohnehin schon ein angeknacktes Herz hat. Ich habe extra große Exemplare besorgt, ich dachte mir, warum soll mein Schatz so lange leiden? Ein paar Minuten noch, ich werde so lange warten. Wann kommt die Putzkolonne noch mal? Um sieben? Wir haben jetzt kurz nach halb, ich denke, in fünf Minuten werde ich gehen. Schau dich noch einmal um, es wird das letzte Mal sein.« Sie machte eine kurze Pause, drückte ihre Zigarette aus und zündete sich gleich eine neue an. »Du bist übrigens genau so ein Schwein wie Rosenzweig. Du und deine verdammte Scheinheiligkeit. Wenn du dich jetzt sehen könntest, die Erbärmlichkeit in deinem Gesicht und deinen Augen. Ist das die Erbärmlichkeit, die jemand zum Schluß zeigt, wenn er mit dem Teufel im Bund steht?«

Er hörte nicht mehr hin, dachte an seine Frau und dann an Gott, er betete und flehte und schrie tonlos zum Himmel, er möge ihm helfen, ihn leben lassen, er würde auch alle seine Sünden bereuen, wiedergutmachen, was wiedergutzumachen war, aber nicht einschlafen, bitte nicht, dachte er, denn er wußte, es würde ein sehr, sehr langer Schlaf werden. Wenn doch nur jemand kommen und ihm helfen würde, aber er war allein mit seiner Mörderin in dem großen Haus, und das Telefon schien so unendlich weit weg. Er wollte schlucken, doch der Speichel floß nicht in seinen Magen, sondern aus den Mundwinkeln, selbst dieser einfache Reflex funktionierte nicht mehr. Er wollte tief Luft holen, Sauerstoff, so hoffte er, würde ihm das Leben wieder zurückgeben. Doch ein tonnenschweres Gewicht lag auf seiner Brust, das Atmen fiel ihm zusehends schwerer, seine Atmung war nur noch oberflächlich. Er öffnete die Augen wieder, er konnte sie nicht bewegen, er meinte, alles doppelt zu sehen. Ein weiterer verzweifelter Versuch, nach dem Telefon zu greifen, doch seine Arme reagierten nicht mehr auf seine Befehle. Er saß zehn Minuten in fast völliger Starre, und während diese Starre seinen Körper bis in den letzten Winkel erfaßte, so war sein Geist noch in der Lage, zu denken.

Sie hatte ihn umgebracht, genau wie seinen Freund Rosenzweig. Sie hatte ihn in Sicherheit gewiegt, ohne daß er auch nur das geringste bemerkt hatte. Er hätte jeden für einen Mörder gehalten, nur sie nicht. Wie oft hatten sie miteinander geschlafen, wie oft hatte sie ihm ihre Liebe bezeugt. War das alles nur gespielt? Gehörte das alles zu einem Plan, den sie beharrlich verfolgte? Er wußte es nicht, und er würde es auch nie herausfinden. Er wußte nur, daß sie dasaß und seinem Todeskampf gelassen zusah, und daß seine Qual immer unerträglicher wurde. Dicke Schweißperlen traten auf seine Stirn, er hatte furchtbare Angst, eine Panik überwältigte ihn, die er so noch nie erlebt hatte. Seine Körperfunktionen waren fast vollständig gelähmt. Nach fünfzehn Minuten wurde er bewußtlos, nach weiteren fünf Minuten hörte sein Herz auf zu schlagen. Um 18.43 Uhr war Walter Schönau tot.

Sie zog sich Handschuhe an, nahm einen nassen Lappen aus einem mitgebrachten Plastikbeutel, öffnete Schönaus Hose, holte seinen Penis heraus, wischte ihn ab. Sie nahm einen Zettel aus

162

der Tasche, legte ihn auf den Tisch, den andern klebte sie wieder an den Behälter. Sie füllte den Inhalt des Aschenbechers in eine kleine Tüte, wischte ihn sorgfältig ab, genau wie den Schreibtisch und die Türklinke. Sie hatte nichts weiter berührt, sah sich noch einmal um, warf einen letzten Blick auf den toten Schönau, verließ das Büro, faßte die Klinke mit einem Taschentuch an. Sie hatte keine Spuren hinterlassen. Sie lächelte, während sie nach unten ging.

Mittwoch, 19.35 Uhr

Julia Durant war zu Werner Petrol gefahren, obgleich sie den Abend ursprünglich allein verbringen wollte. Sie hatte den Schweiß des Tages unter der Dusche abgewaschen, sich frische Unterwäsche angezogen. Noch immer hatte die Sonne nichts von ihrer Kraft eingebüßt, kaum ein Luftzug war zu spüren. Petrol erwartete sie bereits, er trug eine weiße Sommerhose und ein gelbes Lacoste-Hemd. Er begrüßte sie mit einem Kuß.

»Und, gehen wir essen?« fragte er.

Sie sah ihn an, zuckte die Schultern, sagte: »Aber nur essen. Danach fahre ich wieder zu mir. Ich hatte einen sehr anstrengenden Tag.«

»Schade, ich dachte, du würdest heute ausnahmsweise mal bei mir übernachten. Na ja, vielleicht überlegst du es dir ja noch«, sagte er mit diesem Lächeln, in das sie sich vor einem halben Jahr verliebt hatte. Sie wußte, es war ein Lächeln, mit dem er wahrscheinlich schon viele Frauen rumgekriegt hatte. Genau wie sie. Sie verzog kurz die Mundwinkel, versuchte ebenfalls ein Lächeln, doch es mißlang.

»Ich glaube kaum«, sagte sie und stellte ihre Tasche neben den Sessel. Sie ging ans Fenster, von wo aus sie einen herrlichen Blick über das in die abendliche Sonne getauchte Frankfurt hatte. Sie zündete sich eine Zigarette an, inhalierte, dachte nach. Seit sie am Nachmittag bei Marianne Rosenzweig gewesen war, ging ihr diese Frau nicht mehr aus dem Kopf. Petrol trat hinter sie und faßte sie sanft bei den Schultern.

»Was ist los mit dir? Was geht in deinem Kopf vor?« fragte er.

»Ich sagte doch schon, wir arbeiten an einem sehr kniffligen Fall. Und …«, sie löste sich aus seinem Griff und stellte sich in die Mitte des Zimmers. »Ich möchte jetzt nicht darüber reden. Laß uns gehen.«

»Okay, gehen wir. Auf was hast du Appetit, chinesisch, japanisch …«

»Such du aus.« Wieder sah sie ihn mit unergründlichem Blick an, sagte mit einem Mal: »Wir müssen aber mit zwei Autos fahren. Ich habe Bereitschaft und …«

Sie drückte ihre Zigarette aus, nahm ihre Tasche vom Boden, als das Handy klingelte. Sie meldete sich. Es war ein Kollege vom KDD. Sie verengte die Augen zu Schlitzen, sagte nur »Ja« und »Ich bin in einer Viertelstunde da«. Sie blickte zur Uhr, Viertel vor acht.

»Tut mir leid, unser Abend fällt aus. Ich muß los.«

»Hey, was ist passiert?« fragte Petrol und faßte sie bei den Schultern.

»Was glaubst du wohl?« fragte sie ungehalten.

»Ein Mord?«

»Vielleicht, vielleicht auch nicht. Die Kollegen warten schon auf mich. Mach's gut, wir sehen uns morgen.«

Sie hauchte ihm einen flüchtigen Kuß auf die Wange und eilte hinaus. Schönau, dachte sie, warum Schönau?

Sie brauchte genau zwölf Minuten, bis sie vor der *Schönau Bank* hielt. Zwei Streifenwagen parkten vor dem Eingang, ein Beamter stand davor. Sie wies sich aus und betrat das Gebäude. Zweiter Stock, hatte der Beamte gesagt.

Auf dem Flur standen und saßen fünf Frauen und drei Männer, einige von ihnen rauchten schweigend, andere unterhielten sich leise. Eine junge Frau hatte ein verweintes Gesicht, ihre Hände zitterten, während sie die Zigarette zum Mund führte. Durant vermutete, daß diese Frau den Toten gefunden hatte, sie würde sie nachher befragen. Außer den Kollegen vom KDD waren auch die Leute von der Spurensicherung und der Fotograf schon da, ebenso Dr. Laura Fink, die links vom toten Schönau stand und die Kommissarin ratlos anblickte.

»So schnell trifft man sich wieder«, sagte Durant lakonisch. Sie machte ein paar Schritte auf die Ärztin zu, sah sie an und warf dann einen Blick auf den Toten. »Was ist passiert? Und warum sind Sie hier?«

»Um auf Ihre erste Frage zu antworten, ich weiß es nicht. Es ist auf jeden Fall anders als bei Rosenzweig. Kein Blut. Und die Antwort auf Ihre zweite Frage – ich wurde von Ihren Kollegen angerufen, die wohl meine Nummer im Notizbuch von Dr. Schönau gefunden haben.«

»Haben Sie hier irgendwas angefaßt?« fragte Durant und ging näher an den Toten heran.

»Nein.«

»Und die andern? Ich meine, wer immer ihn gefunden hat?«

»Keine Ahnung, aber wie es aussieht, haben sie gleich bei der Polizei angerufen.«

Die Kommissarin sah sich im Zimmer um, ihr Blick blieb auf dem Plastikbehälter haften, der zur Hälfte mit Wasser gefüllt war. Sie las den am Behälter angebrachten, mit Maschine geschriebenen Zettel, keine Unterschrift. Dann den Zettel, der auf dem Tisch lag. *Kinderficker* stand darauf.

»Was war in diesem Behälter?« fragte sie leise zu sich selbst, doch Laura Fink hatte die Frage gehört.

»Fische?« fragte sie zurück.

»Wahrscheinlich.« Durant kniff die Augen zusammen und ging zum Aquarium. »Lauter hübsche, kleine Fische. Können Fische eigentlich Menschen umbringen? Ich meine, solche Fische?«

»Ich bin keine Expertin«, sagte Laura Fink, »aber natürlich gibt es Fische, die giftig sind.«

»So giftig, daß sie einen Menschen töten können?«

»Es gibt aktiv giftige Meerestiere und passiv giftige. Solche, die durch einen Biß oder einen Stich töten, und solche, deren Verzehr zum Tode führen kann. Ich denke da an den japanischen Fugu, der …«

»Schönau hat aber mit Sicherheit keinen japanischen Fisch gegessen, oder?« fragte Durant kühl.

»Nein.«

»Also müssen wir die Todesursache herausfinden.«

Durant nahm ihr Telefon zur Hand, wählte die Nummer der Gerichtsmedizin. Morbs hatte genau wie sie noch immer Bereitschaft. Sie sagte: »Tut mir leid, Sie wieder stören zu müssen, aber wir haben hier einen Toten. Ich möchte Sie bitten, in die *Schönau Bank* in der Neuen Mainzer Straße zu kommen und eine Leichenschau vor Ort vorzunehmen.«

»Was ist mit dem Toten?« fragte Morbs in seiner typisch schroffen Art.

»Das sollen Sie uns sagen. Kommen Sie bitte, und wenn es geht, sehen Sie sich die Fische hier im Aquarium an. Sie kennen sich doch auch mit Giftfischen aus, oder?«

»Ich habe Bücher darüber geschrieben. Aber ich bezweifle …«

»Wann können Sie hier sein?«

»In zwanzig Minuten. Ich muß mir nur schnell was überziehen. Und bitte nichts anrühren.«

Durant steckte ihr Handy wieder in die Tasche, wandte sich der Ärztin zu, die am Fenster stand und auf die unter ihr liegende Straße blickte, die von hohen und noch höheren Häusern gesäumt war, von denen sich etliche noch im Bau befanden. Die Kommissarin stellte sich zu ihr, fragte, ohne sie dabei anzusehen: »Sie sind oder waren die Hausärztin von Rosenzweig und auch von Schönau, richtig?«

»Richtig.«

»Und jetzt sind innerhalb von zwei Tagen zwei Ihrer Patienten eines offensichtlich unnatürlichen Todes gestorben. Haben Sie eine Erklärung dafür?«

Laura Fink zuckte die Schultern, sah Durant ratlos von der Seite an. »Nein, es tut mir leid, ich habe keine. Und ich kann mir auch nicht vorstellen, wer das getan haben könnte, wenn das Ihre nächste Frage sein sollte.«

»War Schönau ein regelmäßiger Patient von Ihnen?«

»Das kann man wohl sagen. Er litt unter Angina pectoris, es war vorgesehen, daß er sich in nächster Zeit einer Bypass-Operation unterziehen sollte. Seine Anfälle haben an Häufigkeit und vor allem Intensität immer mehr zugenommen, und einer dieser Anfälle hätte leicht zum Tod führen können.«

»Angina pectoris? Könnte das unter Umständen auch hier der Fall gewesen sein?«

»Keine Ahnung, ich habe ihn ja nicht untersucht. Aber mein Gefühl sagt mir, daß es kein Anfall war. Erst Rosenzweig, dann er ... Das ist doch schon mehr als merkwürdig. Und dann noch dieser Zettel da an dem Behälter, und vor allem der andere auf dem Tisch. Und seine offene Hose ...«

»Haben Sie eine Vermutung, von wem die Zettel stammen könnten?«

»Liebling! Das hört sich an, als hätte er eine Geliebte gehabt. Aber Schönau und eine Geliebte?« Laura Fink schüttelte ungläubig den Kopf und lachte leise und zweifelnd auf. »Das kann ich mir nun beim besten Willen nicht vorstellen. Da hat sich einer einen üblen Scherz erlaubt. Sicher, er hatte Geld und Einfluß, aber der Mann war ausgepowert und ...« Sie hielt inne, kniff die Lippen zusammen.

»Und was?« fragte Durant.

»Es macht einfach keinen Sinn. Schönau war nicht der Typ für eine Affäre. Und seine Mitgliedschaft und vor allem seine Position innerhalb der Kirche verboten es ihm. Es würde mich auf jeden Fall sehr wundern. Und das andere, das mit dem Kinder ...«

Julia Durant konnte sich ein leichtes, zynisches Lächeln nicht verkneifen, sagte nur: »Da kann man mal sehen, es gibt eben doch Dinge zwischen Himmel und Erde, von denen wir keine Ahnung haben. Und in die Seele und die dahinter verborgenen Abgründe vermögen wir nicht zu blicken.«

»Hallo«, sagte eine bekannte Stimme von der Tür her. Hellmer kam auf Durant zu und blieb direkt vor ihr stehen. »Ganz schöne Scheiße, was?« quetschte er zwischen den Zähnen hervor. »Das ist doch kein Zufall, oder?«

»Glaub ich auch nicht«, sagte Durant und sah Hellmer an. »Da steckt System dahinter. Nur was für eines? Befrag doch mal draußen die Leute von der Putzkolonne. Morbs wird auch gleich hier sein.« Sie ging zu einem Kollegen vom KDD, während Hellmer sich auf den Flur begab.

»Wer hat euch informiert, und wann?« fragte sie und sah den jungen Mann, der sie um einen Kopf überragte, von unten herauf an.

»Die Streife, um kurz nach sieben. Es ist ein Notruf eingegangen, woraufhin gleich jemand hergeschickt wurde. Sie haben auch sofort die Ärztin verständigt, nachdem sie ihre Nummer in seinem Notizbuch gefunden haben.«

Julia Durant begab sich wieder zu Laura Fink, die noch immer am Fenster stand und auf die Straße blickte.

»Ist er verheiratet?« fragte sie.

»Ja. Und er hat heute Geburtstag. Seinen fünfzigsten.« Laura Fink zuckte die Schultern, fuhr fort: »Aber das haben Sie ja sicherlich schon gelesen. Heute abend sollte eigentlich bei ihm zu Hause eine große Party steigen. Daraus wird wohl nichts.«

»Und seine Frau, weiß die schon Bescheid?« fragte die Kommissarin.

»Ich habe sie nicht angerufen, das wollte ich Ihnen überlassen.

Aber wenn Sie wollen, ich meine, ich kenne Frau Schönau schon seit Jahren, eigentlich seit ich ein Kind war.«

»Nein, nein, wir übernehmen das. Aber hat sie sich bis jetzt nicht gemeldet und gefragt, wo ihr Mann bleibt?« fragte Durant, die Stirn in Falten gezogen. »Man wird schließlich nur einmal fünfzig, und wenn so eine große Feier angesetzt ist, dann …«

»Schönau war ein Arbeitstier. Ich habe ihm oft genug gesagt, er soll ein wenig kürzer treten, aber er hat alle meine Warnungen in den Wind geschlagen. Selbst an einem solchen Tag mußte er noch ins Büro, als wenn die Bank nicht auch einmal einen Tag ohne ihn auskommen würde. Sein Problem. Ich denke, seine Frau ist oder war es gewohnt, daß ihr Mann nicht immer pünktlich war. Aber was soll's, das geht mich nichts an.«

Kaum hatte Laura Fink den letzten Satz beendet, als das Telefon klingelte. Julia Durant nahm den Hörer ab, meldete sich mit einem »Ja?«.

»Hier ist Frau Schönau. Ist mein Mann noch im Büro?« fragte sie mit einem unverkennbaren französischen Akzent.

»Frau Schönau, mein Name ist Durant von der Kripo Frankfurt. Ich würde gern innerhalb der nächsten Stunde bei Ihnen vorbeikommen …«

»Könnte ich bitte mit meinem Mann sprechen?« fragte die Frau am anderen Ende mit aufgeregter Stimme. »Was tun Sie überhaupt in seinem Büro?«

»Frau Schönau, Sie können im Augenblick nicht mit Ihrem Mann sprechen … Um genau zu sein, Ihr Mann ist tot.«

»Bitte was? Sie scherzen doch, oder? Mein Mann ist doch nicht …«

»Frau Schönau, Frau Dr. Fink steht neben mir, und sie wird gleich zu Ihnen kommen. Wir sehen uns nachher. Und bitte, bleiben Sie zu Hause.«

»Wir haben jede Menge Gäste hier, und wir warten alle ganz gespannt auf ihn. Wir haben nämlich etwas Besonderes mit ihm

vor. Es kann doch nicht sein, daß … nein, das kann nicht sein!«
Sie begann zu schluchzen.

»Dr. Fink wird es Ihnen gleich erklären. Auf Wiederhören.«

Julia Durant legte auf, kleine Schweißperlen hatten sich auf ihrer
Stirn gebildet, obgleich es in dem Raum kühl war.

»Tun Sie mir bitte einen Gefallen, fahren Sie hin und sprechen
Sie mit Frau Schönau. Natürlich nur, wenn es Ihnen nichts ausmacht. Und ich wäre Ihnen dankbar, wenn Sie dort bleiben würden, bis mein Kollege und ich nachkommen.«

Laura Fink nahm ihren Arztkoffer und verließ den Raum. In der
Tür stieß sie beinahe mit Morbs zusammen. Er warf Durant einen
kurzen Blick zu und beugte sich gleich über den Toten mit den
weit aufgerissenen Augen.

»Was haben Sie vorhin gemeint, als Sie von Giftfischen sprachen?« fragte er, während er den Toten aus der Nähe betrachtete.

»Der Behälter auf dem Tisch, das Aquarium, ich dachte mir, es
könnte da einen Zusammenhang geben«, sagte Durant, die sich
jetzt, nachdem der Fotograf seine Arbeit beendet hatte, eine Zigarette ansteckte.

Morbs leuchtete mit einer kleinen Lampe in die starren Augen
des Toten, befühlte sein Kiefergelenk, ob schon die ersten Anzeichen für eine einsetzende Leichenstarre zu erkennen waren.
Er schüttelte den Kopf, besah sich Schönaus rechten Arm, an
dem der Ärmel bis über den Ellbogen hochgekrempelt war. Er
öffnete die verkrampfte Hand, hielt einen Moment inne, sagte
dann: »Hier, schauen Sie. Er wurde ein paarmal in die Handfläche und den Finger gestochen. Kleine schwarze Punkte. Wir
könnten es hier tatsächlich mit einem unnatürlichen Tod zu tun
haben. Einen Moment bitte«, sagte er und stellte sich vor das
Aquarium. Sein Blick ging langsam von oben nach unten, bis er
auf dem sandigen Boden hängenblieb. Er verharrte einen Augenblick regungslos, winkte mit der rechten Hand, sagte: »Kommen
Sie her, ich glaube, wir haben die Übeltäter. Hier …« Er deutete

auf zwei wie Steine wirkende Wesen, die sich zum größten Teil im Sand vergraben hatten.

»Was ist das?« fragte Julia Durant. Sie nahm einen letzten Zug an der Zigarette, blickte um sich, entdeckte den Aschenbecher auf dem Schreibtisch, kniff die Augen zusammen, überlegte. *Frau Rosenzweig hat gesagt, als Mitglied der Kirche des Elohim würde man nicht rauchen und auch keinen Alkohol trinken, von anderen Dingen ganz zu schweigen* … Sie wandte sich wieder Morbs zu, behielt die Kippe in der Hand, bis auch der letzte Rest verglüht war. Morbs drehte sich um, ging zum Schreibtisch, nahm den Brieföffner, rollte den rechten Ärmel hoch, stellte sich auf einen Stuhl und versuchte, die beiden Wesen aus dem Sand zu holen. »Ich würde diese Viecher um nichts in der Welt mit bloßen Händen anfassen«, sagte er keuchend, während er den Sand aufwühlte. Nach einigen Versuchen war er erfolgreich, er nickte nachdenklich.

»Wie ich schon vermutete – *Conus geographus* und *Conus magus*, wenn ich mich nicht irre. Kegelschnecken. Sie sind die einzigen Tiere in diesem Aquarium, die einen Menschen mit ihrem Gift töten können. Sie leben ausschließlich in tropischen Gewässern, sind meist nachtaktiv, stehen zum größten Teil unter Naturschutz, na ja … Und wenn ich mir den Behälter und die Einstiche an Schönaus Hand anschaue, dann gehe ich davon aus, daß das hier die gesuchten Killer sind. Aber Sie müssen zugeben, schön sind sie, oder?« fragte er und grinste Durant an.

»Schnecken können einen Menschen umbringen?« fragte Durant zweifelnd.

»Was glauben Sie, was es alles für Tiere gibt, die einen Menschen umbringen können! Manchmal reicht schon ein einziger Stich, um jemanden zu töten. Es gibt mehr als dreihundert *Conus*-Arten, doch diese beiden zählen zu den gefährlichsten. Ihr Gift gehört zu den wirksamsten uns bisher bekannten Toxinmischungen. Es wirkt fast ausschließlich auf das zentrale Nervensystem und kann innerhalb weniger Minuten bis zu mehreren Stunden nach dem Einstich zu letalen Lähmungen führen. Dazu kommt hier noch, daß beide Tiere außergewöhnlich groß sind und somit auch entsprechend mehr Gift verabreichen als kleinere Exemplare. Und es gibt, im Gegensatz zu Giftschlangen, kein Antiserum. Vergiftungen durch Kegelschnecken müssen symptomatisch behandelt werden, zum Beispiel durch künstliche Beatmung. Es gibt wie gesagt belegte Fälle, bei denen ein einziger Stich genügte, um einen gesunden, durchtrainierten Mann innerhalb weniger Minuten zu töten. Haben Sie etwas von Schönaus Ärztin erfahren, ich meine, was seinen Gesundheitszustand betrifft?«

»Er sollte sich in Kürze einer Bypass-Operation unterziehen, weil er unter Angina pectoris litt ...«

»Ach, du meine Güte! Der Mann war körperlich also ohnehin schon geschwächt. Dann erklärt das auch sein schnelles Ableben. Ich nehme an, sein Todeskampf hat nicht länger als zehn oder fünfzehn Minuten gedauert.«

»Zehn oder fünfzehn Minuten können ganz schön lang sein, wenn man den Tod vor Augen hat, oder?« sagte Durant, die Morbs ungläubig anschaute und den Kopf schüttelte.

»Sicher, aber was sind schon diese paar Minuten?« erwiderte er achselzuckend. »Ich muß mir den Mann genauer ansehen, aber nicht hier. Lassen Sie ihn ins Institut bringen.« Er wandte sich wieder vom Aquarium ab, sagte weiter: »Und übrigens, die Schnecken auf keinen Fall anfassen. Diese hübschen Tierchen stechen so blitzschnell zu, daß Sie es gar nicht merken. Ach ja, sollte ich recht behalten, was sehr wahrscheinlich ist, dann haben Sie ein Problem.«

»Und was für eines?« fragte Durant spitz.

»Na ja, zwei unnatürliche Todesfälle innerhalb von zwei Tagen und das jeweils durch tierisches Gift ... Das stimmt doch nachdenklich, oder? Gibt es zwischen den beiden eigentlich irgenddeine Verbindung? Oder kennen Sie jemanden, der so leicht Zugang zu diesen Giften hat beziehungsweise sich so gut mit Giften auskennt?«

»Sie haben sich gekannt. Um genau zu sein, sie haben sich sogar recht gut gekannt. Und das andere herauszufinden, wird eine harte Nuß werden.«

»Dann ist es wirklich ein Problem. Ich mach mich dann mal auf den Weg ins Institut und bereite alles für die Sektion vor. Und viel Erfolg bei Ihren Ermittlungen.«

»Danke, daß Sie gekommen sind.«

»Kein Problem. Vor allem, wenn es sich um *solche* Fälle handelt«, sagte Morbs und grinste wieder. Durant kannte ihn glücklicherweise schon seit einigen Jahren und wußte um seinen bisweilen schwarzen Humor, den nicht jeder verstand. Doch Morbs war in seinem Element, er hatte unzählige Artikel über Gifte in den wichtigsten Fachmagazinen der Welt veröffentlicht, sieben Bücher geschrieben. »Wissen Sie«, sagte er und sah Durant mit seinen kleinen, eisgrauen Augen an, »es kommt nicht oft vor, daß ich solche Leichen auf den Tisch bekomme. Immer nur darüber zu schreiben ist auf Dauer langweilig. Und jetzt haben wir schon die zweite Giftleiche. Abwechslung bereichert das Leben und die Arbeit. Und jetzt noch einen angenehmen Abend«, sagte er, nahm seine Tasche und begab sich nach draußen. Durant folgte ihm, sagte plötzlich: »Professor Morbs, tun Sie mir einen Gefallen und stellen Sie fest, ob Schönau vor seinem Ableben Geschlechtsverkehr hatte. Und wenn, ob Speichelspuren oder Scheidensekret oder …«

Morbs winkte ab: »Schon gut, schon gut, ich weiß, worauf ich zu achten habe. Und ich werde Ihnen umgehend Bescheid geben, wenn ich etwas gefunden habe. Einverstanden?«

»Einverstanden«, sagte Durant lächelnd und blieb neben Hellmer stehen. Er hatte sich ein paar Notizen gemacht.

»Und?« fragte sie.

»Die junge Frau dort hinten hat ihn gefunden. Der Vorarbeiter hat gleich die Polizei gerufen. Mehr kann ich nicht sagen.«

»Also gut, dann fahren wir mal zu Schönau nach Hause. Mal sehen, was seine Frau so zu sagen hat.«

Sie gab letzte Anweisungen an die Kollegen von der Spurensicherung, sagte, daß der Aschenbecher untersucht werden sollte, wenn es sein mußte, mit dem Mikroskop. Danach folgte ein kurzer Wortwechsel mit den Männern vom KDD, bevor sie mit Hellmer das Gebäude verließ. Auf dem Weg zu ihren Autos schwiegen sie. Die Hitze hatte sich in den Häuserschluchten gestaut, kein Windhauch regte sich mehr. Unterwegs hielten sie kurz an, Durant kaufte sich an einem Kiosk eine Dose Cola. Sie brauchten eine Viertelstunde, bis sie vor der noblen Villa auf dem Lerchesberg hielten.

Mittwoch, 21.13 Uhr

Durant parkte ihren Corsa direkt hinter Hellmers Wagen. Sie stiegen aus, gingen aufeinander zu. Die Sonne war gerade dabei, sich hinter dem Taunus zur Ruhe zu begeben. Aus Gärten, die hinter hohen Zäunen und Hecken verborgen waren, drangen Stimmen, es wurde gelacht, laut geredet, leise Musik spielte. Der Duft von gegrilltem Fleisch zog in unsichtbaren Schwaden durch die Luft; Julia Durant merkte auf einmal, daß sie seit dem Mittag nichts gegessen hatte. Sie war hungrig und nervös, sah Hellmer an, sagte: »Bringen wir´s hinter uns.«

Sie betätigten die Türglocke neben dem wuchtigen, schmiedeeisernen, fein verzierten Tor. Sekunden später öffnete sich das Tor wie von Geisterhand, die Kommissare traten hindurch, ebenso lautlos schloß sich das Tor hinter ihnen. Sie gingen etwa zwanzig Meter bis zu dem im Kolonialstil erbauten weißen Haus, das sich markant von den anderen, meist gleichförmigen Villen, unterschied. Eine etwa dreißigjährige, schlanke Frau in einem grauen Kleid, mit dunklen, kurzen Haaren und schmalen, leicht nach unten gebogenen Lippen stand plötzlich vor ihnen.

»Sie sind von der Polizei?« fragte sie mit leiser Stimme.

»Durant, und mein Kollege Hellmer. Frau Schönau ...«

»Sie werden bereits erwartet. Wenn Sie mir bitte folgen wollen.« Sie ging vor ihnen her in die prächtige Eingangshalle, an deren hinterem Ende sich zwei Treppen befanden, die sich in einem leichten Bogen nach oben wanden und sich im ersten Stock vereinten. Grünpflanzen reckten sich zum Teil meterhoch auf, in der Mitte der Halle stand ein kleiner, marmorner Springbrunnen. Die Luft war kühl und gut zu atmen, es roch angenehm und edel. Sie gingen bis zur linken Treppe und dann durch eine breite Tür, die den Blick auf einen gewaltigen Wohnraum freigab, der mit schlichten, doch erlesenen Möbeln ausgestattet war und die Hand und den Geschmack eines stilsicheren Menschen verriet.

Laura Fink saß auf einer weißen Ledercouch neben Vivienne Schönau, die die Beamten mit diesem speziellen Blick ansah, den Durant und Hellmer schon zur Genüge kannten – leer und stumpf. Sie war eine aparte Frau, mit langen, gewellten, roten Haaren, grünen, katzenhaften Augen und einem vollen, weichen Mund, der normalerweise etwas Sinnliches hatte. Jetzt aber wirkte er blaß und traurig. Sie hielt ein Taschentuch in der rechten Hand, ihre Augen waren rotumrändert. Julia Durant schätzte sie auf nicht älter als fünfunddreißig. Außer den beiden Frauen hielt sich niemand sonst in dem Raum auf.

»Frau Schönau«, sagte Julia Durant und trat näher, »wir haben vorhin miteinander telefoniert. Ich bin Hauptkommissarin Durant, und das ist mein Kollege Herr Hellmer. Dürfen wir uns setzen?«

»Bitte«, sagte Frau Schönau, worauf die Beamten auf zwei Ledersesseln, die schräg gegenüber der Couch standen, Platz nahmen.

»Sagen Sie, wer tut meinem Mann so etwas an?« fragte sie. Ihre Finger krampften sich noch fester um das Taschentuch. »Heute hat er seinen fünfzigsten Geburtstag, und ausgerechnet an diesem Tag muß er sterben. Warum?« fragte sie mit Tränen in den Augen.

»Auf diese Frage hätten wir auch gern eine Antwort. Aber so leid es uns tut, wir müssen Ihnen jetzt trotzdem ein paar Fragen stellen. Meinen Sie, das geht?« Vivienne Schönau nickte nur.

»Danke. Ich weiß nicht«, sagte die Kommissarin und beugte sich nach vorn, »was Ihnen Frau Dr. Fink bisher gesagt hat …«

»Ich habe Frau Schönau nicht viel gesagt. Das Wesentliche wollte ich Ihnen überlassen. Wenn Sie verstehen, was ich meine«, unterbrach sie Laura Fink schnell. »Ich habe ihr auch etwas zur Beruhigung gegeben, sie war völlig aufgelöst, als ich hier ankam. Ich habe erst einmal dafür gesorgt, daß alle Gäste das Haus verlassen haben. Ich habe ihnen gesagt, sie sollen ihre Geschenke mitnehmen und einfach gehen, Frau Schönau bräuchte jetzt Ruhe.«

»Das war das Beste, was Sie machen konnten. Danke. Ich möchte Sie aber bitten, uns jetzt einen Augenblick mit Frau Schönau allein zu lassen. Trotzdem würde ich nachher gerne noch kurz mit Ihnen sprechen.«

»Ich warte in der Halle«, sagte Laura Fink, erhob sich und ging nach draußen.

Nachdem die Tür sich hinter ihr geschlossen hatte, fragte Durant: »Frau Schönau, ist Ihr Mann öfter länger in der Bank geblieben? Ich meine, Schalterschluß ist um vier, und ich denke mir, die meisten Angestellten werden die Bank bis etwa fünf Uhr verlassen haben. Oder?«

»Er blieb meist bis halb sechs oder sechs. Selten länger. Außer bei wichtigen Besprechungen, da konnte es auch einmal acht oder neun Uhr werden. Ich habe mich deshalb auch gewundert, daß er ausgerechnet heute später kommen wollte. Das war sonst nicht seine Art, vor allem nicht, wenn wir Gäste hatten. Man konnte sich auf seine Pünktlichkeit verlassen. Zumindest meistens.« Sie hielt inne, holte tief Luft, begann zu schluchzen. Julia Durant ließ ihr Zeit, bis sie sich wieder einigermaßen beruhigt hatte. Bevor sie eine weitere Frage stellen konnte, fragte Vivienne Schönau: »Sagen Sie mir, wie ist er gestorben? Mußte er lange leiden? Ist er genauso gestorben wie Herr Rosenzweig?«

Durant schüttelte den Kopf. »Nein, nicht wie Herr Rosenzweig. Aber wie es aussieht, ist er auch durch Gift ums Leben gekommen. Irgend jemand hat ihm ein wunderschönes Geschenk gemacht, ein wunderschönes, tödliches Geschenk.«

»Was für ein Geschenk?« fragte Frau Schönau mit ihrer weichen, warmen Stimme, die Augen fragend auf die Kommissarin gerichtet.

»Nun, irgendwer hat ihm etwas für sein Aquarium geschenkt, und …« Durant hielt einen Moment inne, fragte dann: »Sagen Sie, wie gut kannte Ihr Mann sich mit Fischen aus?«

»Er liebte Fische. Er hat oft gesagt, wie sehr ihn ihr Anblick beruhigen würde.«

»Sie haben aber meine Frage nicht beantwortet. Kannte er zum Beispiel die Namen der Fische?«

»Ein paar schon«, antwortete Vivienne Schönau, »aber eigentlich hat er die Auswahl der Fische und die Pflege der Aquarien Experten überlassen …«

»Was für Experten?«

»Er hat eine Firma beauftragt, regelmäßig die Aquarien zu warten. Das in seinem Büro und das in seinem Arbeitszimmer. Aber ich glaube nicht, daß er genau wußte, was für Fische er hatte. Sie sollten einfach nur schön aussehen, das war für ihn wichtig.«

Genauso wichtig wie dein Aussehen, dachte Hellmer, der von der ihm gegenübersitzenden Frau fasziniert war. Ihre Art zu sitzen, zu sprechen, die kaum merklichen Bewegungen, das war keine anerzogene Eleganz, das schien ihr von der Natur mitgegeben

worden zu sein. Eine Frau, in der Schönau ein perfektes Vor-
zeigeobjekt gehabt hatte.

»Aber verraten Sie mir doch bitte, was für ein Geschenk mein
Mann bekommen hat?«

»Wie es aussieht, ist er länger in der Bank geblieben, weil er
wußte, daß er noch dieses eine Geschenk bekommen würde ...«

»O ja, stimmt, ich habe ihn angerufen und gefragt, wann er endlich kommt, er sagte aber nur, er müsse noch auf ein dringendes
Paket warten. Er hat aber versprochen, pünktlich um acht hier zu
sein. Wir wollten heute feiern und morgen für eine Woche in unser Haus in der Provence fahren. Dort wollte er sich in Ruhe auf
seine Operation vorbereiten, denn seine Angina pectoris hat ihm
in letzter Zeit sehr zu schaffen gemacht ... Und was war in dem
Paket?«

»Wir, vor allem aber der Gerichtsmediziner, nehmen an, daß ihm
zwei Kegelschnecken geschickt wurden ...«

»Kegelschnecken? Was ist das? Es hört sich nicht gefährlich
an.«

Julia Durant lächelte kurz, bevor sie antwortete: »Nun, ich hatte
bis vor einer Stunde auch noch nichts von diesen Tieren gehört.
Ich kann Ihnen nur sagen, es sind sehr, sehr schöne Tiere, und
sehr gefährliche dazu. Und es sieht so aus, als ob der Absender
des Pakets wußte, daß auch Ihr Mann mit diesen Tieren nicht vertraut war. Es muß sich also demzufolge um jemanden handeln,
der Ihren Mann sehr gut kannte. Jemand, der Ihren Mann haßte.
So sehr, daß er ihm diese Schnecken schickte. Können Sie uns
sagen, ob Ihr Mann Feinde hatte und uns unter Umständen auch
Namen nennen?«

Vivienne Schönau schüttelte den Kopf. »Nein, ich weiß nichts
von Feinden, und deshalb kenne ich auch keine Namen. Es tut
mir leid.«

»Das dachte ich mir«, murmelte die Kommissarin und lehnte
sich zurück. Sie legte einen Finger auf den Mund, sah Hellmer

an, dessen Blick auf die parkähnliche Anlage hinter dem Haus gerichtet war, die jetzt im abendlichen Dämmerlicht lag.

»Frau Schönau, ich muß Ihnen jetzt einige Fragen stellen, die zu stellen mir nicht leicht fällt, doch es muß sein.« Wieder wartete sie einen Moment ab, versuchte im Gesicht von Frau Schönau zu lesen, schließlich fragte sie: »Wie war Ihre Ehe? War sie harmonisch oder gab es öfter mal Streit?«

Frau Schönau senkte den Blick, ein kaum merkliches Lächeln huschte für Sekundenbruchteile über ihre Lippen. Ihre Nasenflügel bebten leicht, sie sagte: »Unsere Ehe? Wissen Sie, wir sind seit dreiundzwanzig Jahren verheiratet, wir haben uns in Paris kennengelernt, als ich noch Ballettänzerin war. Wir haben drei Kinder, und irgendwann kommt die Zeit, da hat man sich nicht mehr so viel zu sagen. Ich kenne keine Ehe, in der es nicht so ist. Man spricht miteinander, man fährt gemeinsam in Urlaub, und doch führt jeder irgendwie sein eigenes Leben. Harmonisch? Ich weiß nicht, ob unsere Ehe harmonisch war. Vielleicht, vielleicht auch nicht. Aber warum … Ich meine, was hat unser Privatleben …?«

»Darauf komme ich gleich zurück. Aber kann ich Ihren Worten entnehmen, daß Sie nicht sonderlich glücklich waren?«

»Sagen wir so, ich habe mich mit meinem Leben abgefunden. Ich habe alles, was ich brauche.«

»Dann verraten Sie mir doch bitte, ob es Anzeichen dafür gab, daß Ihr Mann eventuell eine außereheliche Beziehung hatte.«

Vivienne Schönau blickte Julia Durant direkt an, sie neigte leicht den Kopf zur Seite, für einige Sekunden herrschte Stille. Schließlich sagte sie: »Sie meinen, ob mein Mann eine Geliebte hatte?«

»Ja.«

»Wie Sie wissen, gehören wir der *Kirche des Elohim* an, und da ist es nicht recht, mit einem andern Menschen als dem Ehepartner sexuell zu verkehren.« Wieder bebten ihre Nasenflügel, sie senkte den Blick erneut, ihre Finger krampften sich wieder in das Taschentuch, sie erhob sich, stellte sich ans Fenster, den Rücken den Beamten zugewandt. Sie blickte hinaus in die Dämmerung, sagte: »Nein, es gehört sich nicht, einen Geliebten oder eine Geliebte zu haben. Aber es gibt leider auch in der Kirche Menschen, die es mit diesem Gebot nicht so genau nehmen.«

»Gehörte Ihr Mann zu diesen Menschen?« hakte Julia Durant nach.

Wieder verstrichen einige Sekunden, bis Vivienne Schönau, den Blick immer noch aus dem Fenster gerichtet, mit einem Anflug von Bitterkeit antwortete: »Ja. Ja, ich glaube schon. Aber ich kann es nicht beweisen. Ich konnte es nie beweisen, doch eine Frau spürt, wenn ihr Mann sie betrügt. Und ich mußte immer seinen Worten glauben, wenn er sagte, er wäre nur mir treu. Aber ich weiß, daß er gelogen hat. Ich wußte immer, wenn er eine andere Frau hatte. Ich habe es ihm angesehen ... und ich habe es gerochen. Männer sind so dumm! Sie sind wie Elefanten, wenn sie fremdgehen. Frauen sind viel schlauer, wenn es darum geht, eine verbotene Beziehung geheimzuhalten. Warum auch immer.«

»Haben Sie in letzter Zeit das Gefühl gehabt, Ihr Mann hätte eine Geliebte?«

»Um ehrlich zu sein, ich habe aufgehört, mir darüber Gedanken zu machen. Obwohl ich es mir nicht vorstellen kann. Seine Krankheit, ich meine, es ist eher unwahrscheinlich, daß er ausgerechnet jetzt eine hatte. Aber ich würde nicht meine Hand dafür ins Feuer legen.« Sie drehte sich um, eine schlanke, wohlgeformte Frau von etwa einem Meter fünfundsechzig; sie stützte die Hände auf der Fensterbank ab. »Aber es gibt doch sicher einen Grund, warum Sie das fragen, oder?«

»Ja, den gibt es. Wir haben nämlich einen Zettel an seinem Geschenk gefunden. Darauf steht, *Herzlichen Glückwunsch zum Geburtstag, Liebling. Das sind die schönsten Exemplare, die ich für Dein Aquarium auftreiben konnte. Ich hoffe, sie gefallen Dir.*

Keine Unterschrift, der Zettel wurde mit Maschine geschrieben. Haben Sie Ihren Mann jemals Liebling genannt?«

»Non, jamais. Niemals. Früher, vor vielen Jahren, als wir noch eine wirklich glückliche Ehe führten, habe ich ihn manchmal ›cheri‹ genannt, aber das ist lange her. Später habe ich ihn nur noch mit seinem Vornamen angeredet. Er war einfach nicht mehr mein ›cheri‹. Er war nur noch Walter. Es tut mir leid, wenn ich so von meinem Mann spreche, aber warum soll ich jetzt lügen? Früher oder später würden Sie sowieso herausfinden, daß unsere Ehe keine wirkliche Ehe mehr war. Das einzige, was uns noch zusammenhielt, waren die Kirche und die Kinder.«

Julia Durant legte den zweiten Zettel auf den Tisch. Vivienne Schönau betrachtete ihn mit zu Schlitzen verengten Augen, sagte leise und doch beherrscht: »*Kinderficker* … Heißt das, mein Mann hat …« Sie schüttelte ungläubig den Kopf, drehte sich um, ballte die Fäuste, schloß die Augen, legte den Kopf in den Nacken. »Ich kann es nicht glauben, ich kann *das* nicht glauben.«

»Gab es jemals Anzeichen dafür, Frau Schönau? Ich meine, hatten Sie jemals den Verdacht, Ihr Mann könnte sich an Kindern vergangen haben? … Vielleicht sogar an Ihren eigenen?«

»Nein«, sagte sie mit entschlossener Miene. Sie machte eine Pause, holte tief Luft, ihre Haltung entspannte sich. »Aber ich würde auch dafür meine Hand nicht ins Feuer legen. Ich würde für nichts, was ihn angeht, die Hand ins Feuer legen. Früher einmal, ja. Aber jetzt …« Sie schüttelte den Kopf. »Es tut mir leid, ich hoffe, Sie verstehen, was ich meine.«

»Uns wurde gesagt, Ihr Mann hätte zu den sehr konservativen Männern in der Kirche gehört …«

Zum ersten Mal an diesem Abend lachte Vivienne Schönau auf, trocken und gewürzt mit einer Prise Sarkasmus. »O ja, in der Kirche war mein Mann das Abbild eines guten Ehemannes und vor allem eines treuen Mitglieds. Die meisten Menschen hatten großen Respekt vor ihm, aber ich frage mich manchmal, ob sie Respekt vor ihm hatten oder vor seinem Geld und seiner Macht. Er konnte gut reden, er war ein perfekter Rhetoriker, der alle Tricks kannte, um Menschen mit Worten um den Finger zu wickeln ... oder sie einzuschüchtern. Ich glaube, es gibt kaum jemanden in der Kirche, der jemals hinter seine Fassade geblickt hat. Nein, das hätte er nicht zugelassen. Nicht einmal ich war dazu in der Lage. Ich wußte nicht, was wirklich in seinem Kopf vorging.« Sie atmete tief ein, seufzte auf, sagte: »Bestimmt fragen Sie sich jetzt, warum ich auf einmal so von meinem Mann spreche. Ich weiß es selber nicht. Vorhin, als Laura mir gesagt hat, daß er tot ist, war ich natürlich entsetzt, es ist schon seltsam, wenn plötzlich jemand stirbt, mit dem man mehr als das halbe Leben verbrachte. Aber irgendwer muß einen Grund gehabt haben, meinen Mann umzubringen, das wird mir immer klarer. Und es ist bestimmt kein Zufall, daß erst sein bester Freund und zwei Tage später er selbst tot ist. Mais, c´est la vie.«

»Waren die beiden oft zusammen?« fragte Hellmer.

»Sie haben sich sehr oft getroffen, meist in der Kirche, aber auch beruflich. Sie waren eben Freunde. Wenn der eine Probleme hatte, hat der andere ihm geholfen, egal um was es ging.«

»Auch im geschäftlichen Bereich?«

»Keine Ahnung. Doch ich denke, auch da. Und letztendlich waren sie beide Berater des Regionshirten.«

»Moment«, sagte Julia Durant mit zu Schlitzen verengten Augen, »Ihr Mann war kirchlich in der gleichen Position wie Rosenzweig?«

»Ja, so kann man es sagen. Sie kennen die Struktur der Kirche nicht, oder?«

»Nein, aber ich würde gern mehr darüber wissen.«

»Nun, an der Spitze der Kirche steht der *Global President,* dem ein *Ältestenrat* aus fünf Ältesten zur Seite steht. Dann gibt es ein Gremium aus insgesamt hundertvierundvierzig Brüdern, das sogenannte *Gremium der Hundertvierundvierzig,* deren Aufgabe es ist, jeweils etwa zwei oder drei Regionen weltweit zu überwachen, sie regelmäßig zu besuchen und, wenn es Probleme gibt, diese mit dem *Regionshirten* zu besprechen, notfalls aber auch mit dem *Global President*. Dann gibt es noch einige andere wichtige Gremien, doch das ist für Sie, glaube ich, nicht so interessant. Der *Regionshirte* ist die höchste Kirchenautorität in einer bestimmten Region. In Deutschland gibt es insgesamt fünf Regionen, also fünf Regionshirten. Diesem Regionshirten unterstehen sämtliche anderen Autoritäten in seinem Gebiet, wie zum Beispiel die *Gebietssupervisoren* und die *Gemeindehirten.*«

»Interessant. Aber lassen Sie mich noch einmal auf die Freundschaft zwischen Ihrem Mann und Herrn Rosenzweig zurückkommen – gibt es vielleicht noch einen dritten oder gar vierten Freund? Was ist mit dem Regionshirten, wie war das Verhältnis zu ihm?«

»Nun, ich möchte nicht unbedingt behaupten, daß es ein freundschaftliches Verhältnis war, aber sie haben sehr gut zusammengearbeitet. Mehr kann ich nicht sagen.« Vivienne Schönau löste sich vom Fenster, fuhr fort: »Aber entschuldigen Sie meine Unaufmerksamkeit, möchten Sie etwas trinken? Orangensaft, Wasser?«

»Nein danke. Wir wollen Sie auch nicht viel länger belästigen. Aber eine Frage noch – wie stehen Sie zu Frau Rosenzweig?«

»Wir sind befreundet, wir telefonieren ab und zu miteinander, manchmal fahre ich zu ihr, manchmal kommt sie her. Ich mag Marianne, sie gehört zu den wenigen Menschen, die ihren Glauben wirklich leben. Und ich denke, für sie war es viel schlimmer, ihren Mann zu verlieren, als für mich. Sie hat sehr an ihm gehangen.«

»Ja, das sagte sie mir heute nachmittag auch … Sie sagen, Sie haben drei Kinder. Wo sind sie?«

Wieder lächelte Frau Schönau. »Unser ältester Sohn Jean-Pierre studiert in Harvard Molekularbiologie, unsere beiden Töchter Janine und Chantal sind in einem Internat am Bodensee.«

»Salem?« fragte Hellmer.

»Ja, Salem.«

»Haben Sie schon mit ihnen gesprochen?«

»Sie meinen, ob ich ihnen schon gesagt habe, daß ihr Vater tot ist?« Sie schüttelte den Kopf. »Nein, aber ich werde nachher bei Jean-Pierre anrufen. Und morgen früh fahre ich nach Salem, um meine Töchter zu holen. Sie sollen es von mir persönlich erfahren, nicht über das Telefon. Jean-Pierre hatte nie ein besonderes Verhältnis zu seinem Vater, bei Janine und Chantal war das etwas anders … Ich werde auf jeden Fall anfangen, mein Leben neu zu gestalten. Ich denke, es warten eine Menge Aufgaben auf mich.«

»Warum«, fragte Hellmer, einer plötzlichen Eingebung folgend, »sind Ihre Töchter in Salem? Und seit wann?«

»Ich habe es so gewollt«, erwiderte sie und kniff die Lippen zusammen. »Ich wollte, daß unsere Töchter in Salem zur Schule gehen. Sie sind Zwillinge, zwölf Jahre alt. Sie sind seit zwei Jahren dort.«

»Gab es einen Auslöser dafür?« fragte Durant.

»Wofür? Daß sie eine der besten Schulen besuchen?« Sie schüttelte den Kopf. »Nein, ich wollte lediglich, daß sie auf eine gute Schule gehen. Und das war die beste, die uns angeboten wurde«, sagte sie und wirkte dabei auf einmal kühl und abweisend.

Durant und Hellmer erhoben sich. »Vielen Dank für Ihre Auskünfte und Ihre Offenheit. Wir werden bestimmt in den nächsten Tagen noch die eine oder andere Frage haben. Auf Wiedersehen.«

»Auf Wiedersehen. Und auch wenn mein Mann nicht der Mann war, den ich mir in den letzten Jahren gewünscht habe, so hoffe ich doch, daß Sie seinen Mörder bald finden werden. Ein Mord ist ein sehr schweres Verbrechen, und es gibt nichts, was ein solches Verbrechen rechtfertigen würde. Wenn Sie meine Hilfe brauchen, ich stehe Ihnen jederzeit zur Verfügung. Warten Sie, ich gebe Ihnen meine Karte, da steht auch die Handynummer drauf.«

Julia Durant nahm sie, steckte sie in die Tasche, reichte Vivienne Schönau im Gegenzug ihre Visitenkarte.

»Ach ja, Frau Durant, kommen Sie auch aus Frankreich oder haben Sie Vorfahren, die in Frankreich gelebt haben?«

Durant lächelte Vivienne Schönau an, die ihr immer sympathischer wurde. »Mein Großvater kam aus Frankreich. Wir stammen von einer alten Hugenottenfamilie ab.«

»Da gibt es sicherlich viel Material, was Ihre Vorfahren angeht.«

»Unser Stammbaum reicht zurück bis ins sechzehnte Jahrhundert. Einige von ihnen sind in der Bartholomäusnacht umgekommen.«

»Ja, das war eine schreckliche Sache. Es heißt, die Seine war rot vor Blut, als die Hugenotten massakriert wurden. Aber das ist lange her, sehr lange.«

»Ja. Wir haben das zum Glück nicht miterleben müssen. So, jetzt müssen wir leider gehen; wir möchten uns vorher aber noch ein wenig mit Frau Dr. Fink unterhalten.«

»Natürlich. Sie können das gern im Wohnzimmer machen, ich gehe solange nach oben, ein paar Kleinigkeiten für die Fahrt morgen packen. Laura, kommst du bitte rein, die Polizisten möchten mit dir sprechen.«

Vivienne Schönau verließ den Raum, Laura Fink kam herein, machte die Tür hinter sich zu.

»Und, war Ihre Befragung zufriedenstellend?« fragte sie mit kühlem Lächeln.

»Wie man's nimmt. Frau Schönau ist auf jeden Fall etwas aufgeschlossener als Frau Rosenzweig.«

»Wäre es nicht schlimm, wenn alle Menschen gleich reagieren würden? Jeder hat im Leben seine ganz persönliche Prüfung durchzustehen, der eine verkraftet es besser, der andere weniger gut. Aber wir sind nicht hier, um zu philosophieren. Was wollen Sie wissen?«

»Setzen wir uns doch wieder«, sagte Durant. »Sie haben vorhin erwähnt, daß Sie Frau Schönau schon seit Ihrer Kindheit kennen. Was für eine Frau ist sie?«

»Ich verstehe zwar Ihre Frage nicht ganz, aber Vivienne ist charmant, freundlich, ehrlich und bisweilen sehr direkt. Und sie ist eine außergewöhnlich schöne Frau. Es gibt nur wenige, die es mit ihrer Klasse aufnehmen können. Hätten Sie gedacht, daß sie schon sechsundvierzig ist? Ich finde, sie sieht phantastisch aus.«

»Sechsundvierzig? Dafür sieht sie wirklich toll aus. Sagen Sie, gibt es in Ihrer Kirche eigentlich nur reiche Leute, Akademiker und schöne Menschen?«

Laura Fink lachte auf, sagte: »Nein, zum Glück nicht. Sie haben die Ausnahmen erwischt. Rosenzweig, Schönau, Frau Reich, ich – wir nagen natürlich nicht am Hungertuch, aber die meisten Mitglieder sind ganz normale Menschen, Arbeiter, Angestellte, es gibt auch ein paar Künstler. Wie gesagt, es gibt Ausnahmen, aber die sind nicht die Regel.«

»Da bin ich ja erleichtert«, sagte Durant grinsend. »Ich dachte schon, ich wäre im Club der Millionäre gelandet. Aber Spaß beiseite, wir wissen inzwischen mit ziemlicher Sicherheit, woran Schönau gestorben ist. In dem Behälter, der auf seinem Schreibtisch stand, haben sich aller Wahrscheinlichkeit nach zwei sogenannte Kegelschnecken befunden, die von Professor Morbs, unserem Rechtsmediziner, eindeutig identifiziert wurden …«

»*Conotoxin*«, murmelte Laura Fink nachdenklich. Sie verzog leicht die Mundwinkel, sagte: »Das ist ein Nervengift, und zwar ein extrem wirksames.«

»Sie kennen sich auch *damit* aus?« fragte Durant mit hochgezogenen Augenbrauen.

»Ich habe Medizin studiert und einen Teil meines Studiums der Toxikologie gewidmet. Ich kenne übrigens einige der Bücher von Professor Morbs. Es gibt wohl kaum jemanden, der sich besser mit der Materie auskennt als er … Es ist schon fast perfide, jemanden auf diese Weise umzubringen. Mich wundert nur, daß Schönau diese Schnecken nicht kannte.«

»Seine Frau sagte, er hätte sich nicht mit Namen abgegeben, ihn interessierten nur die Fische selbst.«

»Kegelschnecken sind keine Fische, sie zählen zu den Mollusken oder, auf deutsch, Weichtieren. Unbedarfte Menschen, die nichts über sie wissen und sie einfach nur schön finden, spielen mit ihrem Leben, wenn sie diese Tiere anfassen. Zumindest einige von ihnen sind hochgiftig. Allerdings findet man die wirklich gefährlichen ausschließlich in den tropischen und subtropischen Gewässern des Indopazifiks. Tja, Sie haben es wohl mit einem sehr raffinierten Giftmörder zu tun.«

»Oder einer Mörderin«, sagte Hellmer trocken und musterte die Reaktion von Laura Fink eingehend. »Sie sind bestimmt nicht die einzige Frau, die sich mit solchen Tieren auskennt.«

»Nein, aber es gibt bestimmt nicht viele Frauen, die so viel über diese, sagen wir, exotischen Gifte und Toxine wissen …«

»Aber vorhin, in Schönaus Büro, sagten Sie, Sie seien keine Expertin, soweit ich mich erinnern kann. Sie sind aber offensichtlich doch eine …«

»Ich bin keine Expertin. Ich kenne mich zwar in den Grundlagen der Toxikologie aus, habe während meines Studiums im Labor gearbeitet, habe zugesehen, wie bestimmte Gifte synthetisiert wurden, um sie zum Beispiel im medizinischen Bereich einzusetzen, aber ich bin deswegen noch lange keine Expertin. Wenn Sie einen Experten haben wollen, dann nehmen Sie Professor Morbs. Ich habe noch nie eine Kegelschnecke zu Gesicht bekommen, ich habe lediglich Bilder von ihnen gesehen.« Sie machte eine Pause, holte einen Kaugummi aus ihrer Hosentasche, wickelte ihn aus und steckte ihn in den Mund. Fast provozierend fragte sie: »Und, zähle ich jetzt zu Ihren Hauptverdächtigen? Nur weil ich ein bißchen über Gifte Bescheid weiß? Vergessen Sie´s, ich habe damit nichts zu tun. Egal, was jemand getan hat, ich könnte niemanden umbringen. Und ehrlich – hätte ich Ihnen all das erzählt, wenn ich die Morde begangen hätte? Wohl kaum, oder?«

Durant sah erst zu Boden, dann blickte sie Laura Fink an. »Wo haben Sie Ihre Praxis?«

»Hier«, sagte sie, griff in ihre Tasche und reichte Durant ihre Karte. »Hier stehen meine Sprechzeiten drauf sowie meine Telefonnummer …«

»Aber nur die von der Praxis. Was, wenn wir Sie außerhalb Ihrer Sprechzeiten anrufen möchten oder müssen?«

»Ich schreib Ihnen meine Privatnummer auf. Ich wohne im gleichen Haus, in dem sich auch die Praxis befindet. Noch Fragen? Wenn nicht, dann würde ich jetzt gern nach Hause fahren, ich habe einen sehr anstrengenden Tag hinter mir. Sie wissen ja, wo und wie Sie mich erreichen können. Gute Nacht.«

»Gute Nacht, Frau Dr. Fink«, sagte Julia Durant und sah der jungen Frau hinterher, die sich mit schnellen, ausholenden Schritten auf den Ausgang zubewegte. Sie blieb plötzlich stehen, wandte sich um, sagte: »Übrigens, nennen Sie mich einfach nur Frau Fink oder Laura. Ich lege keinen Wert auf den Titel.« Ohne eine Erwiderung abzuwarten, verschwand sie nach draußen.

»Sie könnte eigentlich ganz hübsch sein«, sagte Hellmer leise, »wenn sie sich nicht wie ein halber Mann geben würde.«

»Sie ist hübsch«, bemerkte Durant, »vielleicht weiß sie es nur nicht. Oder sie will es nicht wissen.«

»Was?« fragte Hellmer und zog die Stirn in Falten.

»Vergiß es. Komm, wir machen uns auch auf den Weg. Ich könnte eine Mütze voll Schlaf vertragen.«

Am Auto angelangt sagte Julia Durant, während sie sich eine Zigarette anzündete: »Diese beiden Morde werden uns noch eine Menge Kopfzerbrechen bereiten. Wir haben es hier mit jemandem zu tun, der genauestens über die Lebensweise der Opfer Bescheid wußte. Und bei Rosenzweig ist mir jetzt noch rätselhafter, wie das Gift in seinen Schreibtisch kam. Scheiße, und gute Nacht.«

»Nacht, und schlaf gut. Und träum süß von niedlichen Kegelschnecken!«

Julia Durant hielt den ausgestreckten Mittelfinger der linken Hand aus dem Fenster, startete den Motor und fuhr los. Hellmer grinste, stieg in seinen BMW und steckte sich eine Marlboro an. Er drückte eine Taste auf dem Autotelefon, seine Frau Nadine meldete sich nach dem zweiten Läuten.

»Hallo, Schatz. Ich bin jetzt unterwegs. Bis gleich, und – ich liebe dich.« Er drückte die Aus-Taste, legte die neueste CD von Beautiful South ein, drehte den Zündschlüssel und gab Gas. Er genoß den warmen Fahrtwind, die laute Musik. Er freute sich auf zu Hause.

Auf Nadine, mit ihr zusammen einzuschlafen.

Mittwoch, 23.40 Uhr

Als Laura Fink nach Hause kam, stellte sie ihren Wagen in der Garage ab, schloß das Tor von innen mit der Fernbedienung und ging durch eine Tür in der Garage ins Haus. Sie stellte ihren Arztkoffer im Flur ab und begab sich in den ersten Stock. Sie war müde und erschöpft, warf einen Blick auf den Anrufbeantworter, auf dem zwei Nachrichten waren, eine von ihrer Mutter und eine weitere von Sabine Reich, ihrer besten und auch einzigen Freundin. Sie sagte, sie solle sie anrufen, sobald sie zu Hause sei, sie selbst wäre bestimmt noch bis ein Uhr wach. Es war warm in der Wohnung, sie schaltete die Klimaanlage ein, die sie im vergangenen Sommer hatte einbauen lassen. Innerhalb weniger Minuten sank die Temperatur um einige Grad.

Laura Fink stand eine Weile unentschlossen vor dem Telefon, überlegte, wollte schon den Hörer in die Hand nehmen, ließ es dann aber, holte sich statt dessen aus der Küche eine Banane und einen Joghurt, setzte sich auf die Couch und aß. Danach stellte sie sich für einen Moment auf den Balkon, atmete die warme Nachtluft ein, hinter den meisten Fenstern in diesem Wohnviertel war es bereits dunkel, von irgendwoher drangen leise Stimmen zu ihr. Das ferne Summen eines startenden Flugzeugs, ein Auto, das näher kam. Sie ging zurück ins Wohnzimmer, dessen verspieltes Laura-Ashley-Design eine gemütliche, warme Atmosphäre ausstrahlte, schaltete den Fernsehapparat an, um sich noch für ein paar Minuten zu entspannen. Sie sah auf den Bildschirm, nahm aber nicht wahr, was dort gezeigt wurde. Ihre Gedanken kreisten unablässig um Rosenzweig und Schönau, die beiden Männer, die sie so lange und so gut gekannt hatte. Ein kurzer Seufzer kam über ihre Lippen, sie ging ins Bad, zog sich aus und stellte sich unter die Dusche und ließ etwa fünf Minuten lang lauwarmes Wasser über ihren Körper laufen. Gerade als sie den Mischhebel drückte, klingelte das Telefon. Nackt und naß nahm sie den Hörer von der Gabel, meldete sich mit einem schlichten »Ja?«.

»Hallo, Laura. Hier ist Sabine. Hast du meine Nachricht schon abgehört?«

»Ja«, sagte Laura Fink, »ich bin aber gerade erst heimgekommen. Was gibt es denn? Ich bin ziemlich erschlagen.«

»Ich hab das von Schönau gehört. Du weißt ja, in der Kirche verbreitet sich so was wie ein Lauffeuer. Ich wollte einfach mal von dir wissen, was da los war.«

»Er ist umgebracht worden.«

»Und, weiß die Polizei schon Näheres?«

»Nein, gar nichts. Sie wissen lediglich, daß Gift im Spiel

war. Aber darüber reden wir morgen. Laß mich einfach schlafen.«

»Okay, dann bis morgen. Und schlaf gut.«

»Bis morgen.« Laura Fink legte auf, ihre Haut war inzwischen trocken, nur ihre Haare waren noch etwas feucht. Sie ging ins Schlafzimmer, zog sich einen Slip und ein leichtes Trägerhemd an und legte sich ins Bett. Sie hatte die Nachttischlampe angeschaltet, die wie immer die ganze Nacht über brennen würde. Seit sie ein kleines Kind war, konnte sie nicht schlafen, wenn es völlig dunkel war. Sie faltete die Hände, betete, wie sie es jeden Abend vor dem Schlafen tat. Die Klimaanlage surrte leise, Laura Fink zog die Bettdecke bis über die Schultern und drehte sich auf die Seite. Sie schloß die Augen, doch es dauerte eine Weile, bis die Bilder des vergangenen Tages allmählich verblaßten und ihr Körper und ihr Geist endlich Ruhe fanden. Nach zwei Stunden wachte sie wieder auf, schweißgebadet wie so oft, gequält von dem *einen* Alptraum, der sie seit Jahren verfolgte. Sie setzte sich auf, ihr war schwindlig, ihr Herz schlug wie ein Hammer gegen ihre Brust. Sie mahnte sich zur Ruhe, murmelte: »Ich kenne das, ich kenne das, es ist nicht schlimm.« Ihr Herzschlag begann sich allmählich zu beruhigen, ihre Atmung wurde gleichmäßiger. Sie ging auf die Toilette, setzte sich danach wieder aufs Bett, ihr Mund und ihre Kehle waren trocken. Sie nahm die Flasche Wasser, die neben ihrem Bett stand, trank ein paar Schlucke. Sie fuhr sich mit beiden Händen durch das naßgeschwitzte Haar, legte sich hin. Sie starrte an die Decke, sagte leise: »Vater, bitte hilf mir. Laß mich nicht allein. Du kennst meine Sorgen und meine Nöte, und du weißt, daß ich dich brauche. Ich will ein Werkzeug in deiner Hand sein und alles tun, was du von mir verlangst. Aber bitte, bitte verlaß mich nicht.« Sie rollte sich in die Decke. Sie schlief ein.

Julia Durant stellte ihren Corsa in der Nähe des Hauses ab, nahm ihre Tasche, stieg aus und schloß den Wagen ab. Sie überquerte die Straße, zwei junge Männer in Jeans und T-Shirt kamen ihr in etwa fünfzig Meter Entfernung auf dem Bürgersteig entgegen, ihr Gang provozierend, die Haltung verhieß nichts Gutes. Die Kommissarin tat, als ignorierte sie die beiden, in Wirklichkeit war sie in jeder Faser ihres Körpers gespannt, steckte die rechte Hand in die Tasche, entsicherte die Pistole und umfaßte den Griff. Es hatte in den letzten drei Wochen mehrere Überfälle auf Frauen gegeben, von denen drei erst zusammengeschlagen und dann vergewaltigt und ausgeraubt worden waren, und das letzte wahrscheinliche Opfer, ein siebzehnjähriges Mädchen, galt noch immer als vermißt. Als die Männer und Julia Durant fast auf gleicher Höhe waren und sie rechts an ihnen vorbeigehen wollte, machte einer der beiden plötzlich einen Schritt nach rechts und versperrte ihr den Weg. Er war etwa einsachtzig groß, schlank, mit blonden, kurz geschnittenen Haaren und höchstens zwanzig Jahre alt. Er grinste sie an, sagte leise, mit schmieriger Stimme: »Hey, Süße, haste mal Feuer?«

Julia Durant sah ihn an, registrierte aber aus den Augenwinkeln jede Bewegung des andern, der noch jünger schien und sich seitlich von ihr aufgebaut hatte und einen etwas debilen Eindruck machte.

»Nein, tut mir leid.«

»Schade«, sagte der Blonde und faßte die Kommissarin bei der Schulter, »aber vielleicht haste ja was anderes für uns. So´ne hübsche Tuss und nachts so ganz allein auf 'ner einsamen Straße, tz, tz, tz, das sollte jemand wie du nicht machen.« Seine Hand glitt tiefer, berührte ihren Busen.

»Du hast geile Titten. Wie wär´s mit ´nem flotten Dreier?«

»Soll ich um Hilfe schreien?« fragte Julia Durant kühl.

»Bevor du auch nur einen Ton rauskriegst, stopfen wir dir das Maul. Und anschließend noch was ganz anderes. Kapiert?!« Er lachte meckernd, plötzlich wurde seine Stimme scharf und schneidend: »Also, halt die Klappe. Los, da rüber!« befahl er und deutete mit dem Kopf auf den Spielplatz, der jetzt im Dunkel lag.

»Kann ich vorher noch eine rauchen?« fragte sie.

»Ich denk, du hast kein Feuer?« fragte der Blonde mißtrauisch.

»Für mich schon.« Sie machte einen schnellen Schritt zurück, zog die Pistole aus der Tasche und richtete sie erst auf den Blonden, dann auf seinen dunkelhaarigen Kumpel, der bis jetzt kein Wort gesagt hatte.

»So, ihr beiden, ihr nehmt jetzt die Pfoten hoch und stellt euch mit dem Gesicht an das Auto. Hier in meiner Hand hab ich das Feuer. Wenn einer von euch auch nur einen Mucks macht, könnt ihr diesem Leben adieu sagen. Also, wird´s bald?!«

»Hey, Lady, das war nicht so gemeint. Steck das Ding da wieder weg und wir tun so, als wenn nichts gewesen wäre, okay?« sagte der Blonde und hob wie entschuldigend die Hände.

»Ey, Scheiße, Mann, die Alte macht keinen Spaß. Los, hauen wir ab«, sagte sein Kumpel.

»Keiner haut hier ab. Ans Auto und die Hände aufs Dach. Und das alles schön langsam. Ich habe nämlich nach diesem verflucht anstrengenden Tag keine Lust mehr auf große Debatten. Und glaubt ja nicht, daß ich Spaß mache. Die ist geladen!«

Der Blonde, der jetzt etwa zwei Meter von Durant entfernt dastand, schien zu überlegen, dann machte er mit einem Mal einen Satz nach vorn. Die Kommissarin drückte ab, ein lauter Knall hallte durch die Nacht, die Kugel zertrümmerte das linke Schultergelenk des Angreifers, der mit einem Aufschrei zu Boden fiel. Durant richtete die Pistole gleich auf den andern, der sofort die Hände in die Höhe streckte und die vor ihm stehende Frau mit angstgeweiteten Augen ansah. Ein paar Lichter in den umstehenden Häusern gingen an, Fenster wurden aufgemacht, eine Stimme rief: »Da ist was passiert!«

»Angst, Kleiner?« fragte sie, ohne Notiz von den Anwohnern zu nehmen, während der Angeschossene auf dem Boden lag und vor sich hin wimmerte. »Wißt ihr, ihr hättet euch lieber jemand anderes für eure Spielchen aussuchen sollen. Wenn ich mich vorstellen darf, Hauptkommissarin Durant von der Mordkommission. So, und jetzt mit dem Gesicht ans Auto und die Hände auf den Rücken.«

Der Dunkelhaarige folgte wortlos dem Befehl, Durant holte die Handschellen aus der Tasche und ließ sie an den Handgelenken zuschnappen. Sie nahm das Handy, wählte die Nummer der Einsatzzentrale, forderte einen Streifenwagen und einen Krankenwagen an. Danach beugte sie sich zu dem Blonden hinunter, sagte: »Und, wo ist jetzt dein Mut?«

»Sie hätten mich umbringen können!« jammerte er.

»Hätte ich. Aber ich habe Schießen gelernt. Und vielleicht hast du gar nicht so unrecht damit, ich meine, vielleicht hätte ich dich besser umbringen sollen. Ihr seid doch die beiden, nach denen gefahndet wird, oder?«

»Halt´s Maul, alte Bullenschlampe!«

»Wo ist eigentlich das Mädchen, das ihr umgebracht habt?«

»Keine Ahnung, wovon Sie reden! Wir haben niemanden umgebracht.«

»Komisch, eure Beschreibung paßt irgendwie. Na ja, spätestens bei der Gegenüberstellung wird sich zeigen, ob ihr für die drei Vergewaltigungen verantwortlich seid. Ein paar Jahre werden´s auf jeden Fall werden. Und sollte noch Mord dazukommen, tja, ihr könnt euch ausmalen, wie lange ihr dann einsitzt. So, und jetzt steh auf und stell dich zu deinem Kumpel.«

»Ich verblute, Mann, ich kann nicht aufstehen!«

»Du verblutest nicht, Arschloch! Dann bleib eben liegen, bis der Krankenwagen kommt, Schlappschwanz.« Sie ging zu dem andern, stellte sich neben ihn, steckte sich eine Zigarette an. Sie blies ihm den Rauch ins Gesicht, sagte: »Tust du eigentlich immer alles, was er von dir verlangt? Hältst du ihm auch seinen Schniedel beim Pinkeln?«

Keine Antwort.

»Was ist mit dem Mädchen, das seit einer Woche vermißt wird? Es wäre besser, du sagst es, denn ihr wurdet gesehen. Was ist passiert?«

»Halt´s Maul«, schrie der Blonde, »halt bloß dein Maul, sonst reiß ich dir die Eier ab!«

»Hat er sie umgebracht? Die andern drei habt ihr doch nur geschlagen und vergewaltigt. Warum auf einmal ein Mord?«

»Weiß nicht. Sie hat angefangen zu schreien, und dann hat Gregor zugeschlagen. Sie ist mit dem Kopf auf die Werkbank geknallt und hat sich danach nicht mehr gerührt.«

»Du Arschloch! Du gottverdammtes, verfluchtes Arschloch! Ich mach dich fertig, wenn ich aus dem Krankenhaus raus bin!«

»Ich hab sie nicht angerührt, Ehrenwort.«

»Na ja, wir wollen mal nicht untertreiben. Vergewaltigt hast du sie doch auch, oder?«

»Aber nicht geschlagen. Ich hab nie eine von ihnen geschlagen. Das war immer er. Er konnte nur, wenn er sie geschlagen hat und sie darum gebettelt haben, am Leben bleiben zu dürfen.«

»Ich mach dich kalt, du alte Drecksau! Du wirst dir wünschen, nie geboren worden zu sein, du Wichser, du elender!«

Das Polizeiauto und der Krankenwagen trafen fast gleichzeitig ein. Der Blonde wurde auf eine Bahre gehievt, festgeschnallt und in den Krankenwagen geschoben, von wo er noch immer wüste Beschimpfungen in Richtung seines Kumpels schickte. Der andere wurde in den Streifenwagen gesetzt. Zu den Streifenbeamten sagte Durant: »Die Kollegen vom KDD sollen sie verhören. Das sind die beiden, nach denen seit einem Monat gefahndet wird. Die vermißte Siebzehnjährige ist aller Wahrscheinlichkeit nach tot. Der im Krankenwagen ist nach Aussage des andern der Täter. Er muß streng bewacht werden. Das war's von mir, ich mach mich jetzt vom Acker, alles weitere sollen die Kollegen übernehmen. Bis dann.«

Durant ging zum Haus, schloß auf, die Treppenhausbeleuchtung ging von allein an. Mit müden Schritten stieg sie die Treppen hinauf, an ihrer Wohnungstür klebte ein Briefumschlag. Sie riß ihn ab, betrat die Wohnung, knipste das Licht an. Sie warf die Tasche auf die Couch, legte den Umschlag auf den Tisch, holte eine Dose Bier aus dem Kühlschrank, trank sie in einem Zug leer. Sie zündete sich eine Gauloise an, stellte sich ans Fenster, sah hinunter auf die Straße, die fast immer ab zehn Uhr abends wie ausgestorben war. Einen Moment verharrte sie, zog an der Zigarette, blies den Rauch aus dem Fenster. *Ich habe zum ersten Mal auf einen Menschen geschossen*, dachte sie. *Ein paar Zentimeter tiefer, und er wäre tot.* Sie wollte den Gedanken nicht weiterdenken, drehte sich um und setzte sich auf die Couch. Sie nahm den Umschlag, holte den Brief heraus, in dem nur stand, *Ich liebe Dich. Und es tut mir leid, wenn ich Dir in letzter Zeit weh getan habe. Ich verspreche Dir, ich werde mich in Zukunft mehr um Dich kümmern. Ruf mich doch bitte morgen an, ich brauche Dich. Dein Werner.*

Sie legte den Brief neben sich, schüttelte wütend den Kopf, dachte, *wozu brauchst du mich? Zum Bumsen? Scheißmänner!*

Sie drückte die Zigarette aus, erhob sich, ging ins Bad, wusch sich Hände und Gesicht, betrachtete sich kurz im Spiegel und hoffte, es würde bald einen Tag geben, an dem sie mal wieder acht oder neun Stunden schlafen könnte. Sie löschte das Licht, legte sich in Unterwäsche ins Bett und rollte sich auf die Seite. In ihrem Kopf waren unzählige wirre Gedanken, Rosenzweig, Schönau, die beiden Männer, die sie vergewaltigen wollten. Um kurz nach eins fielen ihr die Augen zu. Sie schlief bis um Viertel nach sechs, als sie von einem furchtbaren Traum aus dem Schlaf gerissen wurde. Sie hatte Mühe, sich zu orientieren, ihr Atem ging schwer, als läge ein bleiernes Gewicht auf ihrer Brust. Sie schaute zur Uhr, legte sich wieder hin und wartete, daß es sieben wurde, die Zeit, zu der sie immer aufstand. Sie fühlte sich miserabel, ihr Kopf schmerzte, ihr war übel. Sie hatte das Gefühl, es würde ein schlechter Tag werden. Doch sie wollte, daß es ein guter wurde. *Es liegt an dir*, sagte sie leise zu sich selbst, *es liegt ganz allein an dir.*

Donnerstag, 7.50 Uhr

Polizeipräsidium. Lagebesprechung. Berger machte einen mürrischen, übernächtigten Eindruck, Julia Durant fühlte sich nach der viel zu kurzen Nacht wie gerädert, nur Hellmer und Kullmer, die kurz nach Durant kamen, schienen guter Dinge zu sein.

»Also«, sagte Berger, nachdem er sich eine Zigarette angesteckt hatte, und sah Durant an, »was haben Sie zu berichten? Außer Ihrer unheimlichen Begegnung mit den beiden Männern letzte Nacht. Die beiden haben übrigens gestanden. Gute Arbeit, Frau Durant.«

»Nicht der Rede wert«, sagte sie und fuhr fort: »Zu berichten gibt es nicht viel. Außer, daß Schönau, wenn auch nicht auf die gleiche, so doch auf eine ähnliche Weise wie Rosenzweig ermordet wurde. Der- oder diejenige scheint einen bestimmten Plan zu verfolgen, ein Plan, den wir aber bis jetzt noch nicht durchschauen …«

»Wie genau ist er umgebracht worden?« fragte Berger und nahm einen weiteren Zug an seiner Zigarette.

»Wir haben Morbs an den Tatort geholt, und der sagte, daß Schönau durch das Gift von Kegelschnecken getötet wurde.«

»Schnecken?« fragten Berger und Kullmer fast synchron. »Wie geht denn das?«

»Ich wollte es auch nicht glauben, aber diese Schnecken leben im Meer, in tropischen Gewässern, wie Morbs sagt. Und ausgerechnet die zwei gefährlichsten ihrer Gattung sind, wie es scheint, Schönau geschickt oder vielleicht sogar persönlich gebracht worden. Von einem oder einer Unbekannten. Hier«, sagte sie, holte die Zettel aus ihrer Tasche und reichte sie Berger. Er nahm sie in die Hand und las.

»*Liebling. Kinderficker*«, murmelte er und fuhr sich mit einer Hand übers Kinn. »Eine Frau?«

»Natürlich scheint es auf den ersten Blick eine Frau zu sein. Aber was, wenn der Mörder damit nur eine falsche Fährte legen wollte? Immerhin sind die Zeilen mit Maschine geschrieben. Bei einem handgeschriebenen Brief könnte man leicht von einem Graphologen bestimmen lassen, ob der Verfasser eine Frau oder ein Mann ist, aber so …« Durant zuckte die Schultern.

»Wenn es – theoretisch – ein Mann war, dann könnte das doch auch heißen, daß Schönau unter Umständen schwul war, oder zumindest bi«, sagte Kullmer, der einen Kaugummi auswickelte und in den Mund steckte.

»Könnte sein. Das würde auch zu der Meinung von Frau Schönau passen, die sagte, daß ihr Mann ab und an ein Verhältnis hatte. Mit wem, konnte oder wollte sie nicht sagen, es schien sie auch nicht weiter zu interessieren. Die Ehe der beiden stand offensichtlich zumindest in den letzten Jahren unter keinem sonderlich guten Stern. Obwohl die Frau ein echtes Superweib ist, schön, elegant, gepflegt und intelligent. Aber vielleicht sollten wir sie einmal etwas genauer zu ihren Vermutungen befragen. Auf jeden Fall hat Schönau, laut Aussage seiner Frau, die mit ihm kurz vor seinem Tod noch telefoniert hatte, auf ein Paket gewartet. Er hatte ihr nämlich gesagt, es würde etwas später werden, eben wegen dieses Paketes. Nur hat er ihr nicht verraten, von wem es stammt.« Sie machte eine Pause, stand auf, schenkte sich einen Kaffee ein, fuhr dann fort: »Ach ja, noch was Interes-

198

santes – seine Hose war offen, und sein kleiner Mann schaute gut sichtbar für jeden von uns aus dem Hosenschlitz. Ja, und außerdem, als ich gestern in Schönaus Büro ankam, war schon jemand vor mir dort, den ich bereits von Rosenzweig kannte – Laura Fink, die Ärztin, auch ein Mitglied dieser Kirche, wie Sie ja wissen. Und die kennt sich erstaunlich gut mit Giften aus.«

»Inwiefern?« fragte Berger, die Augen zu Schlitzen verengt.

»Sie wußte sofort den Namen des Gifts, das diese Kegelschnekken abgeben.«

»Interessant. Was wissen Sie über die Frau?«

»Relativ wenig – bis jetzt. Aber ich habe mir vorgenommen, sie ein bißchen näher unter die Lupe zu nehmen. Wobei«, Durant schüttelte den Kopf und sah Hellmer ratlos an, »mir noch immer nicht klar ist, wie das Gift in Rosenzweigs Schreibtisch gekommen ist. Ich meine, seine Frau scheidet inzwischen mit größter Wahrscheinlichkeit aus, es sei denn, sie hat auch Schönau auf dem Kieker gehabt. Was ich mir aber nicht vorstellen kann. Nur, wie ist das Gift überhaupt in Rosenzweigs Haus gelangt? Das ist die vielleicht entscheidende Frage, deren Beantwortung uns mit einem Schlag den Täter liefern würde. Andererseits, was haben Rosenzweig und Schönau verbrochen? Ihre Affären allein können unmöglich der Grund sein. Da steckt etwas ganz anderes dahinter, etwas, das wir im Augenblick nicht einmal erahnen können. Ich schätze, es liegt noch eine Menge Arbeit vor uns, bis wir den Fall gelöst haben.«

Berger drückte seine Zigarette aus und zündete sich gleich eine neue an. Er stand auf, stellte sich ans Fenster, in das die morgendliche Sonne mit voller Wucht schien. Mit zusammengekniffenen Augen sah er hinunter auf die Straße, wo der Berufsverkehr seinen Höhepunkt erreicht hatte. »Verfluchte Hitze!« murmelte er, fuhr fort: »Und wie sieht Ihr Plan für heute aus?«

»Wir müssen natürlich die Angestellten der Bank vernehmen«, sagte Durant. »Das sollten aber andere erledigen, denn ich würde mich gern noch einmal mit der Ärztin und Frau Schönau unterhalten, wobei ich Frau Schönau wohl erst am späten Nachmittag erreichen werde, weil sie heute morgen an den Bodensee gefahren ist, um ihre beiden Töchter abzuholen. Aber vorher würde ich gern noch von Morbs das vorläufige Ergebnis der Autopsie einholen.«

Durant griff zum Telefonhörer, wählte den Anschluß von Morbs in der Rechtsmedizin.

»Guten Morgen, Professor, hier Durant. Gibt es schon Ergebnisse?«

»Für Sie mag es vielleicht ein guter Morgen sein, ich möchte nur noch in mein Bett und schlafen. Aber um Ihre Neugier zu befriedigen – es gibt Ergebnisse. Meine Sekretärin hat sie gerade getippt und wird sie gleich durch den Computer schicken. Sollten Sie noch Fragen haben, dann rufen Sie mich zu Hause an, aber um Himmels willen nicht vor heute nachmittag um drei. Irgendwann brauche auch ich meinen Schlaf.«

»Wie lange bleiben Sie noch im Büro?« fragte Durant.

»Höchstens zehn Minuten. So lange bin ich noch erreichbar.« Er beendete grußlos das Gespräch. Julia Durant blickte grinsend den Hörer an, legte auf.

»Typisch Morbs. Aber der gute Mann hat sich schließlich zwei volle Nächte wegen uns um die Ohren geschlagen, auch wenn ich den Eindruck hatte, daß es ihm nicht sonderlich unangenehm war. Was hat er gestern abend noch gesagt – nur Bücher darüber zu schreiben wäre auf Dauer langweilig.«

Hellmer hatte sich an den Computer gesetzt und wartete auf den Autopsiebericht. Nachdem er von der Rechtsmedizin durchgeschickt war, druckte er ihn aus, nahm ihn in die Hand und überflog ihn. Julia Durant stellte sich hinter Hellmer und las mit.

»Wow«, stieß sie hervor, »genau wie Morbs schon vermutet hat, Todesursache Atemlähmung und Herzversagen durch *Conotoxin*. Und da, verdammt, ich hab es geahnt, er hat vor seinem Tod

noch gebumst. Moment«, sie hielt inne, las weiter, sagte: »Schei-
ße, große, gottverdammte Scheiße! Der Kerl hat zwar kurz vor
seinem Tod noch gebumst, es gibt aber keinerlei Spuren von
Scheidenflüssigkeit und auch keine Speichelspuren an seinem
Schwanz. Keine Fremdhaare, nichts. Aber Spuren an seinem
Pimmel und den Schamhaaren, die offensichtlich von einem
Waschlappen stammen.« Sie richtete sich auf, trank ihren Becher
leer, zündete sich eine Zigarette an.

»Spuren von einem Lappen. Da gibt´s für mich eigentlich nur
eine Erklärung – irgendwer hat ihm entweder einen runtergeholt
oder ihm einen geblasen und mit dem Lappen alle Spuren abgewischt. Und ob Fusselspuren, dazu noch von einem Waschlappen, irgendeine Aussagekraft haben, wage ich zu bezweifeln.«

»Sie hat ihm einen geblasen, bevor sie ihn ins Jenseits befördert
hat«, bemerkte Kullmer lässig. »Sie hat gewußt, was sie tat. Sie
hat ihm im wahrsten Sinn des Wortes einen schönen Abgang verschafft«, fuhr er dreckig grinsend fort.

»Und wenn es gar keine *Sie* war?« fragte Hellmer nachdenklich.
»Was, wenn Schönau in Wirklichkeit ein verkappter Schwuler
war?«

»Kaum«, warf Julia Durant ein und schnippte Asche in den
Aschenbecher, »dann wäre der Mörder von Rosenzweig auch ein
Mann. Aber Rosenzweig …« Sie stockte, griff zum Telefon,
wählte die Nummer von Morbs. Er war noch da.

»Hören Sie, Professor«, sagte sie schnell, »Rosenzweig ist doch
nicht darauf untersucht worden, ob er kurz vor seinem Tod Geschlechtsverkehr hatte, oder?«

»Nein, warum?«

»Kann man das jetzt noch feststellen?«

»Sicher. Ich bräuchte nur einen Abstrich aus seiner Harnröhre
oder seiner Blase zu machen, oder vielleicht finden sich ja sogar
eindeutige Spuren an seinem Penis oder in den Schamhaaren …«

»Ah«, unterbrach sie ihn und faßte sich an die Stirn. »Tut mir leid, Sie gestört zu haben, aber Sie brauchen ihn nicht weiter zu untersuchen. Er hatte Geschlechtsverkehr, ich weiß es. Eine seiner Mitarbeiterinnen hat es mir erzählt, ich hab´s nur vergessen.«

»Moment, Frau Durant, man könnte aber feststellen, ob er mit einer oder zwei Frauen Verkehr hatte.«

»Was meinen Sie?«

»Na ja, sollten Scheidensekret, Speichel oder Analspuren von nur einer Person an seinem Penis sein, okay, dann könnte es sein, daß er wirklich nur mit einer Dame verkehrt hat. Es gibt aber auch die Möglichkeit, daß wir zwei Sorten finden, das heißt zum Beispiel eine Sorte Scheidensekret und eine andere Sorte Speichel oder Spuren, die auf Analverkehr hinweisen – von zwei verschiedenen Personen. Es kommt immer darauf an, wonach man sucht und wie man es sucht. Natürlich sollten wir auch nach Fusselspuren suchen.«

»Könnten Sie das für uns herausfinden?«

»Natürlich könnte ich das. Aber wie gesagt, ich werde jetzt nach Hause fahren und schlafen. Aber zu Ihrer Beruhigung, ich werde Professor Bock fragen, ob er die Untersuchung übernehmen kann. Sie kennen ihn ja, er arbeitet absolut zuverlässig. Wenn Sie allerdings unbedingt auf meine Arbeit Wert legen, müssen Sie sich schon bis morgen gedulden.«

»Nein, nein, es ist schon in Ordnung, wenn Professor Bock das macht. Hauptsache, wir finden heraus, ob Rosenzweig nur mit seiner Mitarbeiterin oder auch noch mit einer andern Person Verkehr hatte. Wann können wir mit dem Ergebnis rechnen?«

»Heute mittag. Professor Bock wird Sie informieren, sobald er das Ergebnis vorliegen hat. Und jetzt bitte ich Sie, mich endlich in Ruhe zu lassen.«

»Okay«, sagte Julia Durant nach dem Telefonat und rieb sich über die Nase, »Sie haben´s gehört, heute mittag wissen wir, ob Rosenzweig noch mit jemand anderem gebumst hat. Denn laut Aussage dieser Jessica Wagner hatte sie zwischen halb vier und vier mit ihm Verkehr. Vielleicht hatte er danach ja noch mal mit jemand … Das würde zumindest bedeuten, daß er ein sehr potenter Mann war.«

»Ich würde vorschlagen, wir warten das Ergebnis ab. Außerdem glaube ich nicht, daß uns diese Erkenntnis sehr viel weiter bringt«, sagte Berger. »Auch wenn Rosenzweig noch mit einer andern Person gebumst hat, wissen wir immer noch nicht, wie das Gift in seinen Schreibtisch gelangt ist. Wir wissen zwar, daß Schönau zumindest einen Samenerguß hatte, wir wissen aber nicht, wer ihn dazu gebracht hat. Wir drehen uns im Kreis, zumindest vorläufig noch. Meine Dame, meine Herren, ich würde sagen, Sie machen sich an die Arbeit.«

»Einen Moment noch«, sagte Julia Durant, »hat die Spurensicherung sich schon gemeldet?«

»Bis jetzt nicht. Aber ich kann mal anrufen und nachfragen.«

»Das wäre nett. Ich habe da nämlich eine Vermutung.«

»Und die wäre?« fragte Hellmer.

»Daß der- oder diejenige nicht nur die Spuren an Schönaus Pimmel beseitigt hat, sondern auch sämtliche anderen Spuren, wie zum Beispiel Fingerabdrücke. Mir ist nämlich aufgefallen, daß ein Aschenbecher auf Schönaus Schreibtisch stand. Soweit ich aber informiert bin, hat Schönau nicht geraucht, weshalb also sollte er einen Aschenbecher in seinem Büro haben?«

»Für Besucher?« sagte Kullmer.

»Kaum. Sie wissen doch, ein eingefleischter Nichtraucher wie Schönau wird nicht zulassen, daß in seiner Gegenwart geraucht wird. Es sei denn, es handelt sich um jemand, der sein äußerstes Vertrauen genießt und dem es ausnahmsweise gestattet ist, in seinem Büro zu rauchen. Nach außen war Schönau ein absoluter Saubermann, vor allem in seiner Kirche, in Wirklichkeit aber hatte er es faustdick hinter den Ohren und hat sich einen Dreck um irgendwelche Glaubensgrundsätze geschert. Wenn ihr nachher in die Bank fahrt, fragt doch mal, ob Schönau es geduldet hat, wenn jemand rauchte, oder ob es ein striktes Rauchverbot gab.«

»Okay, machen wir«, sagte Hellmer.

Berger rief bei der Spurensicherung an, bevor die Beamten das Büro verließen. Nach einer Minute legte er wieder auf, sagte zu Julia Durant: »Sie haben richtig vermutet, es wurden winzige Aschepartikel gefunden, der Aschenbecher wurde aber mit einem feuchten Tuch abgewischt, ebenso wie ein Großteil des Schreibtischs und die Türklinken. Es gab aber immer noch genügend Fingerabdrücke, doch ich bezweifle, daß auch nur einer davon zum Täter gehört.«

»Dachte ich mir«, sagte die Kommissarin schulterzuckend und nahm ihre Tasche. »Dann werd ich mich mal auf den Weg machen.« Sie warf einen Blick zur Uhr, halb neun. Gemeinsam mit Hellmer und Kullmer ging sie nach unten. Sie stieg in ihren Corsa, während ihre Kollegen einen Dienstwagen nahmen. Als erstes wollte sie bei Laura Fink vorbeischauen, danach zur Schönau Bank fahren, um Hellmer und Kullmer bei ihrer Arbeit zu unterstützen. Es gab einige wichtige Fragen, auf die sie hoffentlich befriedigende Antworten erhalten würde.

Donnerstag, 9.00 Uhr

Marianne Rosenzweig traf pünktlich bei Sabine Reich ein. Sie fühlte sich nicht sonderlich gut, seit dem Tod ihres Mannes konnte sie kaum noch schlafen, zuviel war in ihrem Kopf, wie etwa die Gedanken und Fragen, was für ein dunkles Geheimnis er mit in sein Grab genommen haben könnte. Sie wirkte blaß, machte einen übernächtigten Eindruck, den auch das Make-up nicht kaschieren konnte.

»Guten Morgen, Schwester Rosenzweig«, wurde sie von Sabine Reich begrüßt. »Wie geht es Ihnen heute?«

»Bescheiden, aber das sehen Sie ja selbst. Ich glaube, ich habe in den letzten drei Nächten insgesamt nicht mehr als sieben oder acht Stunden geschlafen. Im Augenblick habe ich das Gefühl, durch eine Nebelwand zu laufen.«

»Kommen Sie rein und setzen Sie sich. Möchten Sie etwas trinken? Einen Tee, Wasser, Orangensaft?«

»Nein danke, ich habe gerade eben erst gefrühstückt, was man so frühstücken nennt. Es fällt mir einfach schwer, nach einem solch furchtbaren Ereignis zu meinem normalen Lebensrhythmus zurückzukehren.« Sie betrat das Therapiezimmer, nahm in ihrem Sessel Platz. »Zwanzig Jahre war ich mit ihm verheiratet, und ich habe immer mehr das Gefühl, ihn überhaupt nicht gekannt zu haben. Ich glaube, er hat mir viel verschwiegen. Warum sonst hätte jemand ihn umbringen sollen? Sagen Sie mir, warum?«

Sabine Reich hatte sich ihr gegenüber auf den andern Sessel gesetzt, eine Tasse Tee stand vor ihr. Sie hatte die Beine übereinandergeschlagen, sie trug eine weiße Bluse und einen blauen, knapp über dem Knie endenden Rock, der, als sie sich setzte, noch ein wenig weiter nach oben rutschte.

»Was glauben Sie denn, was er Ihnen verschwiegen haben könnte?« fragte Sabine Reich.

»Ich weiß es nicht. Aber ein Gefühl sagt mir einfach, daß es so war. Ich glaube wirklich, ich habe ihn nicht gekannt. Ich kannte nur sein Äußeres, sein Inneres hat er vor mir verborgen. Er war liebenswürdig, immer um mich bemüht, auch wenn es mit den Jahren etwas weniger wurde. Er war den Kindern ein guter Vater, ich konnte mich auf ihn verlassen, wir haben über vieles gesprochen, er hat mir sein Herz ausgeschüttet, wenn es einmal im Geschäft nicht so lief, wie er sich das vorstellte, und das gleiche konnte ich bei ihm tun. Und doch, es muß etwas gegeben haben, das er mir nicht erzählt hat.«

»Und was?«

»Ich zermartere mir seit drei Tagen den Kopf deswegen, und ich komme zu keinem Resultat. Manchmal denke ich, er hatte vielleicht doch eine Geliebte. Ich hätte es sogar verstanden, auch wenn es für eine Frau immer eine Demütigung ist, wenn der Mann fremdgeht. Aber ich habe ihn geliebt, und selbst wenn er eine Geliebte hatte, dann ist das doch noch lange kein Grund ...« Sie schüttelte den Kopf. »Ich verstehe das alles nicht. Warum mußte er so grausam sterben? Warum? Und der schlimmste Gedanke von allen ist, wer hat das Gift in seinen Schreibtisch getan? Und wie? Ich habe unsere Haushälterin eingehend befragt, aber sie sagt, sie hätte sein Zimmer nie betreten, weil er es ausdrücklich so gewünscht hatte. Und ich glaube ihr, sie arbeitet schließlich schon seit mehr als fünfzehn Jahren bei uns. Ich weiß nicht, in meinem Kopf ist ein riesiges Karussell, das sich immer schneller dreht.« Marianne Rosenzweig machte eine Pause, atmete tief ein, schloß kurz die Augen, betrachtete dann ihre Finger, die wie zum Gebet gefaltet auf ihrem Schoß lagen.

»Und was macht Ihre Angst? Ist es schlimmer geworden?«

Marianne Rosenzweig lachte kurz auf, sagte: »Um ehrlich zu sein, ich habe in den letzten Tagen und Nächten keine Zeit gehabt, darüber nachzudenken.«

»Das ist doch gut; ich meine, es ist natürlich nicht gut, daß Ihr Mann tot ist, aber Sie können sehen, daß Angst oftmals mit einer gewissen Unausgefülltheit einhergeht. Womit ich nicht sagen will, Ihr Leben sei nicht ausgefüllt, aber manchmal setzen wir unsere Prioritäten falsch. Ich hatte eigentlich, nach unserer letzten Sitzung, einen bestimmten Plan, was wir heute machen würden, doch ich denke, wir sollten heute nicht nach Plan vorgehen. Erzählen Sie mir etwas über Ihre Gefühle, darüber, wie Sie im Augenblick fühlen und denken. Was Sie bewegt, vielleicht sogar, wie Sie sich Ihre Zukunft vorstellen. Sind Sie damit einverstanden?«

Marianne Rosenzweig nickte, fragte: »Wir machen heute nicht die übliche Behandlung?«

»Nein, wir sollten damit jetzt einige Zeit warten. Im Moment ist es wichtig, daß Sie eine klare Linie in Ihr Leben bekommen, daß wir vielleicht gemeinsam darüber sprechen, wie Sie Ihre Zukunft sehen.«

»Um ehrlich zu sein«, sagte Frau Rosenzweig, krampfte die Hände ineinander und verzog die Mundwinkel. Sie wollte die Tränen unterdrücken, es gelang ihr nicht ganz. Einige lösten sich aus ihren Augenwinkeln, liefen über die blassen Wangen. Sie begann zu schluchzen, schüttelte den Kopf, das Schluchzen ging in einen Weinkrampf über. Sabine Reich machte sich einige Notizen, blickte auf die ihr gegenübersitzende Frau. Nachdem sie sich beruhigt hatte, nahm Marianne Rosenzweig ein Taschentuch, wischte sich die Tränen vom Gesicht, schneuzte sich die Nase, sah mit rotgeränderten Augen auf ihre Therapeutin.

»Es tut mir leid«, sagte sie, doch Sabine Reich lächelte nur verständnisvoll und winkte ab. »Es tut mir leid, wenn ich mich habe gehenlassen. Aber ich sehe im Moment keine Zukunft. Es ist alles so leer und trostlos. Ich habe Gott angefleht, mir beizustehen, aber ich habe gerade jetzt das Gefühl, der einzige Mensch auf dieser Welt zu sein. Der einzige Mensch in einem tiefen schwarzen Loch …«

»Sie haben vorhin aber von einer Nebelwand gesprochen …«

»Ist das nicht das gleiche?«

»Sie haben Ihre Söhne. Und Sie sind noch nicht einmal vierzig. Sie haben noch eine Zukunft vor sich. Sie sehen blendend aus, die Welt kann Ihnen zu Füßen liegen. Es liegt an Ihnen.«

Marianne Rosenzweig lachte trocken und kehlig und irgendwie bitter auf. »An mir?! Welche Welt soll mir denn zu Füßen liegen? Die Welt der Kirche? Seit ich geboren wurde, kenne ich keine andere Welt als die der Kirche. Ich bin so unselbständig wie ein neugeborenes Baby. All die Jahre über bin ich wie eine Marionette gewesen, habe getan, was andere mir gesagt haben, habe nicht aufbegehrt, auch wenn mir bisweilen danach zumute war, aber ich war feige, einfach feige. Und jetzt soll mir auf einmal die Welt zu Füßen liegen? Das schaffe ich nicht.«

»Warum haben Sie nicht aufbegehrt? Hatten Sie Angst, andere vor den Kopf zu stoßen, oder hatten Sie Angst vor Ihrer eigenen Courage? Angst davor, von den andern schief angesehen zu werden?«

Marianne Rosenzweig schüttelte kaum merklich den Kopf. »Ich weiß es nicht, vielleicht von allem etwas. Sie kennen ja meine Kindheitsgeschichte, Sie wissen, wie ich groß geworden bin, aus was für einem Elternhaus ich stamme, wie ich erzogen wurde, wie ich meinen Mann kennengelernt habe. Aber eines weiß ich ganz sicher, die Welt wird mir nie zu Füßen liegen, dafür bin ich einfach nicht der Typ. Ich müßte so viele meiner Eigenschaften ändern, ich müßte meinen Lebensstil ändern, und das kann ich nicht. Ich werde weiter meinen Aufgaben und Pflichten in der Kirche nachkommen, wahrscheinlich mehr denn je, werde versuchen, Aaron und Joseph eine gute Mutter zu sein und mein Leben so einzurichten, daß ich ohne einen Mann auskomme.«

»Schwester Rosenzweig, über Ihre Kindheit und Ihre Erziehung haben wir schon ausführlich gesprochen. Ich dachte, dieses Thema wäre abgehakt. Und kein Mensch verlangt, daß Sie von heute auf morgen Ihre Eigenschaften ändern oder Ihren Lebensstil. Und Sie sind eine liebenswürdige, intelligente Frau, die irgendwann …« Sabine Reich hielt inne, nahm die Tasse vom Tisch und trank einen Schluck von ihrem Tee.

»Die irgendwann …«

»Nun, ich will jetzt nicht irgend etwas Falsches sagen, doch der Tag wird kommen, an dem auch für Sie wieder ein Mann interessant werden könnte. Die Zukunft ist nicht nur heute und morgen, die Zukunft ist auch in zwei oder fünf oder zehn Jahren. Und Sie können es schaffen, das weiß ich. Ihr geistiges und seelisches Potential ist groß. Und als Ihre Therapeutin sage ich Ihnen, es wäre falsch, das Augenmerk allein auf die Kirche zu richten, was nicht heißen soll, daß Sie sich davon abwenden sollen. Es ist aber wichtig, ein Gleichgewicht zwischen dem Leben und der Kirche zu schaffen. Die Kirche allein ist nicht das Leben, oder sollte es zumindest nicht sein. Wenn wir unser ganzes Leben nur auf die Kirche ausrichten, sind wir auf eine gewisse Weise gefangen. Und das ist nicht der Sinn des Evangeliums.«

Marianne Rosenzweig sah Sabine Reich mit großen Augen an. »Die Kirche war aber fast vierzig Jahre lang mein ganzes Leben.«

»Und Ihre Ängste, Ihre Depressionen? Was glauben Sie, was ist die Ursache dafür? Hat die Kirche Ihnen dabei helfen können?«

»Das hört sich fast blasphemisch an«, erwiderte Frau Rosenzweig mit einem zaghaften Lächeln.

»Mag sein. Soll es aber nicht. Ich möchte Ihnen nur klarmachen, daß dieses Leben aus mehr besteht als nur der Kirche. Nicht mehr und nicht weniger. Ich glaube an Gott, Sie glauben an Gott. Aber hat er uns verboten, ins Kino zu gehen oder zu tanzen oder einfach nur Freude zu haben? Hat er uns verboten, zu lachen, zu weinen, einmal den ganzen Frust aus uns herauszuschreien? Sie haben all die Jahre über Ihre Sorgen und Nöte, Ihre Probleme und vor allem Ihre Frustrationen in sich hineingefressen, Sie haben sich nie die Blöße gegeben, einmal aus der Haut zu fahren, Sie haben einfach nur funktioniert ... wie man es Ihnen beigebracht hat. Und jeder, der mit Ihnen zu tun hatte oder hat, ist froh, auf einen solchen Menschen zu treffen, denn ein solcher Mensch ist leicht manipulierbar, läßt sich wunderbar lenken und ist letztendlich nur eine Marionette, wie Sie eben selbst sagten. Das aber, Schwester Rosenzweig, haben Sie nicht verdient. Kein Mensch hat es verdient, eine Marionette in den Händen anderer zu sein. Sie sollten anfangen zu agieren, anstatt nur zu reagieren. Leben Sie, genießen Sie das Leben. Ich weiß, es ist noch früh, so wenige Tage nach dem tragischen Verlust Ihres Mannes, aber ich möchte Ihnen gerade heute aufzeigen, welche Möglichkeiten Sie haben. Machen Sie etwas aus Ihren Fähigkeiten, fangen Sie wieder an, Klavier zu spielen ...«

»Es ist lange her ...«

»Aber nicht zu lange. Und vor allem, denken Sie auch einmal an sich. Nicht nur die andern sind wichtig, sondern in allererster Linie Sie selbst. Ihre Wünsche und Ihre Bedürfnisse sollten an erster Stelle stehen. Sie werden sehen, wer Ihre wahren Freunde sind, wenn Sie selbstbewußt auftreten und nicht mehr zu allem Ja und Amen sagen. Sagen Sie auch einmal Nein, vertreten Sie Ihren Standpunkt, auch wenn er vielleicht in den Augen anderer revolutionär erscheint. Es liegt an Ihnen, Ihrem Leben einen neuen Sinn zu geben. Der Tod ist immer ein Neuanfang, ganz gleich, ob es der eigene Tod ist oder der eines uns nahestehenden Menschen. Und wenn es um Selbstbewußtsein geht, ich kenne eine Menge Wege, die helfen, es zu stärken.«

Marianne Rosenzweig lächelte, sagte: »Ich glaube, es ist zu früh für mich, darüber nachzudenken. Ich muß erst mit der Vergangenheit abschließen, bevor ich darüber nachdenken kann, mein Leben neu zu gestalten. Aber ich weiß, Sie haben im Grunde recht. Ich habe mich all die Jahre über tatsächlich wie eine Marionette gefühlt, vor allem in den letzten drei, vier Jahren. Meinen Sie denn, ich kann das abstellen? Meinen Sie wirklich, ich werde eines Tages mein eigener Herr sein und all den Ballast, der auf meinen Schultern lastet, abstreifen können? Glauben Sie das?«

»Ich glaube es nicht nur, ich bin sogar überzeugt davon, vorausgesetzt, Sie denken in erster Linie einmal an sich. Sie haben etwa die Hälfte Ihres Lebens damit zugebracht, für andere dazusein, die andere Hälfte sollte Ihnen gehören. Genießen Sie das Leben, Sie haben es verdient. Was nicht heißen soll, jetzt von einem Extrem ins andere zu verfallen, das heißt von absoluter Selbstlosigkeit in absoluten Egoismus. Wichtig ist, wie ich bereits betont habe, ein Gleichgewicht zu schaffen, und wenn Ih-

210

nen dies gelingt, werden sich Ihre Lebensängste in nichts auflösen. Sie werden keinen Therapeuten mehr benötigen. Ihre Zukunft liegt in Ihrer Hand. Und mit Gottes Hilfe werden Sie es schaffen.«

Sabine Reich nahm einen weiteren Schluck von ihrem Tee, stellte die Tasse zurück auf den Tisch. Für eine Weile sagte keine der beiden Frauen etwas, Marianne Rosenzweig schien zu überlegen, betrachtete dabei unentwegt ihre Hände. Das Telefon klingelte, Sabine Reich erhob sich, ging an den Apparat, meldete sich.

»Reich.«

»Hallo, ich bin´s …«

»Ich bin mitten in einer Sitzung. Kannst du in zwanzig Minuten noch mal anrufen?«

»In Ordnung, das läßt sich machen. Bis gleich dann.«

Sabine Reich begab sich zurück zu ihrem Platz, sah Marianne Rosenzweig an.

»Verzeihen Sie die Unterbrechung, ich habe vergessen, den Anrufbeantworter einzuschalten.«

»Macht nichts, ich glaube, ich sollte jetzt sowieso besser gehen.«

»Sie haben schon wieder Angst, stimmt´s? Wovor?«

»Vor der Zukunft – und vor meiner eigenen Courage.« Frau Rosenzweig veränderte zum ersten Mal während dieser Sitzung ihre Haltung, fuhr sich mit einer Hand über die Stirn. »Es stimmt, was Sie gesagt haben, es kommt vor, daß ich meine ganze Unzufriedenheit aus mir herausschreien und dieser Ungerechtigkeit endlich ein Ende setzen möchte. Nur, ich konnte es nie, ich konnte bis vor kurzem nicht einmal weinen. Ich weiß nicht einmal mehr, ob ich als Kind je geweint habe. Ich weiß nur, irgendwann kamen die Ängste. Und ich bin ihnen so hilflos gegenübergestanden, weil sie so ungreifbar, so unbegreiflich sind. Sie kamen wie aus dem Nichts und immer, wenn ich sie greifen wollte, griff meine Hand ins Leere. Aber zum Glück habe ich ja Sie gefunden. Es ist schon seltsam, als ich Sie traf, wußte ich, was ich zu tun hatte. Sie haben mir sehr geholfen. Danke.«

Sabine Reich winkte ab, sagte: »Danken Sie nicht mir, danken Sie IHM, seine Wege sind manchmal wirklich unergründlich.«

»Das ist wahr.«

»Und wenn irgend etwas ist, Sie haben meine Privatnummer. Sie können mich jederzeit anrufen, sollten irgendwelche Probleme auftreten. Nehmen Sie eigentlich zur Zeit Medikamente?«

Marianne Rosenzweig schüttelte den Kopf. »Nein, ich will auch keine. Ich möchte mich nicht von solchen Dingen abhängig machen. Wenn Sie verstehen, was ich meine.«

»Natürlich. Aber Schwester Fink würde Ihnen sicherlich etwas verschreiben. Es gibt inzwischen hervorragende angstlösende Medikamente, die zum Beispiel Verspannungen beseitigen, aber nicht abhängig machen. Und solche Medikamente stehen auch nicht in irgendeinem Widerspruch zu den Grundsätzen der Kirche.«

»Trotzdem, ich komme schon klar. Vielen Dank für Ihre Hilfe. Ich werde jetzt gehen, es gibt noch eine Menge zu erledigen bis zur Beerdigung meines Mannes.« Frau Rosenzweig stand auf, strich ihren Rock glatt, reichte Sabine Reich die Hand.

»Auf Wiedersehen.«

»Wissen Sie schon, wann die Beerdigung stattfinden wird?« fragte die Therapeutin, während sie Marianne Rosenzweig zur Tür begleitete.

»Nein, ich habe noch nichts gehört. Ich denke, es wird wohl Dienstag oder Mittwoch nächster Woche sein.«

»Dann bleibt es bei unserem Termin am Montag?«

»Ich denke schon. Sollte irgendwas dazwischenkommen, melde ich mich.«

Sabine Reich schloß die Tür hinter ihr, lehnte sich von innen dagegen, kniff die Lippen zusammen, sah zur Uhr, ging zurück in ihr Zimmer. Sie setzte sich hinter den Schreibtisch, legte die Notizen in die Patientenakte, stützte die Arme auf, legte die Hände aneinander, berührte mit den Fingerspitzen ihre Nase. Sie dachte über die vergangene halbe Stunde nach. Um fünf vor zehn klingelte erneut das Telefon. Sie nahm ab, meldete sich.

»Kannst du jetzt sprechen?« fragte die männliche Stimme.

»Jetzt ja. Was gibt es denn so Wichtiges?« fragte Sabine Reich.

»Nichts, ich wollte nur deine Stimme hören. Und außerdem würde ich dich gern wieder einmal sehen.«

»Und warum? Du hast dich seit über einer Woche nicht gemeldet, ich dachte schon, es gibt dich überhaupt nicht mehr«, sagte sie mit einem Anflug von Spott.

»Ich hatte wahnsinnig viel um die Ohren, das mußt du mir glauben. Ich war drei Tage zu einem Kongreß in Hamburg, das wußtest du auch, und danach habe ich mir noch vier Tage Sylt gegönnt. Ich bin erst seit Montag wieder im Lande. Wie wär´s heute abend? Wir könnten essen gehen und hinterher zu dir.«

»Heute abend«, sagte sie und überlegte. »Ich weiß nicht, aber gib mir doch eine Stunde Zeit, ich ruf dich nachher an.«

»Sag ja«, bettelte der Anrufer.

»Ich sag doch, ich ruf an. Aber ich werde es schon irgendwie einrichten können. Allerdings sollten wir uns auch mal über gewisse Dinge unterhalten, zum Beispiel über das Halten von Versprechungen. Du weißt doch hoffentlich, was ich meine, oder?«

»Ja, natürlich. Und es tut mir leid, daß ich dich am Dienstag einfach versetzt habe …«

»Obwohl wir fest verabredet waren. Und der werte Herr hat es nicht einmal für nötig befunden, sich wenigstens bei mir zu entschuldigen. Ich habe bei dir zu Hause angerufen, Anrufbeantworter, ich habe deine Handynummer gewählt, Mailbox … Ich weiß nicht, was ich davon noch halten soll. Du hättest dich wenigstens am Montag mal melden können.«

»Hätte ich, und wie gesagt, es tut mir leid, ich hatte soviel um die Ohren …«

»Ihr Scheißtypen habt immer soviel um die Ohren, und es ist ja auch so ein wahnsinniger Zeitaufwand, mal kurz zum Hörer zu greifen und anzurufen. Aber lassen wir das, es hat ja eh keinen Sinn. Ich melde mich nachher, darauf kannst du dich verlassen. Ich muß jetzt aber Schluß machen, mein nächster Patient kommt gleich.«

»Ciao, und bis nachher.«

Sie legte auf, ein undefinierbares Lächeln umspielte ihre Mundwinkel, sie nahm einen Stift, schrieb etwas in ihr Notizbuch, klappte es wieder zu und wartete. Kurz darauf klingelte es, sie erhob sich, ging zur Tür. Ein junger Mann von dreiundzwanzig Jahren stand vor ihr. Sie bat ihn herein, er ging vor ihr in das Zimmer. Ein Problemfall, mit vierzehn Alkohol, mit fünfzehn Drogen, mit siebzehn die erste Entziehungskur, der drei weitere folgten. Jetzt war er, trotz seiner jungen Jahre, ein physisches und psychisches Wrack, er litt unter Wahnvorstellungen, manisch-depressive Schübe wechselten sich ab mit schwersten Depressionen, vor etwa einem Jahr waren bei ihm eine chronische Bauchspeicheldrüsenentzündung sowie Leberzirrhose im Anfangsstadium festgestellt worden. Ein schier unlösbarer Fall, ein junger Mann aus bestem Haus, der sein Leben selbst ruiniert hatte. Oder zumindest fast selbst.

Donnerstag, 9.10 Uhr

Julia Durant hielt vor der Praxis von Laura Fink, zog ein letztes Mal an ihrer Zigarette, drückte sie im Aschenbecher aus und stieg aus dem Wagen. Die Praxis befand sich in einer kleinen Straße in Höchst, in einem schmucken Wohnviertel, das zum größten Teil aus Reihenhäusern und einigen Villen und Bungalows bestand. An der Eingangstür hing ein Schild *Dr. med. Laura Fink, prakt. Ärztin, Naturheilverfahren, alle Kassen. Sprech-*

stunden montags und freitags 9–12, dienstags, donnerstags 8–11 und 16–18 Uhr, mittwochs 9–12 und nach Vereinbarung. Die Kommissarin trat durch die nur angelehnte Tür und gelangte in den Vorraum, wo eine junge Frau saß, die telefonierte. Sie blickte kurz auf, Julia Durant blieb vor dem Tresen stehen. Nach dem Gespräch fragte die junge Frau: »Ja, bitte?«

»Durant. Ich würde gerne Frau Dr. Fink sprechen.«

»Haben Sie einen Termin?« fragte die junge Frau, die, wie Durant vermutete, sicher zwanzig Kilo Übergewicht hatte, dabei aber nicht unansehnlich wirkte.

»Nein. Ich bin von der Kripo Frankfurt und …«

»Ach so, es geht wohl um die Fälle Rosenzweig und Schönau. Die Frau Doktor ist aber im Moment leider beschäftigt.«

»Trotzdem würde ich gern kurz mit ihr sprechen. Fünf Minuten, nicht länger.«

»Einen Augenblick bitte«, sagte die junge Frau mit einem leicht pikierten Gesichtsausdruck und betätigte einen Knopf der Sprechanlage. »Hier ist eine Dame von der Polizei und möchte Sie sprechen …«

»Soll warten, bis ich mit dem Patienten fertig bin.«

»Sie können solange im Wartezimmer Platz nehmen, Frau Doktor wird sich gleich um Sie kümmern.«

»Danke«, sagte Julia Durant und setzte sich ins Wartezimmer, in dem sich außer einer älteren Frau, die ihr keine Beachtung schenkte, niemand aufhielt. Sie nahm ein aktuelles Frauenmagazin vom Tisch und blätterte darin, ohne wirklich hineinzuschauen. Es war angenehm kühl in dem Zimmer, leise Musik spielte aus versteckten Lautsprechern. Das Fenster war geöffnet und gab den Blick auf einen großen Garten frei, der aus einer kleinen Rasenfläche und vielen Blumenbeeten, Sträuchern und Bäumen bestand. Durant erhob sich, legte die Zeitschrift zurück, stellte sich ans Fenster. Sie ließ ihren Blick über den Garten schweifen, atmete die frische, von den Bäumen gefilterte Luft ein, drehte sich wieder um, betrachtete das Wartezimmer. Außer zwei hohen Grünpflanzen gab es nur fünf Stühle, einen Tisch und einen Garderobenständer, doch die Einrichtung bestand aus feinstem Holz. Sie blieb am Fenster stehen, die Hände auf die Fensterbank gestützt, und wartete. Nach etwa zehn Minuten erschien Laura Fink, sie trug eine leichte Sommerjeans, Turnschuhe und eine blaue Sommerbluse. Sie wirkte ernst, sah die Kommissarin an, sagte: »Kommen Sie bitte mit, aber ich habe nicht viel Zeit.«

Julia Durant folgte ihr ins Sprechzimmer, das anders eingerichtet war als die Sprechzimmer der Ärzte, die sie bisher kennengelernt hatte. Auch hier helle Naturholzmöbel, selbst der Medikamentenschrank bestand aus diesem Material. Es war ein freundlicher, großzügiger Raum, der nichts von der Sterilität und Unpersönlichkeit anderer Arztpraxen hatte. Laura Fink nahm hinter ihrem Tisch Platz und deutete wortlos auf einen Stuhl. Nachdem die Kommissarin sich gesetzt hatte, sagte Laura Fink: »Was verschafft mir die Ehre?«

»Nur ein paar Fragen. Es dauert auch nicht lange. Wir wissen jetzt genau, wie Schönau umgekommen ist.«

»Na, da bin ich aber neugierig«, sagte Laura Fink und lehnte sich zurück.

»Wie gut kennen Sie sich wirklich mit Giften aus?« fragte Julia Durant und sah die Ärztin an.

»Ich denke, diese Frage habe ich Ihnen bereits gestern abend beantwortet. Aber«, sagte sie weiter und neigte den Kopf ein wenig zur Seite, »wie ist er denn umgekommen? War es *Conotoxin*?«

»Es war *Conotoxin*.« Die Kommissarin machte eine Pause und sah ihr Gegenüber an. Laura Fink wirkte entspannt, erwiderte den Blick gelassen. »Frau Fink, mich würde interessieren, wie Ihre Tätigkeit als Ärztin aussieht. Draußen steht, Sie sind praktische Ärztin und darunter Naturheilverfahren.«

Laura Fink lächelte beinahe gönnerhaft, bevor sie antwortete: »Das eine schließt doch das andere nicht aus, oder? Man muß

216

nicht jedes Wehwehchen und jede Krankheit mit harten Bandagen bekämpfen, es gibt auch eine sogenannte sanfte Medizin. Und ich behalte mir vor, die Mittel zu verabreichen, die ich für angemessen halte. Es ist von Fall zu Fall verschieden. Natürlich gibt es Patienten, die der Meinung sind, nur die wirklich harten Kampfmittel, wie ich sie nenne, könnten ihnen helfen, wobei sie nicht sehen, daß solche Mittel meist mehr Schaden anrichten, als Gutes zu bewirken ...«

»Es gibt doch aber Krankheiten, die ...«

»Natürlich gibt es die. Einen Patienten, der mit Krebs oder einem schweren Herzfehler zu mir kommt, werde ich selbstverständlich nicht mit Naturheilmitteln behandeln, es sei denn, er besteht unter allen Umständen darauf. Und ich hatte schon Fälle, in denen auch bei Krebs sanfte Medizin ihre Wirkung nicht verfehlt hat. Wobei jedoch häufig auch noch andere Faktoren bei der Heilung eine Rolle spielen.«

»Und die wären?«

»Die Psyche zum Beispiel. Jemand, der sich seiner Krankheit nicht ergibt, sondern sie mit allen ihm zur Verfügung stehenden geistigen und seelischen Mitteln bekämpft, jemand, der vielleicht gerade die Liebe seines Lebens trifft oder jemand, der einfach sagt, ich kann noch nicht abtreten, bei solchen Leuten sind die Heilungsaussichten um einiges besser als bei Patienten, die einfach innerlich aufgeben. Es gibt viele Beispiele in der Medizin, die dafür zeugen, daß Heilung von selbst nach wissenschaftlicher Meinung unheilbaren Krankheiten unter bestimmten Voraussetzungen möglich ist. Oftmals gibt es sogar sogenannte Spontanheilungen, wo ein Krebs innerhalb weniger Tage verschwindet, ohne daß man sich dieses plötzliche Verschwinden erklären könnte.«

»Interessant ... Arbeiten Sie auch mit Giften?«

Laura Fink lachte auf, schüttelte den Kopf. »Ich weiß ja schon die ganze Zeit, worauf Sie hinauswollen, aber ich kann Sie beruhigen, ich bin keine Giftmischerin. Es gibt zwar Medikamente, in denen Giftstoffe enthalten sind, allerdings in einer derart geringen Dosis und in Verbindung mit andern Stoffen, daß sie ausschließlich einen lindernden oder heilenden Effekt haben. Es gibt zum Beispiel Medikamente zur Vorbeugung von Schlaganfällen, die Schlangengift enthalten, zum Beispiel das der südamerikanischen Lanzenotter oder der malayischen Puffotter. Diese Medikamente dienen dazu, das Blut zu verdünnen und eventuell vorhandene Blutgerinnsel aufzulösen, damit es eben nicht zu einem Schlaganfall kommt. Möchten Sie jetzt noch mehr über Gifte erfahren?« fragte sie mit einem spöttischen Aufblitzen in den Augen.

»Nein, ich denke, das reicht …«

»Gut, dann kann ich mich jetzt weiter um meine Patienten kümmern. Ich habe einen sehr genauen Zeitplan, den Sie mir heute ein wenig durcheinander gebracht haben.«

»Ich hätte schon noch ein paar Fragen«, sagte Julia Durant und blickte zur Uhr, kurz nach halb zehn, »aber vielleicht können wir ja nachher noch einmal miteinander sprechen? Nach Ihrer Sprechstunde?«

»Ich werde so gegen halb eins fertig sein. Schauen Sie dann noch mal rein. Sollte die Tür schon zu sein, klingeln Sie einfach. Wenn Sie mich jetzt bitte entschuldigen wollen.«

Laura Fink stand auf, kam hinter dem Schreibtisch hervor, blieb vor Julia Durant stehen. Die Kommissarin ging zur Tür, öffnete sie, wandte sich noch einmal um, sagte: »Dann bis nachher.«

Das ist dein Reich, Laura Fink, dachte sie im Hinausgehen. *Dein kleines, goldenes Reich.*

Vor der Tür steckte sie sich eine Zigarette an und begab sich mit langsamen Schritten zum Auto, das jetzt in der prallen Sonne stand. Durant schloß die Tür auf, kurbelte das Fenster herunter, das Thermometer im Wagen zeigte fast fünfzig Grad an. Sie setzte sich, ließ die Tür offen stehen, rauchte und dachte nach. Und sie legte sich ein paar Fragen zurecht, die sie Laura Fink später stellen wollte. Ein paar Fragen über diese Kirche, ein paar Fragen zu der Person Laura Fink. Und wie ihr Verhältnis zu Rosenzweig und Schönau gewesen war. Und, und, und ... Sie schnippte die Zigarette auf die Straße, startete den Motor und fuhr los. Ihr Ziel war die Schönau Bank. Sie war gespannt, was sie dort erwartete.

Donnerstag, 10.35 Uhr

Hellmer und Kullmer hatten schon mehrere Personen zu Schönau befragt, doch die Bank beschäftigte mehr als hundert Angestellte, so daß es einige Zeit in Anspruch nehmen würde, alle zu vernehmen. Julia Durant stand auf dem langen Flur mit dem roten Teppich, Hellmer kam gerade aus einem Zimmer. Er hatte ein rotes Gesicht, schüttelte den Kopf. »Was ist los?« fragte die Kommissarin grinsend. »Hat sich jemand vor dir ausgezogen oder dir ein unmoralisches Angebot gemacht?«

»Bah, bah, bah, mir kommen gleich die Tränen vor Lachen«, erwiderte er mit ernster Miene. »Aber was ich bis jetzt über Schönau gehört habe, du meine Güte, da könnte fast jeder ein Motiv für seinen Tod haben. Na ja, nicht jeder, aber einige zumindest.«

»Wie meinst du das?«

»Ich habe in den letzten anderthalb Stunden mit fünf Leuten gesprochen, und jeder von ihnen hatte etwas an ihm auszusetzen.«

»Na und? Zeig mir den Chef, der bei seiner Belegschaft nicht unbeliebt ist! Und jetzt lassen sie´s eben alle raus. Unzufriedenheit ist noch kein Motiv. Gibt es denn konkrete Hinweise, daß einer von ihnen seine Finger im Spiel gehabt haben könnte?«

»Nein«, sagte Hellmer kopfschüttelnd. »Es ist nur ... Ich weiß einfach nicht, hier in diesem Laden stimmt irgendwas nicht. Nur was, kann ich nicht sagen.« Er zuckte die Schultern, sah Julia Durant hilfesuchend an.

»Wen habt ihr bis jetzt befragt?«

Hellmer zückte seinen Notizblock, nannte Namen.

»Auch schon seine Sekretärin? Und was ist mit dem Aufsichtsrat?«

»Seine Sekretärin kommt heute etwas später, sie hat einen Arzttermin. Sie müßte eigentlich gleich hier sein. Und Kullmer beschäftigt sich gerade mit dem Aufsichtsrat.«

»Gibt es Hinweise auf sexuelle Verfehlungen? Ich meine, hat irgend jemand irgendwas in dieser Richtung geäußert?«

Hellmer machte ein nachdenkliches Gesicht, fuhr sich übers Kinn, sagte: »Ansatzweise, aber direkt hat keiner was gesagt. Doch du solltest vielleicht selbst einmal mit einer Frau Rita Jung sprechen, die hat auf mich einen etwas verwirrten Eindruck gemacht. Es wußte übrigens bis heute morgen keiner etwas von dem Mord an Schönau.«

»Jung, okay. Wo sitzt sie?«

»In dem Zimmer, aus dem ich eben rausgekommen bin.«

»In Ordnung, ich rede mit ihr. Und Schönaus Sekretärin überläßt ihr bitte auch mir.«

Julia Durant klopfte an die Tür, ein leises Herein. Sie betrat ein helles, freundliches Zimmer, in dem eine etwa vierzigjährige Frau am Fenster stand und auf die Straße blickte. Sie drehte sich um, sobald die Kommissarin die Tür hinter sich geschlossen hatte. Sie hatte aschblondes, kurzes Haar und trug eine Brille, die ihr klares und ebenmäßiges Gesicht vorteilhaft zur Geltung brachte. Sie hatte lange, schlanke Finger und eine beneidenswerte Figur, die durch das helle Sommerkleid stark betont wurde. Auf Durant machte sie einen eleganten, aber auch distanzierten Eindruck.

»Es tut mir leid, Frau Jung, Sie noch einmal belästigen zu müssen, aber mein Name ist Durant von der Kripo. Ich weiß, mein Kollege hat sich eben mit Ihnen unterhalten, aber ich hätte trotzdem noch ein paar Fragen an Sie. Gestatten Sie?« fragte die Kommissarin und setzte sich auf einen Stuhl.

»Ich habe doch schon alles gesagt. Was wollen Sie noch von mir?« Sie wirkte nervös, ihre Bewegungen waren fahrig; Hellmer hatte recht gehabt.

»Sagen Sie, was ist Ihre Aufgabe in der Bank?«

»Ich bin die Leiterin der Kreditsicherung, aber das hat Ihr Kollege alles schon notiert.«

»Hat mein Kollege Sie auch nach Ihrem Verhältnis zu Dr. Schönau befragt?«

Für einen Moment herrschte Stille, Frau Jung wandte den Blick ab, drehte sich um und sah wieder auf die Straße.

»Was für ein Verhältnis meinen Sie? Wenn Sie meinen, ob wir gut miteinander ausgekommen sind, dann kann ich mit einem klaren Ja antworten.«

»Seit wann sind Sie in der Bank?«

»Ich habe hier mein Praktikum absolviert, habe danach Jura studiert und bin anschließend wieder hierher zurückgekommen.«

»Und seit wann arbeiten Sie hier?« fragte Julia Durant noch einmal.

»Seit genau zwölf Jahren. Ich habe mein Studium im Alter von fünfundzwanzig Jahren beendet und bin seitdem hier angestellt.«

»Und Sie sind tatsächlich gut mit Dr. Schönau ausgekommen? Gab es nie Konflikte, Meinungsverschiedenheiten, Streit? War alles, was Sie taten und wofür Sie verantwortlich waren, für ihn in Ordnung?«

Rita Jung hatte ihre Haltung nicht verändert, schaute weiter aus dem Fenster. Sie zuckte die Achseln, sagte: »Natürlich gab es auch einmal Meinungsverschiedenheiten, aber … Es war jedenfalls nie so schlimm, daß dies ein Grund gewesen wäre, alles hinzuschmeißen.«

»Frau Jung, ich nehme an, Sie wissen, welcher Glaubensgemeinschaft Dr. Schönau angehörte?«

Die Angesprochene wandte sich um, löste sich vom Fenster und setzte sich hinter ihren Schreibtisch. Mit einem Mal lächelte sie, undefinierbar und fern. Sie nahm einen Stift vom Tisch und drehte ihn zwischen den Fingern. Sie sagte: »Ja, er war Mitglied der *Kirche des Elohim*. Warum fragen Sie?«

»Warum lächeln Sie dabei?«

»Nur so. Ich gehöre nämlich der gleichen Kirche an, Sie brauchen mich also nicht zu fragen, ob ich nähere Informationen dazu habe. Ich kenne die Kirche, ich bin in ihr aufgewachsen, Religion und alles, was dazugehört, bestimmte einen Großteil meines Lebens.«

»Bestimmte?«

»Sie sind eine sehr gute Zuhörerin, gratuliere. Ich habe vor etwa vier Jahren einen Schlußstrich gezogen, mich hat alles einfach nur noch angekotzt. Reicht Ihnen das?«

»Was hat Sie angekotzt? Die Religion, die Leute, was?«

Rita Jung zögerte einen Moment, sagte schließlich: »Die Religion weniger, oder sagen wir besser, das Evangelium. Es ist wahr und unumstößlich. Aber es ist ein Trauerspiel zu sehen, was die Menschen daraus machen. Doch ich möchte jetzt nicht ins Detail gehen. Ich bin zwar noch Mitglied, aber nur auf dem Papier. Auch wenn ich immer wieder bedrängt werde, doch in den warmen Schoß der Kirche zurückzukehren, so konnte mir bis jetzt keiner einen plausiblen Grund nennen, der mich umgestimmt hätte.«

»Dann waren Dr. Schönau und Sie nicht nur beruflich miteinander verbunden, sondern auch kirchlich, wenn ich das recht verstehe. Erzählen Sie mir doch bitte etwas über Dr. Schönau, ich möchte mir einfach ein klares Bild von ihm machen.«

»Warum fragen Sie nicht seine Frau Vivienne? Sie kennt ihn mit Sicherheit viel besser als ich.«

»Nun, ich habe seine Frau gefragt, und ich frage Sie. Ein Bild

kann ich mir erst machen, wenn ich mit mehreren Personen gesprochen habe. Also, was für ein Mensch war er?«

»Er war ein korrekter, gradliniger Mann, der seine Meinung sehr
deutlich zu vertreten wußte. Sowohl hier in der Bank als auch in
der Kirche. Er war kein sonderlich umgänglicher Mensch, er hatte seine Ecken und Kanten. Wenn man aber wußte, wie man ihn
zu nehmen hatte, konnte man mit ihm klarkommen.«

»Und Sie wußten es?« fragte Julia Durant.

»Ich denke schon.«

»Sie sind verheiratet?«

»Ich war verheiratet. Mein Mann hat sich vor vier Jahren von mir
getrennt. Ich wollte es nicht, aber es ließ sich nicht vermeiden.
Tja, so ist das Leben.«

»Gehört Ihr Exmann auch der Kirche an?«

»Ja, er ist ein überzeugtes Mitglied. Genau wie Schönau es war«,
sagte Rita Jung mit undefinierbarem Lächeln. »Und Rosenzweig
übrigens auch. Gibt es einen Zusammenhang zwischen den beiden Morden?«

»Es könnte sein, aber eine genaue Antwort kann ich Ihnen dazu
noch nicht geben. Frau Jung, können Sie sich vorstellen, wer einen Grund gehabt haben könnte, Dr. Schönau umzubringen?«

Wieder war dieses seltsame Lächeln in ihrem Gesicht, das Julia
Durant nicht zu deuten wußte. »Es muß wohl einen Grund gegeben haben, sonst hätte der- oder diejenige es nicht getan. Ich denke, jeder Mensch hat gewisse Seiten an sich, weswegen er umgebracht werden könnte. Aber um auf Ihre Frage zu antworten –
mir fällt konkret niemand ein. Aber sagen Sie, wie ist er überhaupt umgebracht worden?«

»Auch diese Frage kann ich Ihnen im Moment leider nicht beantworten. Wir stecken noch mitten in den Untersuchungen.«

»Er ist also nicht erschossen oder erstochen worden?«

»Nein, weder das eine noch das andere. Haben Sie Kinder?«

»Eine Tochter. Sie lebt allerdings bei ihrem Vater. Warum wollen Sie das wissen?« Julia Durant registrierte, wie sich der Körper von Rita Jung für Sekundenbruchteile anspannte.

»Reine Neugier. Gab es jemals ein Fehlverhalten von Dr. Schönau Ihnen gegenüber?«

»Wenn Sie mir Fehlverhalten genauer definieren würden, könnte ich Ihnen unter Umständen eine Antwort darauf geben.«

»Gab es zum Beispiel Situationen, in denen er sich unangemessen verhalten hat?«

»Unangemessen, was meinen Sie damit?«

»Ach, kommen Sie, Sie wissen doch, was ich meine. Hat er sich Ihnen jemals in ungebührlicher Weise genähert? Hat er Sie jemals sexuell belästigt?«

»Nein«, kam es wie aus der Pistole geschossen. »Er hat sich mir nie in ungebührlicher Weise genähert.«

»Das war's schon, Frau Jung. Ich bedanke mich und wünsche noch einen angenehmen Tag. Moment, eine Frage habe ich noch – arbeiten hier außer Ihnen noch mehr Personen, die der Kirche angehören?«

»Ich bin, beziehungsweise war, außer Schönau die einzige.«

Auf dem Flur blieb Julia Durant stehen, lehnte sich gegen die Wand. Sie atmete ein paarmal tief ein und wieder aus. Schließlich lenkte sie ihre Schritte zum Büro von Schönau. Frau Bergmann, seine Sekretärin, war inzwischen eingetroffen. Sie stand mitten im Raum, wirkte völlig verstört.

»Frau Bergmann?« fragte die Kommissarin und trat näher.

»Ja, bitte?« Ihre Stimme zitterte.

»Durant, von der Kripo. Ich sehe, Sie haben inzwischen erfahren, was passiert ist. Können wir uns unterhalten?«

»Ja, natürlich, nehmen Sie Platz. Es ist furchtbar, einfach furchtbar. Er hatte doch gestern Geburtstag! Wer macht nur so etwas Schreckliches? Was geht nur in den Köpfen dieser kranken Menschen vor?«

»Das weiß ich nicht. Ich weiß nur, daß irgendwer Dr. Schönau getötet hat. Und vielleicht können Sie mir helfen, ein wenig Licht in das Dunkel um seinen Tod zu bringen. Sie sind, oder besser gesagt, waren seine Sekretärin. Erzählen Sie mir doch bitte, wie sich der gestrige Tag abgespielt hat. Ist irgend etwas Außergewöhnliches passiert, ich meine, abgesehen von seinem Geburtstag? Hat jemand angerufen und wollte Ihren Chef sprechen, hat aber seinen Namen nicht genannt? Erzählen Sie mir einfach von gestern.«

Frau Bergmann senkte den Kopf, blickte auf ihre Hände, überlegte. Sie sagte: »Ich kam morgens um halb acht ins Büro, Dr. Schönau war bereits da. Er ist meistens schon gegen sieben gekommen und selten vor halb sechs oder sechs gegangen. Es war ein ganz normaler Morgen, er hat etwas blaß ausgesehen, ich glaube, sein Herz hat ihm wieder zu schaffen gemacht. Die Belegschaft hat ihm zum fünfzigsten gratuliert, einige Boten haben Geschenke von Geschäftsfreunden gebracht, meist Blumen. Er hat mich gebeten, sie gleich aus dem Zimmer zu entfernen, weil Dr. Schönau Blumen nicht ausstehen konnte. Um zwölf ist er essen gegangen, um eins war eine etwa einstündige Aufsichtsratssitzung, ab kurz nach zwei hielt er sich in seinem Büro auf, bis ich gegangen bin.«

»Irgendwelche ungewöhnlichen Anrufe?«

»Nein, zumindest nicht über meine Leitung. Sie müssen wissen, Dr. Schönau hatte einen separaten Anschluß, der seiner Familie und ein paar auserwählten Personen vorbehalten war. Nicht einmal ich kenne die Nummer, obgleich ich schon seit fast dreißig Jahren hier arbeite, länger als Dr. Schönau selbst. Sein Vater war mein erster Chef, müssen Sie wissen. Ein herzensguter, liebenswürdiger Mann. Dr. Schönau hat leider nicht viel von ihm geerbt.«

»Das hört sich nicht sehr schmeichelhaft an. Wie war Dr. Schönau denn so?«

»Ach, wissen Sie, ich will nicht schlecht über einen Toten sprechen, und außerdem, er war kein schlechter Mensch, es kam mir
nur manchmal vor, als würde ihn das, was er hier tat, nicht sonderlich glücklich machen. Ich glaube, das war auch der Grund
für seine Krankheit. Wenn man so lange mit einem Menschen
zusammenarbeitet, lernt man alle Seiten von ihm kennen. Ich
hatte immer das Gefühl, daß diese Bank und dieser Beruf nicht
das waren, was er sich vom Leben erhofft hatte. Und jetzt ist er
tot.«
»Was glauben Sie denn, was er sich vom Leben erhoffte?«
»Er hat nie darüber gesprochen, ich habe es nur gefühlt. Irgendwie war er ein einsamer Mann, ständig auf der Suche nach irgend
etwas, das er letztendlich doch nicht fand. Ich hoffe, Sie verstehen mich, ich kann es einfach nicht besser ausdrücken.«
»Ich verstehe Sie schon, Frau Bergmann. Darf ich Ihnen eine
ganz persönliche Frage stellen, mit der Bitte, sie absolut vertraulich zu behandeln?«
»Fragen Sie ruhig.«
»Ich habe mich, bevor ich zu Ihnen kam, mit Frau Jung unterhalten. Gab es zwischen Ihrem Chef und Frau Jung Differenzen?«
Zum ersten Mal während des Gesprächs überzog ein leichtes Lächeln das Gesicht von Frau Bergmann. Sie nickte. »Differenzen?
Ja, vielleicht. Aber ich möchte mir nicht den Mund verbrennen
und etwas sagen, was ich später vielleicht bereue …«
»Sie brauchen keine Angst zu haben, von mir erfährt kein
Mensch auch nur das geringste von dem, was Sie mir anvertrau-
en. Sie könnten mir jedoch unter Umständen helfen, etwas klarer
zu sehen.«
Frau Bergmann zögerte, stand auf, öffnete die Tür zu Schönaus
Büro, blickte hinein. Sie sagte: »Wenn Sie mit Frau Jung gesprochen haben und eine einigermaßen gute Menschenkenntnis besitzen, dann werden Sie sicherlich bemerkt haben, daß sie mehr
mit dem Körper als mit dem Mund redet. Sie ist eine ausgespro-

chen attraktive Frau, die an jedem Finger zehn Männer haben könnte …«

»Worauf wollen Sie hinaus?« fragte die Kommissarin interessiert. »Hatte sie vielleicht ein Verhältnis mit Schönau?«

»Kommen Sie immer so direkt auf den Punkt? Aber gut, es wird hier und da gemunkelt, die beiden hätten etwas miteinander gehabt. Das liegt allerdings schon mehr als zehn Jahre zurück. Mehr kann ich dazu nicht sagen. Es sind wie gesagt Gerüchte. Ich weiß nur, daß das Verhältnis zwischen Dr. Schönau und Frau Jung seitdem etwas angespannt war.«

»Etwas?«

»Mal mehr, mal weniger.«

»Verstehe. Aber es heißt auch, in jedem Gerücht steckt ein Körnchen Wahrheit. Könnten Sie sich denn vorstellen, daß Dr. Schönau und Frau Jung ein Verhältnis hatten?«

»Ob Sie es glauben oder nicht, ich habe mir nie Gedanken darüber gemacht. Meine Devise lautete immer, nie über das Leben anderer nachzudenken oder gar darin rumzupfuschen. Diese Bank ist mein Arbeitsplatz und meine Aufgabe war es stets, meinem Vorgesetzten gegenüber loyal zu sein. Sobald ich abends mein Büro verlasse und nach Hause fahre, existiert die Bank nicht mehr, sondern nur noch meine Familie. Ich denke, ich habe mir dadurch eine Menge Ärger erspart.«

»Da mögen Sie recht haben. Sagen Sie, Dr. Schönau hielt sich doch oft noch im Büro auf, wenn außer dem Pförtner keiner mehr im Haus war. Wenn ein Besucher kam und derjenige nicht vom Pförtner gesehen werden wollte, gab es dann eine Möglichkeit, auf andere Weise ins Haus zu gelangen?«

»Es gibt einen Hintereingang, an dem sich eine Klingel befindet, die zu einer Sprechanlage in Dr. Schönaus Büro führt. Ich bin sicher, daß es den einen oder anderen Besucher gab, der diesen Weg wählte, aus welchen Gründen auch immer. Wozu sonst hätte es diesen Hintereingang geben sollen?«

Julia Durant erhob sich, reichte Frau Bergmann die Hand. »Ich bedanke mich für Ihre Zeit, und sollten wir noch Fragen haben, werden wir uns an Sie wenden. Auf Wiedersehen.«

Julia Durant trat aus dem Büro auf den Flur, wo Hellmer und Kullmer standen und sich unterhielten. Sie stellte sich zu ihnen, sagte: »Und, wie weit seid ihr?«

»Bis jetzt bei etwa zwanzig. Und du«, sagte Hellmer, »hast du aus der Jung noch was rausgekriegt?«

»Aus ihr selber nicht viel, aber dafür aus Frau Bergmann. Aber laßt uns nicht hier darüber sprechen. Außerdem muß ich gleich wieder weg, noch mal zu Laura Fink. Sie hatte vorhin kaum Zeit, und ich soll um halb eins wiederkommen. Irgend etwas stimmt mit ihr nicht, doch ich komme noch nicht drauf, was es sein könnte. Aber laßt uns doch kurz draußen besprechen, was ihr so rausgefunden habt.«

Sie liefen die zwei Stockwerke nach unten, kamen am Pförtner vorbei und traten auf die Straße. Hellmer und Durant zündeten sich jeder eine Zigarette an.

»So, dann mal los, ich habe nicht viel Zeit. Was habt ihr für mich?«

»Es ist komisch«, sagte Kullmer, der einen Kaugummi zwischen den Zähnen bearbeitete, »aber hier ist es nicht viel anders als bei Rosenzweig. So richtig leiden mochte Schönau keiner. Aber Hinweise auf irgendwelche Motive – Fehlanzeige.« Er zuckte die Schultern, spuckte den Kaugummi auf den Bürgersteig.

Julia Durant wollte gerade etwas sagen, als ihr Handy klingelte. Sie meldete sich, Berger war am Apparat.

»Ich wollte nur kurz fragen, wie es bei Ihnen läuft? Wo sind Sie jetzt?«

»Ich bin bei Hellmer und Kullmer in der Bank. Ich muß aber gleich weiter zu Dr. Fink. Sie hatte vorhin Sprechstunde und kaum Zeit.«

»Weswegen ich anrufe – Bock hat die Leiche von Rosenzweig

228

untersucht und gesagt, es deute im Moment alles darauf hin, daß auch Rosenzweig vor seinem Tod noch einmal sexuellen Kontakt hatte. Seine Leute haben wie bei Schönau Spuren von einem Lappen identifiziert.«

»Aber sonst nichts?«

»Doch, Scheidensekret und recht eindeutige Spuren, die auf Analverkehr hinweisen.«

»Dann sollten wir diese Jessica Wagner fragen, welche Art von Verkehr sie mit Rosenzweig hatte und ob sie ihm hinterher den Schniedel mit einem Lappen abgewischt hat. Ich werde das nachher erledigen, wenn ich bei Fink fertig bin.«

Julia Durant behielt das Handy in der Hand, nahm einen weiteren Zug an der Zigarette, warf sie dann auf die Straße.

»Das war der Chef. Könnte sein, daß Rosenzweig am Montag nicht nur mit seiner Angestellten, sondern auch noch mit jemand anderem gebumst hat. Ich werde auf jeden Fall später die Wagner fragen, welche Sexualpraktiken sie und Rosenzweig bevorzugt haben. Und ob danach ein Waschlappen zum Einsatz gekommen ist.«

»Kann ich das nicht machen?« fragte Kullmer grinsend. »Ich würde zu gerne wissen, was für Vorlieben die Kleine hat.«

»Ihnen wird sie´s auch gerade erzählen. Nee, nee, Sie kommen mir da bloß auf dumme Gedanken«, erwiderte Julia Durant ebenfalls grinsend. »Außerdem, mir klingt da immer noch was von einer festen Beziehung in den Ohren.«

»Na und? Man kann sich doch wenigstens mal Anregungen holen. Aber bitte, vielleicht brauchen Sie´s ja nötiger.«

»Kaum, Herr Kullmer. Ich bin zufrieden, wie es ist.«

»Zufriedenheit ist immer der Tod einer Beziehung.«

»Ich bin zufrieden«, warf Hellmer grinsend ein und steckte sich eine weitere Zigarette an. »Ich bin sogar sehr zufrieden, und ich habe nicht das Gefühl, als ob die Beziehung zwischen meiner Frau und mir langweilig wird. Ganz im Gegenteil.«

»Ja, ja, du und Nadine. Spät zusammengefunden, aber dann richtig, was? Was soll's, ich hau jetzt ab. Wir sehen uns später im Präsidium. Ich glaube aber kaum, daß ich vor vier im Büro bin. Seht ihr mal zu, ob ihr noch irgendwelche verwertbaren Infos bekommt. Bis dann.«

Hellmer kam ihr nachgerannt, sagte, bevor sie einstieg: »Ach übrigens, Nadine läßt fragen, ob du heute abend nicht Lust hättest, bei uns zum Abendessen vorbeizukommen. Wie sieht's aus? Wenn wir schon Bereitschaft haben, ich meine, wir wären wenigstens gleichzeitig am Tatort.« Er grinste.

»Gerne. Und wann?«

»So gegen sieben?«

»Halb acht wär mir lieber, ich weiß nämlich nicht, wie lange ich heute nachmittag noch brauche, und ich würde mich gern vorher etwas frisch machen.«

»Einverstanden, halb acht. Ich sag Nadine noch Bescheid, daß du kommst. Tschüs.«

Kaum saß Julia Durant im Auto, als das Handy erneut klingelte. Sie drückte auf die Empfangstaste, meldete sich.

»Hallo, Liebling, hier ist Werner. Ich wollte nur mal deine Stimme hören.«

»Werner, ich habe keine Zeit. Wir stecken mitten in diesem ziemlich verzwickten Fall und …«

»Ja, ich hab schon gehört, diese Giftmorde.«

»Woher weißt du davon? Wir haben bis jetzt der Presse gegenüber nichts von Gift verlauten lassen.«

»Ach komm, du weißt doch, ich kriege alle Informationen, die ich will. Ich erzähl das auch nicht weiter, ich wollte nur wissen, woran du gerade arbeitest, weil du keine Zeit mehr für mich hast.«

»Wir können uns heute abend nicht sehen, falls du das fragen wolltest«, sagte sie und startete den Motor.

»Das trifft sich gut, denn heute abend ist es auch für mich

schlecht, da muß ich nach Eltville, es gibt ein paar Probleme mit dem Haus. Aber was ist mit morgen?«

»Ich denke, freitags mußt du immer bei deinem lieben kleinen Frauchen sein, genau wie samstags und sonntags«, sagte Durant mit beißendem Sarkasmus.

»Ach Schatz, komm, du weißt genau, daß das nicht immer so ist. Morgen bin ich in Frankfurt und wahrscheinlich auch am Samstag. Laß uns was Schönes unternehmen. Das ausgefallene Essen nachholen, vielleicht ins Kino gehen …«

»Ich habe immer noch Bereitschaft, und das weißt du …«

»Okay, dann kein Kino. Aber bei mir zu Hause könnten wir´s uns gemütlich machen. Und wenn du weg mußt, dann hab ich eben Pech gehabt. Ich liebe dich doch, und ich möchte doch auch endlich aus dieser leidigen Situation raus, und …«

»Und was?«

»Ich weiß nicht, ich fühl mich einfach nur wohl, wenn ich bei dir bin.«

»Manchmal kommst du mir vor wie ein kleines Kind, weißt du das? Gar nicht wie der Chefarzt einer großen Klinik, Professor Petrol.«

»Hör zu, Julia, ich bin kein kleines Kind, aber du machst mich verrückt. Wenn ich nur an dich denke, dreht mein …«

»Dreht dein was?«

»Du weißt schon, was ich meine. Wir sind füreinander geschaffen, wir haben uns lediglich unter etwas unglücklichen Umständen kennengelernt. Aber ich hab´s dir versprochen, ich werde einen Schlußstrich ziehen. Nächste Woche gehe ich zum Anwalt, um alles Nötige in die Wege zu leiten.«

»Ich glaub´s dir erst, wenn ich es schwarz auf weiß sehe. Vorher sind das für mich nichts als Worthülsen.«

»Morgen abend?« fragte Petrol noch einmal.

»Ja, aber wir telefonieren vorher noch. Im Augenblick kann ich mich auf keine bestimmte Zeit festlegen.«

»Gut, ruf mich an, ich bin ab sechs in meiner Wohnung. Und noch was – ich liebe dich, wie ich noch keine Frau vorher geliebt habe. Und das ist keine Worthülse.«

»Schon gut. Bis morgen dann – und einen schönen Abend bei Weib und Kind.«

»Du kannst wohl deine zynische Ader nie unterdrücken, was?«

»Doch, wenn ich will. Aber ich bin halt ein Skorpion, und Skorpione haben nun mal die Angewohnheit, ab und zu ihren Stachel auszufahren. Ich kann eben nicht anders. Und jetzt tschüüüss!« Sie drückte auf Beenden und steckte das Telefon in die Halterung. Grinsend fuhr sie an die Ampel am Baseler Platz, die gerade auf Rot umsprang. Sie würde ihn schon noch in die Knie zwingen. Aber wollte sie das wirklich?

Donnerstag, 12.40 Uhr

Julia Durant hielt vor dem Haus von Laura Fink, hinter einem dunkelblauen Jaguar Sovereign. Sie stieg aus, ließ ihre Zigarettenkippe auf die Straße fallen, ging zu dem jetzt geschlossenen Gartentor und betätigte den Klingelknopf. Der Summer war kaum zu hören, die Kommissarin drückte das Tor auf. Sie stieg die vier Stufen zur Eingangstür hoch, die sie jetzt ebenfalls nur aufzudrücken brauchte. Laura Fink kam auf sie zu, bat sie, ihr nach oben in die Wohnung zu folgen. Sie machte ein ernstes, besorgtes Gesicht.

»Kommen Sie bitte mit ins Wohnzimmer, ich möchte Ihnen meinen Vater vorstellen. Er ist vor ein paar Minuten gekommen; er ist ziemlich aufgeregt, und ...«, sie zuckte die Schultern, »seien Sie vorsichtig, was Sie sagen, seine Nerven liegen ziemlich blank.« Sie betraten das geräumige, im Laura-Ashley-Stil eingerichtete Zimmer, in dem zarte Pastellfarben dominierten.

»Vater, das ist Hauptkommissarin Durant von der Polizei. Zeig ihr, was du bekommen hast.«

Der grauhaarige, großgewachsene, asketisch wirkende Mann erhob sich und blickte die Kommissarin aus stahlblauen Augen an. Er trug einen dunkelblauen Sommeranzug, ein weißes Hemd mit Krawatte und bordeauxrote Schuhe. Er reichte ihr die Hand, sein Händedruck war kräftig, aber nicht unangenehm, seine Ausstrahlung war die eines Geschäftsmannes. Durant hatte viele davon kennengelernt, seit sie bei der Polizei arbeitete, erfolgsverwöhnt, unnachgiebig, hart. Er stellte sich vor: »Karl-Heinz Fink, ich bin, wie Sie bereits gehört haben, der Vater von Frau Dr. Fink. Meine Tochter hat mir eben erzählt, daß Sie die Fälle Rosenzweig und Schönau bearbeiten. Hier, das lag vorhin in meinem Briefkasten.« Er hielt einen Zettel in der Hand, den er Durant gab.

Hallo, Hirte,
wie geht es Dir, nachdem Deine beiden treuen Kumpane so mir nichts, dir nichts ins Jenseits abgehauen sind? Schlecht? Es ist jammerschade, wie schnell und wie grausam das Leben zu Ende gehen kann, findest Du nicht? Und mit einem Mal fragt man sich, wer wird wohl der nächste sein? Stellst Du Dir diese Frage inzwischen auch schon? Oder kennst Du die Antwort bereits? Ich kenne sie, aber ich würfele noch. Es gibt so viele Namen, mal sehen, auf welchen der Würfel fällt. Ach ja, Dein Name – steht er auf meiner Liste oder nicht? Was glaubst Du? Es ist übrigens sehr heiß zur Zeit. Du hast doch, soweit ich weiß, in Deinem Haus eine funktionierende Klimaanlage. An Deiner Stelle würde ich sie in nächster Zeit Tag und Nacht laufen und die Fenster nicht zu weit offenstehen lassen, es gibt viel giftiges Getier, das ständig auf der Lauer liegt, große Beute zu machen.
Aber für heute soll's das gewesen sein. Ich wünsche Dir und

Deiner Familie einen guten und erholsamen Schlaf. Adieu und
bis bald.
Jemand, der Dich nie vergessen hat und den Du nie vergessen
wirst.

»Das lag also in Ihrem Briefkasten. Kam das Schreiben mit normaler Post, oder hat es jemand eingeworfen?«

»Nein«, sagte Fink und schüttelte den Kopf, »es kam mit der
Post. Was hat das zu bedeuten?«

»Die Frage kann ich nicht beantworten. Was meinen Sie denn?«

»Ich bin in Gefahr, das steht doch hier schwarz auf weiß. Irgendein Verrückter will mich auf die gleiche Weise beseitigen wie
Schönau und Rosenzweig«, sagte er mit bebender Stimme und
angstvollem Blick. »Was können Sie dagegen tun? Ich brauche
doch Polizeischutz!«

Julia Durant setzte sich unaufgefordert in einen Sessel, legte einen Finger auf den Mund, sah Fink an, sagte kühl: »Wie stellen
Sie sich Polizeischutz vor? Daß Sie rund um die Uhr bewacht
werden? ... Sogar wenn Sie auf die Toilette gehen? ... Tut mir
leid, das wird nicht möglich sein. Wir können zwei Beamte vor
Ihrem Haus postieren, mehr können wir nicht tun.«

»Du meine Güte, jemand hat es auf mich abgesehen, ich kann es
nicht fassen! Ich kann es einfach nicht fassen! Und Sie sagen, Sie
können nichts weiter tun, als zwei Beamte vor meinem Haus zu
postieren! Was hätte das denn Rosenzweig genützt, oder Schönau, wenn nur das Haus bewacht worden wäre?! Nichts, gar
nichts! Der Mörder arbeitet wie ein Phantom«, sagte er mit vor
Erregung gerötetem Gesicht. »Soll ich mir jetzt vielleicht Bodyguards zulegen?«

»Es liegt an Ihnen, ob Sie das möchten oder nicht. Wir können
Personenschutz nur bedingt zur Verfügung stellen. Außerdem
sagt dieser Brief noch gar nichts aus. Es gibt Menschen, die es
lieben, makabre Scherze zu machen, vor allem nach solchen Ver-

brechen. Wenn Sie wirklich in Gefahr wären, dann glaube ich kaum, daß Sie einen Brief erhalten hätten. Weder Rosenzweig noch Schönau sind vorgewarnt worden, zumindest wissen wir nichts davon. Ich weiß jedoch aus Erfahrung, daß Serientäter fast nie ihre Strategie ändern. Dennoch werde ich den Brief analysieren lassen, werde Ihnen aber auch einige Fragen stellen müssen.«

»Fragen, Fragen! Die einzige Frage, die für Sie interessant sein müßte, ist doch, wer hat meine beiden Freunde auf dem Gewissen? Was für ein kaputtes Hirn hat sich derart perfide Morde ausgedacht? Haben Sie denn schon Hinweise, ich meine verwertbare Hinweise?«

»Hören Sie, Herr Fink …«

»Dr. Fink, wenn schon!« fuhr er die Kommissarin ungehalten an.

»Gut, Dr. Fink. Wir tun im Augenblick alles in unserer Macht Stehende, brauchbare Hinweise zu sammeln, die uns zum Täter führen. Und ja, es gibt bereits erste Spuren, die allerdings anders aussehen, als Sie sich das vielleicht vorstellen«, sagte sie hart. »Und entweder beantworten Sie mir jetzt ein paar Fragen, oder ich werde mich kurz mit Ihrer Tochter unterhalten, wie ich es ohnehin vorhatte, und dann wieder gehen. Es liegt an Ihnen.«

Fink sah die Kommissarin aus zu Schlitzen verengten Augen an, lehnte sich zurück, schlug die Beine übereinander, sein Gesichtsausdruck wurde mit einem Mal arrogant, ein herablassendes Lächeln um die Mundwinkel, ein kurzes Aufblitzen in den Augen.

»Was wollen Sie wissen?«

»Zum Beispiel, wer es auf Sie und Ihre Freunde abgesehen haben könnte.«

Fink lachte kurz und trocken auf: »Wenn ich das wüßte, werte Dame, hätte ich längst die Polizei informiert, das können Sie mir glauben. Ich habe keine Ahnung!«

»Sie sind, wie ich annehme, auch Mitglied in der *Kirche des Elohim*. Welche Funktion üben Sie dort aus?«

»Ich bin der Regionshirte, wenn Ihnen das etwas sagt.«

»Ich bin mittlerweile über die Struktur der Kirche informiert worden. Demnach sind Sie also der ... Vorgesetzte? ... von Herrn Rosenzweig und Herrn Schönau?«

»So kann man das nicht nennen. Sie waren meine Berater, so etwas wie einen Vorgesetzten finden Sie im Berufsleben, nicht in einer Kirche, deren Mitglieder ihr Leben Gott geweiht haben. Wir sind alle Brüder und Schwestern, aber natürlich muß alles seine Ordnung haben, wie Sie sicherlich verstehen werden.«

Laura Fink saß die ganze Zeit über auf einem Hocker an der Theke, die den Wohnbereich von der Küche trennte, und beobachtete die Unterhaltung aus etwa fünf Metern Entfernung. Sie hatte ein Glas Wasser vor sich stehen, an dem sie ab und zu nippte.

»Dr. Fink, eine Frage muß ich Ihnen noch stellen – gibt es irgend etwas in Ihrem Leben, das jemanden veranlassen könnte, Ihnen einen solchen Brief zu schicken? Etwas aus Ihrer Vergangenheit vielleicht?«

Fink antwortete nicht sofort darauf, sondern wandte den Blick zu seiner Tochter, sagte: »Laura, wärst du bitte so lieb und würdest die Kommissarin und mich einen Augenblick allein lassen?« Die Worte kamen leise aus seinem Mund, und doch waren sie scharf wie ein Rasiermesser. Durant sah kurz zu Laura Fink, die von ihrem Hocker aufsprang und wortlos den Raum verließ. Fink beugte sich nach vorn, die Ellbogen auf den Oberschenkeln abgestützt, die Hände gefaltet, er hatte die Stirn in Falten gezogen, das Licht in seinen Augen war kalt. »Werte Frau Kommissarin, meine Vergangenheit ist so weiß wie das Leinentuch, in das der Leichnam Christi gewickelt wurde«, sagte er betont langsam. »Es gibt keine Flecken darauf. Auf was wollen Sie eigentlich hinaus?«

»Nun, Dr. Fink, sollte der Brief tatsächlich von dem Mörder Ihrer beiden Berater geschrieben worden sein, dann muß dieser Mörder ein Motiv haben ...«

»Ein Motiv, daß ich nicht lache! Geisteskranke brauchen kein

Motiv, um zu morden. Sie morden, weil sie krank im Kopf sind, das sollten Sie eigentlich wissen.«

»Dr. Fink, es gibt zwar Fälle in der Kriminalgeschichte, in denen sogenannte Geisteskranke Morde verübt haben. Doch ich versichere Ihnen, hier handelt es sich nicht um einen Geisteskranken. Der Täter geht in unseren Fällen sehr gezielt und planvoll vor.«

»Was interessiert mich das?! Mich interessiert, wer es auf mich abgesehen hat! Und ich verlange, daß die Polizei alle ihr zur Verfügung stehenden Mittel einsetzt, um diesem grausigen Spuk endlich ein Ende zu bereiten. Sie sollten wissen, der Polizeipräsident gehört zu meinem engsten Bekanntenkreis, ebenso wie einige andere höchst einflußreiche Personen.«

»Der Polizeipräsident hat viele Bekannte«, erwiderte Julia Durant mit gelassener Kühle. »Wollen Sie mir damit vielleicht etwas Bestimmtes sagen?«

»Strengen Sie Ihren hübschen Kopf an, vielleicht fällt Ihnen ja etwas ein. Und die Öffentlichkeit wird sicher alles andere als erfreut sein, zu erfahren, daß die Polizei nichts unternimmt, um unbescholtene und rechtschaffene Bürger vor einem Wahnsinnigen zu beschützen. Sie sollten einmal darüber nachdenken.«

»Wissen Sie«, sagte die Kommissarin, beugte sich vor und sah Fink direkt in die Augen, »wenn Sie mir drohen wollen, schneiden Sie sich ins eigene Fleisch. Entweder Sie helfen bei der Aufklärung der Morde und verhindern dadurch einen potentiellen Mord an sich selbst, oder Sie tun etwas Unüberlegtes und verscherzen sich dadurch sämtliche Sympathien der Polizei. Und im übrigen, ich kenne unseren Polizeipräsidenten selbst recht gut, und ich kenne vor allen Dingen seinen Standpunkt, was gute und saubere Polizeiarbeit angeht. Vergessen Sie das bitte auch nicht.«

Fink machte eine abfällige Handbewegung. »Ich sehe schon, Sie sind nicht auf meiner Seite. Aber so leicht lasse ich mich nicht unterkriegen, das garantiere ich Ihnen.« Er erhob sich, blieb einen kurzen Augenblick mitten im Raum stehen, nickte schließlich, sagte: »Ich werde jetzt zurück in meine Kanzlei fahren. Ich nehme an, Sie werden mich wissen lassen, wenn Sie etwas herausgefunden haben.«

»Sie werden es erfahren, entweder durch uns oder durch die Medien.«

»Guten Tag; ich hatte mir ehrlich gesagt mehr von Ihnen erhofft.«

»Und ich mir von Ihnen. Darf ich das Schreiben behalten? Ich würde es gern auf Fingerabdrücke und andere Spuren untersuchen lassen. Haben Sie auch noch den dazugehörigen Umschlag?«

Fink griff in seine Anzugjacke, holte den Umschlag hervor, reichte ihn Durant. Sie nahm ihn, steckte ihn zusammen mit dem Brief in die Tasche. Fink verließ ohne ein weiteres Wort das Haus. Nachdem er gegangen war, stand Julia Durant auf und ging zu Laura Fink, die wieder in den kombinierten Wohn-Eßbereich kam, sich auf den Hocker setzte und einen weiteren Schluck aus ihrem Glas nahm. Obgleich sie versuchte, sich locker zu geben, bemerkte die Kommissarin eine gewisse Verstörtheit.

»Ist Ihr Vater immer so?«

Laura Fink zuckte die Schultern: »Manchmal. Er kann es nicht ertragen, wenn er nicht unter allen Umständen seinen Kopf durchsetzen kann. Machen Sie sich nichts draus, er wird sich in dieser Beziehung nie ändern. Ich habe seine Launen vierunddreißig Jahre lang ertragen müssen, jetzt hat er nur noch meine Mutter, die … Ach was, es ist unwichtig.«

»Neigt Ihr Vater zu Jähzorn?«

»Manchmal.«

»Entschuldigen Sie die indiskrete Frage, aber wie ist Ihr Verhältnis zu Ihrem Vater?«

»Wir gehen uns aus dem Weg, soweit das möglich ist. Manchmal läßt sich ein Zusammentreffen aber nicht vermeiden, wie heute. Sie hätten ihn sehen sollen, als er vorhin kam und mir den Brief zeigte. Zum ersten Mal, seit ich denken kann, habe ich so etwas wie Angst in seinen Augen gesehen. Er ist jetzt zweiundsechzig, aber eine solche Angst habe ich bei ihm noch nicht erlebt.«

Julia Durant setzte sich ebenfalls auf einen Hocker, Laura Fink fuhr sich mit einer Hand durchs Haar, den Blick zu Boden gerichtet. »Möchten Sie auch etwas trinken? Wasser, Saft?«

»Ein Glas Wasser wäre nicht schlecht. Danke.«

Laura Fink griff über die Theke, holte die Flasche und ein Glas und schenkte erst der Kommissarin, dann sich selbst ein.

»Was macht Ihr Vater beruflich?«

»Er ist Rechtsanwalt. Vielleicht sagt Ihnen der Name *Fink, Schwarzhaupt & Bögner* etwas. Eine der großen Kanzleien in Deutschland. Sie haben ihren Hauptsitz in Frankfurt, aber auch Dependancen in Berlin, Hamburg, Düsseldorf und München.«

»Warum hat Ihr Vater Sie vorhin rausgeschickt, als ich ihm die Frage nach seiner Vergangenheit stellte?«

Laura Fink zuckte die Schultern, sagte mit gesenktem Blick: »Keine Ahnung, er ist eben so. Fragen Sie ihn selbst, vielleicht bekommen Sie eine Antwort.«

»Das werde ich zweifellos noch tun …«

»Glauben Sie denn, sein Leben ist in Gefahr?« fragte Laura Fink, ohne aufzusehen, und fuhr mit einem Finger über den Glasrand.

»Es könnte sein. Auch wenn der Täter mit diesem Brief seine gesamte Vorgehensweise ändern würde. Denn bislang ist uns nicht bekannt, daß die Morde vorher angekündigt wurden … Wären Sie bereit, mir etwas über Ihren Vater zu erzählen?« fragte Julia Durant vorsichtig.

»Es kommt drauf an, was Sie wissen wollen. Wenn es zu persönlich wird, denke ich, sollten Sie ihn besser selbst fragen.«

»Frau Fink, Sie kennen oder besser kannten sowohl Rosenzweig als auch Schönau. Sie sind Ärztin und an eine Schweigepflicht gebunden. Versprechen Sie mir, mit keinem Menschen über das zu reden, was ich Ihnen jetzt sage?«

Laura Fink nickte, sah Julia Durant an. »Selbstverständlich.«

»Ich verlasse mich darauf … Beide Männer wurden, wie Sie wissen, auf eine sehr außergewöhnliche und sehr raffinierte Weise getötet. Meine Kollegen und ich haben inzwischen einiges aus dem Leben der beiden herausgefunden, das so gar nicht mit den Grundsätzen Ihrer Kirche zusammenpaßt. Können Sie sich vorstellen, was das ist?«

»Nein, tut mir leid. Was ist es denn?«

»Sie hatten beide, zumindest was ihr Privatleben anging, alles andere als eine saubere Weste. Und einer von beiden war auch im beruflichen Bereich nicht ganz koscher.«

Laura Fink strich wieder mit ihrem Finger über den Glasrand, ein kaum merkliches Lächeln huschte über ihr Gesicht.

»Ja, und? Wer von uns hat schon eine absolut saubere Weste? Jeder hat Fehler und Schwächen, selbst die Leute in der Kirche.«

»Nun, ich weiß, daß jeder Mensch Fehler hat, doch bei Rosenzweig und Schönau war es doch ein klein wenig anders. Sagen Sie, haben Sie je davon gehört, oder wurde gemunkelt, daß sie Affären hatten?«

Julia Durant beobachtete die nächste Reaktion von Laura Fink, die nur den Kopf schüttelte.

»Gerüchte hört man allenthalben, ich gebe nichts darauf. Hatten sie denn welche? Affären, meine ich?«

»Wie es aussieht, ja. Und unter Umständen liegt darin auch ein mögliches Motiv des Täters …«

»Glaube ich nicht«, sagte Laura Fink schnell. »Selbst wenn die beiden im kirchlichen Sinn unmoralisch gehandelt haben sollten, so heißt es doch, soll man sich erst von seinen eigenen Sünden reinwaschen, bevor man daran geht, sich über die der andern herzumachen.«

240

»Aus Ihren Worten entnehme ich, daß Sie den Täter im kirchlichen Bereich sehen.«

»Aus meinen Worten können Sie gar nichts entnehmen. Ich habe keine Ahnung, ob es jemand aus der Kirche ist oder nicht.«

»Kommen wir noch einmal auf Ihren Vater zurück. Was könnte den Schreiber veranlaßt haben, ihm diesen Brief zu schicken?«

»Sie haben doch vorhin schon gesagt, es könnte sich um einen makabren Scherz handeln …«

»Und wenn nicht? Was, wenn Ihr Vater tatsächlich der nächste auf der Abschußliste ist? Was, wenn der Täter es auch auf ihn abgesehen hat?«

»Dann hat mein Vater Pech gehabt. Und vermutlich etwas zu verbergen, von dem ich nichts weiß«, erwiderte Laura Fink ungewöhnlich kühl und teilnahmslos.

»Das hört sich nicht sehr liebevoll an …«

»Wenn Sie meinen …«

»Hat Ihr Vater eine reine Weste? Ich meine, mir hat er gesagt, als ich ihn auf seine Vergangenheit angesprochen habe, diese sei so weiß wie das Leinentuch, in das Christus gewickelt wurde. Wenn er es sagt, muß ich es ihm glauben, ob ich will oder nicht.«

»Glauben Sie es denn?«

Julia Durant schüttelte kaum merklich den Kopf, sagte: »Um ehrlich zu sein, nein. Ich weiß nicht, warum, aber er hatte sicherlich einen Grund, Sie rauszuschicken, bevor er mir die Frage beantwortete. Es muß etwas geben, das einen andern dazu bringt, ihm dieses Schreiben zu schicken. Was meinen Sie, warum hat er Sie aus dem Raum geschickt? Es ist Ihr Haus, Sie bestimmen, wer geht und wer bleibt, oder?«

»Ich wollte einfach höflich sein. Mein Vater ist ein schwieriger Mann, und in seiner gegenwärtigen Situation wollte ich nicht …«

»Schon gut, Sie brauchen sich nicht zu rechtfertigen. Aber mal anders gefragt, an wen könnte ich mich denn wenden, um etwas über die Vergangenheit Ihres Vaters herauszubekommen, wenn nicht aus Ihnen?«

»Warum wollen Sie unbedingt in der Vergangenheit von Menschen herumwühlen? Ist nicht die Gegenwart das einzige, das zählt? Lassen Sie doch die Toten ruhen.«

»Was soll das heißen?«

»Ich meine damit nur, die Vergangenheit ist tot, die Gegenwart lebt, mit jeder Sekunde, mit jeder Minute, mit jedem Atemzug. Und kaum sage ich das, ist es schon wieder Vergangenheit.«

»Aber es ist die Vergangenheit, die den Täter nicht ruhen läßt, Frau Fink. Soll ich Ihnen das an Ihren Vater gerichtete Schreiben noch einmal vorlesen? Vor allem der letzte Satz macht mich nachdenklich – *Jemand, der Dich nie vergessen hat und den Du nie vergessen wirst.* Es hat mit der Vergangenheit Ihres Vaters zu tun, ob Sie es sich eingestehen wollen oder nicht. Und manchmal wird die Vergangenheit zu einer grausamen Realität. Fällt Ihnen wirklich nichts ein, was mir ein klein wenig weiterhelfen könnte?«

Laura Fink sah die Kommissarin an, ihr Blick schien durch sie hindurchzugehen und wirkte auf einmal unendlich fern und traurig. Nach einer Weile sagte sie: »Nein, ich kann nichts sagen. Wie gesagt, fragen Sie ihn. Oder meine Mutter oder meine Brüder. Fragen Sie in seiner Kanzlei nach, in der Kirche, nur bitte, lassen Sie mich aus dem Spiel. Ich werde Ihnen zu meinem Vater keine Auskunft geben. Es tut mir leid.«

»Haben Sie solche Angst vor ihm?«

Ein bitterer Zug um die Mundwinkel verriet Laura Finks Gedanken. Sie zuckte die Achseln, sagte leise: »Ich möchte nur in Ruhe gelassen werden. Es ist allein sein Leben. Ich bitte Sie, das zu respektieren.«

»Okay, ich werde es respektieren. Aber wenn Sie mir schon nichts über Ihren Vater sagen wollen, dann vielleicht zu Rosenzweig und Schönau?«

»Was wollen Sie wissen?«

»Was für Männer waren sie? Ihr Vater ist knapp über sechzig, Rosenzweig und Schönau waren auch nicht mehr die Jüngsten. Rosenzweig und Schönau sind tot, es schadet also nichts, wenn Sie mir ein klein wenig über sie erzählen. Sie waren schließlich ihre Hausärztin.«

»Frau Durant, was ich über die beiden weiß, habe ich Ihnen bereits gesagt. Es gibt nichts weiter, was für Sie von Interesse sein könnte.« Laura Fink rutschte von ihrem Hocker, trank das Glas leer, hielt es in der Hand. »Und wenn es Ihnen nichts ausmacht, aber ich möchte mich noch ein wenig ausruhen, bevor die Sprechstunde wieder anfängt. Die letzten Tage waren sehr anstrengend.«

Julia Durant trank noch einen Schluck von ihrem Wasser, stellte das Glas auf den Tresen. Als sie Laura Fink gegenüberstand, sagte sie: »Wahrscheinlich haben Sie einen Grund, weshalb Sie mir nicht helfen möchten oder können. Aber wenn Sie es sich noch anders überlegen sollten, Sie wissen, wo Sie mich erreichen können. Ich möchte einfach verhindern, daß noch ein dritter Mord geschieht.«

»Das ist Ihr Beruf«, sagte Laura Fink, ihre Stimme klang traurig. »Und mein Beruf ist es, die Kranken zu heilen. Es gibt so viele Kranke auf dieser Welt. Wenn Sie mich jetzt bitte entschuldigen wollen.«

Laura Fink drehte sich um und begab sich zur Treppe, die nach unten führte. Am Treppenabsatz blieb sie stehen, blickte sich noch einmal um. Durant nahm ihre Tasche, folgte der Ärztin ins Erdgeschoß. Bevor sie das Haus verließ, fragte sie leise, so daß keiner außer Laura Fink es hören konnte: »Sagen Sie, Sie haben vorhin von Ihren Brüdern gesprochen. Wie alt sind sie, was machen sie?«

»Meine Brüder sind beide jünger als ich; Stephan ist dreißig und Jürgen achtundzwanzig. Was Jürgen macht, kann ich nicht sa-

gen, er ist, soweit ich weiß, arbeitslos. Er hat sich von meinen Eltern losgesagt. Stephan ist freischaffender Künstler. Wollen Sie
ihre Adressen?«

»Wenn Sie so freundlich wären.«

»Warten Sie, ich schreibe es Ihnen auf. Hier«, sagte Laura Fink
und reichte Durant kurz darauf den Zettel, »die Adressen. Sie
brauchen nicht einmal sehr weit zu fahren. Ob Sie Jürgen allerdings antreffen, wage ich zu bezweifeln, er hält sich nicht oft zu
Hause auf. Manchmal kommt er zu mir, wenn es ihm schlecht
geht, manchmal sehe ich ihn wochenlang nicht. Viel Glück bei
Ihrer Suche.«

Die Sprechstundenhilfe machte ein paar Eintragungen auf Kar-
teikarten, zwei Patienten saßen im Wartezimmer, obgleich die
Sprechstunde erst in mehr als einer Stunde begann. Sobald die
Kommissarin die Tür öffnete, die ins Freie führte, schlug ihr die
Hitze wie eine Faust ins Gesicht. Am Auto angelangt, holte sie
eine Zigarette aus ihrer Tasche und zündete sie an. Sie kurbelte
die Fenster herunter, blieb eine Weile an den Wagen gelehnt stehen, inhalierte, blies den Rauch durch die Nase, dachte nach. Sie
war sicher, es gab etwas im Leben von Karl-Heinz Fink, das ihn
zur Zielscheibe des Mörders machte. Und Laura Fink kannte diese Stelle im Leben ihres Vaters. Aber sie sprach nicht darüber.
Oder wollte nicht darüber sprechen. Oder sie hatte Angst, es zu
tun.

Als sie ihre Zigarette zu Ende geraucht hatte, warf sie die Kippe
auf die Straße und stieg in den Corsa. Sie nahm das Telefon, wählte die Nummer von Vivienne Schönau. Das Haus-
mädchen meldete sich, sagte, Frau Schönau würde gegen fünf
wieder zu Hause sein. Julia Durant schaute zur Uhr, Viertel vor
zwei. Sie beschloß, einen kurzen Abstecher ins Präsidium zu
machen, danach zu Jessica Wagner zu fahren und es später
noch einmal bei Vivienne Schönau zu probieren. Auf der Fahrt
zum Büro kreisten ihre Gedanken unablässig um Laura Fink.

Was verheimlichte sie, und warum hatte sie vorhin ein paarmal fast ängstlich gewirkt?

Donnerstag, 14.45 Uhr

Berger war allein im Büro, er schwitzte, hatte den obersten Knopf seines Hemdes geöffnet und die Krawatte gelockert. Eine Zigarette glimmte im Aschenbecher vor sich hin, die Luft in dem Raum war stickig und heiß. Er schaute auf, als die Kommissarin eintrat, machte noch einige Notizen, lehnte sich zurück. Er verschränkte die Arme vor dem Bauch, sah Durant fragend an.

»Und, Erfolg gehabt?« fragte er.

»Wie man´s nimmt. Aber wie es aussieht, hat auch Schönau zumindest vor einigen Jahren ein Verhältnis mit einer seiner Mitarbeiterinnen gehabt. Ob er in letzter Zeit eine Geliebte hatte, kann ich nicht sagen, aber im Prinzip spricht alles dafür. Seine Frau verneint es nicht, dazu das Schreiben ...«, sie zuckte die Schultern, »doch es wird sehr schwer werden, die Person herauszufinden, mit der er es getrieben hat. Und was mich natürlich auch stutzig macht, ist diese Bemerkung von wegen *Kinderficker*. Sollte das zutreffen, müßten wir unter Umständen einen ganz schön tiefen Sumpf trockenlegen. Interessant wurde es aber bei dieser Laura Fink, der Ärztin. Als ich dort ankam, um mit ihr zu sprechen, war ihr Vater da. Er hat einen sehr nervösen Eindruck gemacht und mir dieses Schreiben in die Hand gedrückt, das er heute vormittag mit der Post erhalten hat. Hier«, sagte sie und reichte den Brief über den Tisch.

Berger nahm ihn und las. Dann legte er ihn mit ausdrucksloser Miene auf den Schreibtisch, sagte: »Das nächste Opfer?«

»Wie es aussieht, ja. Ich habe Fink befragt, ihn vor allem auf seine Vergangenheit angesprochen, woraufhin er zum einen seine Tochter aus dem Raum geschickt hat und zum andern ziemlich aggressiv reagierte. Er hat Polizeischutz verlangt, den ich ihm natürlich nicht zusichern konnte. Später wollte ich von seiner Tochter etwas über ihren Vater wissen, doch die hat vollständig abgeblockt, ich hatte fast das Gefühl, als hätte sie Angst, auch nur ein falsches Wort zu sagen ...«

»Was für ein Typ ist dieser Fink?« wollte Berger wissen.

Bevor Julia Durant antworten konnte, ging die Tür auf und Hellmer und Kullmer kamen herein. Sie ließen sich auf ihre Stühle fallen, Hellmer stöhnte. »Puh, ist das eine verfluchte Affenhitze!«

Berger ging nicht darauf ein, sagte: »Frau Durant will mir gerade von ihrem Treffen bei dieser Fink berichten. Fahren Sie fort.«

»Fink ist auf den ersten Blick ein eiskalter Typ. Rechtsanwalt mit mehreren Kanzleien in Deutschland. Aber nicht nur das, er ist der Regionshirte der *Kirche des Elohim*, das heißt, er ist eine der obersten Kirchenautoritäten in Deutschland. Und Rosenzweig und Schönau waren seine Berater. Und ich bin überzeugt, dieser Fink ist nicht sauber. Auch wenn er von sich selbst behauptet, absolut weiß zu sein. Sie hätten einfach dabei sein und seine Tochter während des ersten Teils der Unterhaltung sehen müssen. Obwohl Fink ihr den Rücken zugekehrt hatte, hat sie auf mich gewirkt wie das Kaninchen vor der Schlange ...«

»Könnte sie etwas mit den Morden zu tun haben?« fragte Kullmer.

Julia Durant schüttelte den Kopf. »Glaub ich nicht. Aber ich bin überzeugt, sie könnte uns durch bestimmte Aussagen auf die Spur des Mörders führen. Sie ist nicht der Typ, der Leute kaltblütig um die Ecke bringt. Auf mich macht sie einen schüchternen, ängstlichen Eindruck. Sie ist freundlich, liebenswürdig – bis zu einem bestimmten Punkt. Und wenn man den bei ihr erreicht, verschließt sie sich wie eine Auster. Ich werde sie auf jeden Fall im Auge behalten und versuchen, herauszufinden, was sie weiß. Für uns gibt es jetzt Aufgabenteilung – wir müssen über mehrere

Personen Erkundigungen einziehen. Eine davon ist diese Rita Jung, die scheinbar über einen längeren Zeitraum ein Verhältnis mit Schönau hatte. Sie hat mir gegenüber aber nichts gesagt, lediglich Schönaus Sekretärin hat etwas angedeutet. Vielleicht wäre es auch gut, den Exmann von dieser Jung unter die Lupe zu nehmen, was wir aber besser auf Sonntag verschieben sollten; denn ich habe mir vorgenommen, am Sonntagmorgen einmal diese Kirche zu besuchen. Dann muß noch Fink samt seiner Familie überprüft werden, Laura Fink, Jessica Wagner und Vivienne Schönau. Im Augenblick ist der Kreis noch relativ klein und überschaubar.« Sie zündete sich eine Gauloise an, ließ einen Moment verstreichen, bevor sie sagte: »Im übrigen sagt mir ein Gefühl, daß wir den Mörder in der Kirche finden werden. Zumindest deutet im Moment alles darauf hin.«

»Wie kommen Sie darauf?« fragte Berger mit zu Schlitzen verengten Augen.

»Ganz einfach, Rosenzweig und Schönau waren Berater von Fink, wie wir bereits wissen. Die beiden haben offensichtlich mit schöner Regelmäßigkeit ihre Frauen betrogen, obgleich Ehebruch laut Kirchengesetz unter schwerer Strafe steht. Laura Fink war die Hausärztin der Toten, ebenfalls Mitglied der Kirche, und beide Male schon vor der Polizei zur Stelle. Rita Jung, die, wie es scheint, vor Jahren ein Verhältnis mit Schönau hatte, gehört ebenfalls der Kirche an, wenn auch nur auf dem Papier, wie sie selber sagt. Sie ist geschieden, hat eine Tochter, ihr Mann ist aktives Mitglied. Die einzige, die nicht der Kirche angehört, ist die letzte Geliebte von Rosenzweig, aber die ist nicht die Mörderin. Zum einen ist sie zu jung und zu naiv, zum andern, welches Motiv hätte sie haben sollen, erst Rosenzweig und dann auch noch Schönau zu beseitigen? Und dann der Brief an Fink. Nein, ich bin sicher, wir finden die Lösung in dieser Kirche.« Julia Durant preßte die Lippen aufeinander, sah von Berger zu Kullmer und Hellmer. Sie zog an ihrer Zigarette, blickte zu Boden, sagte: »Ich werde mir jetzt noch einmal Jessica Wagner vornehmen und danach eventuell Frau Schönau noch einen Besuch abstatten. Ich möchte euch in der Zwischenzeit bitten, doch mal etwas über diesen Karl-Heinz Fink herauszufinden. Und der Brief geht ins Labor. Auch wenn ich mir nicht viel davon verspreche, wir sollten ihn trotzdem untersuchen lassen. Sollte noch irgendwas sein, ihr wißt, wo ich zu erreichen bin. Ach ja, wie ist es übrigens bei euch gelaufen?« fragte sie.

»Nett, daß du uns das auch mal fragst«, sagte Hellmer grinsend und zündete sich eine Marlboro an. »Andererseits hättest du dir die Frage auch sparen können – Fehlanzeige. Außer daß eine weitere Angestellte ausgesagt hat, daß Schönau und diese Jung früher ein Verhältnis hatten. Ansonsten – tote Hose.«

»Okay, ich mach mich dann mal auf den Weg. Bis nachher oder bis morgen. Ciao.« Sie drückte ihre Zigarette aus, erhob sich, nahm ihre Tasche und verließ das Büro. Ihre Blase drückte, sie ging zur Toilette. Sie spürte wieder diesen leichten Druck in der linken Schläfe und verfluchte das Wetter. Um fünf nach drei kam sie am Messeturm an.

Donnerstag, 15.05 Uhr

Jessica Wagner stand gerade am Kaffeeautomaten, als die Kommissarin durch die Eingangstür trat.

»Hallo, Frau Wagner«, sagte Durant und ging auf sie zu. »Gut, daß ich Sie hier treffe, denn ich hätte noch ein oder zwei Fragen an Sie. Können wir uns wieder ungestört unterhalten?«

»Klar, am besten im gleichen Raum wie gestern. Auch einen Kaffee?« fragte Jessica Wagner, die heute einen kaum über den Po reichenden, hautengen Minirock trug und eine fast durchsichtige, weiße Bluse.

»Gern.«

Nachdem sie die Tür geschlossen hatte, ging Jessica Wagner mit aufreizenden Schritten zum Fenster und blickte hinunter auf die Theodor-Heuss-Allee.

»Frau Wagner, die Fragen, die ich Ihnen stellen werde, sind zwar sehr intim, dennoch muß ich Sie bitten, sie so wahrheitsgetreu wie möglich zu beantworten. Es hängt für uns sehr viel davon ab.«

Die junge Frau nickte, schwang sich auf die Fensterbank, ließ ihre schlanken, gebräunten Beine baumeln.

»Sie sagten mir, sie hätten noch am Montagnachmittag mit Dr. Rosenzweig intim verkehrt. Ist das richtig?«

»Ja«, erwiderte Jessica Wagner wie selbstverständlich.

»Würden Sie mir verraten, wie dieser Geschlechtsverkehr ausgesehen hat?«

Jessica Wagner sah die Kommissarin mit erstauntem Blick an, nippte an dem noch heißen Kaffee, stellte den Becher wieder neben sich, sagte: »Hab ich das richtig verstanden, Sie wollen wissen, was Rosenzweig und ich gemacht haben, wenn wir es gemacht haben?«

»Nein, ich will nicht wissen, wie Sie es gemacht haben, wenn Sie es gemacht haben, ich will wissen, was genau Sie am Montag gemacht haben, kurz vor seinem Tod.«

»Um es klar und deutlich auszudrücken, wir haben einfach gebumst.«

Julia Durant lächelte, sagte: »Nun, es reicht mir nicht zu wissen, daß Sie einfach gebumst haben. Hatten Sie Oral- oder Analverkehr, oder war es ein einfacher Geschlechtsakt, das heißt, daß Rosenzweig sein Glied in Ihre Scheide eingeführt hat und es dabei zum Samenerguß gekommen ist?«

»Ist das wichtig?« fragte Jessica Wagner mit hochgezogenen Augenbrauen.

»Es ist sogar sehr wichtig. Glauben Sie mir, ich würde Ihnen diese Fragen nicht stellen, wenn es nicht von großer Bedeutung wäre.«

Die junge Frau hob die Schultern, überlegte, sagte dann: »Er liebte es französisch. Ich habe ihn oft oral befriedigt und er mich auch, manchmal hatten wir aber auch ganz normalen Geschlechtsverkehr. Am Montag habe ich ihn erst oral befriedigt, danach hatten wir ganz einfach Sex, aber er war so scharf, wahrscheinlich war das Wochenende wieder zu lang gewesen, daß er auch Analverkehr wollte. Dabei ist es ihm auch gekommen.«

»Sie hatten also alle drei Varianten«, sagte Durant nachdenklich und fuhr sich mit einem Finger über die Lippen. »Als Sie fertig waren, haben Sie ihn da irgendwie saubergemacht, zum Beispiel mit einem Waschlappen, oder hat er sich gewaschen?«

»Ich habe gar nichts gemacht«, sagte Jessica Wagner. »Er hat seinen Schw ... Penis kurz mit Wasser abgewaschen, das war alles.«

»Abgewaschen und abgetrocknet?«

»Nein, in dem Zimmer, in dem wir es ab und zu getrieben haben, gibt es zwar ein Waschbecken, aber kein Handtuch, das weiß ich genau. Ich weiß noch, wie er ihn gewaschen und anschließend in die Hose gesteckt hat.«

»Danke, das war´s schon. Sie haben mir sehr geholfen.«

»Ich verstehe zwar nicht ...«

»Das ist im Moment auch nicht wichtig. Ich danke Ihnen für Ihre Offenheit und ... Belassen wir´s einfach dabei. Schönen Tag noch.«

Die Kommissarin erhob sich und verließ das Zimmer. Sie ging über den Flur zu dem Zimmer von Claudia Neumann, die hinter ihrem Schreibtisch saß und gerade dabei war, eine Akte abzuheften. Sie blickte auf, lächelte Durant an.

»Hallo«, sagte sie und deutete auf den Stuhl vor dem Tisch. »Kann ich noch etwas für Sie tun?«

»Unter Umständen. Nur eine Frage – hat Dr. Rosenzweig bisweilen Anrufe von einer weiblichen Person erhalten, außer seiner Frau und Ihnen bekannten Geschäftspartnerinnen?«

»Da fragen Sie mich viel«, sagte Claudia Neumann und lehnte sich zurück. »Könnten Sie etwas genauer werden?«

»Hat ab und zu eine Frau angerufen, die Sie nicht kennen?«

Claudia Neumann überlegte, schüttelte den Kopf. Sie wollte schon etwas antworten, als sie plötzlich innehielt, Durant ansah und schließlich sagte: »Moment, doch. Es gibt da eine Frau, die in unregelmäßigen Abständen anrief, aber nie ihren Namen nannte, sie hat nur immer gesagt, Dr. Rosenzweig würde auf ihren Anruf warten. Ein bißchen seltsam fand ich das schon, aber Hans hat die Gespräche immer entgegengenommen.«

»Was für eine Stimme hatte die Frau? Können Sie sie beschreiben?«

»Nein, es war einfach eine Frauenstimme.«

»Klang sie eher hell oder eher dunkel, war es eine angenehme, warme oder eher eine schrille Stimme, eher jung oder eher alt, rauchig oder klar?«

»Eher angenehm und klar. Aber ob sie jung oder alt war, kann ich nicht sagen. Vielleicht so zwischen dreißig und vierzig, aber festlegen möchte ich mich nicht. Sie wissen ja selber, daß Stimmen durch das Telefon ziemlich wenig aussagen. Warum fragen Sie?«

»Sie wissen doch, Polizeiarbeit besteht daraus, ein Puzzleteilchen an das andere zu legen. Und ich hab wieder eins. Vielen Dank.«

»Gern geschehen, wenn das alles war. Ach übrigens, morgen ist mein letzter Tag in diesem Büro.«

»Sie gehen weg?« fragte Durant.

»Nicht ganz, ich ziehe nur um. Dr. Köhler möchte, daß ich für ihn arbeite. Ich fahre nächste Woche in Urlaub und übernehme ab ersten August die Stelle von Frau Gröben. Sie wird das Haus verlassen.«

»Auf eigenen Wunsch?«

»Ich denke, sie wurde diskret aufgefordert, die Firma zu verlassen. Genau wie Kastner, der ist fristlos gefeuert worden. Weshalb, das können Sie sich wahrscheinlich denken. Man hat gestern nachmittag seinen Schreibtisch durchsucht und dabei ein ganzes Schnapsreservoir entdeckt. Und da es im Arbeitsvertrag eine Klausel gibt, die Alkohol am Arbeitsplatz strikt untersagt, und Kastner dazu noch in einer höchst verantwortungsvollen Position tätig war, gab es nur eine Möglichkeit, nämlich ihn zu feuern. Dumm gelaufen, sag ich da nur. Und die Gröben ist natürlich stinksauer, aber sie wird es sicher überleben, bei der Abfindung, die ihr zusteht.«

»Dann viel Glück«, sagte Durant lächelnd. »Vielleicht sehen wir uns ja mal wieder. Machen Sie´s gut.«

»Hoffentlich finden Sie den Mörder bald. Ich drück Ihnen beide Daumen.«

»Wir werden ihn kriegen.«

Julia Durant fuhr mit dem Aufzug nach unten, rief über das Handy Berger an. Sie berichtete kurz von der Aussage von Jessica Wagner, nach der es immer wahrscheinlicher wurde, daß Rosenzweig noch einmal Geschlechtsverkehr hatte, bevor er am Montagabend nach Hause fuhr. Nach dem Telefonat rief sie bei Vivienne Schönau an, die gerade vom Bodensee zurückgekehrt war. Durant sagte, sie würde in etwa einer halben Stunde bei ihr sein.

Donnerstag, 16.35 Uhr

Vivienne Schönau machte einen abgekämpften Eindruck, als Durant bei ihr eintraf. Sie saß im Wohnraum, bekleidet mit einem gelben, figurbetonten Kleid, die Füße waren nackt, in der Hand hielt sie ein Glas Saft. Ihr fülliges rotes Haar glänzte in der Nachmittagssonne, deren Strahlen durch das hohe, breite Fenster in den Raum fielen.

»Guten Tag, Frau Kommissarin«, sagte Vivienne Schönau und deutete mit einer Handbewegung auf einen Sessel. »Nehmen Sie doch bitte Platz.«

Julia Durant setzte sich, nahm kurz die Eindrücke des Zimmers in sich auf, das sich jetzt, bei Tageslicht, noch luxuriöser und eleganter darstellte.

»Haben Sie dieses Haus eingerichtet?« fragte sie, mit einem Hauch von Bewunderung in der Stimme.

Vivienne Schönau antwortete mit einem feinen Lächeln, das sie noch eine Spur hübscher machte. »Fast. Natürlich hat mein Mann auch seinen Teil dazu beigetragen, aber hauptsächlich, was die Kosten anging. Das Interieur habe ich zum größten Teil ausgesucht. Gefällt es Ihnen?«

»Sie haben Geschmack, auch wenn er für mein Portemonnaie etwas zu anspruchsvoll ist.«

»Sicher wohnen Sie auch ganz schön«, sagte Vivienne Schönau. »Darf ich Ihnen etwas zu trinken anbieten?«

»Einen Saft, bitte.«

Frau Schönau erhob sich, ging zum Barfach, holte ein Glas heraus und schenkte es dreiviertel voll mit Orangensaft. Sie reichte es der Kommissarin.

»Danke«, sagte Durant und fuhr, nachdem sie einen Schluck genommen hatte, fort: »Sagen Sie, Frau Schönau, wie viele Gemeinden gibt es eigentlich in Frankfurt?«

»Zwei, das heißt, eigentlich gibt es eine in Offenbach und eine in Frankfurt, doch die Grenzen verschwimmen etwas. Aber es gibt noch einige Gemeinden im Taunus, in der Wetterau … Frankfurt ist aber mit etwa dreihundert aktiven Mitgliedern die größte.«

»Und Laura Fink und Sie gehören zur Frankfurter Gemeinde?«

»Ja, warum?«

»Es interessiert mich nur. Der Vater von Laura, gehört er auch zur Gemeinde?«

»Natürlich, aber er ist nicht oft da, er ist viel unterwegs. Als Regionshirte hat er eine Menge Aufgaben.«

»Ich werde wahrscheinlich am Sonntag einmal mit meinem Kollegen vorbeikommen. Wann sind denn die Versammlungszeiten?«

»Unsere Gemeinde versammelt sich von neun bis zwölf. Sie müssen wissen, die Frankfurter Gemeinde wurde vor ein paar Jahren geteilt, denn es wurde einfach zu voll und zu unübersichtlich. Die Gemeinde Frankfurt zwei versammelt sich von drei bis sechs.«

»Sie haben Ihre Kinder abgeholt. Wo sind sie?«

»Sie sind auf ihren Zimmern. Ich habe sie darum gebeten, nachdem Sie angerufen haben.«

Vivienne Schönau hielt inne, trat ans Fenster und sah hinaus. Sie hatte trotz ihrer sechsundvierzig Jahre eine makellose Figur, feste, gerade Beine mit schlanken Fesseln und perfekt geformten Füßen.

»Und, haben Sie etwas über meinen Mann herausgefunden? Wissen Sie, warum er sterben mußte?« fragte sie, ohne sich umzudrehen.

»Wir haben etwas über ihn herausgefunden, aber noch nicht, warum er getötet wurde.«

»Hatte er eine Geliebte?« fragte Vivienne Schönau und blickte weiter aus dem Fenster auf den großzügig angelegten Garten.

»Daß er eine Geliebte hatte, nehmen wir an, beweisen können wir es bis jetzt nicht.«

»Das brauchen Sie auch nicht, zum einen habe ich es seit mindestens zehn Jahren gespürt, zum andern will ich es gar nicht mehr wissen. Er hat immer vom ewigen Leben gefaselt und davon, daß wir auf immer und ewig zusammensein würden. Aber er hat sich nicht an die Grundsätze gehalten, die er predigte. Wie viele Frauen mag er gehabt haben – eine, zwei, zehn oder mehr? Ich frage mich nur immer und immer wieder – was hat er bei andern gefunden, was ich ihm nicht geben konnte? Er hatte manchmal ausgefallene Wünsche, wenn Sie verstehen, aber ich war immer bereit, sie ihm zu erfüllen. Ich begreife nicht, warum er mir, den Kindern, vor allem aber sich selbst das alles angetan hat. Es ist für mich einfach unverständlich.«

»Glauben Sie denn an dieses ewige Leben?« fragte Julia Durant.

Vivienne Schönau drehte sich um, lächelte verlegen, sagte: »Ich glaube an ein Leben nach dem Tod. Aber ob dieses Leben ewig ist?« Sie zuckte die Schultern, ihre Augen hatten einen traurigen Ausdruck. »Ja, ich habe an ein ewiges Leben geglaubt, an eine ewige Familie, doch jetzt weiß ich überhaupt nichts mehr. Seit gestern abend ist in meinem Kopf ein großes Karussell. Ich habe so viele Jahre gespürt, daß zwischen meinem Mann und mir etwas nicht stimmt, aber ich habe es immer verdrängt. Kennen Sie das? Man verdrängt, weil man der Wahrheit nicht ins Gesicht sehen will. Man will nicht sehen, wie die Wahrheit wirklich aussieht. Und jetzt ist es zu spät. Ich hätte mit ihm reden müssen, ihn fragen sollen, was ich falsch gemacht habe. Ich habe es nicht getan, und das ist die Strafe dafür.«

»Was ist die Strafe?« fragte die Kommissarin.

»Er ist tot, und ich werde nicht mehr mit ihm reden können. Ich werde ihn nicht mehr fragen können, was falsch gelaufen ist, ob er in beruflichen Schwierigkeiten gesteckt hat, ob es ein Geheimnis gab, das ihn bedrückte, über das er mit mir aber nicht sprechen wollte. Ein Geheimnis, das Rosenzweig und mein Mann miteinander teilten ... Ich glaube zumindest, daß es so war. Sie hatten ein Geheimnis, doch sie behielten es für sich. Und es muß ein Geheimnis gewesen sein, das so schrecklich war, daß sie dafür von jemandem umgebracht wurden. Nur von wem?« fragte sie und löste sich vom Fenster und ging zu ihrem Sessel. Sie zog die Beine neben sich auf den Sessel und sah Julia Durant an, als forschte sie in ihrem Gesicht nach einer Regung.

»Und Sie können sich überhaupt nicht vorstellen, was für ein Geheimnis das gewesen sein könnte? Sie waren über zwanzig Jahre mit Ihrem Mann zusammen, hat es da nie etwas gegeben, worüber Sie sich gewundert haben? Ich meine, eine wirklich außergewöhnliche Situation? Vielleicht eine Frau, die ein Kind von ihm erwartete, eine ungewöhnliche geschäftliche Angelegenheit, oder etwas anderes? Zum Beispiel bereitet mir dieses eine Wort Kummer, Sie wissen, wovon ich spreche?«

Vivienne Schönau schüttelte den Kopf. »Sie meinen das mit den Kindern. Nein, nichts derartiges. Ich sagte doch, es muß so geheim gewesen sein … geheimer als geheim. Und nur er und Rosenzweig wußten davon.«

»Vielleicht noch jemand«, sagte Julia Durant, neigte den Kopf ein wenig zur Seite und wartete auf die Reaktion von Frau Schönau.

»Was meinen Sie?«

»Nun, Ihr Mann und Rosenzweig waren beide Berater des Regionshirten. Was, wenn er als nächstes Opfer ausgesucht wurde?«

»Warum sollte jemand … Augenblick, gibt es irgendwelche Hinweise dafür? Bruder Fink ist völlig integer.«

»Können Sie mir etwas über ihn sagen? Über seine Familie?«

Vivienne Schönau kniff die Lippen zusammen, überlegte. »Ich weiß nicht, aber ich glaube, ich bin dazu nicht berechtigt … Ich meine, Bruder Fink, wir kennen uns schon sehr lange … Vor allem seine Frau und ich, wir sind fast so etwas wie Freundinnen … Na ja, Freundinnen ist vielleicht nicht der richtige Ausdruck, wir sind eher gute Bekannte. Ich kann nicht einfach über sie oder ihren Mann reden.«

»Frau Schönau, ich zweifle die Integrität von Herrn Fink in keiner Weise an, aber ich möchte einfach auf Nummer sicher gehen, daß er nicht das nächste Opfer wird. Wenn es stimmt, was ich vermute, daß nämlich der Mörder nach Plan vorgeht und die ersten beiden Morde nur der Anfang einer Serie waren, dann könnte Fink als nächstes an die Reihe kommen … Sie würden mir sehr helfen.«

»Gut, wenn Sie es so sagen.« Sie veränderte ihre Haltung ein wenig, griff nach dem Glas, trank einen Schluck. Sie behielt es in der Hand, drehte es zwischen den Fingern, starrte hinein.

»Ich kenne die Finks schon, seit ich in Deutschland bin. Sie waren die erste Familie, mit der ich engeren Kontakt hatte. Ich habe ihre Kinder groß werden sehen, vor allem Laura, die ich sehr mag. Sie ist eine wunderbare junge Frau. Sie ist so völlig anders, ich habe noch nie jemanden getroffen, der auf eine so natürliche Weise an Gott glaubt, wie Laura es tut. Sie ist einfach ein ehrlicher Mensch.« Sie machte eine Pause, sah auf, ihr Blick ging an Durant vorbei ins Leere.

»Und Frau Fink, die Mutter von Laura?«

»Sie ist eher unscheinbar. Wenn Sie sie sehen, würden Sie nie vermuten, daß sie die Frau eines so mächtigen und einflußreichen Mannes ist. Sie lebt bescheiden und eher zurückgezogen. Sie mag nicht in der Öffentlichkeit stehen.«

»Und er?«

»Er ist ein Arbeitstier. Sehr hart, sehr konsequent, sehr durchsetzungsfähig. Es ist nicht immer leicht, mit ihm auszukommen, zumindest für andere nicht; wer ihn aber näher kennt, vor allem seine Macken, der weiß, wie er zu nehmen ist, und daß vor allem nicht jedes Wort von ihm auf die Goldwaage gelegt werden sollte.«

»Hatten Sie je das Gefühl, daß Laura Fink Angst vor ihrem Vater hat?«

Vivienne Schönau überlegte, sah die Kommissarin an, sagte: »Ich weiß nicht, ob es mir zusteht, darüber zu sprechen, aber Laura und ihr Vater haben nicht das beste Verhältnis. Ich kann aber nicht sagen, warum das so ist. Jedenfalls hat Laura seit zwei Jahren ihre eigene Praxis und hat, soweit mir bekannt ist, nicht sehr viel Kontakt zu ihren Eltern, was immer der Grund dafür sein mag. Aber bei den beiden Söhnen ist das nicht viel anders. Der eine, Stephan, ist Künstler, der andere, Jürgen, ist nur noch auf dem Papier ein Mitglied der Kirche. Es heißt sogar, er wäre ziemlich tief gesunken, Drogen, Alkohol, Frauen. Ich weiß nicht, was er genau macht, ob er überhaupt etwas macht, ich meine, ob er arbeitet.«

»Ich habe Dr. Fink heute nachmittag kennengelernt, und zwar bei seiner Tochter. Sie schien nicht sehr glücklich über seine Anwesenheit zu sein. Ich möchte Sie jedoch bitten, mit ihr nicht darüber zu sprechen.«

»Ich verspreche es.«

»Seit wann haben Fink, Ihr Mann und Rosenzweig zusammengearbeitet? In der Kirche, meine ich.«

»Bruder Fink wurde vor drei Jahren zum Regionshirten ernannt, am gleichen Tag wurden mein Mann und Rosenzweig seine Berater.«

»Und welche Tätigkeiten haben sie davor ausgeübt?«

»Mein Mann war Gebietssupervisor, genau wie Rosenzweig. Fink war Gemeindehirte. Was davor war, kann ich nicht mehr sagen, ich müßte nachschauen.«

»Haben Ihr Mann, Rosenzweig und Fink auch da schon kirchlich zusammengearbeitet?«

»Soweit ich weiß, ja. Sie haben auf jeden Fall immer Ämter innegehabt, wo sie direkt miteinander zu tun hatten.«

»Die Frage, warum die Männer getötet wurden, bereitet uns großes Kopfzerbrechen, Frau Schönau. Wenn wir nur einen winzig kleinen Anhaltspunkt finden könnten, etwas, wo wir ansetzen könnten. Ihnen fällt wirklich nichts ein?«

»Nein, es tut mir leid. Sollte mein Mann neben mir noch andere Frauen gehabt haben, so war das sicherlich eine Sünde. Doch ob das auch ein Grund war, ihn zu töten? Dann hätte Rosenzweig auch eine Geliebte haben müssen, vielleicht sogar die gleiche«, sagte Vivienne Schönau leise. »Aber das ist ja wohl ausgeschlossen. Deshalb kann ich mir kein Motiv vorstellen. Außer, ich wage diesen Gedanken gar nicht zu denken, mein Mann hat tatsächlich mit Kindern ... Aber Rosenzweig? Er auch?« Sie schüttelte energisch den Kopf, ihr tizianrotes Haar schien im Sonnenlicht kleine Funken zu sprühen. »Nein, unvorstellbar.«

»Frau Schönau, gestern abend, als ich Sie fragte, warum Sie Ihre Töchter ins Internat gegeben haben, haben Sie sehr schnell geantwortet, daß Sie es so gewollt hatten. Gab es jemals eine Situation, wo Sie das Gefühl hatten, daß Ihre Töchter Ihnen etwas verschweigen, aus Angst vielleicht?«

»Nein. Hätte ich auch nur im geringsten gespürt, daß Janine und Chantal, sagen wir, Probleme hatten, ich hätte sofort mit meinem Mann darüber gesprochen. Es gab aber nichts dergleichen.«

Julia Durant nickte, trank ihr Glas leer, erhob sich. »Frau Schönau, danke für das Gespräch. Ich melde mich bei Ihnen, sobald ich Neuigkeiten habe. Und wenn es irgend etwas gibt, Sie wissen, wie ich zu erreichen bin.«

»Warten Sie, ich begleite Sie nach draußen«, sagte Vivienne Schönau und ging neben der Kommissarin zur Tür.

»Sie werden den Mörder finden?« fragte sie draußen.

»Wir geben uns alle Mühe, doch im Augenblick tappen wir völlig im dunkeln. Auf Wiedersehen.«

Am Auto angekommen, zündete sich Julia Durant eine Gauloise an, der Rauch stieg fast senkrecht in den Himmel. Es war beinahe windstill, kaum ein Mensch war auf der Straße, ein großer, dunkelblauer Mercedes mit getönten Scheiben fuhr langsam an ihr vorbei. Ein Blick zur Uhr, fünf nach halb sechs. Sie stieg ein, nachdem die größte Hitze durch die geöffneten Fenster entwichen war, startete den Motor, schaltete das Radio ein. Sie drückte einige Sendertasten, die Musik sagte ihr nicht zu. Sie legte eine Kassette von Bon Jovi ein, drehte die Lautstärke hoch. Sie hatte wieder einmal viel gehört, aber nichts erfahren. Sie wußte nicht einmal etwas über Fink. Sie fuhr nach Hause, kaufte auf dem

Weg drei Dosen Bier, ein kleines Brot, Salami, Tomaten und einen Liter Milch. Sie wollte duschen, sich frisch machen, die verschwitzten Sachen gegen frische tauschen und gegen halb acht bei Hellmer sein.

Zu Hause angekommen wählte sie die Nummer vom Präsidium, Berger war noch im Büro. Er war immer der erste, der morgens kam, und der letzte, der ging. Durant kam es vor, als wäre das Büro sein eigentliches Zuhause.

»Gut, daß Sie sich noch mal melden«, sagte er, »vorhin hat nämlich jemand angerufen, der etwas Interessantes für uns hatte. Halten Sie sich gut fest – vor etwa einem halben Jahr wurde in Großburgwedel bei Hannover ein Mann tot aufgefunden. Nachdem er von den beiden Morden hier bei uns in den Nachrichten gehört hat, sagte der Anrufer, ein gewisser Dr. Öczan, er hätte damals Notdienst gehabt und auf dem Totenschein ›Todesursache ungeklärt‹ vermerkt, da es sich seiner Meinung nach um keine natürliche Todesursache handelte. Und jetzt kommt´s – der Tote war Diabetiker, nach Angaben von Dr. Öczan aber in körperlich guter Verfassung, wie er sich vom Hausarzt des Toten am Tag darauf bestätigen ließ. Ihm sei bei der Leichenschau allerdings ein Ödem und eine leichte Verfärbung um die Einstichstelle herum aufgefallen, was normalerweise beim Spritzen von Insulin nicht üblich ist. Die Polizei hat seiner Bemerkung jedoch keine Beachtung geschenkt und ihn nicht obduzieren lassen. Auch wurde weder das Insulinfläschchen beschlagnahmt noch die Wohnung von der Spurensicherung durchsucht. Seine Vermutung ging gleich in Richtung Gift, aber man hat diesen Hinweis einfach ignoriert. Als offizielle Todesursache wurde daraufhin von einem anderen Arzt akutes Herzversagen attestiert.«

Jede Faser ihres Körpers war gespannt, als Julia Durant fragte: »Hat der Tote zufällig der *Kirche des Elohim* angehört?«

»Das wollen wir gerade herausfinden, Kollege Kullmer ist schon am Telefonieren.«

»Wahnsinn!« entfuhr es Durant, die sich nervös eine Zigarette ansteckte. »Sollte der Tote ein Mitglied dieser Kirche gewesen sein, müssen wir eine Exhumierung beantragen. Wie hieß der Tote überhaupt?«

»Thorsten Hauser.«

»Warten Sie, ich frag einfach mal Frau Schönau, ob sie diesen Hauser kennt. Wenn ja, dann war er bestimmt auch ein Mitglied der Kirche.«

»Das ist eine gute Idee«, sagte Berger anerkennend. »Machen Sie das gleich?«

»Sofort.«

»Gut. Sagen Sie mir bitte Bescheid, wenn Sie angerufen haben. Dann brauchen wir uns nicht die Finger wund zu wählen. Und das mit der Exhumierung, ich denke, die sollten wir so oder so beantragen.«

»Hat der Arzt irgendeine Vermutung geäußert, um was für ein Gift es sich seiner Meinung nach gehandelt haben könnte?«

»Nein. Er sagte nur, das Ödem und die leichte Verfärbung, die auf eine Hautunterblutung hinwies, hätten ihn stutzig gemacht, und er hätte die Beamten auch gleich auf diese Auffälligkeit hingewiesen. Er vermutet, es könnte sich um ein Nervengift mit leicht gerinnungshemmenden Faktoren gehandelt haben. Aber wie gesagt, es liegen noch einige Telefonate vor uns, bevor wir in Aktion treten können. Und für die Pathologen dürfte es auch nicht einfach werden, nach über einem halben Jahr die exakte Todesursache herauszufinden, sollte es denn eine unnatürliche gewesen sein.«

»Auf jeden Fall ist es eine Sauerei, wie schlampig damals vorgegangen wurde«, sagte Julia Durant wütend. »Wie viele Morde werden Jahr für Jahr nicht als solche erkannt, weil die lieben Kollegen einfach unfähig oder faul sind?! Ich begreife es nicht und werde es auch nie begreifen!«

»Regen Sie sich wieder ab. Es gibt zum Glück auch noch Ärzte, die ihren Beruf ernst nehmen. Ohne diesen Dr. Öczan hätten wir nie davon erfahren.«

»Okay, ich rufe jetzt sofort bei Frau Schönau an und melde mich dann wieder. Und bevor ich's vergesse, was halten Sie davon, wenn wir unseren Psycho, Dr. Schneider, mal zu Rate ziehen?«

»Keine schlechte Idee. Ich werde mich gleich morgen früh mit ihm in Verbindung setzen. Mal sehen, vielleicht hat er ja noch einen Termin für uns frei.«

Sie drückte auf die Gabel, ließ wieder los und wählte die Nummer von Vivienne Schönau. Nach dem dritten Klingeln meldete sie sich.

»Schönau.«

»Frau Schönau, hier ist noch einmal Durant. Ich will Sie nicht lange aufhalten, ich habe nur eine Frage – sagt Ihnen der Name Thorsten Hauser etwas?«

»Thorsten Hauser?« fragte sie zurück und es klang erstaunt. »Natürlich kenne ich ihn, oder besser, kannte ihn. Er ist nämlich tot. Aber warum wollen Sie …?«

»Wie gut kannten Sie ihn?« fragte Julia Durant, ohne die unvollendete Frage von Vivienne Schönau zu beantworten.

»Er war ein Mitglied unserer Kirche. Sein Tod kam für uns alle sehr überraschend. Wir kannten uns von verschiedenen Treffen.«

»Wissen Sie auch, was Herr Hauser von Beruf war?« fragte sie, einer plötzlichen Intuition folgend.

»Er war Biologe und Chemiker, ein sehr angesehener Mann in der Fachwelt. Er hat mehrere Bücher geschrieben und ist in Fachkreisen eigentlich sehr bekannt.«

»Biologe und Chemiker«, sagte Julia Durant leise und sagte: »Vielen Dank, Frau Schönau, Sie haben mir sehr geholfen.«

»Gern geschehen, aber warum … Hat es mit den andern beiden Fällen irgend etwas zu tun?«

»Das kann ich jetzt noch nicht sagen. Wie gesagt, Sie haben mir sehr geholfen. Ich wünsche Ihnen noch einen, so weit es geht, angenehmen Abend.«

Sie legte auf, stand einen Moment unschlüssig mitten im Zimmer. Sie stellte sich ans Fenster und schaute hinaus. Nach fünf Minuten ging sie zurück zum Telefon und wählte Bergers Nummer.

»Er war Mitglied der Kirche – und wollen Sie wissen, was er von Beruf war?«

»Was?« fragte Berger ungeduldig.

»Biologe und Chemiker, und zwar offensichtlich sehr angesehen. Wollen wir doch mal sehen, ob sich daraus nicht ein Bild formen läßt.«

»Das ist doch etwas, wo wir den Hebel ansetzen können. Ich werde noch heute alles in die Wege leiten, um eine Exhumierung durchzukriegen. Hier stinkt nämlich was.«

»Ganz meine Meinung. Bis morgen.« Julia Durant legte auf, nickte zufrieden. Sie stellte die Einkaufstasche auf den Tisch, packte aus. Sie legte die Milch und die Salami in den Kühlschrank, ging ins Schlafzimmer, entkleidete sich und begab sich nackt ins Badezimmer. Sie drehte den Wasserhahn auf, ging noch einmal zurück ins Wohnzimmer, stellte den Fernsehapparat an, Nachrichten auf RTL. Ein Bericht behandelte den mysteriösen Tod eines bekannten Frankfurter Bankiers. Sie legte die Fernbedienung auf den Tisch, wandte sich um, holte eine Dose Bier aus dem Kühlschrank, stieg in die Badewanne, die zur Hälfte gefüllt war, stellte die Dose auf den Wannenrand, legte die Zigaretten daneben. Sie gab Badeschaum dazu, trank einen Schluck von dem Bier, rauchte. Sie stellte das Wasser ab, kurz bevor es überlief.

Sie schloß die Augen, ließ den Tag Revue passieren, dachte über Laura Fink und ihren Vater, über Vivienne Schönau und Jessica Wagner und über den Anruf bei Berger nach. Und je länger sie nachdachte, desto sicherer wurde sie, daß der Tote von Großburgwedel zu den jetzigen Morden paßte. Um kurz nach sieben stieg sie aus der Wanne, trocknete sich ab, sprühte etwas Deo unter die Achseln, bürstete ihr dunkles, volles Haar. Sie zog sich frische Unterwäsche an, Shorts, ein T-Shirt und weiße Leinenschuhe. Sie legte einen Hauch Make-up auf, besah sich ein letztes Mal im Spiegel, schaltete den Fernseher aus, nahm ihre Tasche und verließ die Wohnung. Sie rief kurz bei Hellmer an, sagte, es würde ein paar Minuten später werden. Sie hoffte auf einen netten Abend bei ihm und seiner Frau.

Donnerstag, 19.30 Uhr

Sie fuhr den Wagen in die Auffahrt, parkte direkt hinter Hellmers BMW. Sie stieg aus, betätigte die Türglocke, Hellmer kam und öffnete ihr.

»Komm, wir sitzen draußen auf der Veranda, der Grill ist schon heiß und die Steaks warten nur darauf, von uns verschlungen zu werden«, begrüßte er sie grinsend.

»Ihr hättet euch doch wegen mir keine Umstände zu machen brauchen«, sagte sie, wurde aber gleich von Hellmer unterbrochen.

»Das bißchen Grillen ist doch kein Umstand. Was möchtest du trinken? Wasser, Saft, Wein, Bier? Es gibt fast nichts, was wir nicht haben. Aber setz dich erst mal.«

Nadine Hellmer saß auf einem großen gelben Gartenstuhl und blickte Julia Durant an. Sie hatten sich seit mindestens einem halben Jahr nicht gesehen. Durant ging auf sie zu, reichte ihr die Hand. Nadine sah noch hübscher aus als beim letzten Treffen, sie hatte sich das Haar wachsen lassen, das ihr jetzt bis über die Schultern fiel, ihre Gesichtszüge waren noch weiblicher und anziehender geworden, ihre großen, braunen Augen schienen alles in sich aufzunehmen, ihre Haut war leicht gebräunt. Sie trug ein weißes Trägertop, kurze, weiße Shorts, ihre Füße waren nackt. Ihre fein modellierten Beine konnten andere Frauen neidisch werden lassen, ihre langen, schmalen Finger hielten ein Glas. Eine Frau, nach der sich bestimmt jeder Mann umsah, wenn sie auf der Straße an ihm vorbeiging, eine Frau, deren Ausstrahlung von kaum einer andern übertroffen werden konnte. Bei ihr stimmte einfach alles, das Aussehen, die Figur, ihre warme, weiche Stimme, ihre Art, sich zu geben. Julia Durant wünschte sich in diesem Augenblick, nur ein klein wenig von Nadine zu haben.

»Hallo, und danke für die Einladung.«

»Keine Ursache«, sagte Nadine, stellte das Glas auf den Tisch, erhob sich. »Sie sind immer herzlich willkommen. Dieser Platz ist für Sie«, sagte sie und deutete auf den Stuhl neben ihrem. »Frank ist für das Grillen zuständig, er kann ruhig mal in der Hitze sitzen. Es macht dir doch nichts aus, Schatz, oder?« fragte sie grinsend.

»Nein, in keinster Weise. So, was ist jetzt, was möchtest du trinken?«

Julia Durant setzte sich, sagte: »Ein Glas Wasser. Ich hatte vorhin schon ein Bier, und ich muß schließlich noch Auto fahren.«

Frank Hellmer holte aus der Kühlbox eine Flasche Wasser und schenkte ein. Auf dem Tisch stand ein halbvolles Glas Bier, vor Nadine das Glas Wein.

»Und«, sagte er, während er fünf Steaks auf den Elektrogrill legte, »was hat dein Nachmittag ergeben?«

»Einiges«, antwortete sie und nahm das Glas vom Tisch. In der noch immer herrschenden, drückenden Schwüle war die Kühle des Glases eine Wohltat.

»Du kannst ruhig darüber reden, Nadine weiß von den Fällen.«

Das ist nicht zulässig, Frank Hellmer! dachte sie und trank einen Schluck. *Wir werden uns morgen mal darüber unterhalten!*

»Du weißt ja, ich war bei dieser Wagner, dann bei Frau Schönau, aber viel ist nicht dabei herausgekommen. Als ich zu Hause war, hab ich noch mal im Büro angerufen und da hat Berger mir etwas gesagt, das mich schon etwas erstaunt hat. Da hat nämlich vorhin ein Arzt aus der Nähe von Hannover angerufen und gesagt, daß vor einem halben Jahr ein recht namhafter Biologe und Chemiker seiner Meinung nach auf unnatürliche Weise ums Leben gekommen ist. Und jetzt rate mal, welcher Konfession dieser Typ angehörte?«

Hellmer drehte sich um, die Grillzange in der Hand, sah Durant an. »Sag bloß, dieser Kirche?«

Julia Durant nickte. »Genau der. Die Schönau kannte den Toten übrigens auch, durch sie habe ich erst erfahren, daß er der Kirche angehört hat.«

»Und was meint der Arzt, woran dieser … wie heißt er eigentlich … gestorben ist?«

»Hauser. Der Arzt hatte Notdienst und hat bei Hauser, der im übrigen genau wie Rosenzweig Diabetiker war, um die Einstichstelle eine leichte Gewebsnekrose festgestellt und auf dem Totenschein ›Todesursache ungeklärt‹ vermerkt. Er vermutete, daß Hauser durch Gift ums Leben kam und nicht, wie kurz darauf von unseren lieben Kollegen aus Niedersachsen behauptet, durch akutes Herzversagen. Jedenfalls ist damals von seiten der Polizei nichts unternommen worden, um eine mögliche unnatürliche Todesursache auszuschließen. Wir werden ihn exhumieren und noch einmal gründlich untersuchen lassen.«

»Wow, das ist ein Hammer! Aber wie paßt das zu unseren Morden?«

»Ganz einfach, die gleiche Konfession, vermutlich auch wieder Gift im Insulin«, sie zuckte die Schultern, »die Spur zum Täter führt meiner Meinung nach direkt ins Herz der Kirche. Und was mich vor allem zum Nachdenken bringt, ist die Tatsache, daß Hauser eben Biologe und Chemiker war.«

»Wieso?« fragte Hellmer und drehte sich wieder zum Grill, wendete die Steaks, kam zum Tisch und trank von seinem Bier, das inzwischen warm geworden war.

»Na ja, hypothetisch betrachtet könnte er sich ja auch gut mit Giften ausgekannt haben. Und noch hypothetischer hätte er so vertraut mit der Materie sein können, daß er in der Lage war, Gifte in ihre jeweiligen Bestandteile zu zerlegen. Ich glaube, wir müssen die Spur bei Hauser aufnehmen und sie dann weiter nach Frankfurt verfolgen.«

Hellmer setzte sich, sah seine Frau an, dann Durant. Er fuhr sich mit der Hand leicht übers Kinn, sagte: »Angenommen, du hast recht mit deiner Hypothese, dann hat womöglich Hauser Gifte in einzelne Toxine zerlegt und …«, er schüttelte den Kopf. »Ich komm nicht weiter. Es macht keinen Sinn.«

»Doch, macht es«, meldete sich Nadine zu Wort und beugte sich nach vorn, die Ellbogen auf den nackten Schenkeln aufgestützt, die Hände gefaltet. »Paßt auf, Hauser war – hypothetisch – ein Giftexperte. Er war in der Lage, zum Beispiel aus Schlangengift die wichtigsten Komponenten zu isolieren. Manche Toxine sind weniger gefährlich, andere dafür um so mehr. Jemand, vielleicht eine Frau, wußte von seinen Kenntnissen, hat sich an ihn rangemacht, ihm die große Liebe vorgegaukelt, ein paarmal mit ihm geschlafen, ihn gefragt, ob er ihr nicht die Gifte erklären könne, was er bereitwillig tat. Sie hat ihn mit einem seiner Gifte umgebracht und anschließend welche mitgenommen. Und diese Frau ist jetzt in Frankfurt.«

»Woher wissen Sie soviel über Gifte Bescheid?« fragte Julia Durant verwundert.

»Mein Vater ist Schlangenliebhaber, er hält mehrere Schlangen, allerdings keine giftigen. Trotzdem mußte ich mir früher immer anhören, was Schlangen so faszinierend macht und, na ja, einiges davon habe ich behalten. Und außerdem, Frau Durant, ich heiße Nadine, und ich würde mich freuen, wenn wir endlich das blöde Sie weglassen könnten. Wir sind doch etwa im gleichen

Alter. Frank und … na ja, ich komm mir ein bißchen blöd vor, wenn …«

»In Ordnung, ich bin Julia. Es fällt mir immer schwer, mich mit andern zu duzen, aber in diesem Fall gern.«

Es entstand eine kurze Pause, bis Hellmer sagte: »Nehmen wir den Faden von Nadine noch einmal auf; wir gehen ja bis jetzt davon aus, daß es sich bei dem Täter um eine Frau handelt. Aber«, er sah Nadine zweifelnd an, »glaubst du wirklich, ein Mann wie Hauser läßt sich so einfach um den Finger wickeln? Er war schließlich nicht irgendwer, wenn es stimmt, was Julia sagt.«

Nadine Hellmer lachte auf, ihre Stimme klang warm und weich. »Ihr Männer seid wirklich naiv. Wenn eine einigermaßen hübsche, attraktive Frau an euch vorbeiläuft und mit dem Hintern wackelt, spielt doch gleich euer Unterleib verrückt. Was, wenn die unbekannte Frau, von der wir gerade sprechen, tatsächlich hübsch, intelligent, attraktiv ist? Sie braucht nur zu lächeln, ein bißchen zu schnurren und schon wird der härteste Kerl wie Wachs in ihren Händen. Du hast offensichtlich noch immer keine Ahnung, wie Frauen vorgehen. Worauf schaut ihr denn bei einer Frau? Ich sag's dir – ob der Busen die richtige Größe hat und der Arsch knackig genug ist, das ist alles, worauf es euch ankommt. Und damit will ich weder dich noch irgendeinen andern Mann angreifen, ihr seid nun mal so. Das letzte, worauf ihr achtet, ist, ob die Frau auch genug Grips hat. Wenn aber die Kombination stimmt, Schönheit und Intelligenz, die natürlich nicht zu sehr zur Schau gestellt wird, gepaart mit einem leicht unschuldigen Augenaufschlag, dann seid ihr endgültig verloren. Hab ich recht, Julia?«

Durant grinste und nickte. »Glaub schon.«

»Hahaha«, sagte Hellmer und stand auf. »Wir blöden Männer, was? Aber so blöd sind wir auch nicht, wie ihr euch das immer so vorstellt …«

»Nein, so blöd vielleicht nicht, aber naiv genug, um auf die Körpersprache einer Frau reinzufallen. Ich wollte damit aber eigentlich nur sagen, daß es bei Hauser eventuell so gewesen sein könnte. War er verheiratet?«

Julia Durant sah Nadine an, sagte: »Weiß nicht, aber ich gehe mal davon aus. Wir werden es morgen erfahren.«

»Egal, es macht, glaube ich, keinen Unterschied, ob er verheiratet war oder nicht.«

»Nein«, sagte Durant nachdenklich, »das macht es wirklich nicht. Mir will nur das mit den Kegelschnecken nicht in den Kopf. Sie hat Schönau lebende Kegelschnecken zukommen lassen. Warum hat sie sich nicht ihres Giftvorrats bedient?«

Hellmer sagte, den Rücken den beiden Frauen zugewandt: »Sie ist wahrscheinlich eine überaus intelligente Frau, wie Nadine so treffend bemerkte. Zwei ihrer Opfer bringt sie auf eine ganz simple Weise um, indem sie ihnen Gift unter das Insulin mischt. Das andere Opfer ist herzkrank und Aquarienliebhaber, da reichte es schon, ihm diese Schnecken zu schicken. Dumm ist diese Frau jedenfalls nicht.«

»Wenn es denn eine Frau ist«, sagte Durant und zündete sich eine Zigarette an. »Den endgültigen Beweis dafür haben wir noch nicht.«

»Gut, aber zu neunundneunzig Prozent wissen wir's schon. Was uns fehlt, ist der Grund für die Morde ...«

»Und wir wissen auch noch nicht, ob die Täterin selbst auch in der Kirche zu suchen ist oder damit überhaupt nichts zu tun hat; ob sie vielleicht einmal damit zu tun hatte, enttäuscht wurde oder was immer. Vielleicht wurde sie sogar dermaßen gedemütigt, daß jetzt nur noch Rache angesagt ist.«

»Auf jeden Fall haben wir in den letzten Tagen schon einige attraktive Frauen aus dieser Kirche kennengelernt, ich denke da nur an die Rosenzweig, die Schönau, Reich, und dann noch diese

Fink, die zwar nicht sonderlich attraktiv ist, aber sie hat Ausstrahlung«, sagte Hellmer. »Aber ob eine von denen etwas mit den Morden zu tun hat ... Ich wage es zu bezweifeln.«

»Ach ja, da fällt mir ein«, sagte Durant, »am Sonntagmorgen gehen wir in die Kirche. Wir werden uns den Laden mal ein bißchen näher anschauen.«

»Sonntag morgen?« fragte Hellmer mit einem mißmutigen Gesichtsausdruck. »Wann?«

»Um neun fängt die Versammlung an und dauert bis zwölf.«

»Scheiße, ausgerechnet Sonntag. Aber es muß wohl sein, oder?«

»Schatz, es könnte dir bestimmt nicht schaden, wenn du einmal in deinem Leben ein Gotteshaus von innen siehst«, sagte Nadine spöttisch. »Wenn du nach Hause kommst, wird auch ein leckeres Essen für dich auf dem Tisch stehen.«

»Ja, ja, aber jetzt will ich nicht mehr über Rosenzweig oder Schönau oder Hauser sprechen, jetzt wird gegessen und damit basta. Nadine, hol doch bitte den Salat.«

Sie stand auf und ging ins Haus, Hellmer sah ihr hinterher.

»Ist sie nicht wundervoll? Meine Frau!« sagte er leise.

»Du hast verdammt viel Glück gehabt, mein Lieber. Wenn ich mir diese Prachtbude ansehe ...«

»Neidisch?« fragte Hellmer und fuhr gleich fort: »Weißt du, vor einem Jahr hätte ich mir so was nicht mal in meinen kühnsten Träumen leisten können, aber so spielt das Leben. Du weißt nie wirklich, wann du auf der Verlierer- oder auf der Gewinnerseite stehst. Ich habe auch eine ganze Weile lang gedacht, es würde nie mehr bergauf gehen. Und dann traf ich Nadine wieder. Und ein fast unglaublicher Zufall hat sie mir dann auch in die Hände gespielt. Aber wie hat Einstein schon gesagt – Gott würfelt nicht. Ich bin mir nicht sicher, ob es wirklich Zufall war. Manchmal glaube ich, eine unsichtbare Macht hat ihre Hände im Spiel gehabt.«

»Du hast es wirklich gut getroffen. Und neidisch bin ich nicht, aber manchmal möchte ich schon ein klein wenig besser leben. Aber ich habe die Hoffnung noch nicht aufgegeben.«

Nadine kehrte mit einer Schüssel Salat zurück, stellte sie auf dem großen runden Tisch ab. Sie füllte Salat auf die Teller, Frank Hellmer gab je ein Steak dazu. Eine Weile aßen sie schweigend, bis Nadine sagte: »Ich hab mir übrigens eben was überlegt – könnte ich am Sonntag mit in die Kirche kommen? Vielleicht kann ich ja irgendwie helfen. Sechs Augen sehen mehr als vier.«

Julia Durant grinste nur, sagte: »Ich habe nichts dagegen. Nur bitte, stell den Leuten dort keine Fragen, was die Morde angeht. Überlaß das Frank und mir.«

»Großes Ehrenwort«, sagte Nadine, schnitt sich ein weiteres Stück von ihrem Steak ab, tauchte es in Chilisauce und steckte es in den Mund.

Den Rest des Abends verbrachten sie mit Reden und ab und zu mit Schweigen. Um kurz nach zehn sagte Hellmer: »Was ist, wollen wir eine Runde im Pool schwimmen?«

»Ich habe nichts dabei«, erwiderte Durant bedauernd.

»Das macht nichts«, sagte Nadine, »wir finden bestimmt was Passendes für dich.«

Um kurz vor Mitternacht verabschiedete sich Julia Durant. Als sie im Auto saß und nach Hause fuhr, fühlte sie sich gut wie schon lange nicht mehr. Dieser Abend war nichts Besonderes gewesen, aber es waren oft die Kleinigkeiten, die sie glücklich machten.

Donnerstag, 20.45 Uhr

Sie hatten sich bei einem Griechen zum Essen getroffen und waren danach in seine Wohnung gefahren. Er bewohnte eine sündhaft teure Maisonette-Wohnung in einem fünfstöckigen Haus, in dem sich ausschließlich Eigentumswohnungen befanden, und deren Bewohner zum Teil mehr als sechstausend Mark für den Quadratmeter bezahlt hatten. Seine Wohnung war mit hundertachtzig Quadratmetern die größte im Haus, bestand im unteren Teil aus einem großen Wohnbereich, in dem das Auffälligste ein an der Wand angebrachter Plasma-Fernsehapparat war, eine blaue Bang & Olufsen Stereoanlage sowie zwei bis vor kurzem noch unbekannte Gemälde von Turner, die er bei einer Auktion in London vor zwei Jahren ersteigert hatte. Die Einrichtung bestand aus einem fast in der Mitte des Raumes stehenden blauen Sofa mit zwei dazu passenden Sesseln sowie einem runden Glastisch, dessen Platte auf einem aus Carrara stammenden Marmorblock lag. Dichtgewebte, von Blautönen beherrschte Seidenteppiche aus Persien bedeckten einen Teil des Parkettbodens. Die an den Wohnbereich anschließende Küche war ein Viereck, in dessen Mitte sich eine Spüle und Arbeitsplatte befanden; darüber war ein drehbarer Kranz angebracht, an dem Knoblauchzehen, messingfarbene Töpfe und Pfannen hingen. Die Stufen zum oberen Teil der Wohnung waren aus Holz, das Geländer aus poliertem, glänzendem Stahl. Oben gab es ein exklusives, in glänzendem Schwarz-Weiß gehaltenes Bad mit einer runden Wanne mit Whirlpool, einer etwas verdeckt installierten Toilette, einem Bidet sowie einem etwa zwei Meter breiten Spiegel, in den zehn Halogenlampen eingelassen waren und unter dem sich ein marmorner Waschtisch und genügend Abstellmöglichkeiten für Kosmetika auf der ebenfalls zwei Meter breiten Marmorplatte befanden. Neben dem Bad lag das Schlafzimmer mit einer Spiegeldecke und einem drei mal drei Meter großen Bett; der Boden war mit dunkelblauem Teppich ausgelegt. Auf der andern Seite befand sich das Gästezimmer, das aber fast nie genutzt wurde, da er allein lebte und sich auch nicht immer hier aufhielt. Dreimal in der Woche kam eine junge Spanierin, um sauberzumachen.

Er ging an die Bar, holte eine Flasche und zwei Gläser heraus, gab Eis hinein und schenkte Maltwhiskey darüber. Eines davon reichte er der Frau, mit der er gekommen war, prostete ihr zu und trank sein Glas in einem Zug leer. Er zündete sich eine Davidoff Zigarette an, schenkte sich erneut ein, während die junge Frau an ihrem Whiskey nur nippte.

»Und jetzt, Liebling, was machen wir jetzt?« fragte er mit diesem jungenhaften Grinsen, mit dem er schon viele Frauen rumgekriegt hatte. »Wir haben gegessen, wir haben getrunken, fehlt nur noch eins.« Er kam näher, blickte ihr tief in die Augen.

»So«, sagte sie, ihre Augen blitzten schelmisch auf, »was fehlt denn, mein Lieber?«

»Gehen wir nach oben, dann zeig ich's dir.«

»Ich möchte mich vorher etwas frisch machen, wenn du gestattest«, sagte sie, stand vom Hocker auf, schlüpfte aus ihren Schuhen, nahm ihre Tasche und ging barfuß nach oben. Er sah ihr nach, verfolgte jeden ihrer mit einer unnachahmlichen Leichtigkeit ausgeführten Schritte, die ihre Hüften in sanftem Rhythmus schwingen ließen, ihre nahezu perfekten, sonnengebräunten Beine, die sie nach oben trugen. Er trank sein Glas leer, schenkte sich erneut ein und trank aus, bevor sie aus dem Bad kam.

Sie hatte ihr Kleid ausgezogen, trug jetzt nichts als einen winzigen, blauen Seidenslip und einen ihren Busen kaum verhüllenden, ebenfalls blauen BH. Er betrachtete sie von unten, die Makellosigkeit ihres Traumkörpers faszinierte ihn ein ums andere Mal. Er konnte nicht genug von ihr kriegen, und er wußte, daß sie das Zusammensein mit ihm genauso genoß wie er. Sie blieb stehen, lehnte sich an das Geländer, sah ihn mit leicht spöttischem und doch auffordernden Blick an.

»Kommst du?« fragte sie mit gurrender Stimme. »Ich denke, es wird Zeit für ein Spiel.«

Er nickte, folgte nach oben. Er streichelte kurz über ihren Rücken, drückte seine Nase in ihr dunkles Haar, dessen Duft er so liebte.

»Ich bin gleich zurück«, sagte er und verschwand im Bad. Sie steckte sich eine Zigarette an, ging ins Schlafzimmer, setzte sich aufs Bett, die Beine übereinandergeschlagen. Er kam nach fünf Minuten, blieb einen Moment in der Tür stehen, ließ seine Augen über ihren Körper gleiten. Sie nahm einen letzten Zug an der Zigarette, drückte sie in dem marmornen Aschenbecher aus, der auf dem Nachtschrank stand. Sie ließ sich rückwärts aufs Bett fallen, die Arme nach hinten gestreckt, die Beine leicht gespreizt. Erst liebten sie sich, wie es die meisten Menschen tun, sie stimulierten sich, spielten miteinander, doch nach etwa einer dreiviertel Stunde sagte er keuchend, den ganzen Körper von Schweißperlen übersät: »Komm, bitte, mach es wie die letzten Male. Ich will die Handschellen, ich will ganz dir gehören. Mach mit mir, was du willst, aber bitte, mach es.«

»Du wirst es nicht bereuen«, gurrte sie, holte die Handschellen aus ihrer Tasche, ließ sie um seine Handgelenke schnappen und befestigte sie an dem Stahlrohr am Kopfende des Bettes. Sie verband ihm die Augen, nahm die Flasche mit dem Babyöl, träufelte etwas davon auf seinen Oberkörper, rieb ihn damit ein. Sie ließ eine Weile verstreichen, saß über ihm, massierte seine Hoden auf eine besondere Weise. Sein Gesicht verzerrte sich, er stöhnte, riß ein paarmal an den Handschellen. Sie beherrschte ihn, wie sie wollte, sprach kein Wort, ließ nur immer wieder ihre Hände, ihre Haare, ihren Mund über seinen Körper gleiten. Das Spiel dauerte zwei Stunden, bis er erschöpft war. Sie nahm ihm die Augenbinde ab, sah ihn erneut mit leicht spöttischem Blick an.

»Und«, fragte sie, »zufrieden?«

»Du bist der absolute Wahnsinn«, sagte er mit schwerer Stimme. »Wo hast du das bloß gelernt? Wie einfallslos doch dieser Blümchensex ist im Gegensatz zu dem, was man mit dir machen kann.«

Sie schüttelte den Kopf, erwiderte: »Falsch, mein Lieber, es heißt, was *ich* mit *dir* machen kann. Jemanden wie mich wirst du so schnell nicht wieder finden.«

»Ich weiß, ich weiß, und deswegen werde ich alles tun, um dich nicht zu enttäuschen. Und jetzt mach mich bitte los, meine Handgelenke tun schon weh.«

»Gleich«, sagte sie und strich mit dem rechten Zeigefinger leicht über seinen Bauch; er zuckte. »Ist es für dich wirklich am schönsten mit *mir*? Sei ganz ehrlich.«

»Ja, warum fragst du?« sagte er, Schweiß auf der Stirn.

Wieder glitt ihr Finger über seinen Bauch, seine Brust, sie saß breitbeinig auf seinen Schenkeln, strich mit der andern Hand über seinen Unterleib.

»Und es gibt *keine* andere Frau neben *mir*?« fragte sie.

»Nein, warum sollte ich eine andere Frau haben?! *Du* bist die *einzige*. Verdammt, was soll dieses Spiel?« fragte er ungehalten.

»Ich will nur sichergehen, daß du mir auch die Wahrheit sagst. Weißt du, wenn ich wollte, könnte ich dich umbringen; du kennst doch diesen Film mit Sharon Stone und dem Eispickel, ich glaube, er heißt *Basic Instinct*. Und du könntest dich nicht einmal wehren«, sagte sie leise und ihre Stimme hatte einen gefährlichen Unterton. »*Keine* andere Frau? Was machst du eigentlich, wenn ich versuche, dich anzurufen, und du nicht zu erreichen bist oder dich einfach nicht meldest, obwohl ich immer wieder Nachrichten hinterlasse? Sag es mir.«

»Du weißt doch, ich habe viel zu tun …«

»Und wenn der Druck in deinen Eiern zu stark wird, was machst du dann? Vögelst du eine andere, eine Blonde mit dicken Titten und einem Knackarsch? Oder schließt du dich auf dem Klo ein und besorgst es dir selber? Sag mir, was machst du?«

»Mein Gott, was ist denn auf einmal los mit dir? Ist dir heute eine Laus über die Leber gelaufen?«

»Nein, ich finde es nur amüsant, dich zappeln zu sehen, das ist alles. Aber eines laß dir gesagt sein – sollte ich jemals herausfinden, daß noch eine andere Frau im Spiel ist und du mich angelogen hast, dann bringe ich dich um, damit das klar ist.«

»Sag mal, spinnst du?! Was soll dieser Scheiß?«

»Komm, reg dich ab«, sagte sie, nahm den Schlüssel vom Nacht-schrank, löste die Handschellen. »Ich dachte mir nur, es wäre mal eine etwas andere Variante unseres Spiels. Du brauchst kei-ne Angst zu haben, ich habe nur Spaß gemacht«, sagte sie la-chend.

Er setzte sich auf, blickte sie forschend an, rieb seine Handgelen-ke. »Du hast mir verdammt noch mal Angst eingejagt, weißt du das?!«

»Was für ein Gefühl ist das, so hilflos zu sein und nicht zu wis-sen, ob der andere es ernst meint oder nicht? Jagt es dir einen Adrenalinstoß nach dem andern durch den Körper, schlägt dein Herz wie verrückt, schießen dir Gedanken durch den Kopf, wel-che aus deiner Kindheit und Jugend? Sag, wie ist es?«

»Es ist schon komisch«, sagte er, während sein Herzschlag sich beruhigte. »Du hättest mit mir machen können, was du wolltest, ich …«

»Du wärst hilfloser gewesen als ein neugeborenes Baby. Ich weiß. Ich verspreche dir, *so etwas* nicht wieder zu machen. Gro-ßes Ehrenwort. Warum sollte *ich* dich umbringen wollen? Je-manden wie dich finde ich doch nie wieder. Ich meine, wir beide ergänzen uns auf eine fast perfekte Weise, findest du nicht?« Sie machte eine kurze Pause, strich sich eine Haarsträhne aus der Stirn, sah ihn mit undefinierbarem, fast melancholischem Blick an, sagte: »Liebst du mich eigentlich?«

»Das weißt du doch.«

»Du hast es mir aber in letzter Zeit nicht mehr gesagt.«

»Reicht es nicht, wenn ich es dir zeige?«

»Meinst du etwa die Geschenke?« Sie zuckte die Schultern, setz-te sich im Schneidersitz hin, verschränkte die Hände. »Sie sind schön und manchmal auch ausgefallen, doch ich verdiene selbst ganz gut und kann mir eine Menge leisten. Nicht ganz so viel wie du, aber ich lebe nicht schlecht.«

»Liebst *du* mich denn?« fragte er.

»Komisch, daß du mich das jetzt auch fragst. Ich stelle mir immer wieder die Frage, was Liebe eigentlich ist, und je mehr ich darüber nachdenke, um so weniger finde ich eine Antwort darauf. Ich mag dich, ich fühle mich zu dir hingezogen, ich mag es, wenn du nach Schweiß riechst, wenn du mich auf deine bestimmte Weise berührst, wenn du mich fickst. Es gibt vieles, was ich an dir mag.« Sie neigte den Kopf zur Seite, verzog den Mund, zuckte die Schultern, sagte mit einem nachdenklichen Lächeln: »Ob ich dich liebe – ich weiß es ehrlich gesagt nicht. Aber ist das so wichtig?«

Er lachte kehlig auf, sagte: »Erst fragst *du* mich, ob *ich* dich liebe, *du* bist eifersüchtig und drohst mir, *mich* umzubringen, wenn ich etwas mit einer andern Frau habe, und dann willst *du* wissen, ob es so wichtig ist, ob du mich liebst! Weißt du eigentlich, was du redest? Wer sagt mir denn, daß du nicht neben mir noch einen andern Mann hast? Daß du dir nicht dein Vergnügen woanders holst, wenn ich nicht verfügbar bin? Wer sagt mir das?«

»Tut mir leid«, sagte sie mit einem entschuldigenden, entwaffnenden Lächeln, »war nicht so gemeint. Ja, es stimmt schon, wenn Eifersucht etwas mit Liebe zu tun hat, dann liebe ich dich wohl. Verzeih mir, aber ich scheine mich momentan gefühlsmäßig in einer chaotischen Situation zu befinden. Und nein, es gibt keinen andern Mann in meinem Leben.«

»Schon gut«, sagte er und stand auf, öffnete eine Seite des begehbaren Wandschranks, holte zwei Gläser und eine Flasche Whiskey hervor und schenkte ein. Er reichte ihr ein Glas, sie tranken.

»Kannst du mir bitte eine Zigarette geben?« bat sie. Er zog die Schublade des Nachtschranks auf, holte ein Schachtel Davidoff Zigaretten heraus, ging zu ihr, setzte sich neben sie und steckte ihr eine Zigarette in den Mund. Er sah sie von der Seite an, sie hielt den Kopf gesenkt, er meinte, ein paar Tränen über ihr Gesicht laufen zu sehen. Er faßte sie am Kinn, drehte ihren Kopf, so daß er ihr in die Augen sehen konnte, es waren wirklich Tränen, legte seine Arme um ihre Schultern und drückte sie an sich. Er wollte fragen, warum sie auf einmal so traurig war, warum sie weinte, doch etwas hinderte ihn daran; vielleicht hatte er Angst vor dem, was sie sagen würde, vor dem, was danach folgte, vor Fragen, mehr Tränen und nichtgegebenen Antworten. Nach einigen Sekunden löste er die Umarmung, gab ihr Feuer, zündete seine Zigarette an. Durch den Rauch hindurch sah er sie an, ihr Haar, ihr wie von einem Bildhauer gemeißeltes Profil, ihre Brüste, die Beine. Sie war eine Schönheit, eine feurige, hemmungslose Schönheit. Doch an diesem Abend hatte er zum ersten Mal Angst vor ihrem Feuer gehabt. Er überlegte, ob sie fähig wäre, ihn umzubringen, wenn sie von seinem Doppelleben erführe. Innerlich schüttelte er den Kopf, verneinte die Frage. Sie nicht, sie war nicht der Typ für einen Mord, sie war eine kühl kalkulierende Person, die immer genau zu wissen schien, wie weit sie gehen konnte. Sie war dominant und überaus selbstbewußt, und seine Erfahrung hatte ihn gelehrt, daß solche Frauen eine unglaubliche Kontrolle über sich hatten. Sie hatte Kontrolle über andere und über sich selbst. Und solange *er* ihr das Gefühl gab, *ihn* zu kontrollieren, konnte überhaupt nichts schiefgehen. Er durfte sich nur keine Blöße geben, denn er wußte nicht, wie sie dann reagieren würde. Er kannte sie seit drei Jahren und seit dieser Zeit hatte es nicht einen Moment gegeben, in dem sie die Beherrschung verloren hatte, und er hatte auch keine Vorstellung davon, wie es aussehen könnte, wenn dieser Moment eintrat. Würde sie schreien, toben, um sich schlagen, mit Geschirr werfen, oder würde sie …? Nein, er verwarf den Gedanken gleich wieder. Sie war einfach anders, eine Sorte Frau, die man, wenn man Glück hatte, nur einmal im Leben traf. Eine, die sich nicht mit den Millionen anderer Frauen vergleichen ließ, deren Leben aus nichts bestand als der treuen, selbstlosen Hingabe an einen Ehemann, der aufopferungsvollen Liebe zu den Kindern; die nichts kannten als den täglichen, langweiligen Trott zu Hause, in deren Köpfen zwar bisweilen verwerfliche Gedanken herumspukten, die sie aber nie ausleben würden; die einfach nur existierten, ohne zu wissen, warum; die sich zwar insgeheim ein anderes, aufregenderes Leben wünschten, die aber nicht in der Lage waren, diesen Wunsch auch umzusetzen. Zu viele solcher Frauen hatte er schon kennengelernt, und deshalb wußte er, was er an ihr hatte. Er hatte nie zuvor eine ausgeglichenere Frau gekannt. Sie war die Frau, die er sich immer in seinem Bett gewünscht hatte.

»Was hältst du eigentlich von diesen seltsamen Morden, die im Augenblick in Frankfurt passieren?« fragte sie wie beiläufig nach einer längeren, mit Schweigen gefüllten Pause.

»Meinst du diese Giftmorde? Ich weiß es nicht, aber für meine Begriffe ist das ein Verrückter, ein genial Verrückter, um es genau zu sagen. Bei demjenigen liegen wahrscheinlich Genie und Wahnsinn extrem dicht beisammen. Allein sich eine solche Methode auszudenken! Andere machen es auf die plumpe Weise, kaufen sich eine Pistole oder ein gutes Messer, aber er, er tötet mit Gift. Auf jeden Fall eine clevere Methode.«

»Und was, wenn es eine Sie ist?« fragte sie und drückte ihre Zigarette aus. »Ich meine, die Theorien in den Medien gehen ja im Augenblick hauptsächlich davon aus, daß es sich um eine Frau handelt.«

»Ich habe bis jetzt keine Ahnung, ob ein Mann oder eine Frau verdächtigt wird. Mord bleibt Mord und da kommt es nicht darauf an, wer mordet und wie, sondern daß man es überhaupt tut. Das Motiv würde mich interessieren, und vielleicht auch noch ein Gespräch mit dem Täter oder der Täterin. Und auch, was die Opfer ausgefressen haben. Aber warum interessiert dich das?« fragte er.

»Nur so«, sagte sie achselzuckend. »Ich wollte nur deine Meinung hören, du Spezialist.«

»Ich bin kein Spezialist, zumindest nicht für solche Fälle«, sagte er grinsend. »Und du, was denkst du?«

»Ich kenne mich mit so was doch überhaupt nicht aus.« Sie warf einen Blick zur Uhr, kurz vor zwölf, sagte: »Ich denke, ich sollte jetzt gehen. Morgen ist ein harter Tag und ich will wenigstens noch sechs Stunden schlafen. Wann sehen wir uns wieder?«

»Warum bleibst du nicht über Nacht?« fragte er.

»Nein, nicht heute.«

»Nicht gestern, nicht heute, nicht morgen«, sagte er beleidigt, »du hast noch nie hier übernachtet. Warum nicht? Gefällt es dir hier nicht?«

Sie streichelte ihm mit einer Hand übers Gesicht, ihr Blick wirkte wieder traurig, sie sagte leise: »Es gefällt mir sogar sehr gut hier. Aber ich kann einfach nicht. Bitte versteh mich.«

»Erklär es mir, damit ich es verstehe.«

Sie zuckte die Schultern, wandte den Blick ab, sagte: »Laß es doch einfach so, wie es ist. Ich kann es dir nicht erklären …«

»Doch, du könntest es, wenn du wolltest. Aber soll ich dir sagen, was dein Problem ist? Du fürchtest dich, hier zu übernachten, weil du dich in keiner Weise binden möchtest. Du möchtest nicht hier schlafen, weil ich dich dann unter Umständen irgendwann fragen könnte, ob du nicht für immer hier wohnen willst, aber irgend etwas in dir will keine Bindung. Das habe ich vom ersten Augenblick an gespürt, als wir uns kennenlernten. Und jetzt bin ich mir wirklich sicher. Schade.«

Sie lächelte verlegen, sah ihn von der Seite an. »Nein, das ist es nicht. Irgendwann werde ich hier übernachten, und irgendwann werde ich auch für länger bleiben. Nur jetzt im Augenblick geht es noch nicht.«

»Und wann wird der Augenblick sein? Nächstes Jahr, übernächstes, in zehn Jahren?«

»Ich muß gehen«, sagte sie und stand auf. Er hielt ihre Hand fest, blickte ihr in die Augen, sah sie schweigend an.

280

»Wann sehen wir uns wieder?« fragte sie und löste sich aus seinem Griff.

»Am Sonntag?«

»Was ist morgen, oder am Samstag?« fragte sie.

»Morgen und übermorgen bin ich bei meiner Schwester in Karlsruhe. Sie erwartet ihr drittes Kind, und es sind nur noch zwei Wochen bis zum Termin. Ich will sie vorher noch einmal sehen.«

»In Ordnung, dann muß ich mir eben für das Wochenende etwas anderes vornehmen«, sagte sie und ging ins Bad. Sie ließ die Tür offen, er hörte das Rauschen des Wassers. Er legte sich aufs Bett, starrte in den riesigen Spiegel über ihm. Er grinste. Um zehn nach zwölf begleitete er sie nach unten. Zum Abschied küßte er sie, winkte ihr nach, als sie die Stufen zur Straße hinunterlief. Er sah ihr nach, wie sie in ihren Alfa Romeo stieg, das Verdeck öffnete, die Straße hinunterfuhr, kurz vor einer Ampel hielt, die gleich auf Grün sprang, und dann nach links abbog. Er ging zurück ins Haus, fuhr mit dem Aufzug nach oben, trank noch einen Whiskey, stellte die Stereoanlage an, hörte ein paar Takte Beethoven, schaltete wieder ab und ging zu Bett. Ihr unverkennbarer Duft hatte sich im ganzen Zimmer verteilt, es roch nach ihrem Parfüm, ihrer Haut, ihrem Haar. Um halb neun begann sein Dienst. Wenn er Glück hatte, konnte er etwa sieben Stunden schlafen.

Freitag, 0.45 Uhr

Sie war müde und erschöpft von einem anstrengenden Tag; sie verspürte eine leichte, aber bohrende Übelkeit. Sie räumte noch ein paar Sachen vom Tisch, ging ins Bad, wusch sich, putzte die Zähne. Mit einem Mal begann sie zu würgen, hob den Klodeckel hoch und übergab sich. Ihre Augen tränten von der Anstrengung, sie drückte mit beiden Händen leicht auf den Magen, hoffte, er würde sich beruhigen, statt dessen aber mußte sie erneut würgen und erbrach zähen, grünen Schleim. Sie betätigte die Spülung, schloß die Augen, sah kleine, helle Lichtblitze. Nach etwa zehn Minuten hörte der Würgereiz auf, sie drehte sich zum Waschbecken um, spülte den Mund mit kaltem Wasser aus, wusch sich den Schweiß vom Gesicht. Sie sah in den Spiegel und glaubte, eine alte Frau darin zu sehen. Sie holte eine Schachtel Tabletten aus dem Arzneischrank, nahm eine mit etwas Wasser. Die Tablette würde nicht nur die Übelkeit vertreiben, sie würde sie auch gut schlafen lassen. Sie verließ das Bad, löschte das Licht. Bevor sie sich hinlegte, nahm sie ihr Tagebuch, machte einige Eintragungen, nur ein paar Zeilen. Sie legte es zurück in die Nachtschrankschublade, legte sich aufs Bett, starrte an die Decke, faltete die Hände über dem Bauch. Einmal mehr fragte sie sich, was in ihrem Leben falsch gelaufen war, das noch so jung und doch schon so alt schien. Das Telefon klingelte, sie ging aber nicht mehr ran, der Anrufbeantworter schaltete sich nach dem zweiten Läuten ein. Sie hörte nicht, wer aufs Band sprach, aber es konnte nichts Wichtiges sein, nichts, das so wichtig war, daß sie jetzt noch aufstand. Sie sagte nur leise: »Vater, bitte hilf mir. Hilf mir, auch diese schwere Zeit durchzustehen. Du weißt, was richtig für mich ist, und nur du kannst mir helfen. Verlaß mich nicht, du bist der einzige, der mir helfen kann.«

Sie drehte sich auf die Seite, rollte sich in die Bettdecke, versuchte, einzuschlafen. Eine Weile lag sie mit geschlossenen Augen, hörte ein Auto unter ihrem Haus vorbeifahren, Musik, die von irgendwoher kam. Sie schlief ein.

Um halb drei wachte sie auf, sie war heiser, spürte dieses Kratzen im Hals, wußte, sie hatte wieder geschrien. Der Alptraum. Er ließ sie nicht los, seit sie ein kleines Kind war. Und sie hatte das Gefühl, als würde er von Mal zu Mal schrecklicher. Sie stand auf, holte sich eine Flasche Wasser aus der Küche, nahm sie mit ans Bett, drehte den Verschluß auf und trank in kleinen Zügen. Das

Kratzen ließ allmählich nach. Sie schaute um sich, stellte die Flasche neben das Bett, legte sich wieder hin. Sie hatte Mühe, einzuschlafen. Sie nahm das Fläschchen mit dem Valium aus der Schublade, schluckte fünf Tropfen mit etwas Wasser. Nach zehn Minuten schlief sie ein. Und als sie am Morgen aufwachte, fühlte sie sich, wie so oft, als hätte sie gar nicht geschlafen. Manchmal haßte sie dieses Leben.

Freitag, 6.50 Uhr

Julia Durant wachte auf, als die ersten Sonnenstrahlen durch das geöffnete Fenster fielen. Es war spät geworden letzte Nacht bei Hellmer und seiner Frau, und sie hatte Mühe gehabt, einzuschlafen. Sie wußte nicht, wie lange sie geschlafen hatte, aber es waren mit Sicherheit nicht mehr als fünf Stunden gewesen. Als sie nach Hause gekommen war, hatte sie noch ein Bier getrunken, eine Zigarette geraucht und sich um eins ins Bett gelegt. Sie hatte unerklärliche Träume gehabt, von denen sie zwar nicht wach geworden war, an die sie sich aber in jeder Einzelheit erinnerte. Merkwürdige, zusammenhanglose Träume, die wahrscheinlich bedeutungslos waren. Fast virtuelle Träume, in denen sie die einzelnen Personen wie per Mausklick einfach austauschen konnte.
Sie blieb noch zehn Minuten liegen, bis der Wecker klingelte, stellte ihn aus, setzte sich langsam auf. Sie zog die Knie an, schlang die Arme darum, legte den Kopf darauf. Ein langer, anstrengender Tag lag vor ihr, ein Tag der Gespräche, ein Tag, der vermutlich keine sonderlich neuen Erkenntnisse über den Tod von Rosenzweig und Schönau bringen würde, außer, es geschah einer jener unglaublichen Zufälle, an die sie heute aber nicht glaubte. Man würde sich um diesen Hauser kümmern, würde versuchen, über die Staatsanwaltschaft eine Exhumierung seiner Leiche zu erreichen. Es würde nicht einfach werden, da Hauser

nicht in Hessen, sondern in Niedersachsen gestorben war, doch es gab zwingende Gründe, das Grab öffnen zu lassen, um sicherzustellen, ob sein Tod natürlicher oder unnatürlicher Natur gewesen war.

Um zehn nach sieben stand sie auf, trat ans Fenster, sah hinaus. Ein leichter, jetzt am Morgen noch angenehm frischer Wind umfächelte sie, es war, als würde eine unsichtbare Hand sie sanft streicheln. Einen Augenblick lang genoß sie diese Berührung des Windes, drehte sich um, ging ins Bad. Sie stellte sich unter die kleine, in der Ecke hinter der Badewanne befindliche Dusche, ließ zwei Minuten lang lauwarmes Wasser über ihren Körper fließen, trocknete sich ab, stellte sich nackt vor den Spiegel, kämmte sich das nasse Haar, fönte es trocken, putzte sich die Zähne. Sie zog frische Unterwäsche an, Jeans, eine dazu passende blaue Bluse und schlüpfte mit nackten Füßen in die weißen Leinenschuhe. Sie legte einen Hauch Make-up und etwas Lippenstift auf, gab zwei Spritzer *Shalimar* auf den Hals, ging in die Küche. Sie stellte das kleine, noch aus ihrer Jugend stammende Kofferradio an, kochte Wasser für einen Instantkaffee, gab Cornflakes in eine Müslischale, schüttete etwas Zucker und Milch darüber und begann zu essen. Sie hörte die Kurznachrichten, die hauptsächlich aus Meldungen aus der Politik bestanden, der Wetterbericht sagte für heute Schwüle und Temperaturen von annähernd dreißig Grad vorher, doch müßte im Laufe des Nachmittags mit zum Teil kräftigen Gewittern gerechnet werden, an deren Rückseite kühlere und feuchtere Luftmassen von Westen nach Deutschland strömen sollten.

Warten wir's ab, dachte sie und aß einen letzten Löffel von den Cornflakes, lehnte sich zurück und trank langsam den noch immer heißen Kaffee. Sie stellte die Tasse wieder auf den Tisch, holte eine Gauloise aus der Schachtel, zündete sie an. Sie fühlte sich gut, trotz des wenigen Schlafs. Um zwanzig vor acht drückte sie die Zigarette aus, nahm ihre Tasche, überprüfte kurz den Inhalt und verließ die Wohnung. Im Briefkasten die *Frankfurter Rundschau*, sie klemmte sie unter den Arm und ging zum Wagen. Um zwei Minuten vor acht hielt sie auf dem Präsidiumshof. Der BMW von Hellmer sowie Kullmers Alfa Romeo standen bereits da. Mit schnellen Schritten überquerte sie den Hof und begab sich nach oben.

Freitag, 8.00 Uhr

Hellmer und Kullmer saßen hinter ihren Schreibtischen, Berger telefonierte. Er winkte Durant heran, sie nahm Platz. Er sagte noch »Ja« und »Danke« und legte auf.

»Erst mal guten Morgen«, sagte er, die Ellbogen auf den Tisch gestützt und sah Durant an. »Das war eben die Staatsanwaltschaft. Sie haben sich noch gestern abend mit Hannover in Verbindung gesetzt wegen diesem Hauser. Die Leiche wird ohne große Formalitäten zur Exhumierung freigegeben. Ist doch schon was, oder?«

»Hoffen wir nur, daß es kein Windei ist. Wenn doch, dann stehen wir ganz schön dumm da«, sagte die Kommissarin und holte sich einen Kaffee. »Andererseits glaube ich jetzt nicht mehr an einen Zufall. Es paßt einfach zu viel zusammen. Die gleiche Kirchenzugehörigkeit, er war Diabetiker wie Rosenzweig, und er war Chemiker und Biologe. Ich denke fast, und das habe ich schon gestern abend gesagt, daß wir da eventuell einen Hinweis finden werden.«

Hellmer und Kullmer waren hinter ihren Schreibtischen hervorgekommen und hatten sich zu Durant und Berger gesetzt.

»Und dieser Arzt ... wie heißt er noch mal ...?«

»Öczan.«

»Dieser Dr. Öczan, was ist über ihn bisher bekannt? Wie kam er damals zu der Annahme, es könnte sich um einen unnatürlichen

Tod gehandelt haben? Konnten Sie noch einmal mit ihm sprechen?« fragte sie.

»Ich habe ihn gestern noch einmal angerufen«, sagte Berger und lehnte sich zurück. »Er ist in der Türkei geboren, hat Ende der Sechziger, Anfang der Siebziger in Deutschland Medizin studiert, ist danach für fünf Jahre nach Afrika gegangen, um dort in einem Urwaldkrankenhaus zu arbeiten. Er sagt, er hätte dort des öfteren mit Patienten zu tun gehabt, die mit Schlangenbissen zu ihm gekommen sind. In dieser Zeit hat er eine Menge Erfahrungen gesammelt, und als er zu Hauser gerufen wurde, hat er sich sofort an seine Zeit in Afrika erinnert. Ich habe ihn gefragt, ob er eine Vermutung hat, um welches Schlangengift es sich bei Hauser gehandelt haben könnte, aber er hat abgeblockt und nur gemeint, es kämen viele Schlangen in Frage, aber auch bestimmte Skorpionarten, deren Stiche derartige Ödeme oder Gewebsveränderungen beziehungsweise Hautunterblutungen hervorrufen könnten. Er schloß aber ganz klar ein Gift mit stark nekrotisierender Wirkung aus, da er bei Hauser lediglich eine leichte Unterblutung um die Einstichstelle ausmachen konnte. Er vermutet eher ein Nervengift mit leicht gerinnungshemmenden und hämorrhagischen Faktoren, da er den Toten mit weit aufgerissenen Augen und in einer recht starren Haltung vorgefunden hat. Ich habe ihn aber trotzdem noch einmal gefragt, welche Schlangen seiner Meinung nach in Frage kommen könnten, worauf er sagte … Moment, ich hab´s mir aufgeschrieben … er hat in Afrika eine ganze Reihe von Mamba- und Kobrabissen behandelt, aber auch Patienten, die von Puffottern und anderen Giftschlangen gebissen worden waren. Jetzt fragen Sie mich aber um Himmels willen nicht, was der Unterschied zwischen den einzelnen Schlangen ist. Er sagt, es könnte sich seiner Erfahrung nach möglicherweise um Mamba- oder Kobragift handeln, unter Umständen aber auch um eine spezielle Mischung aus unterschiedlichen Giften, da ihm selbst diese Form von leichter Hautunterblutung nicht bekannt ist. Er hat noch hinzugefügt, daß Hautunterblutungen meist mit einer starken Gewebszerstörung einhergehen, was bei Hauser aber nicht der Fall war. Er möchte aber keine voreiligen Schlüsse ziehen. Er meint aber auch, es könnte unter Umständen schwierig werden, nach über einem halben Jahr das potentielle Gift zu identifizieren. Und er hat gesagt, er hoffe nur, daß er jetzt nichts Unüberlegtes getan habe, er wollte lediglich seiner ärztlichen Pflicht nachkommen.«

»Wenn nur jeder Arzt seiner Pflicht so nachkommen würde!« sagte Hellmer und steckte sich eine Marlboro zwischen die Lippen. »Warum haben unsere lieben Kollegen ihn nicht ernst genommen? Weil er bloß ein lausiger Türke ist? Ich kann mir nur an den Kopf fassen, wenn ich von solcher Schlamperei höre!« fuhr er wütend fort.

»Beruhigen Sie sich wieder«, sagte Berger mit einem seltenen Lächeln. »Er hat getan, was er konnte, und ich denke, wir werden sehr bald wissen, ob Hauser eines natürlichen Todes gestorben ist oder ob er umgebracht wurde. Doch ich bin mir fast sicher, daß eher letzteres in Frage kommt. Wichtig ist jetzt erst einmal, die Person Hauser etwas näher kennenzulernen. Wir kennen ansatzweise seine berufliche Tätigkeit, er war offensichtlich angesehen und ein Mitglied dieser Kirche. Jetzt sollten wir herausfinden, mit was er sich beruflich genau beschäftigt hat, und vor allem, wo und wie sein Stand in der Kirche war. Seine Familie sollte befragt werden, auch wenn ich mir persönlich nicht allzuviel davon verspreche. Viel mehr interessiert mich sein Lebenswandel, ob er zum Beispiel auch eine außereheliche Liaison hatte, vielleicht ähnlich wie bei Schönau und Rosenzweig ...«

»Moment, wissen wir denn überhaupt, ob er verheiratet war?« fragte Kullmer.

»Nein, bis jetzt nicht«, sagte Berger, »aber Sie werden uns das sicher schon bald sagen können«, fuhr er grinsend fort.

»Alles klar«, sagte Kullmer und erhob sich, »dann werde ich

mich mal ans Telefon schwingen und alles über diesen Hauser in Erfahrung bringen, was möglich ist. Und wenn Kommissar Hellmer nichts weiter zu tun hat, könnte er mir vielleicht dabei helfen?«

»Wenn's sein muß«, sagte Hellmer und stand ebenfalls auf. »Dann machen wir uns mal an die Arbeit.«

»Und Sie?« fragte Berger an Durant gewandt.

»Ich schnüffle mal ein bißchen in Finks Leben rum. Seine Söhne interessieren mich, vor allem der eine, der sich von seinen Eltern losgesagt hat. Vielleicht kriege ich aus ihm etwas raus, vorausgesetzt, ich treffe ihn überhaupt an. Ach ja, haben Sie schon mit unserem Psycho Schneider gesprochen? Ist er heute verfügbar?«

»Er will um zwei kommen. Es wäre schön, wenn Sie auch da sein könnten.«

»Sicher. Ich mach mich dann mal auf den Weg.«

»Viel Erfolg.«

Julia Durant nahm ihre Tasche und verließ das Büro. Auf dem Weg nach unten steckte sie sich eine weitere Zigarette an, die vierte an diesem jungen Morgen. Sie setzte sich ins Auto und fuhr zu der Adresse von Jürgen Fink. Er wohnte in Goldstein, in einer Siedlung, die Durant schon von einem andern Fall, der ihr sehr nahe gegangen war, gut kannte. Eine Gegend, in die man nicht unbedingt freiwillig zog. Eine jener Gegenden, in der Menschen wohnten, die man oftmals woanders nicht haben wollte, die von der großen, reichen Stadt wie Unrat dorthin gespuckt worden waren. Sie fuhr über die Friedensbrücke, an der Uni-Klinik vorbei immer geradeaus parallel zum Main, hielt kurz an der Ampel, wo sie links abbiegen mußte, um nach Goldstein zu kommen. Sie bog die nächste Straße rechts ab, dann wieder links und die übernächste erneut links.

Im Heisenrath. Die meisten Parkplätze vor den grauen, schmuddeligen Hochhäusern mit den überquellenden, stinkenden Müllcontainern, waren frei, sie stellte den Wagen ab. Sie ging auf das

Haus Nummer zwölf zu, kam an einer Reihe von Briefkästen vorbei, von denen viele demoliert waren, suchte an der Klingelwand den Namen, fand ihn schließlich, drückte den angesengten Klingelknopf. Nachdem sie einige Sekunden gewartet hatte, krächzte eine männliche Stimme aus dem zerdellten Lautsprecher. Durant nannte ihren Namen, kurz darauf ertönte der Türsummer. Sie betrat den Aufzug, die Wände waren beschmiert, der Boden naß, es stank nach Urin. Sie drückte den achten Stock, die Tür schloß sich mit einem lauten Knall. Sie ließ sich von dem schaukelnden, knarzenden Ungetüm in den achten Stock tragen. *Runter laufe ich*, dachte sie und ging rechts um die Ecke, las die Namensschilder an den drei Türen, ging zurück auf die andere Seite.

Jürgen Fink bewohnte die mittlere Wohnung auf der linken Seite. Die Tür war geschlossen, sie klopfte. Ein großer, junger Mann mit langen, dunklen, fettigen Haaren, bekleidet mit einem fleckigen Rippenshirt und einer ausgefransten Jeans öffnete ihr. Er war barfuß, unrasiert, sein Atem roch streng nach billigem Fusel.

»Herr Fink?« fragte Durant.

»Was wollen Sie?« fragte er mißtrauisch zurück.

»Ich würde mich gern mit Ihnen unterhalten. Darf ich rein kommen?«

»Wenn´s unbedingt sein muß«, sagte er mürrisch und machte die Tür ganz auf. Er ging vor Durant her ins Wohnzimmer, sie schloß die Tür hinter sich. Die Luft im Raum war abgestanden und muffig, ein unangenehmer Geruch drang in ihre Nase. Auf dem Boden lagen mehrere leere Bier- und Schnapsflaschen, der Aschenbecher quoll über. Es gab keine Vorhänge, die Wände waren kahl, die ehemals weiße Farbe vergilbt, das Fenster verschmiert und seit Monaten oder gar Jahren nicht geputzt. Es gab einen Fernsehapparat und eine kleine Stereoanlage, eine durchgesessene Couch, einen Sessel und einen kleinen Tisch, an der Wand ein Regal mit ein paar zerschlissenen Büchern.

»Wo kommen Sie überhaupt her? Vom Sozialamt? Oder vom Wohnungsamt? Oder hat mein Alter Sie hergeschickt?«

»Weder noch, ich komme von der Kripo und würde gern mit Ihnen sprechen. Ihre Adresse habe ich übrigens von Ihrer Schwester.«

»Von Laura?« fragte er zweifelnd. »Ist irgendwas passiert?« Er ging in die kleine Küche, holte eine Dose Bier, riß den Verschluß auf und trank. »Tschuldigung«, sagte er, »wollen Sie auch eins?«

»Nein danke. Sonst jederzeit, aber nicht, wenn ich im Dienst bin.«

»Wieso hat Laura Sie geschickt?« fragte er weiter und setzte sich auf die von schmutziger Wäsche bedeckte Couch, die Bierdose zwischen den Händen und sah Durant lange und durchdringend an.

»Sie hat mich nicht geschickt, ich habe sie um Ihre Adresse gebeten. Ich möchte mich nur ein wenig mit Ihnen unterhalten, das ist alles. Darf ich mich setzen?« Er nickte nur, die Kommissarin nahm auf dem Sessel Platz.

Jürgen Fink lehnte sich zurück, die Beine gespreizt, er lächelte verächtlich.

»Mit mir unterhalten? Worüber?«

»Ich weiß nicht, ob Sie gehört haben, daß zwei Männer, die Sie sicherlich auch kennen, in den letzten Tagen getötet wurden. Ein Herr Rosenzweig und ein Herr Schönau. Sagen Ihnen die Namen etwas?«

»Klar, warum? Und ja, ich habe davon gehört. Und wenn Sie wissen wollen, ob es mir um die beiden leid tut, dann muß ich leider sagen, nein. Noch was?«

»Ja, zum Beispiel, warum wohnen Sie hier? Ihr Vater ...«

»Mein Vater!« spie er höhnisch lachend aus. »Mein Vater kann mich mal! Klar, mein Alter hat Geld, und zwar eine ganze Menge, und ich hab keins. Na und, wen interessiert das?! Sicher, ich könnte es besser haben, finanziell meine ich, aber ich habe mir den Luxus und die Frechheit erlaubt, auf finanziellen Wohlstand zu verzichten. Und möchten Sie auch wissen, warum? Weil ich nicht länger springen wollte, wenn er ›hopp‹ sagte. Jahrelang hat er nämlich ›hopp‹ gesagt, und ich mußte springen. Und er hat auch bestimmt, wie oft und wie hoch ich sprang. Und wenn ich nicht oft und hoch genug gesprungen bin, dann mußte ich eben bestraft werden. So einfach war das.« Er machte eine kurze Pause, nahm einen weiteren Schluck von seinem Bier, sah Durant wieder an, diesmal mit einem nachdenklichen Blick. »Wenn Sie meinen Vater kennen würden, ich meine, richtig kennen, dann wüßten Sie, was ich meine. Er duldet keinen Widerspruch, niemals. Er bestimmt die Regeln, egal, wo und wie, und er ändert diese Regeln, wann immer es ihm beliebt. Allein in seiner Nähe zu sein kann schon zu einer Qual werden. Es tut mir leid, aber mein Vater ist für mich gestorben. Lieber krepiere ich in diesem gottverdammten Loch, als noch einmal *sein* Haus zu betreten.«

»Was hat er Ihnen getan?«

»Mir?« fragte er und senkte den Blick. »Mir eigentlich weniger, aber …« Er machte eine Pause, trank die Dose leer, stellte sie auf den Tisch. »Fragen Sie doch Laura, oder meinen Bruder Stephan. Oder meine Mutter. Vielleicht bekommen Sie von denen eine Antwort, was er getan hat. Andererseits glaube ich nicht, daß die den Mund aufmachen. Dazu sind sie viel zu feige, außer Laura vielleicht. Denn sie springen immer noch, wenn der alte Herr ›hopp‹ ruft. Sie springen und springen und springen. Denn sie alle haben Angst vor … IHM. Wenn Sie verstehen, was ich meine.«

»Sie haben Angst vor Ihrem Vater?«

Er lachte höhnisch auf und schlug sich auf die Schenkel. »Klar, vor dem auch. Aber in Wirklichkeit fürchten sie sich vor *IHM* da oben«, sagte er und deutete in Richtung Decke. »Sie fürchten sich vor der großen und unbarmherzigen Strafe des *Allmächti-*

gen. Und warum fürchten sie sich vor dieser Strafe? Weil mein lieber Herr Vater es ihnen immer und immer wieder einbläut. Sie müssen wissen, mein Vater kennt Gott besser als irgend jemand sonst, oder zumindest besser als die meisten! Er weiß genau, wer und wie Gott ist, daß Gott über jeden unserer Schritte genauestens wacht, und wenn wir auch nur einmal stolpern, dann wird dieser Gott uns mit unnachgiebiger Härte bestrafen.« Er hielt inne, seufzte auf, fuhr nach einer Weile ruhiger fort: »Es hat lange gedauert, bis ich kapiert habe, wie verlogen und bigott die Sprüche meines alten Herrn sind. Er hat mit Gott gedroht, dabei waren es allein *seine* Drohungen ... Das Seltsame ist, ich glaube immer noch, daß es einen Gott gibt, aber der sieht ganz anders aus als der Gott meiner Kindheit und Jugend. Dieser Gott ist gütig und gnädig, er verzeiht und vergibt, und vor allem, er liebt jedes einzelne seiner Kinder. Und verdammt noch mal, er liebt auch mich, egal was ich getan habe!« Die letzten Worte kamen stockend über seine Lippen, er beugte sich nach vorn, fuhr sich mit einer Hand über die Augen.

»Sie trinken viel, nicht?« fragte Durant vorsichtig.

»Ja, leider. Aber ich bin jetzt nicht betrunken, wenn Sie das meinen. Ich wünschte nur, es gäbe für mich einen leichteren Weg aus dieser Welt. Ich saufe, und ab und zu drehe ich mir einen Joint, und das alles nur, um zu vergessen. Aber ich habe längst gemerkt, daß es ein Vergessen nicht gibt. Dieser Schweinehund ist nämlich allgegenwärtig, er verfolgt mich sogar in meinen Träumen. Ich kann ihn nicht abschütteln. Wissen Sie, wovon ich lebe? Von Sozialhilfe, und dann und wann steckt mir Laura ein paar Mark zu. Laura ist die einzige in der Familie, zu der ich ab und zu Kontakt habe, sie ist auch die einzige, die ich bewundere. Ich bewundere sie, weil sie all das, was sie erleiden mußte, so gut weggesteckt hat. Sie ist die einzige, die offensichtlich keinen Schaden genommen hat.«

»Was mußte sie denn erleiden?«

»Fragen Sie sie. Ich bezweifle aber, daß Sie eine Antwort darauf erhalten werden. Sie ist zu stolz, um über das zu reden, was in der Familie vorgefallen ist. Sie ist stolz und stark. Aber sie ist anders stark als mein Vater. Sie ist vielleicht sogar die stärkste von uns allen. Auf jeden Fall aber ist sie die liebenswürdigste. Sie verdammt mich nicht, sie sagt nur ab und zu, daß ich weniger trinken soll, und sie hat verdammt noch mal recht damit. Ja, ich sollte weniger trinken, ich sollte etwas aus meinem Leben machen, aber ich kann nicht.«

»Was arbeiten Sie?« fragte Durant und steckte sich eine Zigarette an.

»Kann ich auch eine haben?« fragte Fink. »Ich muß erst noch los, mir welche besorgen.«

Sie reichte ihm wortlos die fast volle Schachtel, er nahm eine Gauloise heraus und zündete sie an. Er inhalierte tief, blies den Rauch zur Decke.

»Ich arbeite nicht. Es scheint, als gäbe es keinen Platz für mich in dieser Stadt. Ich habe es probiert, und immer hatte ich das Gefühl, als wäre mein Vater vorher dort gewesen, um dem Chef zu sagen, daß er mich unter keinen Umständen einstellen dürfe. Ich weiß, es klingt verrückt, und das ist es wahrscheinlich auch. Es ist, als ob ich gegen eine Gummiwand laufe.«

»Sie sind doch aber noch so jung und vor allem intelligent. Es muß doch eine Möglichkeit geben …«

Wieder lachte er auf, diesmal klang es resigniert. »Sicher gibt's die, ich habe sie nur noch nicht gefunden. Wissen Sie, ich habe mein Abi gemacht, bin auf die Uni gegangen, um Germanistik zu studieren, was meinem alten Herrn alles andere als zugesagt hat. Er wollte, daß ich etwas Anständiges studiere, Mathematik oder Physik, oder Medizin wie Laura. Germanistik, sagte er, wäre etwas für Waschlappen und Tagträumer, für Leute, die meinen, man könnte damit vielleicht eines Tages Geld verdienen, indem man Gedichte oder Romane schreibt. Dabei wollte ich nichts anderes als Lehrer werden. Doch er hat gesagt, Lehrer wäre heutzutage kein Beruf mehr, man würde kein Geld dabei verdienen. Ich habe trotzdem meinen Kopf durchgesetzt und die Uni besucht. Nach nicht einmal zwei Semestern wollte er mit mir sprechen, er hat gesagt, er hätte das Gefühl, ich hätte mich verändert. Er hat mir eine lange Predigt über das Leben und über Gott und über meine Zukunft gehalten. Und er hat mich gefragt, warum ich nicht mehr in die Kirche käme. Worauf ich antwortete, ich hätte keine Lust mehr, ich habe ihm ins Gesicht gesagt, daß ich es leid wäre, ständig diese Heuchler um mich zu haben.« Er nahm einen letzten Zug von der Zigarette, drückte sie aus, schüttelte den Kopf. »Er ist aufgestanden, hat mich mit diesem eiskalten, stechenden Fink-Blick angeschaut und ist gegangen. Einen Tag später kam ein Brief, in dem er mir mitteilte, wenn ich mich nicht eines Besseren besinnen würde, müßte ich in Zukunft zusehen, wie ich allein zurechtkäme.« Fink seufzte kaum merklich auf, fuhr fort: »Ich habe es darauf ankommen lassen, habe ihn angerufen und ihm gesagt, ich wüßte sehr wohl, was gut für mich ist. Daraufhin habe ich ihn von einer andern, seiner wahren Seite kennengelernt. Er hat mir das Geld für das Studium gesperrt, ich mußte meine kleine Wohnung aufgeben, und er teilte mir unmißverständlich mit, ich sei aus seinem Testament gestrichen, selbst vom Pflichtteil würde ich nie auch nur einen Pfennig sehen. Ich hatte noch ein paar Mark auf dem Sparkonto, das war aber auch alles. Und es gab niemanden, der mir helfen konnte oder wollte. Laura hat selbst noch studiert, Stephan fing gerade an, seinen Lebensunterhalt als Maler zu verdienen.«

Nach den letzten Worten verzog er verächtlich den Mund, machte eine krause Stirn, hob die Schultern, fuhr mit abfällig heruntergezogenen Mundwinkeln fort: »Dagegen hatte mein Vater komischerweise nichts, denn Stephan, mein lieber, guter Bruder Stephan, malt ganz besondere Bilder. Sie müssen wissen, er ist ja sooo unglaublich vergeistigt! Er malt Bilder, die Christus und den Himmel in all seiner Herrlichkeit zeigen, schöne, erhabene, *gott-* und *Fink*gefällige Bilder.« Bei dem letzten Satz lachte er wieder höhnisch auf, fuhr fort: »Er verdient zwar nicht viel damit, aber der Alte unterstützt ihn, wo es nur geht. Er steckt ihm die Scheine in den Arsch, und mein lieber Bruder läßt es sich gut gehen. Er hat ein schickes kleines Haus, eine nette Frau und ein Kind, und er kann tun und lassen, was er will. Schließlich arbeitet er ja für Gott … Wie immer Sie das auslegen möchten.« Er hielt kurz inne, sah auf seine Hände, sagte: »Tja, aber ich bin hier gelandet, lebe von Sozialhilfe und weiß nicht, wie es weitergehen soll. Dabei bin ich erst achtundzwanzig Jahre alt. Und glauben Sie mir, ich würde gerne arbeiten … Und das könnte ich wohl auch, wenn ich Buße tun und in Sack und Asche zu meinem alten Herrn zurückkriechen würde. Aber den Gefallen werde ich ihm nicht tun. Eher verrecke ich.«

Es verstrich eine Weile, ohne daß ein Wort fiel. Schließlich sagte die Kommissarin: »Herr Fink, es tut mir leid, was geschehen ist. Aber könnten Sie sich vorstellen, wer Ihrem Vater einen Drohbrief schickt, in dem er ihn auf seine Vergangenheit anspricht? Ich habe gestern bei Ihrer Schwester mit ihm gesprochen. Er hat Angst. Er will aber nichts über seine Vergangenheit sagen.«

Fink lachte erneut auf, erhob sich, stellte sich ans Fenster. Er schaute hinunter auf die Straße, steckte die Hände in die Hosentaschen, schüttelte den Kopf.

»Er will also nichts über seine Vergangenheit sagen. Das kann ich mir denken, ich kann es mir sogar lebhaft vorstellen. Und jetzt wollen Sie von mir, dem verstoßenen Sohn, hören, was denn an der Vergangenheit meines Vaters nicht stimmt. Nun, nichts stimmt, gar nichts! Aber Einzelheiten werden Sie von mir nicht erfahren. Ich sage Ihnen nur, wenden Sie sich an ihn. Löchern Sie ihn, vielleicht gelingt es Ihnen ja, ihm ein paar Geheimnisse zu entlocken. Ich werde jedenfalls meinen Mund halten. Mir ist es egal, ob es jemanden gibt, der ihm droht, mir ist es sogar egal, ob ihn jemand umbringen will. Ich würde nicht einmal zu seiner Beerdigung gehen. Ich habe keinen Vater mehr.«

»Das tut mir leid, Herr Fink. Ich meine es wirklich so. Aber wenn Sie schon nicht über Ihre Familie reden wollen, dann sagen Sie mir doch wenigstens bitte, was Sie über Rosenzweig und Schönau wissen.«

Fink drehte sich um, lehnte sich gegen die Fensterbank, kniff die Lippen aufeinander, sein Blick war ernst.

»Ehrlich, ich weiß über die beiden fast gar nichts. Ich bin seit beinahe sieben Jahren nicht mehr in der Kirche gewesen, und ich kenne sie einfach zu wenig. Laura oder Stephan können Ihnen sicher eine ganze Menge sagen ...«

»Aber Sie kennen die beiden doch aus Ihrer Jugend, oder?«

»Natürlich. Aber als Jugendlicher achtet man nicht so sehr auf die alten Herren. Ich weiß nichts«, sagte er, den Blick zu Boden gerichtet. »Ich weiß absolut nichts. Und wenn Sie jetzt bitte gehen wollen, ich möchte allein sein. Ich habe alles gesagt, was ich weiß ...«

»Nein, das haben Sie nicht. Ich könnte unter Umständen verhindern, daß ein weiterer Mord geschieht, wenn Sie mir mehr erzählen würden ...«

»Ich kann nicht«, sagte er leise, mit flehendem Blick. »Ich kann es wirklich nicht. Bitte, gehen Sie. Sprechen Sie mit Laura oder Stephan. Sprechen Sie von mir aus auch mit meiner Mutter, vor allem aber – reden Sie mit *ihm*. Nur er kennt *alle* seine Geheimnisse. Und womöglich auch die von Rosenzweig und Schönau.«

Er hat Angst, dachte Durant und stand auf. Sie ging zu ihm, reichte ihm die Hand. Seine Handflächen waren verschwitzt, er zitterte. Als sie ihn ansah und sich ihre Blicke trafen, traten Tränen in seine Augen. Er wandte sich ab, fuhr sich mit einer Hand übers Gesicht.

»Hier«, sagte sie und gab ihm ihre Karte. »Wenn Sie mit mir

sprechen wollen, rufen Sie mich an. Überlegen Sie es sich. Manchmal hilft es, über den eigenen Schatten zu springen.«

Er nickte nur. Als Durant schon an der Tür war, rief er ihr hinterher: »Ihre Zigaretten …«

»Behalten Sie sie. Ich hol mir neue.«

Sie lief die acht Stockwerke nach unten. Schmierereien an den Wänden, die Betonstufen vollgespuckt und verdreckt, die dicken Milchglasscheiben erinnerten sie an ein Gefängnis, es stank nach Urin, Kot und Erbrochenem. Sie atmete so flach wie möglich, um dem Gestank keine Chance zu geben. Erst im Freien holte sie tief Luft, ging mit schnellen Schritten zu ihrem Wagen, stieg ein, startete den Motor und verließ das Viertel. Ihr nächstes Ziel war Stephan Fink. Sie hielt an einem Kiosk, kaufte eine Schachtel Zigaretten. Während der Fahrt dachte sie an Jürgen Fink und seine Angst. Sie fragte sich, was wohl das große Geheimnis des Karl-Heinz Fink sein mochte. Und sie bezweifelte, aus Stephan Fink mehr herauszukriegen. Sie würde es trotzdem versuchen.

Freitag, 10.10 Uhr

Sie hielt vor dem kleinen Haus in Unterliederbach, stieg aus, sah zum Himmel, der von einer milchigen Wolkenschicht überzogen war. Die Schwüle war erdrückend. Sie ging zum Tor, das offenstand und von dem aus es etwa zehn Meter bis zur Haustür waren. Auf einem kleinen Schild stand der Name Fink. Sie klingelte, es dauerte einen Moment, bis ein großer, untersetzter, dunkelhaariger Mann in der Tür stand, der ihr auf den ersten Blick unsympathisch war, warum, vermochte sie nicht zu sagen; vielleicht war es sein düsterer Blick, vielleicht seine Haltung, vielleicht der harte Zug um den Mund, vielleicht auch alles zusammen.

»Ja, bitte?« fragte er mit ungewöhnlich heller Stimme, den Kopf leicht zur Seite geneigt.

»Durant, Kriminalpolizei«, sagte sie. »Ich würde mich gern einen Augenblick mit Ihnen unterhalten.«

»Worüber?« fragte Stephan Fink mißtrauisch.

»Über die Herren Rosenzweig und Schönau, und über Ihren Vater.«

»Kommen Sie rein«, sagte er und machte die Tür frei. »Geradeaus ist das Wohnzimmer.«

Es war ein nicht sonderlich großer, heller Raum, der von Sonnenlicht überflutet war. An der Wand hingen Bilder, wie Jürgen Fink sie beschrieben hatte – Christus, Engel, Himmel. Auf dem Wohnzimmertisch lag eine aufgeschlagene Bibel, daneben ein Block und ein Stift. Irgendwie erinnerte sie das Zimmer an einen Raum, den sie schon einmal betreten hatte, vor einigen Jahren; alles wirkte steril, eine seltsame Stille umgab sie, der Raum strahlte trotz der Hitze draußen eine ungewöhnliche Kälte aus. Alles versprühte Heiligkeit, doch war es wirklich Heiligkeit oder nur der Schein davon?

»Nehmen Sie Platz«, sagte Fink und deutete auf einen der beiden weißen Ledersessel. »Meine Frau ist heute vormittag nicht da, sie ist mit dem Kleinen beim Arzt. Sie müssen also mit mir allein vorliebnehmen.«

»Ich wollte sowieso nur mit Ihnen sprechen«, sagte Durant und setzte sich. Fink, der eine helle Sommerhose und ein weißes Hemd trug, nahm schräg gegenüber auf der Couch Platz.

»Also«, sagte er und schaute zur Uhr, als wäre er in Eile, »was gibt es Dringende?«

»Ich komme gerade von Ihrem Bruder. Er …«

»Er ist ein Säufer und ein Junkie. Das schwarze Schaf der Familie. Von ihm brauchen Sie nicht allzuviel zu erwarten«, sagte Stephan Fink schnell mit kühlem Blick und abfälligem Ton. »Für ihn ist die Welt und alles, was darauf lebt, schlecht und verkommen. Ich würde nicht zuviel auf das geben, was er im Suff von sich gibt.«

»Nun, es mag sein, daß er trinkt, aber ob er ein Junkie ist, kann ich nicht beurteilen, den Eindruck hat er nämlich auf mich nicht gemacht. Und was meinen Sie damit, ich solle nicht zuviel auf das geben, was er sagt? Was hätte er denn Ihrer Meinung nach sagen können?«

Stephan Fink lächelte überheblich, schlug die Beine übereinander, verschränkte die Arme über der Brust. Körpersprache.

»Ich weiß ja nicht, was Sie ihn gefragt haben.«

»Sie haben offensichtlich kein gutes Verhältnis zu ihm, wie mir scheint. Aber Sie sind doch Brüder.«

»Na und? Was bedeutet es heutzutage schon noch, Brüder oder Schwestern zu haben? Brüder töten Brüder, Schwestern töten Schwestern. Er hätte den Himmel auf Erden haben können, statt dessen hat er die Hölle gewählt. Nun, jedem Menschen wurde die Entscheidungsfreiheit gegeben, und die einen machen das Beste daraus, die andern mißbrauchen sie. Jürgen hat sich leider für letzteres entschieden. Aber das ist allein sein Problem. Er hätte eben auf Vater hören sollen.«

»Was hat Ihr Vater denn gesagt?«

»Sind Sie gekommen, um über Familienangelegenheiten mit mir zu sprechen? Ich denke doch nicht, oder? Außerdem ist meine Zeit knapp bemessen.«

»Gut, ich will es so kurz wie möglich machen. Ich weiß nicht, ob Ihr Vater seit gestern mit Ihnen gesprochen hat, aber er hat mir einen Brief gezeigt, in dem ihm recht unmißverständlich gedroht wurde …«

»Ja, ja, ich weiß, mein Vater hat mich gestern abend angerufen. Und er hat auch gesagt, daß die Polizei sich weigere, ihm Schutz zu gewähren. Das stimmt doch, oder?« fragte er mit einem zynischen Grinsen, für das Durant ihm am liebsten eine runtergehauen hätte.

Sie ließ sich ihre Emotionen nicht anmerken, erwiderte statt dessen mit kühler Gelassenheit: »Das ist nur zum Teil richtig. Wir können ihm jedoch keinen Personenschutz gewähren, der ihn rund um die Uhr bewacht. Dafür ist die Polizei nicht zuständig. Aber was ist denn Ihre Meinung, wer hinter diesem Brief stecken könnte?«

»Keine Ahnung. Wahrscheinlich irgendein Verrückter. Vielleicht sogar mein lieber Bruder, dem ist alles zuzutrauen.«

»Sie trauen Ihrem Bruder so etwas zu? Würden Sie ihm auch die Morde an Rosenzweig und Schönau zutrauen?«

»Warum nicht?«

»Und das Motiv?«

»Neid. Menschen, die nichts haben, oder besser gesagt, die alles verloren haben, sind zu allem fähig. Sie blicken voller Neid auf das, was andere besitzen, und wenn sie es nicht bekommen können, dann holen sie es sich einfach. Neid ist eine Eigenschaft des Teufels ... aber was rede ich da, Sie haben sicherlich nicht viel mit Religion am Hut ...«

»Erzählen Sie ruhig weiter, mein Vater ist Priester. Es interessiert mich. Was hat es mit dem Teufel auf sich?«

»Ach, vergessen Sie´s. Es ist unwichtig.«

»Aber Sie haben eben Neid als Motiv für die Morde genannt. Und Sie verdächtigen Ihren Bruder. Deshalb würde ich gern mehr dazu von Ihnen hören.«

»Also gut, wenn Sie unbedingt wollen. Der Teufel ist der Vater des Neids. Er hat keinen Körper wie wir, er möchte aber einen haben, doch weil er weiß, daß er nie einen Körper besitzen wird, möchte er, daß wir alle so werden wie er. Schlecht, gemein, hinterhältig, verdorben. Und dazu ist ihm jedes Mittel recht. Schauen Sie, mein Bruder hatte alles, wovon ein Mensch nur träumen kann, eine intakte Familie, ein gutes Zuhause, eine erstklassige Erziehung. Er hätte sich um Geld niemals Sorgen zu machen brauchen, vor allem aber hatte er die Gewißheit, daß unser Vater im Himmel ihm stets zur Seite stand. Doch was machte er? Er hat genau das getan, was der verlorene Sohn in dem Gleichnis tat – er trat das, was ihm gegeben war, mit Füßen, wandte sich von seinen Eltern und Geschwistern und, was am schlimmsten ist, von Gott ab, und jetzt ist er dort gelandet, wo der Abschaum unserer Gesellschaft lebt. Es tut mir leid um ihn, doch helfen kann ich ihm nicht. Und ich bezweifle, daß er es kann. Nein, das ist falsch, es tut mir nicht leid, es wäre eine Vergeudung von Gefühlen. Er hat dieses Leben gewählt und er muß damit zurechtkommen.«

»Aber ist der verlorene Sohn nicht wieder von seinem Vater aufgenommen worden?«

»Ja, nachdem er bereut hatte. Mein Bruder würde auch alles machen, nur nicht bereuen, denn er ist überzeugt davon, damals richtig gehandelt zu haben, als er sich von der Familie lossagte. Aber Sie konnten sich ja selbst überzeugen, in welch verkommenem Zustand er sich befindet. Er hat sich entschieden, und diese Entscheidung hat ihm das Genick gebrochen. Ich weiß, es hört sich hart an, aber diese Welt ist hart. Und nur die Starken überleben. Das ist das Gesetz der Natur, und diese Gesetze wurden nicht von Menschen gemacht, sondern von Gott. Es ist das Gesetz der natürlichen Auslese. Die Spreu wird vom Weizen getrennt.«

Julia Durant wußte, daß sie einem gerade einmal dreißigjährigen Mann gegenübersaß, doch was er sagte und vor allem, wie er es sagte, glich den Äußerungen alter, innerlich versteinerter Menschen, die nicht mehr nach links oder nach rechts schauten, sondern nur noch geradeaus. Sie war entsetzt, versuchte sich diese Regung aber nicht anmerken zu lassen..

»Trauen Sie Ihrem Bruder wirklich einen Mord zu?«

»Ich sagte doch schon, ich traue ihm alles zu. Er ist doch nicht mehr in der Lage, einen klaren Gedanken zu fassen. Und er will sich für das an ihm begangene Unrecht rächen. Dabei hat ihm kein Mensch etwas getan, er hat sich alles selbst zugefügt. Er leidet, aber er hat dieses Leid selbst gewählt. Und trotzdem will er sich rächen.«

»Hat er Ihnen das gesagt?« fragte Durant mit zu Schlitzen verengten Augen.

»Nein, das braucht er nicht«, erwiderte Stephan Fink mit abfällig heruntergezogenen Mundwinkeln. »Ich kenne genügend Menschen von der Sorte meines Bruders. In ihnen ist Haß und Rache. Aber es wird der Tag kommen, an dem sie der vollkommenen Liebe gegenüberstehen werden, doch die Gegenwart dieser vollkommenen Liebe werden sie nicht ertragen können, denn diese Liebe ist wie ein Licht, heller als die Sonne, und dieses Licht wird die, die im Dunkeln lebten, dorthin zurückschicken, wo sie herkamen, in die vollkommene Finsternis. Und dann wird jeder mit seinesgleichen zusammen sein. Dann wird jeder den Lohn bekommen, den er verdient. Die einen werden in der Herrlichkeit Gottes wohnen, die andern in der des Teufels, Satans, Luzifers. Wenn man in diesem Fall überhaupt von einer Herrlichkeit sprechen kann.«

»Gut«, sagte Durant mit eisiger Kälte, »was haben denn Rosenzweig und Schönau verdient? Oder Ihr Vater? Was gibt es denn in der Vergangenheit dieser Männer, das einen Menschen dazu bringt, sie zu töten oder töten zu wollen?«

»Hören Sie nicht zu – Neid! Und Haß! Haß auf jeden, der sein Auge auf die Herrlichkeit Gottes gerichtet hat, wozu derjenige selbst nicht in der Lage ist.«

»Dann waren Rosenzweig und Schönau also absolut integre Männer, genau wie Ihr Vater, richtig?«

»So wird es wohl sein.«

»Was verstehen Sie denn unter integer?« fragte Durant weiter.

»Nun, ich denke, der Begriff integer ist klar definiert. Aber wenn Sie es genau wissen wollen – integer bedeutet, aufrichtig und ehrlich zu sein und ein gottgefälliges Leben zu führen, wozu es nicht mehr bedarf, als nach den Zehn Geboten zu leben. Und ich weiß, jeder kann das schaffen.«

»Was ist, wenn einer von ihnen Ehebruch begangen hat?«

»Dann hat er eine schwere Schuld und Sünde auf sich geladen.«

»Ist er dann noch integer?«

»Das kann man pauschal so nicht beantworten, es kommt immer auf den einzelnen Fall an ...«

»Seltsam, über Ihren Bruder brechen Sie den Stab, aber ...«

»Kein aber. Er hat sich entschieden und keine Umkehr geübt. Und ich halte ihn für zu allem fähig.«

»Ich aber nicht«, sagte Durant bestimmt und erhob sich. »Ich danke Ihnen für das Gespräch, es war sehr aufschlußreich. Ich wünsche Ihnen noch viel Erfolg bei Ihrer Arbeit. Und vor allem, daß Sie nie auf den falschen Weg geraten. ... Ich finde allein hinaus.«

Sie ging zur Tür, drehte sich noch einmal um, fragte: »Wie stehen Sie eigentlich zu Ihrer Schwester?«

»Laura? Sie ist meine Schwester, alles andere geht Sie nichts an.«

Julia Durant verließ das Haus; sie fühlte unbändige Wut und Ohnmacht in sich aufsteigen, wäre am liebsten zurückgegangen, um diesem arroganten, selbstherrlichen Kerl die Meinung zu sagen. Sie wußte aber auch, es würde nichts nützen. Sie setzte sich ins Auto, zündete sich eine Gauloise an und fuhr los. Sie wollte kurz bei Laura Fink vorbeischauen, auch wenn sie gerade Sprechstunde hatte. Und wenn sie nur einen Termin mit ihr ausmachen würde. Aber sie mußte noch einmal mit ihr sprechen; sie wußte, wenn sie überhaupt etwas über diese geheimnisvolle Familie erfuhr, dann von ihr. Und sie spürte, der Weg zur Lösung dieser Morde führte über diese Familie.

»Tut mir leid, aber die Frau Doktor ist nicht im Haus. Sie wurde zu einem Notfall gerufen …«

»Wann wird sie zurück sein?«

»Ich weiß es nicht, aber es könnte durchaus noch eine halbe Stunde dauern. Kann ich etwas ausrichten?«

»Ja, sagen Sie ihr, sie möchte mich bitte noch heute anrufen. Sie hat meine Nummer«, sagte Durant.

»Ich werde es ausrichten«, sagte die Frau, wandte den Kopf zur Tür. »Aber ich denke, Sie können selbst mit ihr sprechen, sie kommt gerade.«

Laura Fink machte einen abgekämpften Eindruck, Schweißperlen auf der Stirn, die Augen müde und erschöpft. Sie stellte den Arztkoffer ab, sagte leicht verärgert: »Frau Durant, was gibt es? Sie wissen doch, ich habe bis zwei Sprechstunde. Und wenn auch noch Notfälle wie eben dazwischen kommen … Bitte verstehen Sie mich nicht falsch, aber heute ist nicht mein Tag.«

»Ich möchte nur kurz mit Ihnen reden«, sagte die Kommissarin.

»Wie viele sind im Wartezimmer?« fragte Laura Fink an die Sprechstundenhilfe gewandt.

»Noch zwei. Drei sind gegangen, als Sie zu Frau Hessler gerufen wurden. Sie kommen am Montag wieder.«

»Gut«, sagte Laura Fink, spitzte die Lippen und sah Julia Durant von der Seite an. »Mehr als zehn Minuten kann ich Ihnen aber nicht geben. Sonst müssen wir es auf ein andermal verschieben.«

»Einverstanden«, sagte die Kommissarin und folgte der Ärztin in das Sprechzimmer. Sie schloß die Tür hinter sich, setzte sich auf die Liege.

»Also, was gibt es?« fragte Laura Fink, nachdem sie hinter dem Schreibtisch Platz genommen hatte.

»Ich war vorhin bei Ihren Brüdern. Es waren, gelinde gesagt, nicht sehr erfreuliche Besuche. Können Sie sich vorstellen, warum?«

Laura Fink machte ein ernstes Gesicht, nickte. »Ja, ich kann es mir vorstellen. Sie sind beide schwierig und sehr unterschiedlich. Wir sind alle sehr unterschiedlich.«

»Aber einer Ihrer Brüder hält große Stücke auf Sie. Aber er will mir nicht verraten, was in Ihrer Familie nicht stimmt. Er sagt immer nur, wie Sie auch, ich solle mich an den oder den wenden. Damit komme ich aber nicht weiter. Wovor muß Ihr Vater sich fürchten? Sagen Sie es mir, ich verspreche auch, mit keinem darüber zu reden, es sei denn, er hat sich einer Straftat schuldig gemacht.«

Laura Fink nahm einen Stift, drehte ihn zwischen den zarten, zerbrechlich wirkenden Fingern. Sie blickte auf ihre Hände, sagte mit sanfter Stimme, ohne die Frage der Kommissarin zu beantworten: »Jürgen. Ja, er sieht in mir wohl etwas Besonderes. Vielleicht, weil ich die einzige bin, die sich ab und zu um ihn kümmert, wenn er nicht weiter weiß. Aber ich habe Ihnen doch schon gestern gesagt, sprechen Sie selbst mit meinem Vater, er weiß besser über sein Leben Bescheid als irgendein anderer.«

»Ihr Bruder Jürgen ist Alkoholiker, das ist Ihnen ja bekannt. Nimmt er auch Drogen, wie Ihr anderer Bruder behauptet?«

Laura Fink schüttelte den Kopf. »Nein, Jürgen nimmt keine Drogen, der Alkohol reicht ihm schon. Es kommt schon vor, daß er sich mal einen Joint dreht … Aber der Alkohol wird über kurz oder lang sein Ende sein. Er läßt sich nur sehr widerwillig von mir untersuchen, doch beim letzten Mal, vor etwa drei Monaten, konnte ich ihn überreden, sich wenigstens einem Routinecheck zu unterziehen.« Sie schüttelte den Kopf, seufzte auf. »Seine Blutwerte sind katastrophal, vor allem seine Leber- und Bauchspeicheldrüsenwerte. Es müßte schon ein Wunder geschehen, damit er *keine* Leberzirrhose bekommt. Ich fürchte, sein Körper wird diese, ja, Mißhandlung, nicht mehr lange mitmachen.«

Julia Durant ging nicht darauf ein, sagte: »Er hat auch nicht sehr positiv über die Kirche gesprochen.«

»Ich kann es ihm nicht verdenken. Seine Erfahrungen mit der Kirche waren alles andere als erfreulich. Er mußte sehr viel leiden.«

»Wie mußte er leiden? Kommen Sie, geben Sie mir doch bitte wenigstens einen Anhaltspunkt. Ich kann sonst nichts für Ihren Vater tun.«

Laura Fink schaute die Kommissarin wieder mit diesem traurigen Blick an, zuckte die Schultern. »Vielleicht ist leiden der falsche Ausdruck. Es gibt Menschen, für die die Kirche so etwas wie ein Auffangbecken ist, wo sie sich wohl fühlen, weil die Kirche ihnen Halt und Zuversicht bietet. Nur für Jürgen – er ist der jüngste von uns und er war immer anders – war sie wohl eine Art Gefängnis. Er war, ich möchte nicht unbedingt sagen, rebellisch, aber er hat nicht immer genau das getan, was unser Vater verlangt hat …«

»Wie die Sache mit dem Studium?«

»Das war nur der berühmte Tropfen, der das Faß zum Überlaufen brachte. Es hat sich schon über viele Jahre hinweg angedeutet, daß Jürgen sich eines Tages von der Familie abwenden würde. So ist es dann auch gekommen. Es tut mir leid um ihn, er hat sich sein Leben sicher ganz anders vorgestellt. Ich denke, jeder hat ein Recht auf ein anständiges Leben, aber Jürgen führt kein anständiges Leben.« Sie hielt kurz inne, faltete die Hände, bevor sie fortfuhr: »Nicht vielleicht, was Sie jetzt denken, ich meine, sein Leben ist aus den Fugen geraten, und ich bezweifle stark, ob er es je schaffen wird, es wieder zu ordnen. Ich verurteile ihn nicht, er tut mir nur leid.«

»Er sagt, Ihr Vater hätte Schuld an seiner Misere. Stimmen Sie dem zu?«

Laura Fink ließ sich mit der Antwort etwas Zeit, schließlich sagte sie: »Sie haben beide Schuld. Sie sind beide dickköpfig und unbelehrbar. Im Prinzip ähneln sie sich sehr, vielleicht sind sie sich einfach zu ähnlich. Der Unterschied ist nur, unser Vater hat Geld und Einfluß, mein Bruder hat weder das eine noch das andere.«

»Und Ihr anderer Bruder, Stephan, was ist mit ihm?«

Laura Fink zögerte mit der Antwort, sah zum Fenster hin: »Stephan ist genau das Gegenteil von Jürgen. Ihm geht es gut, er hat eine nette Frau, einen kleinen Sohn – und die volle Unterstützung unseres Vaters …«

»Weil er immer gesprungen ist, wenn Ihr Vater ›hopp‹ gesagt hat?« fragte Durant mit beißendem Spott. »Sind Sie auch immer gesprungen?«

»Frau Durant, ich weiß nicht, in was für einer Familie *Sie* groß geworden sind, aber in unserer gab es klare Regeln. Und manchmal ist es wichtig, die eigenen Bedürfnisse hinten anzustellen, um zu überleben. Und manchmal muß man auch springen.«

»Frau Fink, ich werde Ihrem Vater wohl kaum helfen können. Sowohl Sie als auch Ihre Brüder hüllen sich in Schweigen. Jeder meiner Fragen weichen Sie geschickt aus. Es kommt mir sogar ein bißchen so vor, als hätten Sie gar nichts dagegen, wenn Ihr Vater der nächste auf der Abschußliste des Mörders wäre.«

»Hören Sie, Sie haben keine Ahnung! Sie wissen nichts über uns und unsere Gefühle …«

»Weil Sie mir nichts sagen! Was ist mit Ihrem Vater?«

»Es tut mir leid, Frau Durant, aber ich habe noch Patienten. Wenn Sie mich jetzt bitte entschuldigen wollen.«

»Sie machen es sich so verdammt einfach! Also gut, ich gehe. Aber sollte etwas passieren, dann möchte ich nicht in Ihrer Haut stecken.«

»Was wissen Sie schon über meine Haut?« fragte Laura Fink zornig. Sie drückte den Knopf der Sprechanlage, wollte schon etwas sagen, als Julia Durants Stimme sie zurückhielt. »Einen Moment noch«, sagte sie. »Kennen Sie einen Thorsten Hauser?«

Laura Fink zog die Stirn in Falten, sah die Kommissarin fragend an. »Natürlich. Aber Thorsten, ich meine Dr. Hauser, ist tot, seit Weihnachten.«

»Das wissen wir. Und wir haben veranlaßt, daß sein Leichnam exhumiert wird. Denn es deutet alles darauf hin, daß er auf die gleiche Weise wie Rosenzweig und Schönau getötet wurde. Was sagen Sie jetzt?«

Laura Fink lehnte sich zurück, eine unnatürliche Blässe überzog ihr Gesicht.

»Hauser auch? Es hieß doch, er sei an einem Herzanfall gestorben.«

»Hauser war Diabetiker, genau wie Rosenzweig. Der damals gerufene Notarzt stellte um die Einstichstelle, wo Hauser sich das Insulin gespritzt hatte, eine unnatürliche Verfärbung und ein Ödem fest. Nur hat die dortige Polizei diesem Hinweis leider keine Beachtung geschenkt. Dieser Arzt hat gestern im Präsidium angerufen und uns seine Vermutung mitgeteilt. Übrigens ein sehr erfahrener Arzt, was Gifte angeht. Er hat einige Jahre in einem Urwaldhospital in Afrika gearbeitet. Seiner Meinung nach deutet alles auf Schlangengift hin. Aber wie mir scheint, haben Sie Hauser sogar näher gekannt.«

»Hauser«, sagte Laura Fink nachdenklich, ohne auf die letzte Bemerkung der Kommissarin einzugehen. »Das ist merkwürdig. Und es ergibt keinen Sinn.«

»Für Sie vielleicht nicht. Für uns schon, wenn unsere Theorie stimmt. Aber die werde ich Ihnen nicht mitteilen, solange Sie nicht kooperieren. Und ich frage mich immer noch, ob Sie nicht können oder nicht wollen. Ich tippe aber eher auf letzteres. Und es täte mir leid, wenn durch Ihr Schweigen und das Ihrer Brüder noch jemand getötet würde. Wie gut kannten Sie Hauser?«

»Da Sie es ja ohnehin herausfinden werden, Herr Hauser und ich waren gut befreundet. Es war allerdings ein rein platonisches Verhältnis, falls Sie das interessiert. Wir waren ein paarmal zum Essen aus, oder im Theater, aber sonst ist nichts zwischen uns gewesen, schließlich war er verheiratet, und es liegt mir nichts ferner, als eine intime Beziehung mit einem verheirateten Mann anzufangen, was allein schon aufgrund meines Glaubens nicht möglich ist. Und jetzt möchte ich mich bitte wieder um meine Patienten kümmern. Auf Wiedersehen.«

»Wiedersehen.«

Julia Durant nahm ihre Tasche und ging. Draußen blieb sie noch einen Moment an den Wagen gelehnt stehen, drehte sich noch einmal um, schüttelte den Kopf. Sie nahm das Handy aus der Tasche, wählte die Nummer des Präsidiums, sagte, sie würde noch eine Kleinigkeit essen und so gegen eins im Büro sein. Berger meinte nur, es gäbe Neuigkeiten über diesen Hauser, was es war, wollte er aber nicht verraten. Erst später im Büro.

Freitag, 13.10 Uhr

Als Julia Durant ins Büro kam, war nur Berger anwesend, Hellmer und Kullmer waren noch zu Tisch. Berger sah auf, schob die Akte, die er gerade bearbeitete, beiseite und lehnte sich zurück. Er hatte die Jalousie heruntergelassen, es war heiß und stickig im Raum. Eine Zigarette glimmte im Aschenbecher. Die Kommissarin wischte sich mit dem Handrücken den Schweiß von der Stirn, hängte ihre Tasche über den Stuhl und setzte sich. Sie steckte sich eine Zigarette an, für einen Moment schwiegen beide. Schließlich sagte Berger: »Wie ist es bei Ihnen gelaufen?«

Sie winkte ab, machte ein mürrisches Gesicht. »Scheiße war's! Diese Familie Fink ist mir nicht geheuer. Der eine Sohn …«, sie wandte den Blick zur Tür, Hellmer und Kullmer kamen herein, sie wartete, bis sie sich gesetzt hatten, fuhr dann fort: »Ich erzähl gerade von den Finks. Der jüngste Sohn ist Alkoholiker, wohnt in einem dieser erbärmlichen Häuser in Goldstein und ist voller Haß auf seinen Vater. Von seinen Äußerungen weiß ich, daß etwas in der Familie gewaltig stinkt, doch weder er noch sein Bruder oder auch die Schwester wollen mit der Sprache rausrücken. Er hat auch zu keinem außer seiner Schwester Kontakt. Der Vater hat ihn aus seinem Testament gestrichen, er lebt von Sozialhilfe. Der andere Bruder ist Maler, er hat mich mit pseudoreligiösen Sprüchen zugelabert; ein arroganter, widerlicher Typ, der mir eine Moralpredigt halten wollte. Als letztes war ich noch einmal bei Laura Fink, die ebenfalls keinerlei Anstalten gemacht hat, mir auch nur den Hauch einer Information zu geben. Aber, und jetzt kommt´s, sie kennt diesen Hauser. Oder besser gesagt, sie kannte ihn, und zwar recht gut. Sie behauptet zwar, es sei ein rein platonisches Verhältnis gewesen, doch wir sollten uns da lieber vergewissern. Mehr gibt es im Augenblick von meiner Seite nicht zu berichten. Und, wie sieht es hier aus?«

Hellmer verschränkte die Hände hinter dem Kopf, streckte sich kurz, stand auf, ging zu seinem Schreibtisch, holte einen Schreibblock, sagte: »Tja, wir waren auch nicht faul. Und es wird dich interessieren, was wir herausgefunden haben. Erst mal was zu seinen persönlichen Daten; Hauser war verheiratet, zwei Kinder, zum Zeitpunkt seines Todes dreiundvierzig Jahre alt, seit über zehn Jahren Diabetiker. Er war Professor Doktor, und so weiter, und so weiter, und er pflegte einen recht luxuriösen Lebensstil, den er sich allerdings auch leisten konnte. Gearbeitet hat er am *International Institute for Biological and Chemical Research*, auf deutsch Internationales Institut für Biologische und Chemische Forschung, das sich in Hannover befindet. Er war Leiter der Westeuropa Division, das heißt, ihm unterstanden etwa zwölfhundert Mitarbeiter. Und jetzt rate mal, mit was Hauser und seine Leute sich unter anderem so beschäftigt haben?«

Julia Durant machte ein gelangweiltes Gesicht, antwortete lakonisch: »Ich nehme an, mit Giften.«

»Bingo, die Kandidatin hat neunundneunzig Punkte! Natürlich ist die Erforschung und Erprobung von Giften nur einer von vielen Bereichen innerhalb dieses riesigen Instituts, aber das Hauptaugenmerk bei der Giftforschung liegt auf Tiergiften aller Art. Und jetzt kommt's – Hauser hat zwei bahnbrechende Entdeckungen gemacht, was die Wirkungsweise spezieller Gifte und deren Komponenten angeht. Es würde jetzt zu weit führen, das alles im Detail zu erklären, doch sind ihm diese Entdeckungen hauptsächlich bei der Erforschung von Schlangengiften gelungen. So entdeckte er zum Beispiel vor fünf Jahren, daß eine spezielle Komponente der, Moment, hier steht's – Phospholipasen A_2 –, deren Molekülstruktur in den verschiedenen Giften stark variiert und die in vielen Schlangengiften vorhanden ist und bis vor kurzem die meisten Experten vor ein Rätsel gestellt hat, besonders gegen Multiple Sklerose ein wahres Wundermittel sein könnte. Im Gegensatz zu den bisher bekannten Komponenten, die allesamt und ausschließlich destruktiven Charakter haben, könnte diese Komponente positiv auf die bei den Erkrankten sklerotischen Veränderungen im Zentralnervensystem wirken. Das heißt, man könnte mit seiner Entdeckung schon in ein paar Jahren unter Umständen ein Medikament in Händen halten, mit dem man diese Krankheit, die bis jetzt als unheilbar gilt, heilen kann. Kurz und gut, seine Entdeckung war jedenfalls so sensationell, daß man sogar davon ausging, daß er, sollte sie tatsächlich verwertbar sein, über kurz oder lang den Nobelpreis in Biologie erhalten würde, da diese Entdeckung mit Begeisterung von der Pharmaindustrie aufgegriffen wurde. Er hat bis zu seinem Tod insgesamt fünf Bücher und unzählige Artikel für Fachblätter verfaßt, und er war das, was man landläufig wohl ein Genie nennt; sagt jedenfalls Morbs, von dem wir übrigens auch die beruflichen Informationen über Hauser haben.

Seine kometenhafte Karriere in kurzen Worten – mit siebzehn Abitur, mit zweiundzwanzig Diplombiologe, mit dreiundzwanzig Diplomchemiker, mit sechsundzwanzig Doktor, mit einunddreißig die erste Professur, mit vierunddreißig die zweite. Ein

Workaholic, wie eine enge Mitarbeiterin bestätigte, allerdings einer, der ihrer Meinung nach seine Arbeitswut sehr wohl zu dosieren wußte. Dieselbe Dame sagte auch, daß es ihr von Anfang an merkwürdig vorgekommen sei, daß Hauser an einem Herzanfall gestorben sein sollte, weil er nie über körperliche Probleme geklagt hatte. Auch am Tag vor seinem Tod, also am zweiundzwanzigsten Dezember, habe sie ihn noch in bester Verfassung gesehen. Außerdem sprach sie nur positiv über ihn, sie sagte, er wäre ein ruhiger und sachlicher Mensch gewesen, und er hätte sehr sorgfältig darauf geachtet, daß Streitigkeiten jeder Art gütlich beigelegt wurden. Das war's fürs erste. Ach ja, seine Leiche wird heute nachmittag exhumiert und gleich darauf in die Gerichtsmedizin gebracht. Wir haben Morbs schon informiert, er fährt noch heute nach Hannover und wird die Untersuchung in Absprache mit dem dortigen Staatsanwalt selbst vornehmen. Mal sehen, ob er was findet.«

»Der findet was«, sagte Durant gelassen und steckte sich eine weitere Zigarette an. »Habt ihr was über sein Privatleben herausgefunden? Zum Beispiel, ob er eine Affäre hatte?«

»Nein.«

»Was, nein? Hatte er eine oder wißt ihr's nicht?« fragte sie leicht ungehalten.

»Der Mann hatte, laut Aussage eines seiner besten Freunde, der ebenfalls im Institut arbeitet, überhaupt keine Zeit, sich neben seiner Frau noch eine Geliebte zu halten.«

»Das sagt noch gar nichts. Rosenzweig war angeblich auch ein Workaholic, er hatte angeblich auch eine intakte Familie und keine Zeit für kleine, schmutzige Spielchen nebenbei. Und was war? Er hatte nicht nur eine Geliebte, sondern gleich einen ganzen Harem, auf die Jahre verteilt, versteht sich. Und Schönau genau dasselbe. Und ich möchte wetten, auch Hauser hat seinen Schwanz noch in mindestens eine andere Frau reingesteckt. Workaholic hin, Workaholic her, ob Kirchenmitglied oder nicht, diese Typen finden immer einen Weg, heimlich rumzubumsen. Ich sag´s immer wieder, je höher der soziale Status, desto hemmungsloser werden Triebe ausgelebt.« Sie nahm einen Zug an der Zigarette, blies den Rauch durch die Nase aus.

»Wir müssen Fink überprüfen«, sagte sie nach einem Augenblick. »Irgend etwas sagt mir, daß er der Schlüssel zu allem ist. Ich finde einfach keine Erklärung, warum seine Kinder so verschlossen sind. Ich habe das Gefühl, sie hassen ihren Vater, der eine Bruder vielleicht ausgenommen, aber bei Jürgen Fink ist es eindeutig; er hat gesagt, er würde lieber verrecken, als noch einmal einen Fuß in das Haus seines Vaters zu setzen. Und Laura Fink hat zwar schon Andeutungen gemacht, was für ein Typ ihr Vater ist, aber konkret wurde sie noch nicht. Doch ihr ganzes Verhalten, das ich nicht einmal richtig beschreiben kann, läßt mich zumindest vermuten, daß sie ihrem Vater nicht sonderlich wohlgesonnen ist. Und selbst bei Stephan Fink bin ich mir nicht sicher, ob er wirklich hinter seinem Vater steht oder ob er nur Angst hat, etwas zu sagen, was ihm am Ende zum Nachteil gereichen könnte, finanziell, kirchlich, wie auch immer, was dann natürlich seine Angst erklären würde. Auf mich hat er jedenfalls einen sehr zynischen Eindruck gemacht, was aber unter Umständen nur ein Selbstschutz ist. Wir sollten die Vergangenheit von Fink durchleuchten. Alles, was wir über ihn in Erfahrung bringen können. Dieser Brief an ihn, unterzeichnet mit *Jemand, der Dich nie vergessen hat und den Du nie vergessen wirst*, das ist doch ein ziemlich eindeutiger Hinweis auf seine Vergangenheit.«

Kullmer neigte sich nach vorn, die Hände gefaltet, die Arme auf die Oberschenkel gestützt. Er schüttelte nachdenklich den Kopf, sagte leise: »Angenommen, nicht Fink persönlich ist gemeint, sondern etwas aus der Vergangenheit der Familie?«

»Wie meinen Sie das?« fragte Berger.

»Ich denke nur laut. Im Moment kriege ich den Gedanken nicht ganz zusammen, aber ich überlege noch. Wenn ich fertig bin, sage ich es schon.« Er machte eine Pause, steckte sich einen Kaugummi in den Mund, fuhr fort: »Vielleicht sollten wir nicht nur die Vergangenheit von Fink durchleuchten, sondern auch, aus welchen Verhältnissen er stammt, was sein Vater gemacht hat …«

»Und was soll das bringen?« fragte Hellmer zweifelnd.

»Keine Ahnung«, sagte Kullmer. »Es war nur so eine Idee von mir.«

»Okay«, sagte Durant, »dann machen Sie sich mal an die Arbeit.«

»Mit andern Worten, ich soll nicht nur in Finks persönlicher Vergangenheit dunkle Stellen suchen, sondern auch Infos über seine Eltern einholen?«

»Wenn Sie sich das zutrauen. Ich denke, es wartet eine Menge Arbeit auf Sie. Ich hoffe nur, sie wird nicht umsonst sein.« Julia Durant warf einen Blick zur Uhr, zehn vor zwei, sagte: »So, dann warten wir mal auf Schneider. Mal sehen, ob der uns was zu unserem Mörder sagen kann.«

Schneider erschien pünktlich um zwei. Er machte wie üblich einen abgehetzten Eindruck, seine kleine, magere Gestalt war schweißüberströmt. Er setzte sich auf den freien Stuhl, schlug die Beine übereinander, sagte mit seiner unverwechselbar schnarrenden Stimme: »Also, meine Dame, meine Herren, was gibt es denn so Dringendes, daß Sie mich unbedingt heute noch sprechen müssen? Das Wochenende wartet nämlich auf mich.«

Berger zündete sich eine Zigarette an, lehnte sich zurück. »Ich habe Ihnen ja bereits in groben Zügen erklärt, um was es geht. Wir hätten gern Ihre Meinung gehört, mit was für einem Menschen wir es bei den beiden Morden zu tun haben.«

Schneider lächelte verkniffen, wischte sich mit einem Taschentuch den Schweiß von der Stirn, sagte: »Wissen Sie, ich kann sicher in vielen Fällen eine Analyse erstellen, doch hier«, er schüttelte den Kopf, »ich glaube nicht, daß ich Ihnen da weiterhelfen kann. Es gibt einfach zu wenig Informationen, mit denen ich etwas anfangen könnte. Oder haben Sie inzwischen mehr für mich?«

»Leider nein«, sagte Berger. »Für uns ist das, gelinde gesagt, ein riesengroßes Rätsel. Wir haben auf Ihre Hilfe gehofft.«

Schneider wollte gerade etwas erwidern, als das Telefon klingelte. Berger nahm den Hörer ab, meldete sich, reichte ihn nach wenigen Sekunden an Durant weiter. Sie nahm ihn, sagte »Ja«, schrieb etwas auf einen Zettel und beendete das Gespräch mit »Ich komme gleich«.

Sie legte den Hörer auf, warf einen Blick in die Runde, kniff die Lippen zusammen, sagte schließlich: »Das war der werte Dr. Fink senior. Er klang etwas nervös und hat mich gebeten, so schnell wie möglich in sein Haus zu kommen. Er hat soeben ein mysteriöses Päckchen bekommen, und einen netten Brief dazu.«

»Was für ein Päckchen und was für ein Brief?« fragte Hellmer.

»Er wollte es mir nicht sagen, aber er klang sehr besorgt.« Sie grinste ihre Kollegen vielsagend an, nahm ihre Tasche und ging zur Tür. »Tut mir leid«, sagte sie, »aber ich muß los. Und ich denke, es ist an der Zeit, diesem Fink mal ein bißchen fester auf den Zahn zu fühlen. Entweder bis später oder bis Sonntag in der Kirche«, sagte sie an Hellmer gewandt.

Sie lief über den langen Flur und ging hinunter zu ihrem Wagen. Der Himmel hatte sich zugezogen, die Schwüle war noch unerträglicher geworden, kein Windhauch regte sich. Von Westen zogen dunkle Wolken herauf, die, wie Durant hoffte, endlich den ersehnten Regen mit sich bringen würden. Sie öffnete die Tür ihres Corsa, kurbelte beide Fenster herunter, wartete einen Moment, setzte sich hinein. Das Thermometer im Wageninnern zeigte erneut fast fünfzig Grad an, die Luft drückte wie ein bleiernes Gewicht auf ihre Brust. Sie startete den Motor und fuhr los.

Freitag, 14.40 Uhr

Fink wohnte in Niederrad, direkt gegenüber der Galopprennbahn, in einem wuchtigen, alten Haus, hinter dem sich ein parkähnliches Gelände erstreckte. Von vorn war das Haus von einem etwa drei Meter hohen Schmiedezaun geschützt, dazu gab es eine Videokamera und für Laien kaum sichtbare Bewegungsmelder. Julia Durant blieb ein paar Sekunden vor dem Tor stehen, rauchte die Zigarette zu Ende, warf sie auf den Bürgersteig. Über der Klingel waren die Initialen *K H F* angebracht, sie drückte auf den Knopf. Kurz darauf kam Fink aus dem Haus, sein Gesicht wirkte ernst und ausdruckslos, er öffnete das Tor. Er trug eine helle Sommerhose und ein weißes Hemd, dessen oberster Knopf offenstand.

»Danke, daß Sie gekommen sind«, sagte er mit gedämpfter Stimme, die plötzlich ganz anders klang als noch am Tag zuvor. »Wenn Sie mir bitte folgen wollen.«

Das Vordach über der Eingangstür wurde von zwei mächtigen Pfeilern gestützt, fünf Stufen führten hinauf. Nachdem die Kommissarin eingetreten war, schloß Fink die Tür hinter sich, sagte: »Gehen wir in mein Büro, dort sind wir ungestört.«

»Weiß Ihre Frau Bescheid?« fragte Durant.

»Warum?«

»Ich will es nur wissen.«

»Das hier geht meine Frau nichts an. Sie würde sich nur unnötig Sorgen machen, und die will ich ihr ersparen. Sie ist psychisch nicht sonderlich auf der Höhe. Kommen Sie.«

Sie gingen über die breite Treppe, die sich in einem weiten Bogen nach oben zog, in den ersten Stock, schritten über den dunklen Flur zu einer offenstehenden Tür.

»Bitte«, sagte Fink und ließ die Kommissarin an sich vorbeitreten. Das Büro machte einen düsteren Eindruck, sämtliche Möbel waren aus dunkelbraunem Holz, vor dem Fenster war ein Gitter. Julia Durant fühlte sich wie in einem Gefängnis, und wenn es einen Ort gab, an dem sie sich niemals wohl fühlte, dann in einem Gefängnis. Sie hatte schon oft Häftlinge besucht und war jedesmal froh gewesen, wenn sie wieder im Freien war.

»Hier«, sagte er und deutete auf ein geöffnetes Paket auf seinem Schreibtisch. »Das hat vorhin der Paketmann gebracht, kurz nachdem ich nach Hause gekommen bin.«

»Was ist da drin?« fragte Durant und trat näher an den Schreibtisch.

»Sehen Sie selbst nach.«

Sie warf einen Blick hinein, konnte aber nichts Ungewöhnliches entdecken.

»Und?« fragte sie und sah Fink an.

»Sie müssen das Papier hochheben.«

Julia Durant griff in den Karton, nahm das Papier heraus. Darunter befand sich eine männliche Puppe, in deren Herz eine Nadel steckte. Sie schwieg einen Moment, ließ ihren Blick durch das Zimmer schweifen, schließlich sah sie Fink an.

»Gibt es einen Absender?«

»Ja, sonst hätte ich das Paket nicht geöffnet. Hier, von Eberhard Griese. Das ist ein guter Bekannter, besser gesagt, ein ehemaliger Kollege von mir. Nur, Griese hat mir dieses Päckchen nicht geschickt, ich habe ihn gleich angerufen, zumindest habe ich es versucht, doch seine Frau hat mir gesagt, daß er seit einer Woche im Krankenhaus liegt und gar nicht in der Lage wäre, ein Paket abzuschicken.«

»Was hat er und wo liegt er?«

»Er hatte einen Herzinfarkt und liegt noch immer auf der Inten-

317

sivstation des Höchster Krankenhauses. Und es ist sehr fraglich, ob er sich je wieder erholen wird. Jemand hat seinen Namen als Absender benutzt, jemand, der es auf mich abgesehen hat«, sagte er mit bebender Stimme.

Durant klappte den Deckel zurück, der Paketaufkleber war mit Maschine beschrieben worden.

»Diese Puppe«, sagte Fink weiter, »das ist doch eine Voodoo-Puppe, oder? Die schickt man doch jemandem, den man umbringen will.«

»Das kann sein. Sie haben mir aber auch etwas von einem Schreiben gesagt.«

»Hier«, sagte Fink, nahm ein Blatt Papier vom Schreibtisch und reichte es der Kommissarin.

Hallo, Hirte,
Du siehst, es gibt für mich immer eine Möglichkeit, an Dich
heranzukommen. Denk dran, Deine Uhr ist fast abgelaufen.
Aber den Zeitpunkt bestimme ich. Und vorher will ich Dich
leiden sehen, ich will sehen, wie Du Deine letzten Tage
verbringst. Fragst Du Dich nicht manchmal, wie schön Dein
Leben doch hätte zu Ende gehen können? Du hättest noch
viele, viele Jahre haben können, und eines Tages wärst Du
vielleicht ruhig und friedlich in Deinem Bett eingeschlafen.
Leider hast Du einen anderen Weg gewählt, einen
grauenhaften, schmerzvollen Weg, und ich werde Dir helfen,
diesen Weg auch zu Ende zu gehen. Nicht der Tod ist das
Schlimme, sondern das Sterben. Dein Sterben.
Bis bald, und Du weißt, ich denke immerfort an Dich.

»Darf ich mich setzen?« fragte Durant.

»Bitte«, sagte Fink und deutete auf einen Sessel links vom Schreibtisch. Er selbst stellte sich ans Fenster, die Hände in den Hosentaschen und blickte hinaus auf den Park.

»Sie müssen mir Polizeischutz geben«, sagte er nach einer Weile, ohne sich umzudrehen. »Sie sehen doch, ich bin in akuter Lebensgefahr.«

»Ich habe bereits gestern gesagt, daß das nicht möglich ist. Wir können Ihnen keine Beamten als Bodyguards zur Verfügung stellen. Es gibt aber genügend private Organisationen, die dafür bestens ausgerüstet sind.«

»Du meine Güte, es muß doch eine Möglichkeit geben, mich vor diesem Wahnsinnigen zu schützen! Ich habe Angst!«

»Herr Fink, ich meine Dr. Fink, es könnte unter Umständen eine Möglichkeit geben, Ihnen zu helfen, die Voraussetzung dafür ist natürlich, daß Sie uns helfen. Quid pro Quo, eine Hand wäscht die andere.«

Fink drehte sich um, lief nervös durch das Zimmer, fuhr sich mit einer Hand übers Gesicht, er schwitzte, obgleich es kühl in dem Raum war.

»Und wie soll diese Hilfe aussehen? Ich habe doch nichts verbrochen! Ich habe keinem Menschen ein Leid zugefügt, das müssen Sie mir glauben! Aber natürlich, Sie glauben mir nicht, Sie denken, ein Mann wie ich müsse unbedingt Dreck am Stecken haben, weil ja die Schönen und Reichen angeblich immer Dreck am Stecken haben. Aber bei mir werden Sie nichts finden!«

»Dann tut es mir leid, aber ich kann Ihnen nicht helfen. Vielleicht handelt es sich bei dem Absender ja um einen Trittbrettfahrer.«

»Daß ich nicht lache! Das glauben Sie ja wohl selbst nicht! Rosenzweig ist tot, Schönau auch. Und ich soll der nächste sein. Aber ich will noch leben, verstehen Sie, ich will leben! Aber da draußen gibt es jemanden, der nicht will, daß ich weiterlebe. Kapieren Sie das nicht?!«

»Dr. Fink, ich habe heute vormittag mit Ihren Söhnen gesprochen …«

»Ach, du meine Güte«, sagte er mit dem gleichen Zynismus, den sie schon bei Stephan Fink kennengelernt hatte, und winkte ab. »Jetzt wollen Sie bestimmt auf Jürgen, meinen lieben Sohn, hinaus. Was hat er Ihnen denn über mich erzählt? Was hat Ihnen dieser Säufer vorgejammert? Wie erbärmlich ich ihn behandele? Wie schlecht es ihm geht? Vergessen Sie alles, was er Ihnen gesagt hat, er ist nicht zurechnungsfähig.«

»Was glauben Sie denn, was er gesagt hat?« fragte Julia Durant.

»Wir haben ein gespaltenes Verhältnis. Er hat es vorgezogen, sein Leben so zu gestalten, wie er es für richtig hielt. Und ich habe ihn gewähren lassen. Und jetzt ist er dort, wo er hingehört. Ich weiß, das klingt hart aus dem Mund eines Vaters, doch irgendwann entscheiden die Kinder selbst, was sie aus ihrem Leben machen. Und er hat den denkbar schlechtesten Weg gewählt. Ich übernehme jedenfalls keine Verantwortung mehr für ihn. Laura und Stephan sind ganz anders, sie haben den rechten Weg gewählt.«

»Sie haben meine Frage nicht beantwortet – was glauben Sie, was er gesagt hat?«

»Ach kommen Sie, es ist sinnlos, über ihn zu reden. Ich will es auch nicht.«

»Und Laura und Stephan? Was denken Sie, haben die gesagt?«

Fink verengte die Augen zu Schlitzen, sah Durant von oben herab an, sein Gesicht wurde rot.

»Würden Sie mir einen Gefallen tun und sich setzen, ich mag es nicht, wenn ich zu jemandem aufblicken muß.«

Fink nahm wortlos hinter seinem Schreibtisch Platz, lehnte sich zurück.

»Also, Dr. Fink, gehen wir in medias res. Ich werde Ihnen jetzt einige Fragen stellen, und ich erwarte klare Antworten von Ihnen. Wenn Sie nicht sterben wollen, dann helfen Sie mir.«

»Also gut, fragen Sie.«

»Noch einmal die gleiche Frage wie gestern – gibt es irgend jemanden, den Sie im Verdacht haben, der für die Morde an Rosenzweig und Schönau und für die Drohungen Ihnen gegenüber in Frage kommen könnte?«

»Nein! Nein, nein, und noch mal nein! Und ich kann mir beim besten Willen nicht vorstellen, daß die beiden sich auch nur das geringste haben zuschulden kommen lassen. Wenn ich ihnen ein Leumundszeugnis ausstellen müßte, es wäre tadellos. Und ich kannte die beiden schon seit Jahrzehnten.«

Julia Durant legte die Hände aneinander und berührte mit den Fingerspitzen die Nase. Sie hätte Fink am liebsten gesagt, was sie von Rosenzweig und Schönau wußte, doch sie verkniff sich eine Erwiderung.

»Dr. Fink, gab es in Ihrem Berufsleben jemals Vorfälle, bei denen sich vielleicht jemand derart auf den Schlips getreten fühlte, daß er jetzt anfängt, seine Rache auszuleben?«

»Hören Sie, Frau Kommissarin, ich bin seit fünfunddreißig Jahren in einer äußerst verantwortungsvollen Position tätig, und natürlich gibt es dann und wann Situationen, in denen Handlungsbedarf besteht. Doch ich versichere Ihnen, ich habe jederzeit jede Maßnahme, egal in welcher Richtung, sorgfältigst abgewogen. Fragen Sie meine Mitarbeiter, sie werden es Ihnen gern bestätigen.«

»Und in der Kirche? Ich meine, sowohl Rosenzweig und Schönau als auch Sie hatten beziehungsweise haben eine exponierte Position inne. Könnte es jemand aus der Kirche sein?«

Fink schüttelte den Kopf, lachte auf. »Nein, niemals! Die *Kirche des Elohim* ist eine straff geführte Organisation, wobei das Hauptaugenmerk auf das Wohl der Mitglieder gerichtet ist. Ich lade Sie gerne ein, einmal eine unserer Versammlungen zu besuchen, um sich selbst ein Bild davon zu machen. Sollten Sie der Meinung sein, daß es sich bei uns um eine kleine, verbiesterte Sekte handelt, dann muß ich Sie leider enttäuschen. Bei uns herrscht das Motto vor, Menschen sind, damit sie Freude haben können. Wir sind weder die Zeugen Jehovas noch die Mormonen oder die 7-Tage-Adventisten, noch haben wir etwas mit den Scientologen zu tun, wir sind die *Kirche des Elohim* ... Wissen Sie eigentlich, was diese Kirche alles tut? Nein, natürlich nicht, woher auch, aber ich werde es Ihnen verraten. Wenn irgendwo auf der Welt eine schwere Naturkatastrophe passiert, oder eine Hungersnot ausbricht oder irgend etwas anderes, wodurch Menschen in Not geraten, dann sind wir zur Stelle. Wir sind aber nicht die Caritas oder die Welthungerhilfe, die sich gerne in den Mittelpunkt stellen und mit ihren guten Werken prahlen, wir helfen im stillen. Wir haben einen Fonds, der speziell für Notleidende da ist und der immer dann angezapft wird, wenn Hilfe vonnöten ist. Dabei kann es sich um Einzelpersonen handeln, die unverschuldet in Not geraten sind, sei es durch Arbeitslosigkeit oder den Verlust eines Ehepartners, oder um ganze Völker, die auf unsere Hilfe angewiesen sind. Wir helfen, es weiß nur keiner, weil wir nicht stolz und überheblich sind. Denn wenn es etwas gibt, das Gott nicht gutheißt, dann ist es Stolz.«

»Und wie finanzieren Sie das alles?«

»Sie können es in der Bibel nachlesen, Maleachi 3. Dort steht, daß wir den zehnten Teil unseres Ertrags Gott geben sollen. Und da Gott das Geld nicht persönlich in Empfang nehmen kann, gibt es Stellvertreter von ihm auf Erden, die dieses Geld verwalten und für sogenannte humanitäre Zwecke verwenden.«

»Schön«, sagte Durant lächelnd, »daß Sie mir ein paar Details aus der Kirche genannt haben, aber damit haben Sie nicht meine Frage beantwortet. Es gibt doch sicher auch bei Ihnen Menschen, die sich ungerecht behandelt fühlen, oder irre ich mich da?«

»Es gibt in jeder Gemeinschaft, ganz gleich wie gut oder schlecht sie ist, Menschen, denen man nichts recht machen kann. Das gleiche trifft auch auf unsere Kirche zu. Aber Mörder werden Sie bei uns nicht finden.«

»Seltsam, nirgends gibt es auch nur den geringsten Hinweis auf eine Unstimmigkeit, und doch wurden bis jetzt zwei scheinbar honorige Männer aus Ihrem Bekanntenkreis ermordet ...«

»Sparen Sie sich Ihren Zynismus«, wurde sie von Fink schroff unterbrochen. »Sie waren nicht scheinbar honorig, sie waren es tatsächlich ...«

»Nein, Sie waren es nicht«, sagte Julia Durant hart. »Es sei denn, unsere Definition dieses Wortes ist nicht die gleiche ...«

»Was meinen Sie damit? Was haben Sie herausgefunden?« fragte Fink mit leiser, aber schneidender Stimme.

»Tut mir leid, ich kann und darf Ihnen keine Auskunft über den Stand unserer Ermittlungen geben. Und jetzt frage ich Sie zum letzten Mal, gibt es etwas in Ihrem Leben, das Sie mir sagen sollten? Etwas, das uns und Ihnen hilft, einen weiteren Mord zu verhindern? Etwas, das uns helfen könnte, die bereits begangenen Morde aufzuklären? Wie sieht es zum Beispiel mit *Ihrer* ehelichen Treue aus?«

Fink schoß nach vorn, die Augen zu kleinen Schlitzen verengt, er atmete ein paarmal kräftig ein und wieder aus, seine Nasenflügel bebten, sein Blick war der eines wilden Stieres. Er sagte fast flüsternd und unmißverständlich scharf: »Worauf wollen Sie eigentlich hinaus? Was geht Sie überhaupt mein Privatleben und vor allem meine Ehe an?«

»Im Zuge speziell dieser Ermittlungen eine ganze Menge ...«

»Meine Frau und ich sind seit achtunddreißig Jahren verheiratet, wenn Ihnen diese Auskunft genügt ...«

»Nein, das tut sie nicht«, erwiderte Durant kühl, den Blick direkt auf Fink gerichtet. »Achtunddreißig Jahre Ehe bedeuten nicht zwangsläufig, daß man keine Affäre hat oder hatte. Haben oder hatten Sie jemals eine?« fragte Durant ein weiteres Mal, den Kopf leicht zur Seite geneigt. Sie registrierte jede Geste, jede Mimik, jede Reaktion von Fink. Er ließ sich mit der Antwort Zeit, faltete die Hände wie zum Gebet, blickte zu Boden. Er schüttelte den Kopf, antwortete mit fester Stimme: »Nein, ich hatte und habe keine außereheliche Beziehung … Wir führen eine glückliche Ehe und sind eine ebenso glückliche Familie …« Er stockte mit einem Mal und sah Durant erschrocken und beinahe verlegen an.

»So, eine glückliche Familie«, sagte sie mit spöttischem Unterton. »Eine glückliche Familie, die ihren jüngsten Sohn verstößt? Oder habe ich da etwas falsch verstanden?«

»Das mit Jürgen steht auf einem andern Blatt. Sagen wir es so, wir könnten eine glückliche Familie sein, wäre er nicht abtrünnig geworden. Doch der Rest hält zusammen. Ich kann nichts dafür, wenn uns ein Sohn verlorengegangen ist. Wie gesagt, es war seine Entscheidung.«

»Und wenn er wieder zurück wollte?«

»Meine Tür steht ihm jederzeit offen«, beeilte sich Fink zu versichern.

»Unter welchen Bedingungen?« fragte Durant weiter.

»Das geht Sie nichts an«, erwiderte Fink erregt. »Das ist allein eine Sache zwischen mir und meinem Sohn.«

»Okay. Sie müssen wissen, wie Sie *Ihr* Leben gestalten und inwieweit *Sie* in das *Ihrer* Kinder eingreifen. Eines kann ich jedoch sagen – helfen werde ich Ihnen in Ihrer derzeitigen Situation nicht können, denn Sie haben bislang keinerlei Anstalten gemacht, mir auch nur einen Schritt entgegenzukommen. Mir scheint fast, Sie nehmen Ihren möglichen Tod in Kauf, aus welchen Gründen auch immer. Sie sollten sich mal die Frage stellen, ob das, was Sie mir verheimlichen, es wert ist.«

»Ich verheimliche Ihnen nichts!« schrie Fink mit hochrotem Kopf. »Was bilden Sie sich eigentlich ein, Sie …!«

Julia Durant erhob sich, warf noch einmal einen Blick in den Karton. Sie lächelte süffisant, sagte: »Ich habe gehört, daß echte Voodoo-Priester damit tatsächlich töten können. Sie sollten sich die Puppe an die Wand hängen, damit Sie sie immer vor Augen haben. Vielleicht überlegen Sie es sich ja noch, Sie wissen ja, wie ich zu erreichen bin.« Sie hielt kurz inne, bevor sie abschließend sagte: »Und wenn es möglich ist, dann möchte ich jetzt noch kurz mit Ihrer Frau sprechen.«

»Warum?« fragte er mißtrauisch.

»Ich möchte ihr nur ein paar Fragen stellen.«

»Worüber?«

»Dies und das. So wenig, wie ich ihr von unserem Gespräch etwas sagen werde, so wenig werde ich Ihnen sagen, was ich von Ihrer Frau will.«

»Ich hätte mich nie auf Sie einlassen sollen«, sagte Fink und kam hinter seinem Schreibtisch hervor. »Aber bitte, wenn Sie unbedingt wünschen, meine Frau sitzt auf der Veranda. Sie brauchen nur die Treppe runter zu gehen und geradeaus durch den Wohnraum. Sie werden sie nicht übersehen.«

»Danke und auf Wiedersehen. Und einen schönen Tag noch.«

Frau Fink saß, wie ihr Mann sagte, auf einem Liegestuhl auf der Veranda und las ein Buch. Sie blickte auf, als die Kommissarin plötzlich wie aus dem Nichts neben ihr stand. Sie legte das Buch auf die Schenkel, sah Julia Durant an.

»Frau Fink?«

»Ja, bitte?« Sie hatte eine weiche, zarte Stimme, ihre Haare waren grau und streng zurückgekämmt, tiefe Falten hatten sich um die Nase und den blutleeren Mund mit den schmalen Lippen gegraben, vor allem aber in ihren Hals. Ihre einst grünen Augen waren matt und auf eine seltsame Weise leblos, sie blitzten nicht einmal auf, als sie die Fremde ansah.

»Ich bin Kommissarin Durant von der Kriminalpolizei. Dürfte ich mich kurz mit Ihnen unterhalten?«

»Geht es um Bruder Rosenzweig und Bruder Schönau?« fragte Frau Fink und setzte sich aufrecht hin.

»Ja, um die auch ...«

»Ist irgendwas mit meinem Mann?« fragte sie weiter.

»Ihr Mann hat nicht mit Ihnen darüber gesprochen?«

»Über was?« fragte sie emotionslos.

»Können wir uns ungestört unterhalten? Ich meine, unter vier Augen?«

»Gehen wir eine Runde durch den Garten. Auch wenn ich mir nicht vorstellen kann …«

»Lassen Sie uns gehen, ich möchte nicht, daß Ihr Mann uns hört. Ich glaube, er wäre nicht sehr erfreut darüber.«

Frau Fink stand auf, legte das Buch auf den Liegestuhl. Sie war etwas kleiner als Durant, ihre Bewegungen waren schwerfällig. Mit langsamen Schritten gingen sie in den Garten, kamen auf eine ausgedehnte Rasenfläche, zur Linken befand sich ein etwa fünfzehn mal zehn Meter großer Swimmingpool.

»Sie haben ein schönes Anwesen«, sagte Julia Durant anerkennend. »Aber es macht sicher viel Arbeit.«

»Wir haben ein paar Bedienstete, die sich um das Haus und den Garten kümmern. Aber das ist es doch nicht, worüber Sie sich mit mir unterhalten wollen, oder?«

»Nein, es geht um Ihren Mann. Er hat mich zwar gebeten, nicht mit Ihnen darüber zu sprechen, aber manchmal muß ich solche Bitten leider ignorieren. Um es kurz zu machen, er hat Morddrohungen erhalten, und ich möchte wissen, warum. Können Sie mir etwas dazu sagen?«

»Morddrohungen?« fragte Frau Fink erstaunt. »Ich verstehe nicht …«

»Nun, Rosenzweig und Schönau sind bereits tot, wie Sie wissen. Und Ihr Mann scheint auch auf der Liste des Mörders zu stehen. Nur weigert er sich leider, mir bei meinen Ermittlungen behilflich zu sein. Deswegen wende ich mich an Sie.«

»Und wie kann ich Ihnen helfen?«

»Erzählen Sie mir etwas über Ihre Familie, Ihre Ehe, Ihre Freunde und Bekannten, über die Arbeit Ihres Mannes. Was Ihnen so einfällt.«

»Streichen wir Freunde, denn wir hatten nie welche. *Er* wollte nie welche haben. Ich weiß bis heute nicht, warum, doch ich habe mich damit abgefunden. Bekannte«, sie zuckte kaum merklich die Schultern. »Wir haben viele, aber es sind wie gesagt nur Bekannte. Und nach achtunddreißig Jahren etwas über unsere Ehe zu sagen ... Wir sind verheiratet, wir leben, uns fehlt es an nichts ... ich kann mich nicht beklagen.« Die letzten, mit einer gehörigen Portion Bitterkeit versehenen Worte ließen Julia Durant aufhorchen. Doch sie sagte nichts.

»Und unsere Familie – Laura ist Ärztin, Stephan Künstler, und Jürgen, unser Jüngster, ist leider abgerutscht ...«

»Warum?«

»Entschuldigen Sie, aber ich möchte nicht darüber sprechen. Es ist eine Sache zwischen meinem Mann und ihm, und es steht mir nicht zu, eine Meinung dazu zu haben.«

»Sie sind doch aber die Mutter. Und Jürgen ist auch Ihr Sohn.«

»Aber mein Mann ist der Patriarch der Familie, und als solcher hat er das Sagen. Auch wenn es mir in der Seele weh tut, wenn ich sehe, wie Jürgen leidet. Doch ich habe nicht die Kraft und auch nicht die Macht, etwas für ihn zu tun. Außerdem ist er alt genug, um zu wissen, was er tut. Ich fürchte, ich kann Ihnen nicht helfen.«

»Gibt es so etwas wie ein Familiengeheimnis, von dem ich wissen sollte? Ein Geheimnis, das jemanden dazu bringen könnte, Morde zu begehen? Ein Geheimnis, über das niemand bis jetzt mit mir reden wollte, obgleich ich fast sicher bin, daß es eins gibt.«

Frau Fink schluckte schwer, sie hielt den Blick zu Boden gerichtet, während sie neben der Kommissarin über den Rasen lief. Die Wolkendecke hatte sich noch weiter zugezogen, von fern war erstes Donnergrollen zu vernehmen. Es war nur noch eine Frage von Minuten, bis das Gewitter Frankfurt erreicht haben würde.

»Es gibt keine Geheimnisse bei uns«, sagte Frau Fink nach einer Weile. »Sie irren sich, wenn Sie das glauben sollten.«

»Ich irre mich also«, sagte Durant. »Dann sind die Drohungen gegen Ihren Mann also rein zufällig und haben keinen realen Hintergrund?«

»So wird es wohl sein. Welche Geheimnisse hatten denn Rosenzweig und Schönau? Hatten sie welche?«

»Wenn Sie es genau wissen wollen, ja, sie hatten welche.«

Frau Fink lachte kurz und trocken auf, sagte: »Tja, man kann eben nicht in die Menschen hineinschauen. Jeder baut irgendwann eine Fassade um sich, und je älter man wird, desto undurchdringlicher wird sie. Und welche Geheimnisse sich dahinter verbergen, vermag nur der zu sagen, der diese auch hütet, ganz gleich, wie schrecklich die auch sein mögen.«

»Frau Fink, ich bitte Sie, helfen Sie mir.«

»Ich kann nicht«, sagte sie, drehte sich um und sah Durant flehend an. »Bitte, gehen Sie und lassen Sie mich allein. Ich möchte nicht mit Ihnen über Dinge reden, die nur unsere Familie etwas angehen. Entschuldigen Sie mich bitte.«

»Warten Sie einen Moment, bitte.« Frau Fink blieb stehen, den Rücken Durant zugewandt. »Wovor haben Sie Angst? Vor Ihrem Mann?«

Sie ließ sich mit der Antwort ein paar Sekunden Zeit. Durant spürte jedoch die Anspannung der vor ihr stehenden Frau. »Ich habe keine Angst, ich wüßte nur nicht, was ich mit Ihnen noch besprechen sollte.«

»Sie haben Angst, das spüre ich. Und sollten Sie das Bedürfnis verspüren, doch mit mir reden zu wollen, dann rufen Sie mich an. Hier ist meine Karte, ich bin jederzeit für Sie zu sprechen.«

»Sie werden vergeblich auf meinen Anruf warten«, sagte Frau Fink und nahm die Karte.

»Auf Wiedersehen.«

Julia Durant ging zum Haus zurück, warf einen Blick nach oben, wo Fink am Fenster stand und mit starrem Gesichtsausdruck zu ihnen herunter sah. Sie begab sich zum Auto, zündete sich eine Zigarette an, schaute zur Uhr, kurz vor vier. Sie verspürte ohnmächtige Wut, schloß kurz die Augen, inhalierte tief, behielt den Rauch lange in den Lungen, bevor sie ihn wieder ausstieß. Es gab Tage, da haßte sie ihren Beruf, wünschte sie sich, eine einfache Sekretärin in einem stinknormalen Büro zu sein. Eine Frage hämmerte in ihrem Hirn – welches Geheimnis teilten Rosenzweig, Schönau und Fink? Zwei waren schon tot, und es war nur eine Frage der Zeit, bis auch Fink den Gang alles Irdischen antreten würde. Sie setzte sich in den Wagen, stellte Hitradio FFH ein, Die Zwei Beiden. Das erste Lied nach den Nachrichten war Bryan Adams und Mel C mit ›When you´re gone‹. Sie drehte auf volle Lautstärke, sie wollte auf dem Weg nach Hause nicht mehr über Fink und die andern nachdenken. Für heute hatte sie die Schnauze voll. Die ersten Blitze zuckten über den Himmel, gefolgt von gewaltigen Donnerschlägen. Der Verkehr war dicht und zähflüssig. Sie hielt vor einem Penny Markt, kaufte ein paar Kleinigkeiten ein und kam um kurz nach fünf vor ihrer Wohnung an. Die ersten dicken Regentropfen platschten auf die Straße.

Freitag, 17.10 Uhr

Julia Durant holte die Post aus ihrem Briefkasten, zwei Briefe, eine Rechnung, das neue GEO. Sie lief die Treppen nach oben, ihr war heiß, ihre Füße waren geschwollen. Sie schloß auf, trat ein, kickte die Tür mit dem Fuß zu. Sie stellte die Einkaufstasche auf dem Boden ab, warf die Handtasche auf die Couch, rannte zum weit offenstehenden Wohnzimmerfenster, schloß es, rannte ins Schlafzimmer, um auch dort das Fenster zu schließen. Die Tropfen waren von einer Sekunde zur andern in einen heftigen Schauer übergegangen, in einem fort erhellten grelle Blitze den dunklen Himmel, ließen krachende Donnerschläge das Haus erzittern. Sie nahm die Tasche, stellte sie auf den Küchentisch, packte aus. Sie dachte über den vor ihr liegenden Abend mit Petrol nach, der erwartete, daß sie ihn besuchte. Daß sie mit ihm zu Abend aß, mit ihm Musik hörte, mit ihm schlief. Es würde das gleiche sein wie immer, und irgendwie langweilte sie der Gedanke, den Abend und die Nacht mit ihm zu verbringen. Andererseits hatte sie das Bedürfnis nach körperlicher Zuwendung, und sie gestand sich ein, mit noch keinem Mann so gern geschlafen zu haben wie mit ihm. Er war einfallsreich, bisweilen ein bißchen ausgefallen in seinen Wünschen, doch er war ein guter Liebhaber. Aber das allein reichte ihr nicht, sie sehnte sich nach einem Mann, der immer für sie da war, dem sie ihre Sorgen anvertrauen konnte, der ihr zuhörte, wenn es ihr einmal nicht so gut ging. Und sie spürte mit der ihr eigenen untrüglichen Intuition, daß Petrol sich nie scheiden lassen würde, sosehr er dies auch immer beteuerte. Und sie war es leid, immer auf Abruf bereit zu stehen, zu kommen, wenn der gnädige Herr einmal Zeit für sie übrig hatte.

Sie zuckte die Schultern, machte den Kühlschrank zu, steckte sich eine Zigarette an, öffnete eine Dose Bier. Sie setzte sich auf die Couch, nahm die Post in die Hand, legte die Beine auf den Tisch. Die Stromrechnung legte sie ungeöffnet neben sich, ein Brief war von ihrem Vater, der andere von einer ehemaligen Schulkameradin, die sie für Anfang September zum alljährlichen Klassentreffen in ihren Heimatort einlud. Sie las den Brief ihres Vaters, der zwar nur selten schrieb, doch wenn er es tat, dann waren es fast nie weniger als sechs Seiten. Sie lächelte, ließ ihre Gedanken für einen Augenblick in die Vergangenheit schweifen, als sie noch ein Kind war und ihr Vater und ihre Mutter ihr all das gaben, was sich ein Kind nur wünschen konnte. Es waren aber weniger die materiellen Dinge, an die sie sich erinnerte, es waren mehr die Abende zu dritt, wenn sie zusammen im Wohnzimmer oder auf der Terrasse saßen und über Gott und die Welt philosophierten. Ihre Eltern hatten ihr nie das Gefühl vermittelt, nur ein Kind zu sein, sie hatten sie immer an ihrem Leben teilhaben lassen. Und dafür war sie ihnen unendlich dankbar. Sie hatte fast nie einen Grund gehabt, sich über ihre Eltern zu beschweren, sie konnte jederzeit mit jedem Problem zu ihnen kommen, und sie hatten ihr immer das Gefühl vermittelt, ernst genommen zu werden. Und die Zeit, die, als sie noch ein junges Mädchen war, nicht schnell genug verfliegen konnte, war doch schneller an ihr vorbeigezogen, sie war eine junge Frau geworden, hatte ihren ersten großen Liebeskummer erlebt, hatte ihre Mutter qualvoll dahinsiechen und schließlich sterben sehen, und sie würde nie das Leid und die Trauer ihres Vaters vergessen, der den Menschen verloren hatte, der ihm am meisten bedeutete. Fast neun Jahre waren seit dem Tod ihrer Mutter vergangen, die noch nicht einmal fünfzig Jahre alt gewesen war, als man sie zu Grabe trug. Julia Durant war gerade sechsundzwanzig gewesen, hatte ein Jahr zuvor ihre Ausbildung auf der Polizeiakademie als Jahrgangsbeste abgeschlossen und war gleich beim Sittendezernat in München gelandet. Sie dachte an ihre erste wirklich große Liebe, die sie auch geheiratet hatte. Doch die anfänglich scheinbar gute Ehe hatte sich zu einer Katastrophe entwickelt, weniger in seinen als in ihren Augen. Erst nach sechs Jahren wurden ihr die Augen geöffnet, wurde ihr hinter vorgehaltener Hand mitgeteilt, worin die vielen Überstunden ihres Mannes bestanden – im Durchbumsen seiner Mitarbeiterinnen in der Werbeagentur, die er leitete. Es war weniger die Tatsache selbst, daß er es mit anderen Frauen getrieben hatte, es war mehr die Schmach und die Demütigung, die sie in ihrem tiefsten Innern empfand. Jeder hatte es seit langem gewußt, nur sie nicht. Nachdem sie ihn aus der Wohnung geworfen und die Scheidung eingereicht hatte, wollte sie mit Männern nichts mehr zu tun haben. Sie war überzeugt, das Gehirn und die Gefühle der Männer steckten ausschließlich in ihrem Schwanz, und wenn sie es einmal nicht mehr aushielt, wenn ihr Hormonpegel auf einen gefährlichen Niedrigststand sank, dann zog sie sich etwas Aufreizendes an, ging in *ihre* Bar, suchte sich einen Mann aus, der ihr gefiel, verbrachte die Nacht mit ihm und vergaß ihn gleich wieder.

Nur bei Petrol war es anders. Er war charmant, gutaussehend, und er hatte das gewisse Etwas, das Frauen magisch anzog. Und weiß der Geier, warum, aber er hatte sie gewählt, auch wenn es eine rein sexuelle Beziehung war. Doch zumindest hielt er ihren Hormonhaushalt in Ordnung.

Sie nahm einen Schluck von ihrem Bier, zündete sich eine weitere Zigarette an. Sie schaute zur Uhr, Viertel vor sechs. Sie überlegte, ob sie Petrol anrufen sollte oder nicht, doch sie ging ja keine Verpflichtung ein, wenn sie ihn anrief, sich danach frisch machte, etwas Besonderes anzog und zu ihm fuhr.

Sie stand auf, schnippte im Vorübergehen Asche in den Aschenbecher, stellte sich ans Fenster, sah hinaus, wo das Gewitter mit unverminderter Wucht tobte. Der Regen prasselte, vom böigen Wind getrieben, gegen das Fenster, auf dem Fensterbrett hatte sich bereits eine kleine Lache gebildet. Sie fluchte still vor sich hin, hatte sie doch die Hausverwaltung schon mehrmals auf diesen Mangel hingewiesen, nur war bislang von deren Seite keine Reaktion erfolgt. Es war noch nicht einmal jemand bei ihr gewesen, um sich diese Undichte anzusehen. Sie nahm einen letzten Zug von der Zigarette, drückte sie im Aschenbecher aus, ging zum Telefon. Sie wählte die Nummer von Petrol, der schon nach dem zweiten Läuten abhob.

»Hallo, ich bin´s, Julia. Ich wollte mich nur mal melden …«

»Kommst du?« unterbrach er sie.

»Wann beliebt es denn dem Herrn, daß ich komme?«

»So schnell du kannst.«

»Ich dusch nur noch und zieh mir was Frisches an. Ich bin irgendwann zwischen halb acht und acht bei dir. Bis nachher.«

»Ich liebe dich, Julia, und ich freue mich auf heute abend.«

»Bis dann.« Sie legte auf, holte ihre nachtblauen Dessous aus dem Schrank, die er so an ihr liebte, und ein kurzes, enggeschnittenes Minikleid. Sie trank das Bier aus, stellte sich unter die Dusche und ließ lauwarmes Wasser über ihren Körper laufen. Sie fönte sich das Haar trocken, legte etwas Make-up auf, besprühte sich mit *Chanel No.5*, zog sich an. Sie überlegte, ob sie vorher noch etwas essen sollte, verwarf den Gedanken aber gleich wieder, denn mit Sicherheit würden sie essen gehen, wie sie es jedesmal taten, wenn sie sich trafen.

Um kurz nach sieben war sie zum Gehen bereit. Das Gewitter hatte sich verzogen, die Wolkendecke war aufgerissen, die Straßen dampften. Sie sah sich noch einmal in der Wohnung um, schwor sich, morgen aufzuräumen, zu saugen, Staub zu wischen, Wäsche zu waschen, vielleicht sogar die Fenster zu putzen, und sollte sie die finale Putzwut überfallen, dann auch noch den Kühlschrank abzutauen und das Bad zu reinigen. Mal sehen, dachte sie vor sich hin grinsend, während sie ihre Tasche nahm und zur Tür ging. Sie drückte gerade die Klinke herunter, als das Telefon klingelte. Sie überlegte einen Moment, schließlich nahm sie den Hörer ab.

»Ja, bitte?«

»Hier Berger. Stör ich?«

»Nicht direkt, aber ich bin gerade auf dem Sprung, jemanden besuchen«, sagte sie.

»Keine Angst, ich will Ihnen den Abend nicht verderben, aber ich denke, Sie sollten wissen, was Morbs mir eben aus Hannover mitgeteilt hat. Die schon etwas angegriffene Leiche von Hauser wurde gegen Mittag exhumiert und sofort in die Gerichtsmedizin gebracht. Und wie es aussieht, scheint dieser Dr. Öczan recht zu haben, daß Hauser vergiftet wurde. Morbs und ein Kollege aus Hannover werden versuchen, das Gift noch am Wochenende zu bestimmen. Ich wollte es Ihnen nur sagen.«

»Wir wußten es doch schon vorher«, sagte Durant.

»Sagen wir, wir ahnten es. Was hat denn Ihr Besuch bei diesem Fink ergeben?«

»Oh, Mist«, entfuhr es Julia Durant, »ich wollte noch anrufen und kurz darüber berichten, aber ich war so genervt, daß ich es vergessen habe. Also, Fink hat eine Voodoo-Puppe geschickt bekommen und ein Anschreiben dazu. In der Puppe steckte eine Nadel, das Schreiben war eine knallharte Morddrohung. Das Problem ist nur, daß Fink angeblich keine Ahnung hat, wer ihn auf dem Kieker haben könnte. Aber ich glaube dem Kerl so wenig wie einem Bauern, der behauptet, seine Kühe könnten fliegen. Und seine Frau ist verschlossen wie eine Auster. Ich hab keine Chance, an die beiden ranzukommen. Aber ich weiß genau, daß sie mir etwas ganz Wesentliches verheimlichen. Nur was? Ich komme jedenfalls nicht dahinter. Es ist verdammt frustrierend. Aber wenn Fink nicht aufpaßt, ist er das nächste Opfer.«

»Das wäre dann leider nicht zu ändern. Wir können nur dann jemanden beschützen, wenn er sich kooperativ zeigt. Lassen Sie sich deswegen den Abend nicht verderben. Wir sehen uns am Montag.«

»Werd ich nicht.«

Sie legte auf und verließ gleich darauf die Wohnung. Sie wollte einen ungestörten Abend verbringen, und sie hoffte, das Handy würde nicht gerade im ungünstigsten Moment klingeln. Sie hoffte auf eine ruhige … wilde Nacht.

Freitag, 19.40 Uhr

Als Julia Durant ihren Wagen vor dem Haus von Petrol parkte, hatte der Himmel aufgeklart, kaum noch eine Wolke war zu sehen. Ein angenehm frischer Wind war aufgekommen, der die

Hitze der vergangenen Tage allmählich vertrieb. Sie stieg aus, schloß ab, ging auf das Haus zu und klingelte, kurz darauf ertönte der Türsummer. Sie betrat die Eingangshalle, fuhr mit dem Aufzug in das oberste Stockwerk, in dem sich Petrols Wohnung befand. Er stand in der Tür, er hatte wieder diesen ganz speziellen Gesichtsausdruck, der ihn so unwiderstehlich machte. Er hauchte ihr einen Kuß auf die Wange, sie ging an ihm vorbei in die Wohnung. Leise klassische Musik drang aus den großen Lautsprechern, die Klimaanlage war eingeschaltet, die Abendsonne schien durch die leicht getönten Scheiben in den riesigen Raum, der durch seine geschmackvolle, großzügige Einrichtung äußerst stilvoll wirkte.

»Schön, daß du gekommen bist. Du siehst wie immer phantastisch aus«, sagte er mit anerkennendem Nicken. »Genau die Farbe, die ich an dir so liebe. Blau steht dir besonders gut. Möchtest du etwas trinken? Champagner, Wein?«

»Jetzt nicht«, sagte Durant und stellte ihre Tasche auf den Glastisch. »Um ehrlich zu sein, ich habe Hunger.«

»Dann laß uns gleich essen gehen. Ich kenne einen Spanier in der Innenstadt, klein, aber ungeheuer fein. Ich habe schon einen Tisch für uns reserviert.«

Sie nahmen Petrols Mercedes, fuhren fast schweigend zu dem Lokal, das sich in einer winzigen Gasse gleich bei der Goethestraße im Herzen von Frankfurt versteckte, wo sich die exklusiven und sündhaft teuren Geschäfte befanden, in denen einzukaufen sich Petrol, nicht aber Durant leisten konnte.

Der Inhaber des Lokals kam sofort auf Petrol zu und begrüßte ihn und Durant, geleitete beide zu dem reservierten Tisch. In dem alten Gemäuer hatte sich der Atem Spaniens festgesetzt, jedes Detail paßte zum andern, ein würziger Duft zog in unsichtbaren Schwaden durch den Raum. Aus versteckten Lautsprechern spielte spanische Folkloremusik, auf den Tischen standen Kerzen und kleine Blumengestecke. Von den zehn Tischen waren sechs besetzt, Gespräche wurden in gedämpfter Lautstärke geführt, es herrschte eine friedliche, stille Atmosphäre.

Julia Durant holte die Schachtel Zigaretten aus der Tasche, zündete sich eine an, nahm einen tiefen Lungenzug. Durch den Rauch hindurch sah sie Petrol an, der die Speisekarte studierte.

»Was möchtest du essen?« fragte er.

»Ich war noch nie beim Spanier«, erwiderte sie. »Such du etwas für mich raus. Du scheinst hier ja sozusagen Stammgast zu sein.«

»Ich komme öfter hierher, wenn es die Zeit erlaubt. Hier habe ich wenigstens meine Ruhe.«

Der Chef, ein kleiner, runder Mann mit wachen, freundlichen Augen, stand plötzlich neben ihnen, sagte in gebrochenem Deutsch: »Was möchten Sie trinken, Professor Petrol?«

»Bringen Sie uns bitte einen Rotwein, Sie wissen schon, die Flasche.«

»Natürlich. Und haben Sie auch schon gewählt, was Sie essen möchten?«

»Ich würde sagen, da meine Begleiterin noch nie spanisch essen war, nehmen wir die Spezialität des Hauses, Paella. Du mußt wissen, Julia, es gibt niemanden außerhalb Spaniens, der eine bessere Paella macht, als Enrique.« Und grinsend fügte er leise hinzu: »Auch wenn er eigentlich gar kein Spanier ist, sondern Italiener und in Wirklichkeit Enrico heißt.«

Enrique nahm mit einem dezenten Lächeln die Speisekarten vom Tisch und entfernte sich beinahe lautlos. Kurz darauf kehrte er mit der Flasche Rotwein zurück, schenkte erst Petrol einen Schluck ein, er probierte, nickte, Enrique schenkte beide Gläser voll.

Petrol nahm sein Glas in die Hand, prostete Durant zu. »Auf dein Wohl«, sagte er. »Es ist schön, mit dir zusammenzusein. Ich hoffe, es wird bald mehr von diesen Abenden geben.«

»Das liegt bei dir«, sagte Durant mit einem kühlen und etwas spöttischen Lächeln und nahm einen Schluck. »Ganz allein bei dir.«

»Ich weiß, ich weiß«, sagte er mit einer eindeutigen Handbewegung, »aber laß uns bitte nicht jetzt darüber reden. Nur soviel, ich tue alles in meiner Macht Stehende, um endlich nur noch für dich da zu sein. Und jetzt laß uns den Abend genießen.«

Durant drückte ihre Zigarette im Aschenbecher aus, lehnte sich zurück. Sie sah Petrol in die Augen, ihr Blick war ernst und nachdenklich. Sie hätte ihm gern etwas gesagt, gern mit ihm über ihre Gefühle gesprochen, doch etwas hinderte sie daran, denn obgleich Petrol Psychologe und Psychiater war, so trennte er Beruf und Privatleben sehr streng voneinander, war er, wenn es um private Dinge ging, zugeknöpft und verschlossen. Sie sagte nichts, weil sie wußte, daß er ihre Gefühle nicht verstand oder nicht verstehen wollte.

»Wie war dein Tag?« fragte er.

»Viel Arbeit, wenig Erfolg. Das ist nun mal die Regel in diesem Job.«

»Und, hat sich in diesen mysteriösen Mordfällen schon etwas ergeben?« fragte er.

»Bis jetzt leider nicht. Aber wir bleiben am Ball.«

»Habt ihr wenigstens schon einen Verdächtigen?«

»Du weißt, ich darf über meine Fälle nicht reden, solange sie nicht abgeschlossen sind.«

»Und du weißt, ich bin genauso an meine Schweigepflicht gebunden wie du. Komm schon, ich bin einfach neugierig. Und ich verspreche dir, kein Sterbenswörtchen von dem zu verraten, was du mir erzählst. Wie es heißt, sind die beiden durch Gift ums Leben gekommen. Ist da was dran?«

»Du weißt es doch eh schon, woher auch immer. Aber wenn du´s genau wissen willst, ja, es war Gift im Spiel.«

»Und was für welches? Arsen, Zyankali?«

»Weder noch. Es handelt sich um Tiergifte …«

»Hmh, da hat sich jemand etwas ganz Besonderes einfallen lassen«, sagte er fast anerkennend. »Eine sehr ausgefallene Idee, wie ich zugeben muß.«

»Ausgefallen ja, nur wir haben bis jetzt nicht den geringsten Hinweis auf den Täter. Weder im privaten noch im beruflichen Umfeld der Opfer gibt es Unstimmigkeiten.«

»Es heißt doch aber auch, die beiden gehörten dieser *Kirche des Elohim* an …«

»Das ist richtig.«

»Ich kannte auch mal jemanden, der diesem Verein angehört oder angehörte, ich weiß nicht, was sie jetzt macht. Allerdings ist diejenige nicht gerade das, was man ein Mustermitglied nennt, sie raucht und trinkt ganz gerne mal einen, und auch sonst ist sie nicht ohne. Ich bin ganz ehrlich, ich habe mit Gott und Religion nicht viel am Hut. Für mich sind das alles nur Phantasien. Wenn ich mir vorstelle, wie viele Patienten ich hatte und habe, die durch Religion krank geworden sind! Krank durch Fanatismus und falsch verstandene Loyalität irgendwelchen Leuten gegenüber, die sich als Messias verstehen«, sagte er verächtlich. »Nein, Religion ist nicht mein Ding. Sollte es aber tatsächlich einen Gott geben, dann werde ich ihn spätestens dann kennenlernen, wenn ich abtrete. Aber ich hoffe, das wird noch eine Weile dauern.«

»Man kann nie wissen«, erwiderte Julia Durant mit vielsagendem Lächeln. »Aber«, fuhr sie fort und nippte an ihrem Wein, »du bist doch Psychologe, fast schon eine Koryphäe auf deinem Gebiet. Was glaubst du, um was für einen Menschen es sich bei dem Täter handeln könnte? Könntest du aufgrund von Fakten ein Persönlichkeitsprofil des Mörders erstellen?«

»Unter Umständen«, sagte er mit leichtem Zweifel in der Stimme und neigte den Kopf ein wenig zur Seite. »Dazu müßte ich aber alle Fakten kennen. Ich weiß bis jetzt nur das, was ich in der

Zeitung gelesen habe. Wißt ihr denn schon, ob es sich um einen Mann oder eine Frau handelt?«

»Zu neunundneunzig Prozent eine Frau. Zumindest deutet alles darauf hin.«

»Und diese Frau bringt ihre Opfer mit tierischem Gift um?«

»Wenn du´s genau wissen willst, einmal mit hochkonzentriertem Schlangengift, einmal mit Kegelschneckengift.«

»Oh, Kegelschnecken! Alle Achtung, die Frau versteht etwas von ihrem Handwerk. Ich habe mal einen Fernsehbericht darüber gesehen, und da haben sie auch gesagt, daß einige dieser Viecher dem Menschen sehr gefährlich werden können. Hat sie denn mit den Männern etwas gehabt? Ich meine, gibt es Hinweise, daß sie eine Affäre mit ihnen hatte?«

»Beim zweiten Opfer scheint es ziemlich sicher zu sein, beim ersten tappen wir völlig im dunkeln. Obgleich dieser Typ auch kein Kostverächter war. Seine Affären, von denen wir zwei kennen, waren jung und ausgesprochen attraktiv. Ob er allerdings auch etwas mit seiner Mörderin hatte, können wir noch nicht sagen.«

»Na ja«, sagte Petrol mit ungewohnt ernstem Tonfall und lehnte sich zurück, drehte das Glas zwischen seinen Fingern. »Ich kenne jemanden, der sich sehr gut mit Giften aller Art auskennt. Übrigens auch eine Frau. Es ist ein Hobby von ihr, wobei sie jedoch keinen praktischen Umgang mit Giften pflegt, sondern sie dieses Hobby rein theoretisch betreibt. Von ihr habe ich einiges darüber gelernt. Und euch ist ja wohl auch bekannt, daß Frauen beim Morden bevorzugt Gift einsetzen. Was hast du noch an Informationen, damit ich mir ein Bild machen kann?«

Julia Durant zuckte die Schultern. »Das war´s leider auch schon. Außer vielleicht, daß ein recht einflußreicher Mann, der auch dieser Kirche angehört und mit den beiden Opfern direkt zusammengearbeitet hat, zwei eindeutige Schreiben erhalten hat, in denen ihm mit dem Tod gedroht wird. Außerdem bekam er eine sogenannte Voodoo-Puppe zugeschickt, in deren Herz eine Nadel steckte. Der Mann hat panische Angst. Das ist alles, was wir bis jetzt haben. Und die Medien hängen uns natürlich ganz schön im Nacken.«

»Kann ich mir vorstellen. Aber für ein Persönlichkeitsprofil oder ein, wie ihr es nennt, Täterprofil reichen diese Informationen beileibe nicht aus. Dazu braucht auch der gewiefteste Psychologe mehr Details, Spuren vom Fundort, Lage der Leiche und so weiter. Ich kann mich nur erinnern, daß wir einmal eine Patientin hatten, die ihren Mann über den Zeitraum eines halben Jahres systematisch vergiftet hat. Er hatte eine Affäre nach der andern, trank, verprügelte sie regelmäßig, machte auch vor Vergewaltigung nicht halt. Das schlimmste für sie war jedoch, daß er sich auch noch an ihrer gemeinsamen Tochter vergangen hat, und als die Frau dahinterkam, brannten bei ihr alle Sicherungen durch. Sie war einfach nicht mehr gewillt, diese unglaubliche Demütigung hinzunehmen. Seine Affären, seine Trinkerei, seine Schläge, das alles hätte sie verkraftet, doch der Mißbrauch der eigenen Tochter, nein, das war zuviel für sie. Wir hatten sie zwei Jahre in der geschlossenen Abteilung, danach wurde sie aufgrund eines von mir und zwei anderen Psychologen erstellten Gutachtens freigelassen. Sie stellt keine Gefahr für andere dar, sie hat sich auch, soweit mir bekannt ist, nichts mehr zuschulden kommen lassen.«

»Wie alt ist diese Frau jetzt?«

»Sie müßte so um die Vierzig sein. Die Sache liegt auch schon mehr als fünf Jahre zurück. Ich weiß nur, sie hat fast fünfzehn Jahre lang die Hölle auf Erden erlebt und irgendwann keinen Ausweg mehr gesehen. Es ist furchtbar, was manchmal mit Menschen gemacht wird. Aber komm, laß uns von was anderem reden.«

Enrique brachte die Paella, sie füllten sich auf, begannen zu essen. Eine Weile schwiegen sie, es kamen weitere Gäste, schließlich waren alle Tische besetzt. Sie unterhielten sich, doch das meiste bestand aus Belanglosigkeiten. Um zehn verließen sie das Lokal und fuhren zurück in die Wohnung von Werner Petrol.

Sie tranken noch einen Cognac, saßen auf der Couch, hörten Musik. Petrol umarmte Julia Durant, küßte sie. Sie liebten sich auf der Couch und auf dem Teppich, schließlich trug er sie nach oben ins Schlafzimmer, wo sie noch eine weitere Stunde verbrachten. Es war kurz vor halb zwei, als Werner Petrol sich erschöpft auf die Seite rollte.

»Du bist eine ganz schöne heiße Frau«, sagte er und blickte Julia Durant grinsend von der Seite an. »Und ganz schön anstrengend dazu.«

»Kannst du etwa nicht mehr?« fragte sie spöttisch lächelnd. Sie war nackt, setzte sich auf, zündete sich eine Gauloise an.

»Hahaha«, sagte er. »Ich bin doch keine Maschine. Schließlich haben wir in nicht einmal drei Stunden vier …«

»Du vielleicht, ich nicht«, sagte sie und packte noch eine Prise mehr Spott in ihre Stimme.

»Was soll das heißen?« fragte er.

»Na ja, du bist viermal gekommen, ich mindestens sechsmal«, meinte sie grinsend. »Es war ganz nett.«

»Ganz nett, ganz nett! Wie sich das anhört! Wenn du sechs Orgasmen hattest, dann müßtest du eigentlich zufrieden sein.«

»Hab ich etwa das Gegenteil behauptet? Laß mir doch den Spaß, ich will dich einfach ein bißchen ärgern. Aber ja, mein Herr, es war eine wunderbare Nacht mit dir … Und wann ist endlich die Scheidung?«

»O mein Gott! Warum mußt du immer alles im schönsten Augenblick verderben?«

»Werner, ich sage es zum letzten Mal, entweder ganz oder gar nicht. Du hast die Wahl. So gern ich mit dir schlafe, soviel Spaß es mir auch macht, ich habe keine Lust mehr, ständig in Wartestellung zu sein. Kannst oder willst du das nicht verstehen? Wenn du deine Frau nicht mehr liebst, wenn eure Ehe so zerrüttet ist, wie du immer sagst, was hindert dich dann daran, endlich einen Schlußstrich zu ziehen? Sag es mir, damit ich es verstehen kann.«

Schweigen.

Sie lachte kurz und trocken auf, schüttelte den Kopf. »Das ist typisch für dich. Wenn es ernst wird, schweigst du. Du bist ein angesehener Arzt, du kannst Freud und Jung und wie sie nicht alle heißen wahrscheinlich im Schlaf herunterbeten, du kannst mit deinen Patienten reden, dir ihre Sorgen und Nöte anhören, kannst ihre Krankheiten lindern oder gar beseitigen, aber wenn es um dich oder uns geht, dann benimmst du dich wie ein verstocktes, kleines Kind. Rede doch mit mir! Sag mir, wenn dir etwas an mir nicht gefällt, wenn ich etwas falsch mache, ich kann es verkraften. Ich kann aber nicht verkraften, wenn du nicht mit mir sprichst. Du sagst, du liebst mich, aber was ist das für eine Liebe, die daraus besteht, daß wir ab und zu telefonieren, uns ein-, vielleicht auch zweimal in der Woche sehen, du mir beteuerst, wie sehr du dich nach mir sehnst, ich aber zu keiner Zeit das Gefühl habe, daß du wirklich Interesse an mir hast – außer zum Bumsen. Ich will aber keinen Mann, der mich nur zum Bumsen braucht, ich will einen, mit dem ich abends zusammen einschlafe und morgens mit ihm aufwache. Ich will einen, der mir das Gefühl gibt, mich nicht nur körperlich zu begehren, sondern der mich liebt, mit all meinen Fehlern und Schwächen. Einen, der es ertragen kann, wenn ich morgens mit dem linken Fuß aufstehe, der es erträgt, wenn ich Überstunden schieben muß, weil ein Fall das eben erfordert, einen Mann, der mich einfach so nimmt, wie ich bin. Und so schwierig bin ich nun auch wieder nicht, das weißt du.«

»Liebst du mich denn?« fragte er.

»Ich bin dabei, es herauszufinden. Im Augenblick schlafe ich gern mit dir. Aber das allein ist keine Liebe. Ich gehöre nicht zu den Frauen, die meinen, im Bett ließen sich alle Probleme lösen.

Weißt du, ich habe eine verdammt beschissene Ehe hinter mir, und ich habe keine Lust, mich noch einmal in eine zu stürzen, wenn ich nicht ganz sicher bin, daß der Mann mich auch wirklich liebt.«

»Ich liebe dich, Julia.«

»Das hast du schon zu oft gesagt, Werner. Wenn es wirklich so wäre, hättest du schon längst einen Schlußstrich unter deine ach so tragische Ehe gezogen. Sag es mir lieber nicht mehr, zumindest so lange nicht, bis ich nicht einen handfesten Beweis dafür in Händen halte.«

»Willst du Schluß machen?« fragte er.

»Das habe ich nicht gesagt. Wir können uns weiter sehen, telefonieren, essen gehen, miteinander schlafen. Mehr aber auch nicht. Ich lebe mein Leben und du deines. Und vielleicht ist das nicht einmal die schlechteste Lösung.«

»Wirst du heute nacht hierbleiben?«

Julia Durant schüttelte den Kopf, sah Werner Petrol an. »Nein, ich ziehe mich jetzt an und fahre nach Hause. Ich habe mir für das Wochenende viel vorgenommen.«

»Schade«, sagte Petrol, »aber wohl nicht zu ändern.«

»Du sagst es.« Sie stand auf, zog sich an, während Petrol liegenblieb und ihr dabei zusah.

»Kommst du noch mit nach unten?« fragte sie und nahm ihre Tasche.

»Klar. Einen Augenblick.« Er schlüpfte nackt in eine Jeans, zog ein T-Shirt über und begleitete Julia Durant nach unten. Er machte die Haustür auf, legte seine Arme um Durant, drückte sie an sich. Er küßte sie auf den Mund, fuhr ihr zum Abschluß mit einem Finger über die Nasenspitze. Er lächelte, als er sagte: »Ich weiß, du willst es nicht hören, aber ich liebe dich wirklich. Und wie gesagt, ich werde es dir beweisen.«

»Schön. Du kannst mich ja heute nachmittag anrufen. Ciao.«

»Einen Moment noch, bitte. Hier«, sagte er mit seinem jungenhaften Lächeln und zog etwas aus seiner Hosentasche. »Mach die Augen zu, mir zuliebe.«

Julia Durant schloß die Augen, sie spürte, wie seine warmen Hände sich um ihren Hals legten.

»Jetzt kannst du sie wieder aufmachen«, sagte er.

»Was ist das?« fragte sie. »Ich kann es nicht sehen.«

»Du bist doch eine Frau. Und Frauen haben bekanntlich immer einen Spiegel dabei.«

Sie holte den kleinen Spiegel aus der Handtasche, sah hinein. »Du bist wahnsinnig«, stieß sie überwältigt hervor. »Das muß ein Vermögen gekostet haben. Ist das ein echter Stein?«

»Es ist eine echt goldene Kette und der Anhänger hat einen Einkaräter in der Fassung. Gefällt es dir?«

»Ich sage doch, du bist wahnsinnig … Danke«, sagte sie verlegen.

»Für dich ist mir nichts zu teuer, glaub mir. Und ich will dich nicht kaufen oder bestechen, ich will dich nur lieben dürfen.«

»Du darfst mich lieben, ich habe es dir nie verboten. Aber Geschenke allein sind kein Liebesbeweis. Du weißt, was ich mir wünsche. Und jetzt gute Nacht.«

Er wartete, bis sie an ihrem Wagen und eingestiegen war. Sie startete den Motor, er winkte noch einmal und blickte ihr hinterher, bis die Rücklichter um die Ecke verschwanden.

Er bemerkte nicht die junge Frau, die in einem dunklen Hauseingang auf der andern Straßenseite stand und die Abschiedsszene beobachtet hatte. Die Frau warf die ausgerauchte Zigarette zu Boden, wartete, bis Petrol die Haustür hinter sich zugemacht hatte, ging ein paar Meter bis zu ihrem Cabrio. Auf der Heimfahrt dachte sie nach.

344

Julia Durant wurde vom Telefon geweckt. Mit noch geschlossenen Augen drehte sie sich auf die Seite, griff nach unten zum Hörer.

»Ja?« murmelte sie schläfrig.

»Berger hier. Habe ich Sie etwa aus dem Bett geholt?«

»Können Sie hellsehen?« sagte sie mit schwerer Stimme. »Was gibt es denn so Wichtiges?«

»Tut mir leid, ich wußte nicht, daß Sie noch schlafen … Ich bin gerade im Büro und …«

»Ich schlafe ja nicht mehr. Aber Sie rufen doch nicht mitten in der Nacht an, wenn es nicht dringend ist, oder? Und außerdem, was machen Sie heute eigentlich im Präsidium?«

»Ich habe nichts Besseres zu tun. Ich wollte Ihnen nur sagen, daß Morbs eben angerufen hat. Volltreffer, Hauser ist keines natürlichen Todes gestorben. Obgleich er schon ein halbes Jahr unter der Erde liegt, konnte das ihm verabreichte Gift identifiziert werden. Es handelt sich eindeutig um Schlangengift. Hausers Frau und seine beiden Töchter wurden bereits gestern abend von unseren Kollegen in Hannover vernommen. Seine Frau wurde auch auf ein eventuelles Verhältnis ihres Mannes angesprochen, doch sie beharrt darauf, nie etwas derartiges bemerkt zu haben. Außerdem hätte seine Arbeit das gar nicht zugelassen. Ich wollte es Ihnen nur sagen.«

»Danke. Weiß Hellmer schon Bescheid?«

»Nein, ich dachte, Sie könnten es ihm ja sagen.«

»Mach ich. Aber erst will ich mal richtig wach werden.«

»Schon gut, ich will auch nicht länger stören. Und ich verspreche Ihnen, Sie heute nicht mehr um Ihre wohlverdiente Ruhe zu bringen.«

»Versprechen Sie lieber nicht zu viel, ich habe immer noch Bereitschaft.«

»Ja, okay. Ich meinte nur, na ja, ich hoffe, Sie werden nicht wieder irgendwohin gerufen. Schönen Tag noch.« Er legte auf, ohne eine Erwiderung von Durant abzuwarten.

Sie hielt den Hörer in der Hand, legte sich auf den Rücken, die Augen geschlossen. Sie war müde und hätte am liebsten noch ein paar Stunden geschlafen. Doch wenn sie einmal wach war, konnte sie nicht mehr einschlafen. Sie hatte es oft genug probiert, es hatte nie geklappt. Sie hatte leichte Kopfschmerzen, ihr war übel, der Rücken tat ihr weh. *Scheiße*, dachte sie, denn die Kopfschmerzen, die Übelkeit und die Rückenschmerzen waren ein eindeutiges Indiz dafür, daß ihre Periode unmittelbar bevorstand. Sie sah kurz zur Uhr, halb zehn. Sie legte den Hörer auf die Einheit, setzte sich auf. Sie dachte kurz an den vergangenen Abend, der einerseits ganz schön gewesen war, andererseits wußte sie jetzt endgültig – es war nicht mehr nur ein Gefühl oder eine Ahnung –, daß die Sache mit Petrol bald ein Ende haben würde. Und sie war nicht gewillt, eine Beziehung nur wegen Sex aufrechtzuerhalten. Es gab Tausende von Männern, die mindestens genauso gut im Bett waren, aber auch andere Qualitäten aufwiesen, wie zum Beispiel Treue. Vermutlich bedeutete ihm seine Frau doch mehr, als er zuzugeben bereit war, und wahrscheinlich gehörte er zu jenen Männern, die sich nicht entscheiden konnten, die alles, was mit Beziehungen zusammenhing, auf die lange Bank schoben, die Ausflüchte und Ausreden erfanden und meinten, mit ein paar netten Worten und ein paar hübschen Geschenken eine Frau hinhalten zu können.

Aber mich nicht, dachte Julia Durant, *mich hältst du nicht hin. Du hast, verdammt noch mal, deine Chance gehabt, und du hast sie verspielt. Vielleicht gebe ich dir noch drei Monate, vielleicht auch nicht. Du bist ein Scheißkerl, Werner Petrol! Aber die Kette behalte ich trotzdem.*

Sie erhob sich aus dem Bett, streckte sich, ging zum Fenster, zog die Vorhänge auf, stützte sich mit beiden Händen auf die Fensterbank. Die Temperatur war gegenüber gestern um mindestens zehn Grad gesunken, die Sonne ließ sich nur vereinzelt zwischen den Wolken blicken. Sie atmete ein paarmal kräftig die frische Luft ein, sah hinunter auf die Straße. Nach einigen Minuten ging sie zur Toilette, wusch sich danach mit kaltem Wasser die Hände und das Gesicht, trocknete sich ab. In der Küche aß sie eine Banane, steckte sich danach eine Zigarette zwischen die Lippen. Sie setzte sich auf einen der beiden Küchenstühle, den linken Arm legte sie auf die Stuhllehne, den andern auf den Tisch. Sie schlug die Beine übereinander, fuhr sich kurz mit einer Hand durchs Haar, schnippte die ausgebrannte Glut in den Aschenbecher. *Rosenzweig, Schönau und jetzt auch noch Hauser,* dachte sie. *Nein, verkehrt, erst Hauser, dann Rosenzweig, dann Schönau. Und vielleicht irgendwann in den nächsten Tagen oder Wochen auch noch Fink.*

Sie hatte das Gefühl, der Mörder oder, was viel wahrscheinlicher war, die Mörderin wollte sich mit Fink Zeit lassen. Sie wollte ihn schmoren lassen, ihn weich kochen, ihn derart in Panik versetzen, bis er den Tod praktisch als eine Erlösung sehen würde. *Fink,* dachte sie weiter, *ist der Schlüssel zu allem. Aber warum zum Teufel sagt er nichts? Warum um alles in der Welt verhalten er und seine Familie sich so zurückhaltend und abweisend? Was haben sie zu verbergen?*

Sie rauchte zu Ende, drückte die Zigarette aus. Es war eines der seltsamsten Puzzles, die sie je zusammenzusetzen gehabt hatte. Es war, als würde das Puzzle aus Tausenden winziger Teilchen bestehen, von denen sie bisher nur ganze wenige zusammenhängende gefunden hatte und von denen vielleicht auch ein paar fehlten. Die Opfer gehörten bis jetzt sämtlich der gleichen Kirche an, Rosenzweig und Schönau waren notorische Fremdgänger gewesen, wobei zumindest Vivienne Schönau von der ehelichen Untreue ihres Mannes gewußt zu haben schien. Alle drei waren materiell sehr begütert, gesellschaftlich hoch angesehen, hatten in der Kirche eine hohe Position inne. Ob Hauser eine au-ßereheliche Beziehung gepflegt hatte, war noch nicht bekannt. Doch was war mit Fink? Welche Rolle spielte er in diesem makabren und mysteriösen Spiel? Und was war mit seiner Frau und seinen Kindern?

Julia Durant fühlte sich auf einmal so hilflos, sie schüttelte den Kopf. *Und wer ist diese Frau,* dachte sie weiter, *die auf eine derart grausame, aber zugleich subtile und fast schon bewundernswerte Weise tötet? Was bringt sie dazu, Männer, die zwar offensichtlich nicht perfekt, aber allem Anschein nach auch nicht absolut böse sind, zu ermorden? Was ist ihr Motiv?*

Sie fuhr sich ein weiteres Mal mit gespreizten Fingern durchs Haar, schloß die Augen. *Und wie war das Gift in Rosenzweigs Haus gelangt? Hatte es Rosenzweig selbst mitgebracht, im guten Glauben, es handele sich um das für ihn so lebensnotwendige Insulin? Oder war es doch seine eigene Frau gewesen? Aber dann hätte Frau Rosenzweig auch ein Verhältnis mit Schönau haben müssen, und vielleicht sogar eines mit Hauser.* Durant lachte kurz auf, sagte zu sich selbst, *nein, diese Theorie ist einfach unmöglich, sie paßt so ganz und gar nicht zu dieser kleinen, ergebenen Frau, die auf eine gewisse Weise sogar liebenswert ist. Außerdem, warum hätte Schönau ein Verhältnis mit ihr haben sollen, wenn er doch zu Hause eine um ein vieles aufregendere Frau hatte?*

Nein, um das Puzzle zusammensetzen zu können, fehlten ihr noch viele, wesentliche Bestandteile. Nur, wie konnte sie an diese gelangen, wie konnte sie einen Jürgen oder eine Laura Fink davon überzeugen, endlich etwas von dem preiszugeben, was vielleicht den entscheidenden Hinweis auf den Täter liefern würde?

Sie wußte, sie würde auf diese Fragen heute keine Antwort bekommen, sie hoffte irgendwie auf ein Wunder, doch Wunder gehörten zu den Dingen, die ihr bisher nicht widerfahren waren. Sie seufzte auf, sagte sich, *na ja, womöglich habe ich schon Wunder erlebt, ich habe sie nur nicht gesehen. Tja, Papa, du hast mir oft genug gesagt, daß nur der die Wunder nicht sieht, der mit geschlossenen Augen durch die Welt läuft. Ich brauche doch nur einen Anhaltspunkt. Nur einen winzigen Anhaltspunkt!*

Sie stand auf, ging zum Küchenschrank, holte eine Schale heraus, die Cornflakes, Zucker und Milch und einen Löffel und stellte alles auf den Tisch. Sie brühte sich einen Kaffee auf, begann zu frühstücken. Zu viele Gedanken spukten in ihrem Kopf herum, Petrol, ihre eigene Zukunft, die Morde. Die Verschwiegenheit der Familie Fink, die sie nicht verstand, vor allem nicht, nachdem Fink selbst zwei eindeutige Morddrohungen erhalten hatte. Nach dem Frühstück räumte sie den Tisch ab, stemmte die Hände in die Hüften, sah sich in der Wohnung um. Es war das blanke Chaos, sie erneuerte den Entschluß von gestern, heute ihr kleines Reich in einen vorzeigemäßigen Zustand zu bringen. Sie zog sich eine blaue Jogginghose und ein T-Shirt über, überlegte, womit sie anfangen sollte. Sie öffnete sämtliche Fenster, warf die Schmutzwäsche auf einen Haufen, trennte Bunt- und Weißwäsche, füllte die erste Maschine. Sie räumte die Küche auf, spülte, putzte die Schränke von außen, nahm den Staubsauger, fuhr fast eine halbe Stunde damit durch die Zimmer, stellte ihn zurück in die kleine Abstellkammer. Sie goß die Blumen, die seit mindestens zwei Wochen kein Wasser mehr bekommen hatten und von denen einige schon traurig und resigniert die Köpfe hängen ließen, wischte Staub. Sie bezog das Bett neu, leerte die Waschmaschine, füllte den Trockner. Sie stopfte die Buntwäsche in die Maschine, setzte sich, trank eine Dose Bier, rauchte eine Zigarette. Sie machte das Radio an, tanzte einen Augenblick zur Musik von George Michael. Danach stand sie mitten im Wohnzimmer, blickte um sich, war zufrieden. Die Fenster, ja, wenn sie schon dabei war, dann würde sie auch die noch putzen. Und wenn sie damit fertig war, würde sie sich über die trockene

Wäsche hermachen, die Unterwäsche zusammenlegen, das andere bügeln. Um kurz vor drei blickte sie zur Uhr, sie wollte noch schnell in den Supermarkt fahren, um Zigaretten, Bier und ein paar Kleinigkeiten zu essen besorgen, vielleicht auch noch Blumen für den Wohnzimmertisch.

Als sie um halb sieben ihre Arbeit beendet hatte, ließ sie sich auf die Couch fallen, legte die Beine auf den Tisch, atmete tief durch. Es war lange her, seit sie das letzte Mal so viel Hausarbeit gemacht hatte. Aber es verschaffte ihr ein gutes Gefühl zu sehen, daß jetzt alles sauber und der Schrank und die Schubladen der Kommode wieder voll frischgewaschener und -gebügelter Kleidung waren. Sie fühlte sich erschöpft, aber glücklich. Kaum hatte sie sich hingesetzt, klingelte das Telefon. Werner Petrol.

»Hallo, Schatz«, sagte er. »Ich wollte mich nur mal melden. Wie geht's dir heute?«

»Blendend. Und dir?«

»Ich war heute in der Klinik, ein paar Akten studieren. Ich habe ein bißchen über das Gespräch von gestern abend nachgedacht und würde gern mit dir darüber sprechen. Ich denke, ich könnte dir unter Umständen helfen. Dazu müßten wir uns aber sehen«, sagte er. »Ich habe Sehnsucht nach dir.«

»Tut mir leid, heute geht es nicht. Ich muß nachher noch mal ins Präsidium«, log sie. Außerdem glaubte sie nicht, daß Petrol ihr in irgendeiner Form bei der Klärung dieser mysteriösen Fälle würde helfen können, er wollte sie nur sehen und mit ihr schlafen.

»Heute, am Samstag?«

»Ich habe Bereitschaft, das weißt du doch. Außerdem gibt es ein paar neue Hinweise in unserer Mordsache. Sorry, aber mein Chef hat mich hinbeordert.«

»Und später, ich meine, wenn du im Präsidium fertig bist?«

»Dann werde ich nach Hause fahren, mich ins Bett legen und schlafen. Und zwar allein, ich muß morgen sehr früh raus.«

»Schade, ich hatte mir den Abend anders vorgestellt.«

»Pech gehabt«, erwiderte sie schnippisch. »Aber du solltest wissen, daß ich nicht immer nach deiner Pfeife tanze …«

»Mein Gott, du führst dich auf wie ein kleines Kind …«

»Wenn du meinst. Aber ich hab einfach keine Lust mehr, mich von dir hinhalten zu lassen. Ich hab dir gesagt, ich will Ergebnisse sehen, vorher … Du solltest endlich kapieren, daß ich nicht länger verarscht werden will. Und jetzt entschuldige mich bitte, ich muß mich umziehen und dann los.«

»Wann sehe ich dich wieder?«

»Ruf mich an, aber das tust du ja sowieso meistens. Tschüs, und einen schönen Abend noch. Du kannst ja deine Frau fragen, ob sie Zeit für dich hat.«

»Julia, bitte, warum behandelst du mich so? Was …«

Sie zögerte einen Moment, fuhr dann mit sanfterer Stimme fort: »Wie behandele ich dich denn? Vielleicht merkst du jetzt einmal, wie es ist, wenn man sich nach jemandem sehnt und derjenige ist nicht verfügbar. Und ich kann dir beim besten Willen nicht sagen, wann ich wieder verfügbar bin. Ich muß jetzt aber wirklich Schluß machen. Du kannst mich ja morgen abend anrufen.«

»Ich verspreche dir, ich rufe dich morgen abend an. Sagen wir, um acht?«

»In Ordnung. Bis morgen.«

Sie legte auf, verzog die Mundwinkel, schüttelte den Kopf. Nein, sie würde sich nicht länger an der Nase herumführen lassen. Diese Zeiten waren endgültig vorbei.

Der Himmel hatte sich, nachdem die Sonne am Nachmittag für zwei Stunden hinter den Wolken vorgekrochen war, wieder zugezogen, die ersten Tropfen fielen auf die Erde. Julia Durant griff zum Telefon, wählte die Nummer von Hellmer. Seine Frau Nadine meldete sich.

»Hellmer.«

»Nadine?« fragte Durant vorsichtshalber nach.

»Ja.«

»Hier ist Julia. Könnte ich bitte mit Frank sprechen?«

»Moment, er ist im Garten, ich bring ihm das Telefon.«

»Hallo, Julia«, sagte er. »Was gibt´s?«

»Ich wollte nur noch mal wegen morgen früh nachfragen. Es bleibt doch bei unserem Kirchenbesuch?«

»Natürlich. Nadine ist schon ganz neugierig. Wann sollen wir denn dort sein?«

»Ich würde sagen, so kurz vor neun. Ich möchte mir den Verein mal in aller Ruhe ansehen und vor allem hören, was die so sagen, nachdem zwei ihrer führenden Köpfe innerhalb weniger Tage umgebracht wurden.«

»Okay, Nadine und ich werden da sein. Bis morgen dann. Und einen schönen Abend noch.«

»Den werde ich haben. Tschüs.«

Sie legte auf, ging in die Küche, machte sich etwas zu essen und setzte sich vor den Fernsehapparat. Sie wollte sich den Film mit Al Pacino ansehen, der so groß in der Fernsehzeitung angekündigt wurde. Und danach zu Bett gehen und hoffentlich eine ruhige Nacht haben.

Sonntag, 8.50 Uhr

Julia Durant und Frank und Nadine Hellmer trafen fast gleichzeitig am Gemeindehaus der *Kirche des Elohim* ein. Von den fast hundert Parkplätzen waren nur noch wenige frei. Julia Durant hatte sich einen dunkelblauen Rock und eine weiße Bluse angezogen, Hellmer kam in einer hellen Sommerhose und Lederjacke, während Nadine ein gepunktetes Sommerkleid trug. Auf dem Parkplatz unterhielten sich einige Leute angeregt, von denen Julia Durant jedoch keiner bekannt vorkam, die meisten aber strömten in das Gemeindehaus.

»Dann wollen wir uns mal unters Volk mischen«, sagte Durant

und ging los. »Und noch mal – keine Fragen, wir sehen uns das heute nur an. Wenn einer kommt und wissen will, was wir hier machen, dann geben wir uns allerdings zu erkennen.«

Noch standen viele Gemeindemitglieder auf dem großen, hellen Flur, aus den Wortfetzen, die Durant vernahm, klang deutlich die Besorgnis über die Vorfälle der vergangenen Woche heraus. Kaum einer nahm Notiz von ihr oder ihren Begleitern. Einen Augenblick stand sie unschlüssig da, als ihr von hinten jemand auf die Schulter tippte. Sie drehte sich um, blickte in das freundliche Gesicht von Sabine Reich. Sie trug ein helles Kleid, das knapp über dem Knie endete und ihre nahezu perfekte Figur noch unterstrich. Sie war dezent geschminkt, wobei sie es ohnehin nicht nötig hatte, viel Make-up aufzulegen, da sie ihre Schönheit nicht künstlich betonen mußte.

»Guten Morgen«, sagte sie. »Ich hatte fast damit gerechnet, Sie heute hier zu sehen. Sind Sie neugierig auf die Kirche oder interessieren Sie sich mehr für die Menschen?«

»Eher für letzteres, Frau Reich. Es ist nun mal nicht an der Tagesordnung, wenn zwei Ihrer besten Männer so kurz nacheinander abtreten mußten. Nun, eigentlich sind es inzwischen drei.«

Sabine Reich runzelte die Stirn, sah Durant fragend an. »Wieso drei?«

»Sagt Ihnen der Name Thorsten Hauser etwas?« fragte sie mit gedämpfter Stimme, um zu verhindern, daß andere von dem Gespräch etwas mitbekamen.

»Schon. Aber er ist seit einem halben oder dreiviertel Jahr tot. Was hat Hauser mit diesen schrecklichen Morden zu tun?«

»Er ist seit ziemlich genau einem halben Jahr tot. Was wissen Sie über ihn?«

»Ich kannte ihn nicht persönlich, ich wußte nur, daß er ein sehr angesehener und renommierter Biologe und Chemiker war. Warum wollen Sie das wissen?«

»Ganz einfach, weil nicht Rosenzweig das erste Opfer war, sondern Hauser. Wir haben seine Leiche exhumieren lassen, und der Befund ist eindeutig. Nur schade, daß wir nicht schon vorher davon gewußt haben.«

»Aber Hauser hat irgendwo in Norddeutschland gelebt. Was hat das mit den Morden hier in Frankfurt zu tun?«

»Weil auch er durch Gift starb. Er war Diabetiker wie Rosenzweig, und er hat sich genau wie er statt Insulin Schlangengift gespritzt.«

»Das ist ja schrecklich! Und wie sind Sie jetzt, ein halbes Jahr nach seinem Tod, darauf gekommen? Ich meine ...«

»Das ist unwichtig. Wichtig ist nur die Tatsache, daß Hauser auf die gleiche Weise ums Leben gekommen ist wie Rosenzweig und Schönau. Ich möchte aber im Augenblick nicht, daß Sie mit irgend jemand darüber sprechen. Ich vertraue Ihnen. Außer Ihnen weiß nur Laura Fink von Hausers unnatürlichem Tod.«

»Scheiße«, quetschte Sabine Reich durch die Zähne und machte kurz darauf ein verlegenes Gesicht. »Wer macht so etwas? Und warum?«

»Wenn wir das Warum kennen würden, wäre es vielleicht nur noch ein kleiner Schritt zum Täter.«

»Und was wollen Sie heute hier machen? Leute befragen?«

»Uns umsehen, weiter nichts. Aber sagen Sie, wie ist denn die momentane Stimmung hier?«

»Die Leute sind natürlich sehr betroffen, wie Sie sich bestimmt vorstellen können. Ich habe in den vergangenen Tagen eine ganze Menge Anrufe erhalten, von Mitgliedern, die einfach fassungslos sind. Und natürlich sind solche Mordfälle der ideale Nährboden für allerhand Gerüchte ...«

»Was für Gerüchte?«

Sabine Reich zuckte die Schultern, ein kurzes Lächeln huschte über ihr Gesicht. »Na ja, unsere Kirche wird von vielen Außenstehenden nicht sehr ernst genommen. Wir sind immer noch als

Sekte verschrien, obwohl wir keine Splittergruppe einer der großen Kirchen sind, sondern eine eigenständige Kirche mit ganz klaren Zielen und Dogmen. Die einen vermuten, es könnten welche von den Zeugen Jehovas oder einer anderen konkurrierenden Kirche sein, wobei als Hauptgrund immer wieder angeführt wird, daß wir in den letzten dreißig Jahren zu den am schnellsten wachsenden Glaubensgemeinschaften weltweit zählen. Während andere Kirchen, wie die Mormonen etwa, immer mehr Mitglieder verlieren, steigen unsere Mitgliederzahlen rapide an. Aber meiner Meinung nach kommt eine andere Kirche nicht in Frage. Wenn man sich in einem – christlichen – Glaubenskrieg befindet, dann tötet man nicht mit Gift, sondern trägt den Krieg offen und vor allem verbal aus. Es gab auch in den vergangenen Monaten und Jahren keinerlei Hinweise darauf, daß eine andere Glaubensgemeinschaft sich uns gegenüber feindlich verhalten hätte. Deshalb halte ich diese Theorie für an den Haaren herbeigezogen. Der Tod dieser Männer hat einen anderen Hintergrund. Doch welchen?« Sie zuckte ratlos die Schultern und fuhr fort: »Das müssen Sie schon herausfinden.«

»Und gibt es noch andere Theorien?« fragte Durant.

»Sicher, aber ich kann mich nicht an alle erinnern. Wenn es wichtig wäre, wüßte ich es noch und würde es Ihnen auch sagen. Die Leute sind eben aufgeschreckt und stellen, wie sollte es auch anders sein, die wildesten Spekulationen an. Aber ich gebe nichts auf Spekulationen.« Sie schaute zur Uhr. »Wir sollten jetzt aber reingehen, denn man sieht es nicht gerne, wenn die Mitglieder nicht pünktlich auf ihrem Platz sitzen. Möchten Sie lieber vorn oder lieber hinten sitzen?«

»Lieber hinten. Übrigens, meinen Kollegen Hellmer kennen Sie ja schon, die Dame an seiner Seite ist seine Frau Nadine.«

»Hallo«, sagte Sabine Reich und schüttelte Nadines Hand, »nett, Sie kennenzulernen. Aber wir sollten uns jetzt wirklich beeilen, wenn wir noch einen einigermaßen guten Platz erwischen wollen. Ich setze mich zu Ihnen, wenn es Ihnen nichts ausmacht. Wenn Sie Fragen haben …«

Pünktlich um neun wurde es auf einmal mucksmäuschenstill in dem großen Saal. Ein etwa vierzigjähriger Mann, der auf dem Podium neben drei anderen Männern saß, erhob sich und trat an das Pult. Er brachte das Mikrofon in die richtige Position, räusperte sich, sagte: »Guten Morgen, liebe Brüder und liebe Schwestern. Ich begrüße Sie zu unserer Versammlung, die wir mit dem Singen des Liedes Nummer dreiundsechzig beginnen, danach wird Schwester Groß das Anfangsgebet sprechen.«

Der Dirigent stand neben dem Organisten, die Gesangbücher wurden aufgeschlagen, die Gemeinde begann zu singen. Danach trat eine alte Frau von mindestens fünfundsiebzig Jahren in gebeugter Haltung nach vorn, sprach das Gebet.

Nach dem Amen stand Karl-Heinz Fink auf, trat mit ernster Miene ans Mikrofon. Es schien, als habe er die Beamten noch nicht bemerkt. Er sagte mit bedächtiger Stimme: »Liebe Brüder und liebe Schwestern, ich möchte heute kurz zu Ihnen sprechen über das, was in der letzten Woche vorgefallen ist. Wie Sie inzwischen alle wissen, wurden zwei unserer großartigen Brüder auf äußerst tragische Weise aus unserer Mitte gerissen, wurden ihre Frauen zu Witwen gemacht und ein Unrecht begangen, wie es diese Kirche seit ihrem Bestehen kaum je erlebt hat. Zwar gab es in der Anfangszeit heftige und zum Teil grausame Verfolgungen durch Andersgläubige, doch diese Zeiten sind längst vorbei – dachten wir zumindest noch bis vor einer Woche. Bruder Rosenzweig und Bruder Schönau wurden grausam und heimtückisch ermordet, und die Polizei hat noch keinerlei Anhaltspunkte, wer der Täter sein könnte. Schwester Rosenzweig und Schwester Schönau, unser aller Gebete sind bei Ihnen in diesen schweren Stunden, und Sie wissen, daß Sie jederzeit zu uns kommen können, wenn Sie Hilfe brauchen. Es fällt mir schwer«, sagte Fink weiter, stockte einen Moment, sah zu Boden, rang um Fassung –

jetzt fang auch noch an, ein paar Krokodilstränen zu weinen, dachte Durant böse lächelnd –, bevor er fortfuhr, »es fällt mir schwer, in diesem Augenblick die richtigen Worte zu finden für das, was ich empfinde. Bruder Rosenzweig und Bruder Schönau waren im wahrsten Sinn des Wortes meine Brüder. Wir kannten uns seit vielen Jahren, zum Teil schon seit unserer Jugend, und deshalb ist dieser Verlust für mich besonders tragisch. Sie waren vorbildliche Männer, treu ergeben unserem Herrn und Gott. Treu ergeben den Grundsätzen, denen sie über so viele Jahre hinweg gedient haben. Treu den Mitgliedern gegenüber, die ihnen anvertraut waren und die, was immer auch ihre Sorgen oder Nöte waren, bei Bruder Rosenzweig oder Bruder Schönau immer ein offenes Ohr, und, wenn nötig, auch Rat und Beistand fanden. Doch eines, liebe Brüder und Schwestern, sollten wir uns stets vor Augen halten«, seine Stimme hob an, wurde kräftig, beinahe donnernd, »die Wege des Herrn sind unergründlich. Wir wissen nicht, warum Bruder Rosenzweig und Bruder Schönau sterben mußten, doch wir werden es wissen, wenn wir diese Erde verlassen, um wieder mit ihnen vereint zu sein. Wir werden wissen, warum Gott diese Verbrechen zugelassen hat, warum er dem Mörder nicht die verderblichen Gedanken nahm, die letztendlich zu diesen abscheulichen und für uns so unbegreiflichen Taten führten. Brüder und Schwestern, so tragisch dieser Verlust für uns alle, vor allem aber für die Angehörigen sein mag, so möchte ich doch daran erinnern, daß der Herr gesagt hat, daß wir vergeben sollen. Uns steht es nicht zu, zu richten oder gar zu verdammen. Unser Herz soll verzeihen. Und mag es dem einen oder andern auch schwerfallen, so bitte ich doch darum – beten wir für die arme Seele desjenigen, der diese Taten begangen hat. Nur wenn wir im Geiste und im Gebet zusammenhalten, wird Gott uns die Kraft und den inneren Frieden geben, den wir brauchen, um das Geschehene nicht aus dem menschlichen, begrenzten Blickwinkel zu sehen, sondern aus dem Blickwinkel unseres

Herrn und Gott. Wie hat Christus doch schon zu seinen Jüngern gesagt – *Frieden hinterlasse ich euch, meinen Frieden gebe ich euch; nicht einen Frieden, wie die Welt ihn gibt, gebe ich euch. Euer Herz beunruhige sich nicht und verzage nicht.*

Seien wir also nicht verzagt oder ängstlich, schauen wir vorwärts, auch wenn unser Verstand nicht begreifen will oder kann, was mit unseren geliebten Brüdern geschehen ist. Aber ich fordere Sie auf, bleiben Sie standhaft im Evangelium, üben Sie Nächstenliebe, richten Sie Ihr Auge immer auf die Herrlichkeit Gottes, und Ihnen kann nichts passieren. Brüder und Schwestern, eine schwere, für manche sogar unerträgliche Woche liegt hinter uns, eine Woche voller Fragen, voller Zweifel, voller Angst. Fragen wie – warum hat Gott das zugelassen? Oder – warum hat er die meuchelnde Hand nicht zurückgehalten? – werden sich viele von uns gestellt haben. Es gibt keine Antworten darauf. Wie schon gesagt, Gottes Wege sind unergründlich. Halten wir zusammen. Satan ist dabei, seine letzte große Schlacht vor dem Zweiten Kommen des Herrn zu schlagen. Er will uns mit allen Mitteln vernichten, indem er Haß und Neid, Eifersucht und Mord sät. Das Ende dieser Welt ist nahe, ich spüre es. Das Millennium ist nur einen Augenblick entfernt, das tausendjährige Reich wird bald kommen, Christus wird bald kommen und seinen Fuß auf den Ölberg setzen, und dieser wird sich spalten. Kriege und Kriegsgerüchte, Feindseligkeiten, Haß, Neid und Eifersucht werden ein Ende haben. Satan ruft gerade jetzt seine Heerscharen zum letzten großen Gefecht zusammen, doch wir können am Ende die Sieger sein, wenn wir den Anfechtungen Satans widerstehen. Er will uns vernichten, doch das kann ihm nur gelingen, wenn wir ihm Raum dafür geben. Jeder, der die Gebote hält, jeder, der jeden Tag das Zwiegespräch mit Gott sucht, jeder, der sich von Sünde fernhält, wird keine Angriffsfläche für Satan bieten. Ich bezeuge Ihnen, liebe Brüder und Schwestern, daß wir in den letzten Tagen leben. Ich weiß, wir leben in der schwersten und anfechtungsreichsten Zeit seit Bestehen dieser Erde. Doch wir können es schaffen, wenn wir den Herrn zu unserem Führer machen. Ich bezeuge Ihnen dieses, und möge der Herr immer mit Ihnen sein. Amen.« Er machte eine kurze Pause, sagte dann: »Wir werden jetzt trotz allem wie jeden Sonntag in unsere jeweiligen Klassen gehen. Lassen Sie mich zum Abschluß noch für diejenigen sagen, die es noch nicht wissen, die Beerdigung von Bruder Rosenzweig und auch Bruder Schönau findet morgen, Montag, um elf Uhr auf dem Hauptfriedhof statt. Ich bedanke mich für Ihre Aufmerksamkeit.«

Er setzte sich wieder, die Frauen und Kinder standen auf und verließen den Raum, während die Männer sitzen blieben. Laura Fink huschte an Durant vorbei, war im Hinausgehen aber so sehr in ein Gespräch vertieft, daß sie die Kommissarin nicht bemerkte. Stephan Fink blieb in der ersten Reihe sitzen.

»Was geschieht jetzt?« fragte Durant.

»Es gibt verschiedene Klassen für Kinder und Jugendliche sowie eine für Frauen und eine für Männer. Um zehn Uhr beginnt die Sonntagsschule, an der die Frauen und Männer über achtzehn Jahre teilnehmen, und um elf Uhr die Andachtsversammlung, wo sich wieder alle hier einfinden. Wenn Sie möchten, können Sie mit mir die Frauenversammlung besuchen, Sie natürlich auch, Frau Hellmer.« Sabine Reich erhob sich, nahm ihre Tasche und wartete auf eine Antwort.

Durant und Hellmer sahen sich an, schüttelten den Kopf. »Nein danke, wir werden uns ein bißchen die Beine vertreten und nachher zur Andachtsversammlung wieder hier sein. Eine Frage noch, wie viele von den hier Anwesenden sind bei Ihnen in Behandlung?«

»Einige, warum?«

»Nur so, reines Interesse. Wir sehen uns nachher.«

Durant, Hellmer und Nadine gingen hinaus auf den Flur, wo ein paar Männer und Frauen in kleinen Grüppchen standen und sich unterhielten. Nadine sagte, sie müßte einmal kurz für kleine Mädchen, Hellmer setzte sich auf ein breites Sofa neben dem Eingang. Julia Durant ging ins Freie, zündete sich eine Zigarette an und dachte über die Worte von Fink nach, die in so krassem Widerspruch zu dem standen, wie er lebte und mit seinem eigenen Sohn umging. Sie hatte fast zu Ende geraucht, als plötzlich ein Mann neben ihr stand, dessen Alter sie auf etwa fünfzig Jahre schätzte. Er war kleiner als sie, untersetzt, hatte eine Halbglatze und wache, braune Augen. Seine Kleidung und seine Schuhe verrieten, daß er nicht zu den Begüterten dieser Welt zählte.

»Maier, mit ai«, stellte er sich vor. »Sie sind zum ersten Mal hier?« fragte er.

»Ja«, erwiderte Durant und ließ die Zigarette auf den Weg fallen.

»Ich nehme an, Sie sind nicht gekommen, weil Sie am Evangelium interessiert sind, oder?«

»Warum fragen Sie?«

»Na ja, ich …«, er deutete auf die am Boden liegende Zigarette und lächelte verstohlen. »Ich vermute, Sie sind von der Polizei. Sagen Sie mir, wenn ich mich irre.«

»Sieht man mir das an?« fragte Durant lächelnd.

»Vielleicht«, sagte Maier schmunzelnd. »Gehen wir ein Stück?« fragte er.

»Wohin?«

»Einfach nur über den Parkplatz. Ich möchte Ihnen etwas sagen, aber ich will nicht, daß uns jemand dabei zuhört.«

»Sie machen es ja sehr spannend. Aber gut, gehen wir.«

Für einen Moment gingen sie wortlos nebeneinander über den Parkplatz, mit einem Mal sagte Maier: »Bitte versprechen Sie mir, mit keinem Menschen über das zu reden, was ich Ihnen jetzt sage. Diese Kirche bedeutet mir sehr viel. Aber ganz gleich, wie viel mir die Kirche und diese Gemeinschaft auch bedeuten, es gibt Dinge, die sollte man nicht für sich behalten, vor allem nicht in einer Zeit wie dieser.«

Er stockte, und als er keine Anstalten machte, weiterzusprechen, sagte Durant: »Was sind das für Dinge?«

»Es geht um diese Morde – und es geht um Fink. Ich weiß, daß seine Vergangenheit nicht ganz ohne Flecken ist, genauso wenig wie die von Schönau oder Rosenzweig. Ich möchte nun wirklich nicht schlecht über einen Menschen sprechen, doch«, ein verlegenes Lächeln huschte über seine schmalen Lippen, »Fink ist, wie soll ich es sagen, aber mir fällt kein anderes Wort ein, er ist … ein Heuchler … vielleicht ist er aber auch nur einer geworden, weil es ihm vererbt wurde. Forschen Sie einmal nach, was sein Vater so getrieben hat. Es dürfte nicht schwer für Sie sein, das herauszufinden.«

»Können Sie mir einen Anhaltspunkt geben?« fragte Durant gespannt.

»Ich sage nur Drittes Reich. Und ich bitte Sie inständig, verraten Sie mich nicht.«

»Keine Sorge. Aber sollten wir noch Fragen haben, wie können wir Sie dann erreichen?«

»Haben Sie etwas zum Schreiben?«

Julia Durant holte einen Block und einen Stift aus ihrer Tasche, notierte die Telefonnummer.

»Ich weiß nicht, ob Ihnen dieser Hinweis weiterhelfen wird, aber ich dachte mir, es wäre zumindest einen Versuch wert. Ich verlasse mich auf Ihr Stillschweigen. Mein Name darf unter gar keinen Umständen mit Ihren Recherchen in Zusammenhang gebracht werden.«

»Gut, aber wenn es um Dinge geht, die während des Dritten Reiches passiert sind, dann hat Fink doch nichts damit zu tun, er war zu dem Zeitpunkt ja noch gar nicht geboren beziehungsweise ein kleines Kind.«

»Es heißt aber auch, die Söhne werden für die Sünden ihrer Väter bestraft.«

»Aber eigentlich geht es doch gar nicht um Fink. Seine Berater wurden ermordet. Fink erfreut sich allerbester Gesundheit.«

Maier lächelte vielsagend. »Ja, sie sind tot. Forschen Sie nach, und Sie werden Zusammenhänge erkennen. Mehr kann ich nicht sagen. Vielleicht noch das eine – einer unserer Führer hat einmal vor vielen Jahren gesagt, die Verfolgung der Kirche werde in Zukunft nicht mehr von außen kommen, sondern von innen. Mir scheint, das ist hier der Fall. Auf Wiedersehen.«

»Warten Sie einen Moment, eine Frage noch. In Ihrer Gemeinde gibt es doch einen Herrn Jung. Kennen Sie ihn?«

»Ja, natürlich. Bruder Jung ist ein guter Bekannter von mir. Was ist mit ihm?«

»Mit ihm ist nichts. Soweit ich weiß, wurde seine Ehe geschieden. Ist Ihnen etwas über die Gründe dieser Scheidung bekannt?«

»Ich nehme an, es gab unüberbrückbare Differenzen zwischen ihm und seiner Frau.«

»Können Sie mir mehr dazu sagen? Ich verspreche Ihnen, auch dies absolut vertraulich zu behandeln. Und gleichzeitig bitte ich Sie, nicht mit Herrn Jung darüber zu sprechen.«

Er druckste ein wenig herum, bevor er antwortete: »Es heißt, sie hätte eine Affäre gehabt, was aber nie bewiesen wurde. Außerdem geht das Gerücht, Miriam, die Tochter, sei nicht von ihm, sondern von ihrem Liebhaber, dessen Name mir jedoch nicht bekannt ist. Ich weiß nicht, was an diesen Gerüchten dran ist, aber fragen Sie ihn doch einfach selber. Seine Exfrau ist allerdings nicht hier, sie besucht schon seit vier oder fünf Jahren die Versammlungen nicht mehr; sie kommt nicht mehr, seit ihrem Mann das Sorgerecht für die Tochter zugesprochen wurde.«

»Danke«, sagte die Kommissarin und sah Maier nach, der zum Gemeindehaus zurückging. Hellmer und Nadine kamen ihr Hand in Hand entgegen.

»Und, was hältst du von diesem Fink?« fragte Hellmer. »So, wie

362

du ihn geschildert hast, muß er ein knallharter Bursche sein. Tut mir leid, das sagen zu müssen, aber auf mich hat er einen anderen Eindruck gemacht.«

»Du warst auch nicht dabei, als ich unter vier Augen mit ihm gesprochen habe. Dann wüßtest du, was ich meine. Und noch was – verwechsle niemals das Auftreten eines Christen am Sonntag mit dem während der Woche. Ich spreche da aus Erfahrung. Sonntags sind sie fast alle gleich, sie setzen sich, bevor sie das Haus verlassen, einen Heiligenschein auf, und nehmen ihn wieder ab, sobald die Kirche vorüber ist. Aber ich hatte eben ein interessantes Gespräch mit einem Herrn Maier. Er meinte, wir sollten mal Finks Vergangenheit väterlicherseits untersuchen. Er sagte nur ›Drittes Reich‹. Und daß wir unter allen Umständen seinen Namen da raushalten sollen.«

»Drittes Reich?« fragte Hellmer zweifelnd. »Was kann er damit meinen?«

»Keine Ahnung. Wir werden es spätestens …« Ihr Handy klingelte, sie nahm es aus der Tasche, meldete sich.

»Ja«, sagte sie, ihr Gesichtsausdruck versteinerte sich von einer Sekunde zur andern. »Mein Kollege Hellmer und ich kommen sofort.«

»Was ist los?« fragte Nadine besorgt. »Du bist ja auf einmal kalkweiß.«

»Das war einer von der Streife.« Sie kniff die Lippen zusammen, holte tief Luft, bevor sie mit belegter Stimme sagte: »Jürgen Fink hat sich das Leben genommen. Er ist aus dem achten Stock gesprungen.«

»Und warum haben sie *dich* angerufen?« fragte Hellmer.

»Vielleicht haben sie meine Karte gefunden, die ich ihm am Freitag gegeben habe. Wir fahren hin.«

»Nadine«, sagte Hellmer, »du fährst am besten nach Hause. Julia bringt mich später heim.« Er gab Nadine einen Kuß, sah ihr kurz nach, wie sie zum Auto ging, kratzte sich am Kopf, richtete seinen Blick auf Durant. »Sag mal, sollten wir nicht auch diese Laura Fink und ihren Vater informieren?«

Julia Durant überlegte, fuhr sich mit einem Finger über den Nasenrücken. »Laura, ja. Ihn will ich vorläufig nicht dabei haben …«

»Und warum nicht?« fragte Hellmer verständnislos.

»Ich habe meine Gründe. Warte hier, ich hole Laura.«

Sie lief mit schnellen Schritten zum Gemeindehaus, fragte einen jungen Mann, wo sich die Frauen versammelten. Er deutete auf eine Tür am Ende des langen Ganges. Julia Durant begab sich dorthin, öffnete vorsichtig die Tür, sah hinein. Sie konnte Laura Fink nirgends entdecken, fragte eine der Anwesenden leise, wo sie zu finden war. Sie wurde in den Keller geschickt, wo sich weitere Versammlungsräume befanden. Laura Fink war gerade damit beschäftigt, eine Gruppe von sechzehn- und siebzehnjährigen zu unterrichten.

»Frau Fink«, sagte Durant leise. »Könnte ich Sie bitte einen Moment sprechen?«

Laura Fink zog die Stirn in Falten, sagte zu den Jugendlichen: »Ich bin gleich zurück«, und trat auf den Flur.

»Ich habe Sie gar nicht gesehen. Waren Sie schon zu Versammlungsbeginn da?«

»Ja, aber das tut jetzt nichts zur Sache. Ich habe eben einen Anruf von der Polizei erhalten. Es geht um Ihren Bruder. Ich möchte Sie bitten, mit meinem Kollegen und mir zu der Wohnung Ihres Bruders zu fahren.«

»Geht es um Jürgen?«

»Ja, leider.«

»Was ist mit ihm?« fragte Laura Fink nervös und pulte an der Haut ihres rechten Daumens herum, bis es blutete. Sie musterte die Kommissarin eindringlich und ängstlich zugleich.

»Er hat sich offensichtlich das Leben genommen. Es tut mir leid.«

Von einem Moment zum nächsten war jegliche Farbe aus dem Gesicht von Laura Fink gewichen. Sie stammelte: »Ich sage nur kurz meinen Schülern Bescheid«, kam gleich darauf zurück, sagte, während sie die Treppen hinaufstiegen: »Und was ist mit meinem Vater und meiner Mutter? Sie sollten auch ...«

»Nein, ich möchte das jetzt nicht. Und fragen Sie mich bitte nicht, warum, ich habe meine Gründe dafür. Fahren Sie mit uns oder nehmen Sie Ihren eigenen Wagen?«

»Ich fahre selbst«, sagte Laura Fink mit tonloser Stimme.

Es war Viertel vor zehn, der Himmel war wieder von einer dicken Wolkenschicht bedeckt, als sie losfuhren. Während der Fahrt sagte Hellmer nur: »Warum hat er sich ausgerechnet jetzt umgebracht?«

»Wir werden es hoffentlich bald wissen«, erwiderte Durant lakonisch. Den Rest des Weges schweigen sie.

Sonntag, 10.05 Uhr

Zwei Streifenwagen und ein Notarztwagen standen vor dem Haus Nummer zwölf in der Straße im Heisenrath. Eine sensationsgeile, gaffende Menge hatte sich um die Absperrung versammelt, ein paar der Umstehenden tranken Bier oder Schnaps, einige wenige machten aber auch einen betroffenen Eindruck. Durant, Hellmer und Laura Fink bahnten sich einen Weg durch die Gaffer, wiesen sich aus, standen mit einem Mal vor der Stelle, wo Jürgen Fink aufgeschlagen war. Dort, wo der Leichnam gelegen hatte, war mit Kreide die Stellung der Leiche auf den Stein gezeichnet worden, eine große Lache allmählich trocknenden Blutes hatte sich über den Boden verteilt. Laura starrte den Fleck wie hypnotisiert an.

»Mein Gott, warum hast du das zugelassen?« flüsterte sie so leise, daß kaum einer sie hören konnte. »Mein Gott, warum Jürgen? Warum ausgerechnet er?«

»Wer hat mich angerufen?« fragte Julia Durant und sah die Beamten der Schutzpolizei an. Ein etwa einsneunzig großer, kräftiger Mann, der etwa in Bergers Alter sein mußte, kam auf Durant zu.

»Das war ich. Ihre Karte lag auf dem Wohnzimmertisch, und ich dachte …«

»Schon gut. Und danke, daß Sie mich verständigt haben. Gute Arbeit. Wann ist es passiert?«

»Wir erhielten um neun Uhr zweiundzwanzig einen Anruf der Zentrale und sind sofort hergefahren. Er ist, wie zwei junge Frauen einstimmig sagen, gegen Viertel nach neun gesprungen. Er hat auch einen Abschiedsbrief hinterlassen, den wir auf dem Wohnzimmertisch gefunden haben. Er ist an Sie persönlich adressiert.«

»Wo sind die beiden Frauen?«

»Dort vorn an der Tür. Die beiden Dunkelhaarigen.«

»Gut, wir werden uns gleich mit ihnen unterhalten. Vorher möchte ich Sie aber noch bitten, eine Blutprobe des Toten nehmen zu lassen, ich will wissen, ob er Drogen oder Alkohol zu sich genommen hat, bevor er gesprungen ist.«

Julia Durant und Hellmer begaben sich zu den Frauen, die an die Tür gelehnt standen und rauchten. Die eine der beiden, die nicht älter als zwanzig Jahre zu sein schien und sehr gepflegt wirkte, zitterte, während sie die Zigarette hielt. Die andere, etwas ältere, machte einen lethargischen Eindruck. Laura Fink hielt sich etwas abseits, verfolgte aber das Gespräch aufmerksam.

»Guten Tag, mein Name ist Julia Durant von der Kriminalpolizei, das ist mein Kollege Hellmer. Uns wurde gesagt, Sie hätten gesehen, wie der Mann gesprungen ist. Können Sie uns ein paar genauere Angaben machen?«

Die jüngere der beiden sagte, nachdem sie einen Zug an der Zigarette genommen und den Rauch durch die Nase ausgeblasen hatte: »Wir waren gerade auf dem Weg zum Bus und haben uns unterhalten. Da haben wir einen Schrei und kurz darauf den Aufprall gehört. Er ist keine fünf Meter von uns aufgeschlagen.«

»Nur einen Schrei und den Aufprall? Er hat nicht vorher auf dem Geländer gestanden und irgend etwas gesagt?«

»Nein, er ist einfach gesprungen. Mein Gott, es war furchtbar«, sagte sie aufgeregt.

»Kannten Sie den jungen Mann?«

»Nein, nur vom Sehen. Wir wohnen im Haus Nummer vierzehn, und hier kennt sowieso kaum einer den andern. Sie wissen schon, Anonymität ist alles«, sagte sie verächtlich. »Es ist eine Scheißgegend, und ich wünsche mir nichts sehnlicher, als endlich von hier wegzukommen. Jetzt erst recht. Manchmal habe ich das Gefühl, die Leute hier sind alle irgendwie durchgeknallt. Aber das ist ja auch kein Wunder, irgendwann muß jeder, der hier wohnt, einen Koller kriegen.«

»Danke, das war's schon. Wir wollen Sie nicht länger aufhalten.«

Julia Durant sah Hellmer und Laura Fink an, sagte: »Kommt, fahren wir hoch und sehen wir uns seine Wohnung an. Macht euch aber drauf gefaßt, daß es nicht sehr ordentlich aussieht.«

»Ich habe schon des öfteren Müllhalden durchsucht. Mich kann so schnell nichts erschüttern«, erwiderte Hellmer grinsend.

Sie fuhren mit dem Aufzug in den achten Stock. Vor der Wohnung von Jürgen Fink war ein Beamter postiert, der sie wortlos passieren ließ, nachdem Durant ihren Ausweis gezeigt hatte. In dem kleinen, engen Flur roch es nach Parfüm, der Boden war, im Gegensatz zu Freitag, gesaugt, Julia Durant warf einen fragenden Blick nach hinten zu Hellmer, zuckte die Schultern. Sie ging vor ihm und Laura Fink ins Wohnzimmer, das aufgeräumt war, keine leeren Flaschen, keine Dosen auf dem Fußboden, auch hier wirkte alles sauber und wohnlich. Sie blieben in der Mitte des

Zimmers stehen, schwiegen einen Moment, schließlich sagte Durant zu Hellmer: »Komisch, er hat vor seinem Tod noch einmal gründlich saubergemacht. Du hättest mal am Freitag hier sein müssen … Ich fasse es nicht.«

»Es gibt Dinge, die können wir nicht begreifen«, sagte Hellmer. »Wahrscheinlich hatte er seinen Tod geplant, er wollte aber, daß, wer immer seine Wohnung betritt, sich diese in einem übergabegerechten Zustand – mein Gott, wie sich das anhört! – befindet. Und du sagst, er war Alkoholiker?«

»Frag seine Schwester …«

»Es stimmt, Jürgen war Alkoholiker«, sagte sie mit bedrückter Stimme, ein paar Tränen lösten sich aus ihren Augenwinkeln. »Aber im Prinzip war er auch wieder keiner. Zumindest haben gewisse Faktoren eine Rolle gespielt, die ihn zu einem Trinker werden ließen. Es war wohl die einzige Möglichkeit für ihn, dieser ungerechten Welt zu entfliehen.« Sie stockte, machte eine Pause, ließ ihren Blick durch das Zimmer schweifen, mit einem Mal zuckte ein undefinierbares Lächeln über ihren Mund. An diesem Vormittag wirkte sie richtig hübsch, eine attraktive, junge Frau, nicht mehr androgyn und unnahbar wie die Tage zuvor, sondern sehr feminin und schutzbedürftig. »Das Leben hat es nicht gut mit ihm gemeint, dabei war er der schwächste von uns allen. Aber so ist das nun mal, die Schwächsten müssen immer zuerst dran glauben, obwohl eigentlich sie die meiste Unterstützung verdient hätten. Diese Welt ist nicht gerecht. Sie haben seine Schwächen gnadenlos ausgenutzt.«

»Wer? Ihr Vater, Ihr Bruder …?«

»Eigentlich jeder. Nicht einmal ich möchte mich völlig davon ausschließen, obgleich ich behaupten möchte, die einzige gewesen zu sein, die sich in den letzten fünf oder sechs Jahren um ihn gekümmert hat. Das soll jetzt um Himmels willen kein Eigenlob sein; es ist nur so, er ist dann und wann zu mir gekommen, hat mich um Hilfe gebeten, und wie kann ich meinem eigenen Bruder Hilfe verwehren, wenn es mir selbst doch so gut geht?« Sie schaute zur Seite, holte ein Taschentuch aus ihrer Handtasche, wischte sich damit über die Augen und schneuzte sich vornehm die Nase. »Nein, was mit ihm passiert ist, ist nicht gerecht. Aber was ist schon Gerechtigkeit? Ich glaube, die Menschen haben diesen Begriff aus ihrem Wortschatz und ihren Eigenschaften gestrichen. Gerechtigkeit ist kein feststehender Begriff mehr, jeder handelt nur noch nach seinem eigenen Gutdünken. Was der einzelne glaubt, allein das zählt. Es tut mir leid, aber ich fühle mich einfach – beschissen.«

»Können wir Ihnen irgendwie helfen?« fragte Julia Durant und legte einen Arm um die junge Frau. Sie schüttelte den Kopf, löste sich sofort aus der Umarmung, als wäre es ihr unangenehm. »Nein, ich glaube, es gibt niemanden, der mir helfen kann. Jürgen war auf sich allein gestellt, und ich bin es auch.«

Julia Durant ging langsam durch das Zimmer; selbst die Flecken an der Wand hatte er beseitigt. Er hatte gesaugt, staubgewischt, Wäsche gewaschen, die über einem Ständer im Bad hing, das ebenfalls blitzte und in dem es frisch duftete. Das gleiche Bild in der Küche und in dem kleinen Schlafzimmer. Sogar die Fenster hatte er geputzt.

»Ich muß gerade an gestern denken«, sagte Durant. »Ich habe den ganzen Tag damit zugebracht, meine Wohnung auf Vordermann zu bringen. Wahrscheinlich haben er und ich zur gleichen Zeit geputzt. Nur, daß er jetzt tot ist und uns nichts hinterlassen hat als diesen Brief.« Sie nahm den Brief vom Tisch, auf dem nur ›An Kommissarin Julia Durant persönlich‹ stand, riß den Umschlag auf, holte das Schreiben heraus. Sie las:

Liebe Frau Durant,
ich möchte mich noch einmal bei Ihnen bedanken, daß Sie am
Freitag bei mir waren, um mir zuzuhören. Ich weiß, ich habe
Sie nicht sehr fair behandelt, und ich möchte mich für dieses

Verhalten in aller Form entschuldigen. Entschuldigen möchte ich mich aber auch dafür, daß ich Ihnen nicht konkret auf Ihre Fragen geantwortet habe, vor allem was meine Familie betrifft. Und auch jetzt möchte ich weder zu meinem Vater noch zu irgendeinem andern Mitglied der Familie Stellung beziehen; nennen Sie es von mir aus Feigheit.

Ich weiß nicht, ob das Leben mich ungerecht behandelt hat oder ob ich einfach nicht geschaffen bin für diese Welt voller Hyänen und Wölfe. Ich weiß nicht, wie meine Zukunft ausgesehen haben könnte, obgleich ich vor Jahren einmal eine Vorstellung davon hatte. Doch es gab Menschen, die meine Vorstellung und meine Ideale zerstört haben.

Ich bitte Sie, klären Sie die Morde an Schönau und Rosenzweig auf. Wenn Sie die Augen aufmachen und in der richtigen Richtung nachforschen, werden Sie auf Details stoßen, die Sie unweigerlich zum Täter, vielleicht sollte ich aber besser sagen, zu den Tätern führen werden. Ich habe mir in meinem Leben nur eines zuschulden kommen lassen – ich war nicht stark genug. Und dafür schäme ich mich. Doch ich wäre niemals in der Lage, einen Menschen zu töten, und ich möchte auch niemals mit den Morden an Rosenzweig und Schönau in Verbindung gebracht werden.

Bevor ich diesen Brief beende, den Sie nach meinem Tod finden werden, möchte ich noch ein paar Worte an meine Schwester Laura richten. Laura, Du warst die einzige, die immer zu mir gehalten hat. Deswegen vermache ich Dir meinen kleinen Bär, dessen Bedeutung nur Du kennst. Bewahre ihn für mich auf und denk ab und zu an mich. Ich habe Dich sehr lieb.

Und an meinen Vater – ob Du es willst oder nicht, es steht mir ein Pflichtteil meines Erbes zu. Dieses Pflichtteil vermache ich der Organisation gegen den sexuellen Mißbrauch von Kindern. Ansonsten gibt es nichts, was ich irgend jemandem vermachen

könnte. Aber über eines sollst Du Dir gewiß sein – ich habe Dich nie gehaßt, höchstens verachtet, doch ich weiß, auch Du bist nur ein Mensch. Und noch eines will ich Dir sagen; ich habe keine Schande über die Familie gebracht, wie Du mir noch am Freitagabend gesagt hast. Den Besuch hättest Du Dir übrigens sparen können, da ich meinem Leben auch ohne Deine unmißverständlichen Drohungen freiwillig ein Ende gesetzt hätte. Aber ich weiß jetzt auch, daß Du mir nicht mehr drohen kannst, wie in all den Jahren zuvor, und ich werde meinem Schöpfer mit einem reinen Gewissen gegenübertreten, denn er wird mich wie einen Sohn behandeln. Wenn jemand Schande über die Familie gebracht hat, dann waren es andere. Diesen Brief habe ich bei vollem Bewußtsein und mit klarem Verstand geschrieben.
Mit lieben Grüßen, vor allem an Laura, meine über alles geliebte Schwester,
Jürgen Fink

PS: Mama, Dich trifft keine Schuld. Du hast Dein Bestes versucht und auch gegeben. Wir werden uns wiedersehen, in einer besseren Welt. Ich glaube fest daran.

Sie hielt den Brief in Händen, reichte ihn wortlos Hellmer. Sie zündete sich eine Gauloise an, inhalierte, blies den Rauch aus dem offenstehenden Fenster, vor dem sich der kleine Balkon befand, von dem Jürgen Fink in den Tod gesprungen war. Als Hellmer zu Ende gelesen hatte, gab er den Brief Laura Fink. Während des Lesens begannen ihre Hände zu zittern, sie setzte sich auf die Couch. Sie schluchzte ein paarmal laut auf, Tränen liefen in Bächen über ihr Gesicht. Julia Durant drehte sich um, sah die junge Ärztin an.

»Was hat es mit dem Bären auf sich? Und warum spendet er sein Erbe ausgerechnet dieser Organisation?«

»Der Bär«, sagte Laura Fink mit tränenerstickter Stimme, »hat eine sehr persönliche Bedeutung, etwas, das nur Jürgen und mich etwas angeht. Und warum er sein Erbe dieser Organisation vermacht«, sie sah Durant ratlos aus verheulten Augen an, »ich weiß es nicht.«

»Okay, dann frage ich andersrum. Ist Ihr Bruder jemals sexuell mißbraucht worden?«

Laura Fink schüttelte energisch den Kopf. »Nein, das wüßte ich. Wenn Jürgen überhaupt irgend jemandem bedingungslos vertraut hat, dann mir. Er hat mir immer alles erzählt. Jürgen ist nicht sexuell mißbraucht worden. Wahrscheinlich wußte er einfach nicht, wem er das Geld sonst vermachen sollte.«

»Und Ihr Vater; was glauben Sie, was er am Freitagabend hier gemacht hat? Ihr Bruder schreibt von Drohungen. Waren solche Drohungen an der Tagesordnung? Und wie sahen sie aus?«

»Ich weiß nichts von Drohungen …«

»Ich denke, Ihr Bruder hat über alles mit Ihnen gesprochen?!« fragte die Kommissarin scharf und setzte sich ebenfalls. »Und wenn ich die Worte in dem Brief richtig deute, dann hat Ihr Vater ihm nicht nur einmal gedroht, sondern das scheint zu einer Regelmäßigkeit geworden zu sein. Oder habe ich da etwas falsch verstanden?«

»Du meine Güte, ich weiß es nicht!« schrie Laura Fink aufgebracht. »Fragen Sie doch meinen Vater, ob er Jürgen gedroht hat! Fragen Sie *ihn*! Fragen Sie ihn, warum Jürgen so plötzlich den Entschluß gefaßt hat, nicht mehr leben zu wollen! Wenn er von unserem Vater schreibt, dann kennt *der* die Antwort und nicht ich!«

»Frau Fink, Ihr Bruder ist tot, er hat sich das Leben genommen, weil er nicht mehr weiter wußte. Jetzt sagen Sie mir erst, wenn er überhaupt jemandem alles anvertraut hat, dann Ihnen, dann wieder behaupten Sie, angeblich nichts von den Drohungen Ihres Vaters zu wissen. Das ist ein Widerspruch in sich.«

»Frau Durant, ich hatte in den letzten zwölf Monaten nur noch sehr wenig Kontakt zu Jürgen, das habe ich Ihnen bereits vor ein paar Tagen gesagt. Das letzte Mal, daß wir uns gesehen haben, war vor etwa vier Wochen, als ich ihn besucht und ihn ziemlich betrunken angetroffen habe. Ich gab ihm Geld, weil er nichts mehr hatte, auch wenn ich wußte, daß er dieses Geld für Alkohol ausgeben würde …«

»Warum haben Sie ihn nicht in eine Klinik eingewiesen? Sie hätten doch die Möglichkeit dazu gehabt.«

»Diese Möglichkeit habe ich nur, wenn eine akute Selbstgefährdung oder die Gefährdung anderer Personen besteht. Das war aber zu keiner Zeit der Fall. Ich kann als Ärztin nicht einfach einen Betrunkenen zum Entzug schicken, solange er noch einigermaßen klar denken kann. Und Jürgen konnte noch klar denken. Es gibt da feine und doch sehr deutliche Unterschiede. Hätte er sich zum Beispiel in einem komatösen Zustand befunden, als ich ihn besucht habe, wäre ich berechtigt gewesen, ihn einzuweisen. Hätte er mit Selbstmord gedroht, oder damit, jemand anderem etwas anzutun, wäre ich berechtigt gewesen, ihn einzuweisen. Doch solange er *nur* betrunken ist, sind mir die Hände gebunden.«

»Hat er jemals Ihnen gegenüber von Selbstmord gesprochen?«

»Jeder spricht irgendwann in seinem Leben einmal davon, am liebsten tot zu sein. Kennen Sie das nicht? Aber Jürgen hat nie einen Hinweis gegeben, daß er vorhatte, sich das Leben zu nehmen. Ich kann mir nur eines vorstellen – sein körperlicher Zustand hat ihm Sorgen bereitet. Er war schon als kleines Kind hypochondrisch veranlagt, und als ich ihm seine letzten Laborwerte vorgelesen und ihm gesagt habe, wenn er nicht umgehend seinen Lebenswandel änderte, wäre es nur eine Frage der Zeit, bis … Wissen Sie, es ist ja egal, ob ich es Ihnen sage oder nicht, jedenfalls lag sein Gamma GT bei vierzehnhundert, normal ist ein Wert zwischen fünf und achtundzwanzig …«

»Gamma GT?« fragte Hellmer stirnrunzelnd.

»Das ist der Leberwert. Jürgen hatte, bedingt durch sein exzessives Trinkverhalten, eine extreme Fettleber, die sich in seinem Fall schnell zu einer Zirrhose hätte entwickeln können. Auch seine Bauchspeicheldrüse war angegriffen, seine Thrombozytenzahl war bei knapp sechzigtausend, was weit unter dem Normalwert liegt. Und so weiter, und so weiter. Jürgen vertrug keinen Alkohol, und es wäre nur eine Frage der Zeit gewesen, bis sein – mißhandelter – Körper aufgegeben hätte. Aber dieses Problem hat sich jetzt auf grausame Weise von selbst erledigt. Vielleicht war es sogar besser so.«

Julia Durant schüttelte den Kopf, griff sich mit zwei Fingern an die Nasenwurzel, schloß die Augen. »Frau Fink, die Morde an Rosenzweig und Schönau waren wohldurchdacht. Auch die Drohungen Ihrem Vater gegenüber deuten darauf hin, daß er in Gefahr ist. Und ich werde einfach das Gefühl nicht los, von Ihnen und Ihrer Familie an der Nase herumgeführt zu werden. Frau Schönau und Frau Rosenzweig haben sich jedenfalls wesentlich kooperativer gezeigt. Hinter den Morden steckt ein System, ich komme aber beim besten Willen nicht darauf, was für eins. Ich bin nur fest davon überzeugt, daß Ihr Vater auch auf der Abschußliste unseres Mörders steht. Sagen Sie mir, was verbindet diese drei Männer?«

»Sind es nicht eigentlich vier?« fragte Laura Fink mit ironischem Unterton. »Hauser gehört doch auch in diese Reihe, wenn ich recht informiert bin. Oder? Aber Hauser ist schon seit einem halben Jahr tot, und er hat nie in den Frankfurter Bereich der Kirche gehört. Was sagen Sie dazu? Erzählen *Sie* mir etwas über dieses angebliche System.«

»Das kann ich nicht. Noch nicht. Aber es gibt eines, das weiß ich, und das wissen Sie auch. Sie kannten doch Hauser recht gut. Irgendwie führen alle Wege zu Ihnen.«

»Zu mir?« fragte Laura Fink mit wütend funkelnden Augen.

»Was um alles in der Welt habe ich mit diesen Morden zu tun?«

»Wenn ich von Ihnen spreche, dann meine ich Ihre Familie im allgemeinen. Rosenzweig und Schönau – Berater Ihres Vaters. Hauser – ein Freund von Ihnen. Es ist schon seltsam.«

»Frau Durant, ich habe keine Lust mehr, mir Ihre Verdächtigungen anzuhören …«

»Das sind doch keine Verdächtigungen …«

»Dann eben Absurditäten. Wenn es Ihnen nichts ausmacht, würde ich jetzt gerne gehen und meine Eltern informieren. Sie sollten wissen, daß ihr Sohn tot ist.«

»Gut, gehen Sie. Den Brief lassen Sie aber bitte hier, schließlich hat Ihr Bruder ihn an mich gerichtet.«

»Bekomme ich eine Kopie?«

»Sie bekommen eine, genau wie Ihr Vater. Es ist ja auch ein Testament. Guten Tag.«

Nachdem Laura Fink gegangen war, sagte Hellmer: »Ich glaube, ich verstehe jetzt, was du meinst.«

»Was?«

»Na ja, daß mit diesen Finks etwas nicht stimmt. Ich möchte diesen ehrenwerten Herrn zu gerne einmal persönlich kennenlernen und ein paar Takte mit ihm reden. Wenn ich daran denke, wie er vorhin von der Kanzel gesülzt hat und dann diesen Brief lese! Für mich ist dieser Kerl eine verdammte Drecksau.«

»Auf einmal? Na ja, vielleicht verstehst du mich jetzt«, sagte Julia Durant. »Wenn ich nur wüßte, was er ausgefressen hat! Ich werde ihn mir aber ganz sicher noch heute vornehmen. Dieser Brief ist so eindeutig, wie er eindeutiger nicht sein kann. Das Verhältnis zwischen ihm und seinem Sohn war mehr als gespannt, das war ein Pulverfaß …«

»… das explodiert ist, als der Junge sich vom Balkon gestürzt hat.«

»Es gibt aber noch ein Pulverfaß, und auf dem sitzt Fink persönlich. Ich möchte dich bitten, mich nachher zu ihm zu begleiten. Bei der Gelegenheit kannst du ihn gleich kennenlernen und dir ein Bild von ihm machen. Ich will das nicht mehr allein durchziehen.«

»Und wann?«

»Heute nachmittag. Geben wir ihm zwei oder drei Stunden für seine ohnehin nicht vorhandene Trauer. Danach knöpfen wir ihn uns vor. Vorher will ich noch was essen. Komm, für uns gibt es hier nichts mehr zu tun. Ich bring dich nach Hause.«

»Bleib doch zum Essen«, sagte Hellmer. »Nadine würde sich bestimmt freuen.«

»Schon wieder?« fragte Julia Durant zweifelnd. »Ich meine, ich war doch erst am Donnerstag ...«

»Papperlapapp«, sagte Hellmer und winkte ab. »Nadine mag dich, sie hat es mir noch einmal bestätigt. Komm, gib dir einen Ruck.«

»Okay, wenn du so hartnäckig drauf bestehst. Fahren wir. Die Wohnung lassen wir aber versiegeln, ich möchte mich morgen hier noch ein bißchen umgucken. Vielleicht finde ich etwas, das uns weiterhilft. Man kann nie wissen. Und wir sollten den Brief kopieren, bevor wir zu Fink fahren.«

»Wir können das bei mir zu Hause mit dem Faxgerät machen«, sagte Hellmer.

Sie nahmen den Wohnungsschlüssel und fuhren nach unten; der Notarztwagen war abgefahren, ein Streifenwagen stand noch auf dem Parkplatz. Die Menge hatte sich weitgehend aufgelöst, nur ein paar verstreute Grüppchen standen noch beisammen und unterhielten sich. Die Kommissarin instruierte einen der Beamten, die Wohnung von Jürgen Fink zu versiegeln. Ein stürmischer, kühler Westwind war aufgekommen, es begann zu regnen. Es war halb zwölf, als sie sich auf den Weg zu Hellmers Haus machten. Während der Fahrt sagte Durant: »Ach übrigens, dieser Maier, mit dem ich mich vorhin auf dem Parkplatz unterhalten habe, du weißt schon, der mit dem Dritten Reich; ich habe ihn nach Jung gefragt ...«

»Jung?«

»Rita Jung. Sie hat für Schönau gearbeitet. Wie es aussieht, scheint sich immer mehr zu bewahrheiten, daß sie ein Verhältnis mit ihm hatte. Die Ehe wurde vor vier Jahren geschieden, die Tochter dem Vater zugesprochen. Und jetzt kommt es – Maier sagt, es ginge das Gerücht, die Tochter sei das Ergebnis dieser Affäre. Trotzdem wollte der Vater, der wahrscheinlich gar nicht der Vater ist, sie haben. Komisch, nicht?«

»Rita Jung?« fragte Hellmer. »Könnte sie ...?«

»Im Augenblick halte ich alles für möglich. Als ich mit ihr gesprochen habe, hat sie sich nicht sehr freundlich über die Kirche ausgelassen. Und sie ist eine ausgesprochen attraktive Frau. Und wer weiß, vielleicht kennt sie sich ja auch mit Giften aus. Bleibt einfach mal an ihr dran.«

Sonntag, 12.45 Uhr

Sie hatte sich entkleidet, die Sachen auf das Bett gelegt, sie stand nackt vor dem Spiegel, betrachtete sich von vorn und von der Seite, fuhr sich mit einer Hand kurz über ihre wohlgeformten, großen Brüste, den flachen Bauch. Sie wollte duschen, eine Kleinigkeit essen und danach in die Klinik fahren. Nach dem Duschen zog sie sich eine Jeans und eine beige Bluse an, Turnschuhe und einen passenden Blazer. Sie machte sich nur ein Käsebrot, trank dazu ein Glas Milch. Danach zündete sie sich eine Zigarette an, stand dabei am Fenster und schaute hinaus auf den kleinen Garten, der hinter ihrem Haus lag. Sie überlegte, kniff die Augen zusammen, drehte sich um, ging an den Bücherschrank, holte ein kleines Fläschchen heraus, hielt es einen Moment zwischen den Fingern, blickte auf die opake Flüssigkeit.

Ein kaltes, böses Lächeln huschte über ihren Mund, das auf eine bizarre Weise jedoch auch etwas traurig und melancholisch wirkte. Sie legte das Fläschchen wieder hinter die Bücher.

Sie verließ das Haus, setzte sich in ihren Wagen, stellte das Radio an, drehte die Lautstärke hoch. Sie hielt bei einem Blumenhändler, der seinen Stand am Straßenrand aufgebaut hatte, kaufte einen Strauß bunter Sommerblumen. Sie brauchte eine knappe dreiviertel Stunde, bis sie am St. Valentius Krankenhaus anlangte. Sie stieg aus, schloß ab, ging auf die breite Eingangstür zu. Sie fuhr mit dem Lift in den zweiten Stock zur geschlossenen Frauenstation, klingelte. Ein Pfleger in einem weißen Anzug kam, schloß auf, begrüßte sie lächelnd wie eine alte Bekannte, sie trat ein. Auf dem Gang bewegten sich ein paar meist ältere Frauen, aber auch einige, die nicht älter als dreißig oder vierzig waren, mit schlurfenden Schritten vorwärts, im Aufenthaltsraum saßen einige Patientinnen, die sie kaum registrierten, die zum Teil dumpf vor sich hin starrten oder undefinierbare Geräusche von sich gaben.

»Wie geht es ihr heute?« fragte sie den Pfleger, der seine Heimat Kasachstan verlassen hatte, um hier in Deutschland mehr Geld zu verdienen.

»Wie immer«, war die Antwort.

Die Frau saß am Fenster und sah hinaus auf den Park, der den Gebäudekomplex umgab. Sie schaute nicht auf, als die Besucherin hereinkam, sie murmelte nur Unverständliches vor sich hin.

»Hallo, ich bin´s«, sagte die Besucherin, beugte sich herab und hauchte der Frau einen Kuß auf die Wange. Für einen Moment sah die Frau auf, musterte die andere mit fernem Blick.

»Wie geht´s dir? Gut, hoffe ich doch«, sagte die Besucherin, nahm die fast verwelkten Blumen aus der Vase, die auf dem kleinen Tisch neben dem Bett stand, warf sie in den Papierkorb, schüttete das Wasser in den Ausguß, füllte frisches nach. Sie stellte die mitgebrachten Blumen in die Vase, zupfte sie ein wenig zurecht. Die Frau nahm es nicht wahr, ihre Gedanken, wenn sie denn welche hatte, waren weit weg, auf jeden Fall längst nicht mehr in dieser Welt.

Korsakow-Syndrom, hatten die Ärzte vor knapp vier Jahren gesagt; irreversibel, wie sie noch hinzugefügt hatten. Korsakow-Syndrom aufgrund von jahrelangem Alkohol- und Tablettenmißbrauch, das sich erst in Störungen des Kurzzeitgedächtnisses zeigte, schließlich das ganze Gedächtnis befiel und es einfach auslöschte. Die Ärzte sagten, es gäbe nur äußerst selten derart schwere Fälle von Korsakow, doch ihr Fall zählte zu den schwersten. Kurz nachdem die Diagnose feststand, kam noch ein Schlaganfall dazu, den sie nur knapp überlebte. Sie hatten eine Computertomographie ihres Gehirns gemacht, die eindeutig zeigte, daß große und vor allem wesentliche Teile abgestorben waren. Das Korsakow-Syndrom hätte unter Umständen geheilt werden können, wäre ihr Zustand rechtzeitig erkannt und behandelt worden. Doch die Krankheit hatte schleichend und für andere kaum sichtbar begonnen, und als sie hier eingeliefert wurde, war es bereits zu spät. Das Gehirn war derart in Mitleidenschaft gezogen, daß die Ärzte eine Heilung völlig ausschlossen, obgleich sie anfangs die Hoffnung hatten, daß wenigstens ein Teil ihres Gedächtnisses zurückkehren würde, wenigstens der Teil, der ihre Kindheit und ihre Jugend gespeichert hatte. Sie konnte nicht mehr sprechen, nicht mehr allein essen. Sie agierte nicht mehr, und sie reagierte nicht mehr. Sie lächelte nicht, sie weinte nicht. Es war, als wären sämtliche Gefühle und Regungen abgestorben. Und doch glaubte die Besucherin, daß die Frau immer noch Gefühle und Regungen hatte, doch die schienen so tief vergraben zu sein, und der Weg dorthin mit so vielen Fallen verstellt, daß es unmöglich war, jemals wieder zu ihrem Kern, ihrem Innersten vorzudringen. Sie wußte nicht, ob die Frau Schmerzen fühlte, wenn ihr etwas weh tat, ob sie merkte, wenn sie ihre Blase oder ihren Darm in die Windel entleerte. Sie wußte eigentlich nicht viel von dieser Frau, das meiste aus Briefen und Fotos, die sie gefunden hatte, einiges aus Erzählungen der Ärzte und Pfleger. Sie wußte nur, daß diese Frau, diese versteinerte Mumie am Fenster, vor vielen Jahren angefangen hatte zu trinken, und als der Alkohol allein nicht mehr genügte, auch noch Tabletten schluckte, immer mehr und immer mehr, bis eines Tages ihr Gehirn diese Tortur nicht mehr ertrug und einfach erschöpft seine Arbeit einstellte.

Als sie die Frau zum ersten Mal sah, erschrak sie. Sie hatte sie so lange gesucht, und als sie sie endlich gefunden hatte, war es ein Schock. Sie hatte sie gefunden, doch sie hatte sich diese erste Begegnung anders vorgestellt.

Sie kam jeden Sonntag nachmittag, manchmal auch mittwochs oder donnerstags abends, und jedesmal brachte sie Blumen mit, um der Tristesse des Zimmers ein wenig Farbe zu verleihen. Wenn diese Frau schon vor sich hin vegetierte, dann sollte dies in einer wenigstens einigermaßen angenehmen Umgebung sein.

Sie zog einen Stuhl heran, setzte sich direkt neben die regungslose Gestalt. Sie legte eine Hand auf das welke, von dicken, blauen Adern durchzogene Pergament der andern, streichelte sie, blickte ihr in die Augen, ohne daß dieser Blick erwidert wurde. Die ersten Monate waren schlimm gewesen, sie mußte jedesmal weinen, wenn sie diese Frau, diese sonderbare und doch liebenswerte Kreatur sah, die, einst schön und aufregend, jetzt fahl und leblos war. Sie weinte hier und sie weinte während der Heimfahrt, sie weinte zu Hause. Doch irgendwann hörte das Weinen auf, wußte sie, daß das Weinen keinen Sinn hatte, daß die andere es nicht merkte, daß kein Laut und keine tröstenden Worte über ihre ausgetrockneten, farblosen Lippen kamen. Anfangs hatte sie mit den Ärzten gesprochen, sich Literatur über diese Krankheit besorgt, hatte nach neuen Therapieformen gesucht, doch alles war umsonst. Es gab keine Heilung. Ein totes Hirn blieb tot und konnte nicht mehr zum Leben erweckt werden.

Sie blieb wie immer zwei Stunden, warf einen Blick zur Uhr, Viertel nach vier. Sie streichelte noch einmal über das graue Haar der noch nicht einmal dreiundfünfzig Jahre alten Frau, über ihr Gesicht, ihre Hände. Sie sagte leise und aufmunternd, als würde die andere ihre Worte verstehen: »Tschüs, mach´s gut. Ich komme am Mittwoch wieder, wenn es die Zeit erlaubt. Ich hab dich lieb.«

Sie verließ das Zimmer, lief über den Gang, verabschiedete sich vom Pflegepersonal; der Kasache begleitete sie zur Tür, nahm den dicken Schlüsselbund, der an einer Kette am Gürtel befestigt war, schloß auf. Diesmal nahm sie nicht den Aufzug, sondern die Treppe, stieg in ihr Auto und machte sich auf den Heimweg. Sie dachte nach, sie weinte schon lange nicht mehr. In ihr waren nur noch unendliche Wut und lodernder Haß.

Sonntag, 16.30 Uhr

Julia Durant hatte nach dem Mittagessen bei Hellmers – es gab Rouladen, Kartoffeln und Rotkohl – Berger von Jürgen Finks Selbstmord unterrichtet. Nach dem Telefonat hatten sie noch eine Weile zusammengesessen, Kaffee getrunken, sich unterhalten. Seit dem Mittag regnete es unaufhörlich, pfiff ein kühler, böiger Wind über den Taunus ins Tal. Um vier wählte sie die Nummer von Fink, der nach dem zweiten Klingeln abnahm.

»Hier Hauptkommissarin Durant«, meldete sie sich.

»Oh, wie nett, daß Sie sich melden! Da muß ich also von meiner Tochter anstatt von Ihnen erfahren, daß mein Sohn sich das Leben genommen hat! Und muß außerdem noch hören, daß Sie heute morgen in der Gemeinde waren. Was hatten Sie dort zu suchen? Und was wollen Sie jetzt von mir?«

»Dr. Fink, ist es nicht egal, von wem Sie erfahren, daß Ihr Sohn tot ist? Und zu Ihren Fragen – es geht Sie nichts an, ob ich Ihre heiligen Hallen betrete oder nicht. Soweit ich weiß, ist Ihre Kirche eine öffentliche Einrichtung, oder irre ich mich da? Und was ich von Ihnen will – ein Gespräch. Ihre Tochter hat Ihnen doch sicherlich von dem Abschiedsbrief Ihres Sohnes erzählt, oder nicht?«

»Sie hat erwähnt, es gäbe einen, den Sie aber behalten hätten. Darf ich fragen, warum?«

»Natürlich dürfen Sie das, in etwa einer halben Stunde, wenn mein Kollege und ich bei Ihnen sind. Wir stören doch hoffentlich nicht Ihren Sabbattag, wenn wir um halb fünf bei Ihnen vorbeischauen?«

»Es wird sich wohl kaum vermeiden lassen. Und bringen Sie bitte den Brief mit, ich möchte selbst sehen, was mein Sohn im Suff geschrieben hat.«

»Bis gleich, Dr. Fink«, sagte Durant und legte auf. Sie ballte die Fäuste, sagte: »Dieser verdammte, arrogante Dreckskerl! Sein Sohn ist tot und er hat nichts als blanken Zynismus für ihn übrig. Mein Gott, es gibt nur selten Menschen, denen ich eins in die Fresse hauen möchte, aber Fink gehört ganz sicher dazu.«

»Ach, komm«, sagte Nadine Hellmer und legte einen Arm um sie. »Es hat keinen Sinn, sich über solche Typen aufzuregen. Es ist sein Leben, nicht deines.«

»Aber er ruiniert das Leben anderer, zumindest hat er das bei seinem Sohn geschafft. Dieser Kerl ist ein Kotzbrocken mit einem Heiligenschein. Du hast ihn doch heute morgen selbst reden hören, Nächstenliebe, helfen! Blablabla, kann ich da nur sagen! Dieses gottverdammte Arschloch kann doch das Wort Nächstenliebe nicht einmal buchstabieren, geschweige denn etwas damit anfangen. Dieser Typ denkt nur an sich. Alles andere ist ihm scheißegal. Aber ich schwöre dir, wenn ich die Gelegenheit dazu kriege, mache ich ihn fertig. Ich hab keine Ahnung, was für Typen Rosenzweig und Schönau waren, aber die können nicht halb so schlimm gewesen sein wie Fink. Er ist für mich das Abbild eines Pharisäers, in der Öffentlichkeit den Heiligen markieren, in seinem Innern aber zerfressen von Haß und Vorurteilen.« Sie zuckte die Schultern, schüttelte den Kopf.

»Und was, wenn du dich irrst?« fragte Nadine Hellmer. »Was, wenn das alles nur Fassade ist?«

»Ich wünschte, du hättest recht. Doch ich glaube es nicht; nicht, nachdem ich zweimal persönlich mit ihm gesprochen und seine Reaktionen getestet habe. Er ist genau so, wie ich ihn beschreibe. Wir müssen jetzt los. Danke noch mal für das Essen und die Gesellschaft. Es war ein schöner Nachmittag.«

»Wir können das gern öfter wiederholen«, sagte Nadine lächelnd. »Du bist jederzeit herzlich willkommen.«

Sonntag, 16.30 Uhr

Als Julia Durant und Hellmer bei Fink ankamen, war der Regen noch stärker geworden. Sie stiegen aus, rannten auf das Haus zu, klingelten. Kurz darauf ertönte der Türsummer, Fink stand in der Tür, die Hände in den Hosentaschen.

»Kommen Sie rein«, sagte er mit kalter Stimme, »meine Frau ist im Wohnzimmer und heult sich die Seele aus dem Leib. Vielleicht ist es besser, wenn wir uns in meinem Arbeitszimmer unterhalten.« Er wollte schon vorangehen, als Durants Stimme ihn zurückhielt.

»Das glaube ich nicht, Dr. Fink. Oder wollen Sie Ihrer Frau den Abschiedsbrief Ihres Sohnes vorenthalten? Schließlich ist ein Teil davon auch an sie gerichtet.«

»Na und? Ich werde ihr den Brief zeigen, sobald sie sich beruhigt hat.«

»Und ich bestehe darauf, mit Ihnen beiden zu reden«, erwiderte die Kommissarin kühl.

Finks Augen verengten sich zu Schlitzen, sein Gesicht wurde hochrot vor Zorn, seine Kiefer mahlten aufeinander.

»Bitte, wenn es unbedingt sein muß. Folgen Sie mir.«

Sie betraten das Wohnzimmer, in dem Gabriele Fink wie ein Häufchen Elend auf dem schwarzen Ledersofa saß, die Hände um ein Taschentuch gekrampft, das Gesicht verheult, der Blick leer.

Fink setzte sich neben sie, deutete auf die Sessel, die etwa drei Meter von der Couch entfernt standen. Durant und Hellmer nahmen Platz.

»Gabriele«, sagte Fink, »die beiden Polizisten sind gekommen, um sich mit uns zu unterhalten. Meinst du, du kannst das verkraften?«

Sie nickte ergeben, wischte sich mit dem Taschentuch die Tränen vom Gesicht.

»Erst einmal unser herzliches Beileid zum Tod Ihres Sohnes«, sagte Durant.

»Sparen Sie sich bitte Ihre verlogenen Mitleidsbekundungen«, sagte Fink unwirsch. »Haben Sie schon einen Anhaltspunkt, weshalb Jürgen sich das Leben genommen hat? Oder war es vielleicht sogar Mord? Zur Zeit findet doch in unserer Kirche ein regelrechtes Gemetzel statt.«

»Nun, ich denke«, sagte Durant, »wir sollten es nicht Gemetzel nennen, und Ihr Sohn war doch schon seit Jahren weg von der Kirche. Außerdem haben wir diesen Abschiedsbrief, den er eigenhändig geschrieben und auch unterzeichnet hat ...«

»Und was, wenn man ihm diesen Brief diktiert hat? Man kennt das doch, daß Killer bisweilen auf die perverse Idee kommen, jemanden einen Abschiedsbrief schreiben zu lassen, nur damit ein Mord wie Selbstmord aussieht. Gibt es denn konkrete Hinweise darauf, daß er *nicht* ermordet wurde?«

»Ich bin zwar keine ausgebildete Graphologin, aber ich habe mich damit befaßt. Vor allem der Wortlaut läßt darauf schließen, daß es Selbstmord war. Im Schriftbild finden sich keine Anzeichen für Nervosität oder Angst, es handelt sich um eine klare, deutliche Schrift. Doch wenn Sie darauf bestehen, werden wir den Brief von einem unabhängigen Gutachter analysieren lassen, was allerdings auf Ihre Kosten geschähe.«

Fink verdrehte die Augen. »Und was ist jetzt? Kann ich endlich den Brief sehen?«

»Wir haben Ihnen eine Kopie gemacht«, sagte Durant, stand auf und reichte den Brief über den Tisch.

»Eine Kopie? Ich denke doch, daß uns das Original zusteht.«

»Nein, das tut es nicht, denn der Umschlag und auch die Anrede sind an mich gerichtet. Die Kopie dürfen Sie übrigens für Ihre Unterlagen behalten.«

Fink begann zu lesen, keine Regung zeigte sich in seinem Gesicht. Seine Frau warf einen Blick zur Seite, um mitlesen zu können, doch Fink hielt das Blatt von ihr weg.

Durant griff in ihre Tasche, sagte freundlich lächelnd: »Hier, Frau Fink, ich habe noch eine Kopie, die eigentlich für Ihre Tochter bestimmt ist.«

Sie las, ihre Hände zitterten, ihre Mundwinkel bebten. Fink knüllte den Brief zusammen und warf ihn auf den Boden.

»Was soll dieser Schwachsinn?!« fragte er aufgebracht. »Ich sage Ihnen doch, er war ein Spinner!«

»Mag sein, daß er ein Spinner war. Aber würden Sie uns verraten, was Sie am Freitagabend bei ihm gemacht haben? Oder besser, was haben Sie mit ihm gemacht? Er spricht von unmißverständlichen Drohungen Ihrerseits.«

»Ich habe ihm nicht gedroht, doch er hat alles als Drohung oder Bedrohung aufgefaßt, was mit mir zusammenhing. Seit er soff und Drogen nahm, war er nicht mehr zurechnungsfähig. Und was ich bei ihm am Freitag gemacht habe, das, werte Frau Kommissarin, geht Sie überhaupt nichts an! Das ist eine Sache zwischen meinem Sohn und mir. Nur so viel, ich habe lediglich ver-

sucht, ihm ins Gewissen zu reden und ihn zur Vernunft zu bringen. Er sollte endlich erkennen, worin die wahren Werte in diesem Leben bestehen. Aber er wollte mich nicht verstehen, er war
so stur und dickköpfig und feige dazu, so feige, daß er sich diesem Leben nicht stellte, sondern sich klammheimlich davonge-
stohlen hat.«

»Und Sie haben sich wirklich nichts vorzuwerfen?« fragte Durant weiter.

»Nein, das habe ich nicht. Fragen Sie doch meine Frau oder meine noch lebenden Kinder.«

»Frau Fink?«

Sie blickte auf, unendliche Leere in ihrem Blick, schüttelte den
Kopf.

»Heißt das, Sie stimmen Ihrem Mann zu?«

»Ja«, flüsterte sie.

»Ach ja«, sagte Fink, »das mit dem Pflichtteil, ich denke, ich
werde Jürgen diesen letzten Wunsch erfüllen. Zwar wird das
Erbe erst nach meinem Tod aufgeteilt, doch ich will in diesem
Fall meine Generosität zeigen und dieser Organisation schon
jetzt das Geld zukommen lassen.«

»Warum, glauben Sie, hat Jürgen sein Erbe gerade einer Organisation gegen den sexuellen Mißbrauch von Kindern vermacht?«

»Woher soll ich das wissen?« fragte Fink mit selbstherrlichem
Grinsen. »Da ist wohl seine soziale Ader durchgebrochen. Er
hatte immer etwas für Randgruppen übrig, egal für welche.«

»Gut, belassen wir´s dabei. Aber um noch einmal auf die Zurech-
nungsfähigkeit Ihres Sohnes zurückzukommen – beim Verfas-
sen des Briefes war er zurechnungsfähig. Ich habe nämlich noch
heute morgen veranlaßt, daß Ihrem Sohn eine Blutprobe entnom-
men wurde, um zu klären, ob er vor seinem Tod Alkohol oder
Drogen zu sich genommen hat. Das Ergebnis liegt uns seit etwa
einer Stunde vor. Der Alkoholgehalt seines Blutes lag bei 0,1
Promille, Hinweise auf Drogen- oder Tablettenmißbrauch wur-

den nicht festgestellt. Er hatte offensichtlich mindestens vierundzwanzig Stunden vor seinem Tod keine Alkohol getrunken.
Soviel dazu.«

»Was soll's, er ist tot, und nichts und niemand wird ihn wieder
zurückbringen«, sagte Fink, dessen Frau wie eine Mumie, deren
Herz noch schlug, auf der Couch saß und ihren Blick zu Boden
gerichtet hatte. Durant und Hellmer spürten, daß sie am liebsten
etwas gesagt hätte, etwas, das dem widersprach, was ihr Mann
sagte, doch sie war eine verängstigte, eingeschüchterte Frau, die
offensichtlich keinen Mut und auch keine Kraft mehr hatte, sich
ihm entgegenzustellen. Er war der unumschränkte Herrscher des
Hauses, und sie akzeptierte dies ohne Murren. »Gibt es sonst
noch etwas?« fragte er.

»Eine Frage noch – hat es seit Freitag noch einmal eine Drohung
gegen Sie gegeben?«

»Nein, sonst hätte ich Sie das bestimmt wissen lassen.«

»In Ordnung, dann werden wir uns wieder auf den Weg machen.« Durant und Hellmer erhoben sich, begaben sich zur Tür.

»Ach ja, wir stehen Ihnen im übrigen jederzeit zur Verfügung,
sollten Sie uns etwas zu sagen haben.«

»Ich verstehe zwar nicht, was Sie meinen, doch meine Frau und
ich bedanken uns für dieses Angebot. Warten Sie, ich bringe Sie
zur Tür.«

»Machen Sie sich keine Mühe, wir wissen, wo der Ausgang ist«,
sagte Durant und verließ mit Hellmer das Haus. Der Regen, vom
Wind gepeitscht, prasselte nach wie vor in Strömen aus den tief-
hängenden dicken, fast schwarzen Wolken.

Im Auto sagte Julia Durant: »Und, wie ist dein Eindruck jetzt?«

Hellmer zündete sich eine Marlboro an, inhalierte, ließ sich mit
der Antwort Zeit. Er sagte, während Durant den Motor startete:
»Ich bin selten einem solchen Scheißkerl begegnet. Wenn der ein
Heiliger ist, dann bin ich Gott höchstpersönlich. Gibt es eigentlich noch eine Steigerung von Arroganz?«

Julia Durant grinste Hellmer an. »Nein, ich kenne keine. Aber dieser Kerl ist mit allen Wassern gewaschen. Ich wette, der hat seine Familie so fest im Griff, daß keiner auch nur die geringsten Anstalten machen würde, aufzumucken. Sie haben einfach Angst vor ihm. In der Kirche aber ist er ein Heiliger. Einer, der mit Macht predigen kann. Und in seinem Beruf ist er vermutlich ein Chef par excellence. Und er hat Geld, verdammt viel Geld. Und das ist letztendlich das, was zählt. Einfluß und Geld. Fink ist einfach ein widerlicher Scheißtyp.«

»Ich habe seit meiner Heirat auch viel Geld.«

»Das ist was anderes. Nicht alle, die reich sind, sind auch Arschlöcher. Aber einige. Und Fink gehört dazu. Aber ich will jetzt einfach nicht länger über ihn nachdenken. Ich fahr dich nach Hause und werde dann einen geruhsamen Abend vor der Glotze verbringen.«

Sonntag, 18.15 Uhr

Julia Durant hatte sich einen Jogginganzug angezogen, die Beine hochgelegt, eine Tüte Chips neben sich auf dem Sofa, eine Dose Bier auf dem Tisch. Im Fernsehen lief eine Naturreportage. Sie rauchte eine Zigarette, nahm sich vor, gegen acht bei Petrol anzurufen und ihm zu sagen, daß sie sich heute nicht mehr sehen würden. Um Viertel nach acht kam noch ein Film mit Nicholas Cage, der seit *Leaving Las Vegas* zu ihren Lieblingsschauspielern gehörte. Danach wollte sie zu Bett gehen und vielleicht einmal acht Stunden am Stück schlafen, in der Hoffnung, nicht vom Telefon oder irgendwelchen Alpträumen geweckt zu werden. Sie versuchte, sich auf die Reportage zu konzentrieren, doch es gelang ihr nicht, immer wieder kreisten ihre Gedanken um Jürgen Fink und seinen Abschiedsbrief. Um Viertel vor sieben las sie ihn noch einmal, suchte nach etwas, das vielleicht zwischen den Zeilen stand, doch sie fand nichts. Sie las nur das erschütternde Schreiben eines vom Leben und von den Menschen im Stich gelassenen jungen Mannes. Sie drückte die Zigarette aus, die dritte, seit sie zu Hause war, wollte sich gerade wieder gemütlich zurücklehnen, als das Telefon klingelte.

»Scheiße«, sagte sie leise zu sich selbst und stand auf, nahm den Hörer in die Hand, meldete sich.

»Hallo, Julia, ich bin´s«, sagte Werner Petrol. »Sehen wir uns heute abend?«

»Du, um ganz ehrlich zu sein, heute bin ich einfach nur müde. Lieber morgen oder übermorgen. Im Augenblick haben wir alle Hände voll zu tun, und ich war den ganzen Tag auf den Beinen. Nicht böse sein, aber ...«

»Julia, du fehlst mir. Und wenn du hier wärst, könnten wir ja zusammen versuchen, ein Täterprofil zu erstellen.«

»Wenn unser Polizeipsychologe das nicht kann, wie willst du es dann können?«

»Ich sagte doch, ich kenne jemanden aus dieser Kirche. Unter Umständen habe ich Informationen für dich, die dir weiterhelfen.«

»Das kann doch auch bis morgen warten. Heute will ich damit nichts mehr zu tun haben. Außerdem habe ich meine Tage.«

»Du fehlst mir wirklich ...«

»Das glaub ich dir ja, aber ich kann heute nicht mehr. Bitte versteh das. Morgen abend können wir uns gern sehen.«

»Schade. Ich ... Na ja, ich bin ein Blödmann, ich weiß. Aber ... Ach was, lassen wir´s. Was machst du gerade?«

»Fernsehen. Ich werde früh zu Bett gehen und mich einmal richtig ausschlafen. Und du?«

»Weiß noch nicht. Vielleicht gehe ich nachher noch in eine Bar oder ins Kino. Mir ist langweilig.«

»Und was ist mit deiner Familie? Was sagen die denn, wenn du dich das ganze Wochenende nicht bei ihnen blicken läßt?«

»Hör zu, ich werde meine Frau allmählich darauf vorbereiten, daß sie bald ganz ohne mich auskommen muß. Ich werde für sie sorgen, aber nicht mehr anwesend sein. Was glaubst du wohl, weshalb ich mir diese Wohnung hier gekauft habe?«

»Weiß nicht, sag´s mir.«

»Weil ich gehofft hatte, daß eines Tages eine Frau wie du hier einziehen würde. Kapiert?«

»Kapiert schon, nur sehe ich das noch nicht. Du kennst meine Bedingungen, und von denen rücke ich keinen Millimeter ab.«

»Brauchst du auch nicht, ich werde dich nicht zwingen. Aber beweisen werde ich dir, wie ernst ich es meine. Ich liebe dich, und ich brauche dich.«

»Werner, das sind für mich im Augenblick nur Worte. Ich bin leider eine elende Realistin, für die nur Fakten zählen.«

»Liebst *du* mich denn?« fragte er.

Sie zögerte mit der Antwort, schließlich sagte sie: »Ich weiß es nicht. Vor einem halben Jahr habe ich mich in dich verliebt, das stimmt schon. Aber das war nur ein One-Night-Stand …«

»Ein One-Night-Stand?« fragte er ungläubig. »Wir haben mindestens hundert Mal miteinander geschlafen, falls du das vergessen haben solltest.«

»Gut, dann war es eben ein sechs Monate langer One-Night-Stand. Zufrieden?«

»Willst du Schluß machen?«

»Werner, bitte, ich habe einen furchtbaren Tag hinter mir und bin jetzt nicht in der Stimmung, über dieses Thema zu reden. Ich bin müde, ich habe meine Tage, und ich will heute nur noch meine Ruhe haben. Und ich bitte dich, das zu respektieren. Okay?«

»Okay. Aber sag mir, wenn du nicht mehr mit mir zusammensein willst. Ich kann es verkraften.«

»Natürlich kannst du das«, sagte sie. »Aber um dich zu beruhigen, noch ist es nicht soweit. Und jetzt laß mich einfach weiter

fernsehen. Geh in eine Bar oder ins Kino, amüsier dich. Ich wünsch dir einen schönen Abend. Ruf mich morgen an. Ciao.«
»Ciao, und – ich liebe dich. Schlaf gut.«
Sie legte auf, zündete sich eine neue Zigarette an, schloß die Augen, schalt sich eine feige Henne, ihm nicht die Wahrheit über ihre Gefühle gesagt zu haben. Denn in Wirklichkeit waren da keine tiefen Gefühle mehr für ihn. Sie mochte ihn, aber sie liebte ihn nicht mehr. Sie schwor sich, es ihm bald zu sagen. Es würde ein leichtes für ihn sein, eine Neue zu finden, eine, die besser mit ihm zurechtkam. Sie hatte einen schalen Geschmack im Mund, als sie sich wieder auf die Couch setzte, ein paar Chips aus der Tüte nahm und in den Mund steckte.
Das Leben von Jürgen Fink war nicht gerecht gewesen. Und ihr Leben? Sie fühlte eine tiefe Melancholie in sich aufsteigen, eine Traurigkeit der Art, die sie früher zum Weinen gebracht hätte. Sie wußte nicht, wie lange es her war, seit sie das letzte Mal geweint hatte. Vermutlich vor neun Jahren, als ihre Mutter starb. Nein, es war, als sie von den Eskapaden ihres Exmannes erfuhr. Sie trank das Bier aus, holte sich ein neues aus dem Kühlschrank und nahm einen kräftigen Schluck. Allmählich fühlte sie sich besser und gelöster. Sie würde den Abend genießen, ganz gleich was immer kam.

Sonntag, 19.45 Uhr

Er hatte sich eine Pizza kommen lassen und aß gerade das letzte Stück, als es klingelte. Er ging an die Tür, sah auf dem Monitor die junge Frau, die einen hellen Trenchcoat und über der Schulter eine gleichfarbige Handtasche trug. Ein Grinsen überzog sein Gesicht, als er den Türöffner betätigte und die Wohnungstür aufmachte. Er lehnte sich, die Hände in den Hosentaschen, an den Türrahmen, wartete, bis der Aufzug hielt und die Frau heraustrat.

»Das ist aber eine Überraschung«, sagte er und küßte sie. Das ihr so eigene laszive und unergründliche Lächeln umspielte ihren Mund, als sie an ihm vorbei in die Wohnung ging. Sie legte den Mantel ab, unter dem sie nichts als ein bis knapp über den Po reichendes, marineblaues Kleid anhatte, halterlose Strümpfe und die Goldkette, die er ihr zum letzten Weihnachtsfest geschenkt hatte. Sie setzte sich mit aufreizenden Bewegungen auf einen der Sessel, die Beine eine Winzigkeit gespreizt über die Lehne gelegt; das ohnehin kurze Kleid war noch höher gerutscht, er bemerkte, daß sie nicht einmal einen Slip trug.

»Damit hast du nicht gerechnet, was?« sagte sie mit gurrender Stimme und sah ihn herausfordernd an.

»Nein, damit habe ich nicht gerechnet. Du kommst doch sonst nicht so unangemeldet«, sagte er und trat dicht an sie heran. Sie duftete verführerisch, ihr Blick, ihr Körper strahlten eine unbeschreibliche Sinnlichkeit aus, ein brodelnder Vulkan, zum Ausbruch bereit. Knisternde Erotik machte sich in der Wohnung breit.

Sie zündete sich eine Zigarette an. Er stand vor ihr, betrachtete sie, spürte das Verlangen nach ihr von Sekunde zu Sekunde stärker werden.

»Wieso hast du nicht vorher angerufen?« fragte er, unfähig, seinen Blick von ihren festen, gebräunten Schenkeln abzuwenden, zwischen denen sich das dunkle Dreieck erahnen ließ. Er bemerkte nicht das plötzliche spöttische Aufblitzen in ihren Augen.

»Ich habe es ein paarmal versucht, doch entweder war besetzt oder dein Anrufbeantworter war eingeschaltet. Na ja, und deine Mailbox hörst du ja anscheinend nie ab. Und weil ich mich heute bei diesem beschissenen Wetter so einsam fühle, dachte ich mir, ich fahre einfach mal hin und schaue nach, ob du da bist. Freust du dich denn nicht? Ich habe mich das ganze Wochenende über so einsam und allein gefühlt, und heute habe ich es einfach nicht mehr ausgehalten.«

Er schluckte schwer, sah in ihre großen, rehbraunen Augen. »Natürlich freue ich mich«, sagte er. »Und was wollen wir heute machen?«

Sie lächelte noch eine Spur lasziver, spreizte die Beine etwas weiter, ließ einen Moment verstreichen, genoß seine Blicke, sagte: »Na was wohl? Kannst du dir das nicht denken? Ich will spielen, um genau zu sein – ficken. Du etwa nicht?«

»Du bist immer so umwerfend direkt, und das gefällt mir an dir. Du redest nie um den heißen Brei herum, sondern nimmst dir, was du brauchst. Hab ich recht?« sagte er grinsend.

»Ich nehme mir nur, was andere mir freiwillig geben. Ich will dich nicht zwingen, und wenn du willst, daß ich wieder gehe …«

»Nein, nein«, sagte er schnell und ging zur Bar. »Was möchtest du trinken? Einen Martini oder einen Scotch?«

»Einen Martini.« Sie fuhr sich mit der Zunge über die vollen Lippen, sah ihm zu, wie er die Gläser füllte und auf sie zukam.

»Cheers«, sagte er und hob sein Glas. »Auf einen schönen Abend.«

»Den werden wir mit Sicherheit haben«, sagte sie und trank ihr Glas in einem Zug aus. »Ich war selten so geladen wie heute, ich könnte glatt explodieren. Laß uns nach oben gehen und keine Zeit verlieren. Ich habe schließlich seit drei Tagen keinen Sex mehr gehabt … Und drei Tage können eine verdammt lange Zeit sein.«

Er strich sanft über ihre Beine, griff zwischen ihre Schenkel, spürte die feuchte Wärme an seinen Fingern.

»Gehen wir nach oben, Liebling.«

Sie ließen sich lange Zeit mit dem Vorspiel, küßten sich, streichelten sich. Er ejakulierte, stand kurz danach auf, trank noch einen Scotch, sie rauchte eine Zigarette. Ein paar Minuten vergingen, ehe sie erneut mit *ihrem* Spiel begannen.

Sie sagte: »Ich will es wieder so machen wie beim letzten Mal.«

»Fesseln?« fragte er, während seine Zunge kleine Kreise um ihre Schamlippen zog.

»Fesseln«, erwiderte sie und reckte ihm stöhnend den Unterleib entgegen.

»Aber du wirst mir nicht wieder Angst machen«, sagte er.

»Nein, das war doch nur Spaß. Aber ich liebe es, wenn ich dich beherrsche.«

»Also gut, beherrsch mich. Mach mit mir, was dir gefällt.«

Er legte sich auf den Rücken, die Arme nach hinten gestreckt. Sie beugte sich zu ihrer Handtasche hinab, holte die Handschellen heraus, ließ sie um seine Handgelenke und die Eisenstäbe des Bettes schnappen. Sie nahm einen weichen Schal, band ihn um seine Augen, massierte seine Hoden mit festem Druck.

»Du bringst mich noch um den Verstand«, flüsterte er stöhnend.

»Ja, ich bringe dich um den Verstand«, sagte sie.

»O mein Gott, mit dir zu vögeln ist das Größte.«

Sie setzte sich auf ihn, führte sein großes, hartes Glied ein, bewegte sich schnell auf ihm. Als sie spürte, daß er gleich ejakulieren würde, hielt sie inne, drückte mit zwei Fingern kräftig auf den Schaft, wartete, beobachtete das lustverzerrte Gesicht des Mannes unter ihr. Schließlich fuhr sie fort, mit langsamen, vorsichtigen Bewegungen. Mit einem Mal hörte sie auf, sich zu bewegen, saß nur noch regungslos auf ihm.

»Warum hörst du auf?« fragte er. »Ich wäre doch gleich gekommen.«

»Ich möchte dich nur etwas fragen«, sagte sie, und ihre Stimme hatte auf einmal nichts Laszives mehr, dafür einen Unterton, der ihm vom letzten Mal vertraut war. »Du sagst, es gibt keine andere Frau in deinem Leben? Stimmt das wirklich?«

»Ja, es gibt keine andere Frau.«

»Warum lügst du mich an, Liebling?« fragte sie sanft und strich mit ihren Fingern über seine Brust.

»Ich lüge nicht!« sagte er. »Und warum um alles in der Welt

fängst du wieder mit diesem blöden Spiel an? Du machst doch nur die Stimmung kaputt. Merkst du das nicht? Oder gehört das zum Spiel?«

»Ich mache keine Stimmung kaputt«, sagte sie immer noch sanft, doch mit unüberhörbarer Schärfe, »du bist es, der alles kaputtmacht. Alles, aber auch wirklich alles! Weißt du, ich habe dich geliebt, dir vertraut. Ich habe dir alles gegeben, wirklich alles. Mehr als ich jemals einem Mann zu geben fähig war. Du hast mich von meinen Ängsten und meiner Vergangenheit befreit, du warst es, der mich aus meinem Tief herausgeholt hat. Und dann mußte ich feststellen, daß du mit einer andern Frau rumvögelst. Erklär es mir, damit ich es verstehe.«

»Ich vögele nicht mit einer andern Frau«, sagte er, und in seiner Stimme schwang Angst mit. »Du irrst dich, du irrst dich sogar gewaltig!«

»Nein, mein Lieber, ich irre mich nicht. Weißt du, es gibt Dinge im Leben, die kann ich nicht verzeihen. Niemals! Und deswegen habe ich beschlossen, unsere Beziehung zu beenden. Ein für allemal. Denn du bist leider nichts als ein elendes, rumhurendes Schwein.«

»Ich kann es dir erklären, wirklich, das kann ich!« Schwere Stimme, Schweiß auf der Stirn. »Es ist alles ein Mißverständnis, glaub mir.«

»Nein, es ist kein Mißverständnis. Ich weiß Bescheid über euch beide. Und was immer du sagst, ich glaube es dir nicht mehr.«

»Mach mich los und sieh mich an, bitte!« flehte er. »Laß mich dir erklären …«

»Für Erklärungen ist es zu spät – *Liebling*«, sagte sie hart und unnachgiebig. »Wie gesagt, ich habe dir vertraut wie niemals jemand anderem zuvor. Ich habe nicht gewußt, was Vertrauen ist, bis ich dich kennengelernt habe. Ich habe dir alles über mich erzählt, wirklich alles. Ich dachte, wir wären aus dem gleichen Holz geschnitzt. Ich dachte sogar, wir wären so etwas wie Geschwister, du weißt schon, was ich meine, eineiige Zwillinge, wo der eine immer genau fühlt, was der andere denkt. Nenn es von mir aus Telepathie oder Empathie oder seelische Verbundenheit. Ja, wirklich, ich dachte, wir wären füreinander geschaffen. Und weil ich so naiv war, das zu glauben, habe ich dir vertraut, und dir vor allem alles anvertraut, was ich jetzt, nachdem ich herausgefunden habe, wer und wie du wirklich bist, zutiefst bereue und bedaure. Du warst für mich mein großer Bruder, mein Vater, mein Liebhaber, mein Mann. Auch wenn wir nicht verheiratet waren, unsere Beziehung war etwas ganz Besonderes. Zumindest war ich davon überzeugt.« Sie streichelte wieder über seine Brust, seinen Bauch, sein jetzt schlaffes Glied. Er atmete schwer, sein Körper war schweißüberströmt, obgleich es kühl in dem Raum war. Sie sagte mit ferner, ruhiger Stimme: »Das Dumme ist nur, mit deinem Wissen über mich könntest du mich ruinieren. Und das kann und werde ich nicht zulassen …«

»Mach mich los, mach mich bitte endlich los!« schrie er.

»Du kannst schreien, soviel du willst, es wird dich keiner hören. Es ist wirklich schade, wenn man sich eine solch sündhaft teure Wohnung zulegt und die nächsten Nachbarn zwei Stockwerke weiter unten wohnen.«

»Von welchem Wissen sprichst du eigentlich?« schrie er wieder.

»Ach, komm, tu doch nicht so unschuldig«, sagte sie mit immer noch sanfter Stimme. »Du hast von den Morden gehört, du kennst meine etwas abartigen Interessen, du weißt einfach zu viel über mich. Du hast es nicht gemerkt, aber ich habe seit Freitag abend jeden deiner Schritte verfolgt … Wie hast du noch am Donnerstag gesagt – ich fahre zu meiner Schwester nach Karlsruhe. Was für eine rührende, verlogene Geschichte! Und dann kam ich, einer inneren Stimme folgend, am Freitag abend her und habe Licht in deiner Wohnung gesehen. Und ich habe vor allen Dingen *ihr* Auto vor der Tür gesehen. Und ab da habe ich dich nicht mehr aus den Augen gelassen … Aber ich habe leider noch einen Auftrag zu erfüllen, einen, der meine ganze Konzentration erfordert. Und wenn *du* nicht mehr lebst, wird niemals jemand herausfinden, daß *ich* die Männer umgebracht habe, schon gar nicht die kleine Schlampe, mit der du mich betrogen hast. Wie ist sie denn im Bett? So gut wie ich? Erfüllt *sie* dir auch jeden Wunsch, oder mußt du betteln? Macht ihr Blümchensex, den du doch so verabscheust? Sag´s mir. Wie ist sie?«

»Sie ist nur eine Affäre«, jammerte er. »Nichts als eine Affäre! Und sie kann dir nicht das Wasser reichen, du bist in jeder Hinsicht besser als sie.«

»Sie sieht aber nicht schlecht aus, wie ich zugeben muß. Sie sieht sogar recht gut aus, vor allem hat sie ganz ordentliche Titten und einen knackigen Arsch. Und das ist es doch, worauf es euch Männern ankommt. Andererseits, wenn ich in den Spiegel schaue, finde ich meinen Körper eigentlich ganz in Ordnung.«

»Du hast den schönsten Körper der Welt«, stammelte er verzweifelt, in der Hoffnung, die Situation noch retten zu können.

»Spar dir deine Schmeicheleien, sie ziehen nicht mehr. Du wirst leider den gleichen Weg gehen müssen wie Rosenzweig und Schönau und vor ihnen schon Hauser. Ich habe sie dorthin geschickt, wo sie hingehören – in die Hölle. Sie werden schmoren bis in alle Ewigkeit, und es wird niemand geben, der ihre Schreie hört und ihre Qualen lindert. Und du, du wirst ebenfalls gleich zur Hölle fahren.

Weißt du, ich habe seit Freitag ein Meer von Tränen vergossen, als ich dein Lügengebilde entdeckt habe. Tränen über Tränen, und dann kam Wut und schließlich endloser Haß. Du bist so erbärmlich, so ein erbärmliches Stück Dreck! Und dabei hättest du es so gut haben können. Ich hatte wirklich einmal geglaubt, mit dir alt zu werden. Ich dachte sogar, wir würden eines Tages heiraten, ich würde vielleicht sogar ein Kind haben, auch wenn ich nicht mehr die Jüngste bin. Ich habe an dich geglaubt. Wie naiv ich doch war! So verdammt naiv.« Sie stand auf, zündete sich eine Zigarette an, setzte sich wieder auf die Bettkante, strich sich mit einer Hand durch das braune Haar. Sie bückte sich, nahm ein Diktiergerät aus der Handtasche, drückte die Aufnahmetaste und gleich danach auf Pause. Sie wartete, schaltete das Gerät ein, als er zu sprechen begann.

Aufnahme. »Du willst mich also auch umbringen?« fragte er mit kehliger Stimme. »Warum?«

Pause. »Ich habe es dir doch eben erklärt, weißt du nicht mehr? Wie schade um dich, wie schade für mich. Es gibt nicht viele Männer, die so gut ficken können. Aber vielleicht finde ich ja doch irgendwann einen, der für immer bei mir bleibt und mir alle meine Wünsche erfüllt.«

Aufnahme. »Ich liebe dich doch«, sagte er flüsternd. »Ich liebe dich, wie ich noch nie eine Frau geliebt habe. Das ist die Wahrheit!«

Pause. »Nein, das ist eine Lüge, eine große, gottverdammte Lüge. Oder kennst du den Unterschied zwischen Lüge und Wahrheit schon gar nicht mehr? So, wie ihn Rosenzweig und Schönau nicht mehr gekannt haben, diese verfluchten Heuchler und bigotten Hurensöhne. Sie haben ihre Strafe schon bekommen.«

Aufnahme. »Ich will leben!« flehte er. »Einfach nur leben.«

Pause. »Jeder will leben, Liebling. Aber du hast dein Leben verwirkt. Traurig, aber wahr. Du wirst aber ein schönes Begräbnis bekommen. Ich bin sicher, es werden Hunderte von Menschen zu deiner Beerdigung kommen, sie werden weinen und trauern, man wird Lobgesänge auf dich anstimmen, man wird sagen, durch deinen Tod wurde eine Lücke gerissen, die nicht mehr zu füllen ist«, sagte sie zynisch. »Aber so ist das Leben, man weiß nie, wann der Tod vor der Tür steht. Hättest du je gedacht, ich würde dein Todesengel sein?«

Aufnahme. Er keuchte, stöhnte, riß an den Handschellen, trat um sich.

Pause. »Hast du noch einen letzten Wunsch?« fragte sie und erhob sich vom Bett. »Möchtest du noch etwas trinken oder essen? Ich biete dir in meiner Großzügigkeit sogar eine Henkersmahlzeit an. Wie sieht es aus, möchtest du etwas haben? Oder hast du einen anderen Wunsch? Noch einmal dein Lieblingslied hören? Oder soll ich dir eine Passage aus deinem Lieblingsbuch vorlesen? Sag es, ich erfülle dir jeden Wunsch.«

Aufnahme. »Fahr zur Hölle!« schrie er.

Pause. »Du zuerst«, sagte sie und holte aus ihrer Tasche eine Spritze. Sie zog die Schutzkappe ab.

Aufnahme. »Wie willst du es machen? Mit Gift? Natürlich!« sagte er mit verzweifeltem Lachen, »womit sonst?! Aber bevor du mich umbringst, will ich dir sagen, daß ich gestern in meinem Büro war und noch ein paar Akten durchgesehen habe. Ich hatte dich tatsächlich für einen Moment in Verdacht, doch ich wollte es einfach nicht glauben. Hätte ich nur auf meine innere Stimme gehört.«

Pause. »Tja, man soll die innere Stimme nicht unterschätzen. Und vor allem sollte man die Akten nicht mit nach Hause nehmen, Liebling. Und jetzt sag adieu, liebe Welt. Soll ich dir die Augenbinde abnehmen, damit du siehst, wie ich es mache?« fragte sie. »Oder kannst du Spritzen genauso wenig ausstehen wie ich?« Sie schüttelte den Kopf, fuhr fort: »Nein, ich werde dir das nicht antun, du Schweinehund …«

Aufnahme. »Was wirst du mir spritzen?«

Pause. »Ein Neurotoxin. Sehr hochdosiert, es wird nur eine Frage von wenigen Minuten, vielleicht sogar nur Sekunden sein, bis die Atemlähmung eintritt. Du siehst, ich mache es dir leicht.«

Sie beugte sich über ihn, sagte: »Mach´s gut, wo immer du gleich sein wirst. Vielleicht sehen wir uns ja mal wieder. Und es stimmt übrigens, was ich gesagt habe – ich habe dich geliebt, und wahrscheinlich liebe ich dich immer noch. Aber ich hasse dich auch für das, was du getan hast.«

Aufnahme. Er schrie, so laut er konnte, spürte den Einstich in sei-

nem Hals, wie sich bereits nach wenigen Sekunden ein unbe-
schreibliches Taubheitsgefühl ausbreitete, wie seine Atmung
immer flacher wurde, sich alles zusammenzog, das Leben allmählich seinen Körper verließ. Er versuchte, sich noch einmal
aufzubäumen, doch seine Glieder gehorchten ihm nicht mehr. Er
lag ruhig auf dem Bett, ein paar letzte, schwere Atemzüge, dann
war er tot.

Sie schaltete das Diktiergerät aus, spulte die Kassette zum Anfang zurück, legte die Spritze in die Tasche, kleidete sich an. Sie
zog sich Handschuhe an, nahm ihm die Augenbinde ab, ging ins
Bad, holte einen großen Waschlappen, wusch den Toten ab, vor
allem seine Genitalien, seine Hände und seinen Mund. Sie wusch
die Handschellen, die Gläser, alles, was sie berührt hatte. Sie
leerte den Aschenbecher in einen kleinen Plastikbeutel, saugte
den Teppich und das Bett ab, öffnete sämtliche Schubladen und
Schränke, begab sich ins Arbeitszimmer, nahm seinen Terminkalender an sich, löschte alle Dateien auf dem Computer, indem
sie die Festplatte neu formatierte und selbst versteckte Dateien
auf der Festplatte und im Arbeitsspeicher aufspürte und entfernte. Sie nahm die wenigen Disketten an sich, durchwühlte den
Schreibtisch, fand schließlich die gesuchte Akte, die auf ihre
Identität hinwies, steckte sie ein.

Sie warf einen letzten, fast wehmütigen Blick auf den Toten mit
dem starren Blick, legte den Schlüssel für die Handschellen auf
den Nachtschrank, ging zum Telefon, nahm den Hörer ab, wählte
eine Nummer. Als sich nach dem sechsten Läuten eine Stimme
meldete, spielte sie das Diktiergerät ab. Sie legte auf, verließ die
Wohnung, die Tür lehnte sie nur an. Auf dem Weg nach Hause
hörte sie laute Musik. Sie weinte.

Julia Durant hatte sich um kurz nach zehn hingelegt, das Fenster
war gekippt, zum ersten Mal seit fast drei Wochen war es nicht
mehr stickig im Schlafzimmer. Sie zog die Decke bis unters
Kinn, drehte sich auf die Seite, schloß die Augen. Es dauerte nur
wenige Minuten, bis sie in tiefen Schlaf fiel. Zuerst hörte sie es
nicht, schließlich vernahm sie das Klingeln des Telefons wie aus
weiter Ferne. Sie öffnete mühsam die Augen, warf einen Blick
zur Uhr, kurz nach halb elf, gähnte, stieß einen derben Fluch aus,
griff neben das Bett, nahm den Hörer ab, meldete sich mit schläfriger Stimme. Sie hörte nur eine etwas blechern klingende,
männliche Stimme, schließlich schoß sie hoch, erkannte, wer da
sprach, schrie, bettelte. Sie begann zu zittern, schrie ins Telefon
»Hallo, hallo!«, doch am andern Ende wurde einfach aufgelegt.
Sie war mit einem Mal hellwach, ihre Kehle war trocken.
Mein Gott, dachte sie, *laß das nicht wahr sein. Laß es um Himmels willen nicht wahr sein!* Sie wußte, was sie gehört hatte,
wollte es aber im ersten Moment nicht wahrhaben. Mit zittrigen
Fingern zog sie eine Zigarette aus der Schachtel, zündete sie an.
Sie inhalierte tief, überlegte, versuchte ihre Gedanken zu ordnen,
es gelang ihr nicht. Sie stand auf, holte eine Dose Bier aus dem
Kühlschrank, trank in schnellen Schlucken. *Ich muß Frank anru-
fen,* dachte sie. *Ich will und kann da nicht allein hinfahren.* Sie
ging zum Telefon, wählte seine Nummer. Nadine war am Appa-
rat.
»Nadine, gib mir bitte Frank. Es ist dringend.«
»Ist irgendwas passiert? Du klingst so komisch.«
»Bitte keine Fragen, hol Frank ans Telefon.«
»Moment, er kommt schon.«
»Frank, setz dich ins Auto und komm her …«
»Was ist los?« fragte er.
»Ich erklär´s dir später. Beeil dich, bitte.«

»Okay, bin schon unterwegs.«

Julia Durant lief im Zimmer unruhig auf und ab, drückte die Zigarette aus, steckte sich gleich eine neue an. Sie sah an sich herunter, dachte, *ich muß mich anziehen.* Sie zog Jeans und ein Sweatshirt über, schlüpfte barfuß in die Tennisschuhe. Sie ging zur Toilette, wusch sich das Gesicht, bürstete sich das Haar. Sie hatte Angst, Angst vor dem, was sie in wenigen Minuten sehen würde. Sie hätte allein hinfahren können, doch sie brauchte jetzt jemanden, dem sie vertrauen konnte, der ihr beistand. Ein weiterer Blick zur Uhr, zehn nach elf. Es klingelte, sie sagte in die Sprechanlage: »Ich komm runter.«

Sie nahm ihre Tasche, zog die Tür hinter sich zu, rannte die Treppe hinunter. Hellmer stand draußen, rauchte.

»Was ist los, Julia?« fragte er besorgt. »Du bist ja kreidebleich! Doch nicht schon wieder ein Mord, oder?«

»Laß uns fahren«, sagte sie nur, »ich bin etwas durcheinander. Können wir deinen Wagen nehmen?«

»Klar. Und wohin soll´s gehen?«

»Nicht weit, nur zehn Minuten von hier. Ich zeig dir den Weg.«

Hellmer hielt vor dem großen, hellen Haus, auf das Julia Durant deutete, hinter den meisten Fenstern war es bereits dunkel. Sie stiegen aus, liefen auf den Eingang zu.

»Und jetzt?« fragte Hellmer. »Wie kommen wir rein?«

»Wir müssen klingeln. Drück einfach auf irgendeinen Knopf.«

»Und was soll ich sagen?«

»Mein Gott, sag, daß wir von der Polizei sind. Der Eingang wird videoüberwacht, jeder kann sehen, daß wir keine Gangster sind.«

»Du kennst dich aber gut hier aus«, sagte er und legte den rechten Zeigefinger auf einen der Klingelknöpfe. Es dauerte eine Weile, bis eine weibliche Stimme sich meldete.

»Tut mir leid, wenn wir stören, aber wir sind von der Kripo Frankfurt, Hauptkommissar Hellmer und meine Kollegin Durant«, sagte Hellmer und hielt seinen Ausweis direkt vor die Kamera, die rechts über dem Eingang angebracht war.

»Und was wollen Sie von mir?«

»Von Ihnen gar nichts. Wir müssen nur dringend ins Haus. Wenn Sie bitte so freundlich wären und aufmachen würden.«

Die Frau befolgte die Aufforderung, Hellmer drückte die Tür auf. Sie betraten die Eingangshalle, der Aufzug stand offen im Erdgeschoß.

»Und wohin jetzt?« fragte Hellmer.

»Fünfter Stock«, sagte Durant mit belegter Stimme.

»Und wer wohnt da?«

»Werner Petrol.«

»Aha. Und ich soll jetzt raten, wer das ist und was passiert ist?«

Der Aufzug hielt, sie stiegen aus. Mit gezielten Schritten ging Julia Durant auf die nur angelehnte Wohnungstür zu. Sie schluckte schwer, meinte, ein Eisenring würde sich immer fester um ihre Brust ziehen. Sie trat ein, Hellmer folgte ihr.

»Mach bitte die Tür zu«, sagte sie. »Und nichts anfassen.« Sie warf einen Blick in den großzügigen Wohnbereich, in dem sich niemand aufhielt. Sie schaute nach oben, die Schlafzimmertür stand offen, das Licht brannte. Mit weichen Knien stieg sie die Treppe hoch, machte am obersten Absatz halt, atmete tief ein. Hellmer stand neben ihr, preßte die Lippen aufeinander. Ohne etwas zu sagen, bewegte er sich auf die offenstehende Tür zu, blieb im Türrahmen stehen. Er schaute in den Raum, verharrte einen Moment, wandte den Kopf, sah Durant an.

»Was geht hier vor?« fragte er leise.

Sie stellte sich zu Hellmer, der seinen Blick wieder auf den Toten gerichtet hatte. Petrol war nackt und mit Handschellen ans Bett gefesselt, seine weitaufgerissenen Augen waren starr zur Decke gerichtet, seine Beine gespreizt. Sie brauchte einen Moment, um diesen Anblick auf sich wirken zu lassen, es war, als drehte sich alles um sie. Es war, als befände sie sich in einem schlechten

Film oder in einem Alptraum. Es war, als liefe sie durch eine Nebelwand.

»Wer ist Werner Petrol?« riß Hellmer sie aus ihren Gedanken.

»Er ist Chefarzt im St. Valentius Krankenhaus.«

»Ist mir ein Begriff. Und woher kennst du ihn? Und vor allem,
woher wußtest du, daß er tot ist?«

Sie antwortete nicht gleich, sondern stellte sich direkt vor das
Bett. Sie zog die Gummihandschuhe an, befühlte den Leichnam.
Er war noch warm.

»Ich kenne ihn. Ich kenne ihn sogar sehr gut, wenn du das wissen
willst.«

»Gehört er dieser Kirche an?«

»Nein«, antwortete sie mit einem Mal ruhig und gefaßt, und ohne
aufzublicken. »Werner war alles andere als religiös. Wir hatten
seit gut einem halben Jahr eine Beziehung. Er wollte sich sogar
für mich scheiden lassen. Hat er zumindest behauptet.«

»Augenblick«, sagte Hellmer mit zusammengekniffenen Augen,
»du und er, ihr hattet was miteinander? Ich glaub´s nicht, ich
kann´s einfach nicht glauben!«

»Dann laß es doch!« fauchte sie ihn an. »Es ist aber die reine
Wahrheit. Ist es vielleicht seit neuestem für eine Polizistin verboten, einen Freund oder einen Liebhaber zu haben? Ist dieses Pri-
vileg nur Männern vorbehalten?« Mit einem Mal konnte sie
nicht mehr an sich halten und begann zu schluchzen. »Dieser
verfluchte Scheißjob! Ich halt das bald nicht mehr aus.«

»Entschuldige, war nicht so gemeint«, sagte Hellmer und nahm
sie in den Arm. Sie ließ es sich gefallen. »Trotzdem solltest du
mir einige Fragen beantworten. Zum Beispiel, woher du wußtest,
daß er tot ist.«

Sie löste sich aus seiner Umarmung, holte ein Taschentuch aus
der Jeans, wischte sich die Tränen aus dem Gesicht und schneuzte sich. Mit gefaßter Stimme sagte sie: »Ich habe um kurz nach
halb elf einen Anruf bekommen. Ich hab nur seine Stimme ge-

hört, sie klang aber eher blechern oder synthetisch, als ob der Mörder seine Stimme auf Band aufgenommen hat.« Sie hielt inne, sah Hellmer direkt in die Augen. Sie bat ihn: »Tu mir einen Gefallen und erwähne den andern gegenüber nichts von Petrol und mir.«

»Und wie soll ich, bitte schön, erklären, wie wir hierhergekommen sind?«

»Ich werde sagen, ich hätte einen anonymen Anruf erhalten und dann hab ich dich informiert. Das reicht doch schon. Bitte, ich hab keine Lust, mir endlose und vor allem sinnlose Fragen anzuhören.«

»Wie du meinst«, sagte Hellmer. »Wir müssen jetzt aber trotzdem die Kollegen holen. Was glaubst du, wie er getötet wurde?«

Durant beugte sich über den Toten, tastete mit ihren Augen seinen Körper ab. Wie oft hatten sie miteinander geschlafen, fünfzigmal, hundertmal? Wie oft hatten seine zärtlichen Hände sie berührt, wie oft war sie schwach geworden, wenn er sie mit seinem ganz besonderen Blick ansah und dabei dieses unvergleichliche Lächeln auf den Lippen hatte? Lippen, die jetzt blaß und farblos waren, seine solariumgebräunte Haut wirkte seltsam matt.

»Hier«, sagte sie nach einer Weile und deutete auf eine leicht verfärbte Stelle an Petrols Hals.

»Hmh, sieht aus wie eine Einstichstelle«, sagte Hellmer. »Glaubst du, er ist auf die gleiche Weise umgebracht worden wie Rosenzweig und Schönau?«

»Schaut ganz so aus. Wahrscheinlich wurde ihm ein Nervengift injiziert, denn ich kann keine wesentlichen Gewebsveränderungen feststellen, nur dieses kleine Ödem. Aber warum ausgerechnet er?«

»Diese Frage, meine Liebe, wird uns wohl noch eine Weile beschäftigen. Und so leid es mir tut, das sagen zu müssen, du warst offensichtlich nicht die einzige Frau in seinem Leben. Ich meine, außer seiner Ehefrau. Oder wie sonst erklärst du dir die Handschellen?«

»Er hat beteuert, er würde nur mich lieben, mich ganz allein. Er hat mich belogen. Er hat mich verdammt noch mal belogen! Gibt es eigentlich irgendwo einen Mann, der mich nicht belügt und betrügt? Scheiße, große gottverdammte Scheiße!« Sie kämpfte erneut mit den Tränen. Hellmer wollte einen Arm um ihre Schultern legen, diesmal ließ sie es nicht zu.

»Das Leben kann manchmal wirklich ganz schön beschissen sein. Ich rufe jetzt aber besser einen Arzt und die Kollegen an. Sie sollen die Wohnung auf den Kopf stellen, mal sehen, ob wir nicht einen Hinweis auf den Mörder finden.«

»Die Mörderin«, verbesserte ihn Durant und wischte sich mit einem Taschentuch die Tränen aus den Augen. »Warum er? Scheiße, ich finde einfach keine Antwort darauf. Ich geh mal kurz vor die Tür, eine rauchen und meine Nerven beruhigen.«

Als sie nach fünf Minuten zurückkam, sagte sie mit jetzt fester Stimme: »Er hat mich gestern und auch heute abend angerufen. Er wollte, daß ich zu ihm komme, er könnte mir unter Umständen bei der Klärung unserer Fälle helfen, oder besser gesagt, er meinte, er könnte eventuell ein Täterprofil erstellen. Ich hatte heute aber keine Lust und sagte ihm, wir würden uns morgen treffen. Ich bin jetzt sicher, daß er die Mörderin kannte. Aber er machte es so geheimnisvoll und wollte auch nicht am Telefon mit mir darüber reden … Ich habe einfach nicht geglaubt, daß es ihm ernst war. Und jetzt ist es zu spät. Ich hätte aber auch im Traum nicht daran gedacht, daß er mir wirklich helfen könnte. Ich bin so eine blöde Kuh, so eine saublöde Kuh! Ich verlasse mich sonst immer auf meine innere Stimme, nur diesmal hab ich es nicht getan. Vielleicht hätte ich ihm sogar das Leben retten können.«

»Es ist nicht deine Schuld, Julia. Du konntest doch nicht ahnen, daß er …«

»Doch, ich hätte auf ihn hören sollen. Wäre ich zu ihm gefahren, wäre das nicht passiert.«

»Und was, wenn er nur deine Gesellschaft wollte und einen Vorwand dafür gebraucht hat?«

»Glaub ich nicht. Angenommen, er kannte die Mörderin, wußte aber nicht, daß sie wußte, was er wußte, dann … Aber dieser Mistkerl hat mit ihr gebumst!«

»Und er liebte es ausgefallen«, bemerkte Hellmer lakonisch, auf die Handschellen deutend.

»*Das* haben wir nie gemacht«, erwiderte sie mit rotem Kopf. »Wir …«

»Schon gut, ich will keine Details wissen …«

»Du sollst aber wissen, daß ich mich von ihm trennen wollte. Ich war es leid, mir ständig seine Liebesbeteuerungen anzuhören, denen aber keine Taten folgten.«

»Ich denke, er wollte sich scheiden lassen?«

»Er hat es mir immer und immer wieder versprochen, aber mir haben die Beweise gefehlt. Ich habe ihm vorgestern gesagt, Werner, du hast drei Monate Zeit, mir einen handfesten Beweis für deine ernsten Absichten zu geben. Sonst ist Schluß.«

Es klingelte, Hellmer ließ die Beamten ins Haus. Kurz darauf kam der Arzt. Die Spurensicherung nahm ihre Arbeit auf, der Fotograf schoß Fotos aus allen Blickwinkeln, anschließend videografierte er die Wohnung. Der Arzt untersuchte den Toten, sagte: »Allem Anschein nach ein Herzinfarkt«, und wollte gerade den Totenschein ausstellen, als Hellmer ihn zurückhielt.

»Nein«, sagte er und deutete auf Petrols Hals. »Hier, sehen Sie selbst.«

»Tatsächlich. Hab ich doch glatt übersehen. Sieht nach einem kleinen Ödem aus. Scheint, als hätte man ihm eine Injektion verpaßt. Aber das müssen schon Ihre Rechtsmediziner klären.«

»Vermutlich war es Gift«, sagte Durant kühl. »Sie haben doch sicher von den beiden Mordfällen gehört.«

»Oh, das erklärt natürlich einiges«, sagte der Arzt nachdenklich und räusperte sich verlegen. »Ich hätte gleich drauf kommen müssen, die offenen Augen und …«

»Können Sie Spermaspuren feststellen?«

»Nein, dazu fehlen mir die Mittel. Ich bin nur ein einfacher Hausarzt.«

»Ist schon in Ordnung«, sagte Hellmer. »Sie können ja nicht alles wissen. Vermerken Sie einfach auf dem Totenschein ›Todesursache ungeklärt‹, damit er in die Rechtsmedizin gebracht werden kann. An Ihre Schweigepflicht brauche ich Sie ja wohl nicht extra zu erinnern.«

Der Arzt erwiderte nichts auf diese Bemerkung, füllte den Totenschein aus, reichte ihn Hellmer. Die Gnadenlosen vom Bestattungsinstitut waren inzwischen eingetroffen, packten Petrol in einen Plastiksack, zogen den Reißverschluß zu, trugen ihn aus dem Haus.

»Komm, wir schauen uns mal den Computer an«, sagte Hellmer zu Durant. »Vielleicht finden wir ein paar interessante Eintragungen.«

»Das glaubst du doch wohl selber nicht.«

Hellmer schaltete den PC ein – nichts. Er suchte nach Disketten – Fehlanzeige.

»Tja, du scheinst recht zu haben. Sie hat ganze Arbeit geleistet. Und doch sollten wir mal unsere Computerfreaks ranlassen. Könnte immerhin sein, daß sie wenigstens noch ein paar Fragmente sichern können. Du weißt doch noch, bei diesem Entführungsfall Fiszman haben die Täter auch geglaubt, alles gelöscht zu haben, haben dabei aber die versteckten Dateien übersehen, durch die sie letztendlich überführt wurden.«

»Ich wette, hier gibt es auch keine versteckten Dateien mehr. Diese Frau ist gerissener, als wir uns überhaupt vorstellen können. Sie ist uns immer um eine Nasenlänge voraus. Und sie geht auf Nummer sicher. Für mich wird die ganze Sache jedenfalls immer undurchsichtiger. Komm, laß uns gehen, wir haben hier nichts mehr zu tun.«

»Wollen wir noch was trinken gehen?« fragte Hellmer.

Julia Durant schüttelte den Kopf. »Heute nicht. Ich will nur noch nach Hause.«

»Meinst du, du wirst schlafen können?«

Sie seufzte auf, sagte: »Ich glaube kaum, aber das ist inzwischen auch egal.«

Hellmer gab letzte Instruktionen an die Männer von der Spurensicherung, verabschiedete sich und veranlaßte, daß die Wohnungstür später versiegelt wurde. Sie fuhren mit dem Lift nach unten, stiegen in Hellmers BMW. Es war fast ein Uhr nachts, als er sie vor ihrem Haus absetzte.

»Ich frage mich eines«, sagte er, als Julia Durant gerade aussteigen wollte, »wieso hat die Mörderin ausgerechnet dich angerufen?«

»Woher soll ich das wissen?« fragte die Kommissarin mit einem Seufzer.

»Wir haben jetzt inzwischen vier männliche Tote, die alle durch Gift umgekommen sind. Und wir haben eine ganze Reihe von Personen verhört. Ich frage mich, woher die Mörderin deine Nummer hat. Du stehst doch gar nicht im Telefonbuch.«

»Ich habe fast jedem, mit dem ich in den letzten Tagen gesprochen habe, meine Karte gegeben. Und da steht auch meine Privatnummer drauf.«

»Auch wenn ich dich jetzt nerve, aber von all den Frauen, denen du in den letzten Tagen deine Karte gegeben hast, welche käme deiner Meinung nach für die Morde in Frage? Vor allem für den an Petrol?«

»Erst mal alle oder keine.«

»Moment«, fuhr Hellmer fort, »Petrol hatte neben dir und seiner Frau noch ein weiteres Verhältnis, das ist ziemlich eindeutig. Und ein Mann wie der läßt sich doch nicht mit irgendwem ein. Du bist eine ziemlich …«, er hielt inne, druckste herum.

»Was bin ich? Komm, sag´s.«

»Na ja, ich finde, du hast ziemlich viel Klasse.«

»Danke für das Kompliment. Aber worauf willst du hinaus?«

»Ich meine nur, er wird sich aller Wahrscheinlichkeit nach eine Frau gesucht haben, die ähnliche Vorzüge aufweist, wenn du verstehst, was ich meine. Und davon haben wir doch nicht allzu viele kennengelernt.«

»Zu viele«, sagte Julia Durant. »Und wenn man es genau nimmt, kommt jede einigermaßen gutaussehende Frau, mit der wir in den vergangenen Tagen gesprochen haben, in Frage. Schau dich allein in Rosenzweigs Büro um, oder bei Schönau. Soll ich dir all die Namen aufzählen – Neumann, Wagner, Jung, Reich, Fink … Wenn du so willst, könnte jede von ihnen, aus welchen Gründen auch immer, ein Motiv haben. Ich sag dir, vergiß es. Wir müssen das Ganze anders aufziehen. Ich weiß nur noch nicht, wie.«

»Und was, wenn wir erst mal nur die Damen aus der Kirche einbeziehen?«

»Alle?« fragte Durant mit hochgezogener Stirn. »Da hätten wir zum Beispiel Sabine Reich – eine Klassefrau, aber ein Motiv? Laura Fink – auf den ersten Blick unscheinbar, doch heute morgen in der Kirche sah sie wirklich gut aus, sehr wandlungsfähig. Wer weiß, was hinter ihrer Fassade für ein Vulkan brodelt? Rita Jung – Mitte Dreißig, aber mit allen weiblichen Vorzügen ausgestattet, auf die Männer stehen. Nicht zu vergessen Vivienne Schönau – absolute Spitzenklasse. Marianne Rosenzweig – noch nicht einmal vierzig, und gut zurechtgemacht sieht sie bestimmt toll aus. Und wer weiß, wie gut diese Damen im Bett sind? Noch ein paar Namen gefällig?«

»Ja, ja, ja, du hast ja recht, Boß. Unterhalten wir uns morgen noch einmal darüber. Tschüs, und mach dir keinen dicken Kopf. Du schaffst das schon.«

»Tja, ich denke, ich werde es schaffen. Ich schaffe doch alles, ich bin schließlich eine sehr, sehr starke Frau!« sagte sie mit einem Anflug von Sarkasmus. »Mach´s gut und bis nachher.«

Sie ging langsam nach oben, schloß auf, lehnte sich von innen gegen die Tür. Übelkeit, Stiche in der linken Schläfe. Ihr war zum Heulen zumute, doch sie konnte nicht weinen, nicht richtig weinen. Dabei hätte sie am liebsten laut geschrien, um sich geschlagen, sich ihre ganze Wut und ihren Frust von der Seele gebrüllt. Statt dessen fühlte sie sich nur leer und ausgebrannt, gedemütigt und mißbraucht. Sie setzte sich aufs Sofa, hörte Musik, rauchte und trank Bier. Sie dachte daran, ihren Vater anzurufen, sah zur Uhr – halb zwei – schüttelte den Kopf. Sie war verzweifelt. Irgendwann in dieser Nacht fielen ihr die Augen zu, und als sie um acht Uhr wach wurde, schmerzte ihr Rücken von der unnatürlichen Lage, die sie auf dem unbequemen Sofa eingenommen hatte. Sie rief im Präsidium an, sagte, sie würde heute eine Stunde später kommen.

Sonntag, 23.20 Uhr

Sie hatte vor dem Hotel Intercontinental angehalten, war in die Bar gegangen, hatte zwei Martinis getrunken, drei Zigaretten geraucht, nachgedacht. Sie fühlte sich elend, nicht allein wegen dem, was sie getan hatte, sondern weil sie wußte, daß sie etwas in Bewegung gesetzt hatte, das nicht mehr aufzuhalten war. Und sie fragte sich, wie lange es wohl dauern würde, bis sie in Verdacht geriet, bis man ihr Leben durchforsten und auf einige Ungereimtheiten stoßen würde.

Ein junger Mann von etwa dreißig Jahren mit langen, blonden Haaren, Designerjeans und italienischen Schuhen setzte sich neben sie, betrachtete sie eine Weile wortlos. Sie sah ihn kurz an, lächelte. Er fragte, ob er ihr etwas zu trinken bestellen dürfe, sie nickte nur. Sie unterhielten sich eine halbe Stunde lang über Belanglosigkeiten, tranken und rauchten, und irgendwann fragte der junge Mann, ob sie Lust hätte, mit zu ihm nach Hause zu kommen.

»Bist du immer so direkt?« fragte sie.

»In der Regel schon. Ich lebe nach dem Motto, das Leben ist zu kurz, um sich die guten Gelegenheiten entgehen zu lassen. Ich verspreche auch, mich danach nie wieder bei dir zu melden.«

»Okay. Aber du erfährst weder meinen Namen noch meine Adresse. Und ich will auch nichts von dir wissen. Das ist die Bedingung. Und wir fahren nicht zu dir nach Hause, sondern nehmen uns hier ein Hotelzimmer.«

»Einverstanden.«

Sie standen auf, er zahlte, fuhr mit dem Aufzug nach unten, kam wenige Minuten später mit dem Zimmerschlüssel zurück. Er ließ eine Flasche Champagner und etwas zu essen aufs Zimmer kommen. Sie blieb bis um kurz nach drei, kleidete sich an, verließ die elegante Suite, während er schlief. Er war ein passabler Liebhaber, doch nicht zu vergleichen mit Petrol. Petrol war einzigartig gewesen, etwas ganz Besonderes. Sie wußte, sie würde nie wieder jemanden wie ihn finden.

Als sie um halb vier vor ihrem Haus hielt, blieb sie noch einen Moment im Wagen sitzen, legte den Kopf aufs Lenkrad, schloß die Augen. Nach wenigen Minuten stieg sie aus, ging ins Haus, entkleidete sich und legte sich ins Bett. Sie stellte sich den Wecker für acht Uhr. Sie brauchte nicht viel Schlaf, selten, daß sie länger als fünf Stunden schlief. Sie schlief tief und traumlos.

Montag, 9.10 Uhr

Die Beamten der Mordkommission waren, bis auf Kullmer und zwei andere Kollegen, alle schon im Büro, als Julia Durant hereinkam. Sie murmelte ein »Guten Morgen«, hängte ihre Tasche über die Stuhllehne, setzte sich. Sie fühlte sich wie gerädert, ihr war noch immer zum Heulen zumute, am liebsten wäre sie zu Hause geblieben. Sie steckte sich eine Gauloise an, inhalierte tief, ließ den Rauch lange in den Lungen, bevor sie ihn wieder ausstieß.

»Kollege Hellmer hat uns bereits informiert, was letzte Nacht los war. Ich würde gern noch Ihre Version hören«, sagte Berger, der sich zurückgelehnt hatte, die Hände über dem gewaltigen Bauch verschränkt. *Wenn du so weitermachst,* dachte sie, *wirst du eines Tages noch platzen.*

»Ich habe auch keine andere Version als die, die Sie bereits kennen. Was genau wollen Sie wissen?«

»Sie sind angerufen worden?«

»Angerufen ist gut«, sagte sie und verzog die Mundwinkel. »Natürlich wurde ich angerufen, aber der- oder diejenige hat nur gesagt, daß Petrol tot sei. Das war´s.«

»Wieso der- oder diejenige?« fragte Berger. »War es nun ein Mann oder eine Frau?«

»Die Stimme war verstellt, sie klang irgendwie synthetisch, so als wenn jemand auf Band gesprochen hätte. Aber es spricht alles für eine Frau.« Sie warf einen kurzen Blick auf Hellmer, der aus seinem Büro gekommen war und in der Tür stand. Er nickte kurz und für Berger nicht sichtbar. Julia Durant atmete erleichtert auf.

»Und dann sind Sie gleich zu der angegebenen Adresse gefahren und haben diesen Petrol tot aufgefunden.«

»Richtig.«

»Und Sie vermuten, daß auch er mit Gift umgebracht wurde?«

»Es deutet alles darauf hin.«

»Na ja, ich habe mir die Fotos angesehen und denke in die gleiche Richtung. Wie es aussieht, stand der werte Herr auf ausgefallene Sexspielchen. Nun, jeder muß selbst wissen, was er tut. Wir müssen jetzt erst mal das Obduktionsergebnis abwarten. Ich habe Morbs schon angerufen, er wird versuchen, uns noch heute das Untersuchungsergebnis zukommen zu lassen. Kullmer ist übrigens schon um halb acht mit Brecht und Simon los, um sich im St. Valentius Krankenhaus umzuhören. Hatte dieser Petrol Familie?«

»Keine Ahnung«, log Julia Durant. »Kullmer wird uns das sicher bald sagen können. Mir …«

»Entschuldigung, wenn ich Sie unterbreche, aber ich will meinen Gedanken nicht verlieren«, sagte Berger. »Petrol hat doch nicht zu dieser Kirche gehört. Warum, glauben Sie, wurde er umgebracht? Haben Sie schon eine Vermutung?«

»Nein, absolut keine. Es sei denn, er kannte seine Mörderin. Vielleicht hatte er vor, sich mit uns in Verbindung zu setzen, doch die Mörderin ist ihm auf die Schliche gekommen und hat das Verhältnis kurzerhand beendet. Das ist die einzige Erklärung, die ich im Moment habe.«

»Klingt irgendwie logisch«, sagte Hellmer, löste sich von der Tür und setzte sich neben die Kommissarin. Er holte eine Zigarette aus der Brusttasche seines Hemdes, zündete sie an. »Seine Wohnung und die Einrichtung waren jedenfalls vom Allerfeinsten. Der Mann muß mächtig Kohle gehabt haben.«

Berger ging auf die letzte Bemerkung nicht ein, blickte nachdenklich auf den Tisch, auf dem die Fotos des toten Petrol aufgereiht lagen.

»Und Fink, was ist mit dem?« fragte er.

»Wen meinen Sie, den Vater oder den Sohn, der sich das Leben genommen hat?«

»Das mit dem Sohn ist tragisch, aber mich interessiert eher der Vater. Haben Sie etwas Neues über ihn herausgefunden?«

»Nein, der Kerl ist ein knallharter Typ. Der regiert seine Familie mit eiserner Faust. An den ranzukommen ist so gut wie unmöglich. Hellmer kann das bestätigen. Das einzige, was ihn unter Umständen weich kochen könnte, ist seine Angst. Und die ist of-

fensichtlich. Er hat zwei völlig verschiedene Gesichter – das eine
setzt er in der Kirche auf, das andere im Alltag und in der Familie. Ich schätze, jeder, Laura Fink eingeschlossen, hat nicht nur
großen Respekt, sondern vielleicht sogar Angst vor ihm. Er gehört jedenfalls nicht zu jenen Menschen, mit denen ich gern Kontakt haben möchte. Ich habe ihm am Freitag unmißverständlich
zu verstehen gegeben, daß wir nichts für ihn tun können, wenn er
weiter so verschlossen bleibt.«

Berger grinste zum ersten Mal an diesem Morgen, sagte: »Er hat
sich übrigens mit unserem großen Boß in Verbindung gesetzt
und sich über Sie beschwert. Er meinte, Sie seien ihm gegenüber
arrogant und unverschämt aufgetreten und hätten seine Angst
nicht ernst genommen. Er verlangt Polizeischutz.«

»Und was hat unser Big Boß dazu gesagt?« fragte Julia Durant
ungerührt.

»Er hat ihn wohl erst mal über gewisse Dinge aufgeklärt, was Polizeischutz angeht. Er wollte allerdings wissen, wie das Gespräch
zwischen Ihnen und Fink wirklich abgelaufen ist. Aber Sie haben
Glück, daß er Sie kennt und weiß, daß die Adjektive arrogant und
unverschämt nicht auf Sie zutreffen. Er hat mir sogar noch gesagt, Sie sollen sich von Fink nicht einschüchtern lassen, er würde ihn schon einige Jahre kennen, und … Ach, was soll's, wenn
dieser Idiot nicht kooperieren will, dann muß er eben mit den
Konsequenzen leben. Der Polizeipräsident steht jedenfalls voll
und ganz hinter Ihnen, wie ich Ihnen ausrichten soll.« Er machte
eine Pause, zündete sich eine Zigarette an, sagte: »Glauben Sie
denn, daß Fink in Gefahr ist?«

Julia Durant zuckte die Schultern. »Genau kann ich das nicht beurteilen, doch ich nehme es stark an. Die Voodoo-Puppe, die eindeutigen Briefe, all das läßt darauf schließen, daß er als nächstes
Opfer auserkoren ist. Aber solange er sich ausschweigt, sind uns
die Hände gebunden. Wir bleiben aber auf jeden Fall an ihm
dran. Gibt es denn schon irgendwelche Hinweise auf seine Ver-

gangenheit? Ich wurde nämlich gestern in dieser Kirche von einem gewissen Maier angesprochen, der mir etwas vom Dritten Reich zugeflüstert hat. Aber Fink wurde erst kurz vor dem Krieg geboren, weshalb ich keine Verbindung zum Dritten Reich feststellen kann. Allerdings sprach dieser Maier auch davon, daß die Söhne für die Sünden ihrer Väter bestraft werden würden. Was immer er damit gemeint hat.«

»Ich habe schon ein paar Kollegen damit beauftragt, sich um Finks Vergangenheit zu kümmern. Wobei ich mir beim besten Willen nicht vorstellen kann, daß irgend jemand jetzt noch diese perfiden Morde wegen etwas begeht, was vielleicht vor sechzig oder mehr Jahren passiert ist. Wenn *Sie* ein Täterprofil erstellen müßten, wie sähe dies nach Lage der Dinge aus?«

»Puh, schwer zu sagen. Auf jeden Fall eine Frau. Alter zwischen fünfundzwanzig und fünfundvierzig, attraktiv, sexuell flexibel und aktiv. Hoher Bildungsstand, vermutlich Universitätsabschluß, was aber nicht unbedingt zwingend sein muß, denn ein fundiertes Wissen über Gifte gleich welcher Art kann sich im Prinzip jeder halbwegs intelligente Laie aneignen. Sehr vertraut mit den Lebensgewohnheiten der Opfer, das heißt, sie hat sich dieses Vertrauen offenbar auf eine sehr raffinierte Art erworben. So raffiniert, daß keiner auf die Idee gekommen wäre, ausgerechnet sie für eine kaltblütige Mörderin zu halten. Vermutlich eine freundliche, auffällige, aber nicht zu auffällige Person, jedoch eine, die auf Männer sehr anziehend wirken muß. Eine Frau, die auf jeden Fall mit Schönau und Petrol sexuell verkehrt hat, bei Rosenzweig und Hauser liegen uns darüber keine Erkenntnisse vor, zumindest weiß ich nicht, was die Überprüfung von Hauser bis jetzt ergeben hat …«

»Wenn ich Sie kurz unterbrechen darf – unsere Kollegen aus Hannover haben mit Hausers Frau gesprochen, die Stein und Bein schwört, daß ihr Mann nie eine Affäre hatte. Sie führt verschiedene Gründe dafür an, der wichtigste aber ist, daß sie von sich behauptet, sofort zu spüren, wenn der Mann fremdgeht. Sie hatte, bevor sie Hauser heiratete, schon eine gescheiterte Ehe hinter sich, in der ihr Mann ständig andere Frauen hatte und sie es angeblich immer gewußt hat. Aber ich habe Sie unterbrochen. Fahren Sie fort.«

Julia Durant stand auf, stellte sich ans Fenster, sah hinunter auf die Mainzer Landstraße, hinüber zum Platz der Republik, wo die Bauarbeiten seit Jahren in Gang waren und ein Ende nicht in Sicht zu sein schien. Immer wieder wurde die Verkehrsführung geändert, sehr zum Leidwesen der Autofahrer, da sich vor allem im Berufsverkehr die Autos oft über mehrere Straßenzüge hinweg stauten. Es hatte wieder angefangen zu regnen, der Verkehr quälte sich durch das bis zur Taunusanlage ziehende Nadelöhr.

»Eigentlich bin ich fertig. Es kommen so viele Frauen in Frage; es kann eine aus der Kirche sein, es kann aber auch jemand ganz anderes sein, eine Arbeitskollegin von Rosenzweig oder Schönau oder auch von Fink. Die wohl am schwierigsten zu beantwortende Frage ist wohl, warum sie diese Morde begeht. Und natürlich müßten wir wissen, ob Rosenzweig, Schönau, Hauser und Fink irgend etwas verbockt haben, etwas derart Schwerwiegendes, daß diese Frau einfach durchgedreht ist. Vielleicht ist sie auch nur eine völlig durchgeknallte Psychopathin, die schlechte, womöglich sogar außerordentlich schlechte Erfahrungen mit dieser Kirche gemacht hat. Vielleicht fühlt sie sich ungerecht behandelt, was möglicherweise auch den ersten Brief an Fink erklären würde, in dem sie ihn auf irgend etwas aus seiner Vergangenheit anspricht. Fink war schließlich über viele Jahre hinweg – und ist es auch heute noch – eine führende Persönlichkeit in der Kirche. Und was mich außerdem nachdenklich stimmt, ist die Tatsache, daß dieses Dreigestirn über einen sehr langen Zeitraum direkt zusammengearbeitet hat. Was, wenn Fink und seine Mitstreiter dieser Frau derart auf die Füße getreten haben, daß sie

417

jetzt zurücktritt, und zwar mit aller Wucht? Das Problem sind Hauser und Petrol. Hauser hatte keine Affäre, wie seine Frau behauptet, Petrol gehört nicht der Kirche an ...«

Hellmer beugte sich nach vorn, die Ellbogen auf den Oberschenkeln, die Hände aneinandergelegt. »Moment, Moment, Moment. Jetzt mal rein hypothetisch – Petrol hatte eine längere Liaison mit dieser Frau. Punkt. Er wußte über ihr Leben Bescheid. Punkt. Sie hat ihm alles erzählt, seit ihrer Kindheit. Punkt. Auch, daß sie ein Faible für ausgefallene Hobbies hat, wie zum Beispiel Gifte. Punkt. Und daß sie entweder ein Mitglied dieser Kirche ist oder war, und daß man ihr dort Unrecht angetan hat, was vielleicht sogar schon viele Jahre zurückliegt. Punkt. Jetzt passieren auf einmal diese Morde. Petrol, Chefarzt einer psychiatrischen Klinik und geschulter Psychologe, wird hellhörig. Punkt. Er zählt zwei und zwei zusammen, anfangs ist es nur eine Vermutung, die er nicht wahrhaben will, aber die Vermutung wird immer stärker, daß diese Frau, seine Geliebte, mit der er so herrlich ausgefallene Sexspielchen treiben kann, für die Morde in Frage kommen könnte. Punkt. Vielleicht verliert er während eines Gesprächs in den letzten Tagen einmal ein paar Worte über diese Morde, was diese Frau stutzig und mißtrauisch werden läßt. Punkt. Jetzt zählt *sie* zwei und zwei zusammen, wiegt Petrol aber in Sicherheit, gibt ihm, ohne viel zu sagen, einfach das Gefühl, sie könne unmöglich die Mörderin sein. Punkt. Finale Sonntagabend. Sie treffen sich bei ihm, spielen ihr Spiel. Er, inzwischen womöglich wieder von seinem Verdacht abgekommen und dieser Frau sexuell total hörig, läßt sich wieder ans Bett fesseln. Punkt. Und dann macht sie ihn kalt. Punkt, Aus, Ende. Könnte es sich so abgespielt haben?«

Durant drehte sich um, sah Hellmer mit großen Augen an. Berger schwieg, fuhr sich mit einer Hand übers Kinn.

»Noch ein Punkt zu meiner Theorie«, fuhr Hellmer fort. »Angenommen, diese Frau hatte mit all ihren Opfern ein Verhältnis, das sich auf rein sexueller Ebene abspielte. Auch wenn Hausers Frau etwas anderes behauptet, so bin ich sicher, gibt es immer eine Möglichkeit, ein Verhältnis, wenn es rein sexuell ist, geheimzuhalten. Man trifft sich, vögelt, geht nach Hause. Keiner verlangt vom andern Gefühle. Sobald aber Liebe ins Spiel kommt, wird es kritisch. Von Rosenzweig und Schönau wissen wir doch inzwischen, daß sie keine Kostverächter waren und allem Anschein nach ihre Geliebten ausschließlich für Sex brauchten. Und diese Frau wußte es auch, und so war es für sie ein leichtes, an diese Männer ranzukommen, vor allem, wenn sie über die nötigen äußerlichen Vorzüge verfügt. Meiner Meinung nach liegt hier der Schlüssel zur Lösung.«

Durant schüttelte den Kopf. »Das ist alles ganz gut und schön. Nur, wenn dieser Frau ein schweres Unrecht zugefügt wurde, warum hätten dann ausgerechnet diese Männer sich mit ihr einlassen sollen? Das ergibt keinen Sinn.«

»Warum nicht?« fragte Hellmer grinsend. »Die meisten Männer, und ich schließe mich da weiß Gott nicht aus, sind in der Regel für weibliche Reize sehr empfänglich. Vor allem wenn diese Reize auch noch ansprechend verpackt sind. Und wir alle wissen, daß Männer meistens schnell vergessen, Frauen aber oft sehr nachtragend sein können. Und wenn eine Frau haßt, dann tut sie es richtig, das haben wir in den vergangenen Jahren doch schon oft genug erlebt. Und diese Frau haßt, davon bin ich überzeugt. Und ich wage zu bezweifeln, daß wir es hier mit einer durchgeknallten Psychopathin zu tun haben. Ich tippe eher auf eine äußerst clevere Frau, die jeden Schritt ihres Rachefeldzugs bis ins letzte Detail durchgeplant hat. Vielleicht ist sie eine Psychopathin, aber durchgeknallt ist sie nicht.«

Berger beugte sich nach vorn, sah auf die vor ihm liegenden Fotos. »Sie mögen recht haben«, sagte er ungewohnt leise. »Wir müßten jetzt nur wissen, ob dieser Petrol eine längere Liaison hatte. Ich ruf mal schnell bei Kullmer an, er soll sich mal bei den Ärzten und dem Klinikpersonal umhören, ob denen etwas von Petrols Liebschaft bekannt ist.«

Während Berger mit Kullmer telefonierte und sich dabei Notizen machte, ging Durant zu Hellmer, sagte im Flüsterton: »Deine Theorie mag ja stimmen, aber das Treffen zwischen Petrol und dieser Unbekannten war mit Sicherheit nicht verabredet. Warum hat er mich sonst gestern abend angerufen und mich gebeten, zu ihm zu kommen? Sie muß völlig unerwartet bei ihm aufgetaucht sein.«

»Es war ihm aber offensichtlich nicht unrecht. Du warst nicht verfügbar, also hat er die andere genommen. Tut mir leid, das Leben ist beschissen, wie ich schon sagte.«

»Ja, verdammt ...«

Berger legte den Hörer auf, sagte: »Also, es gibt schon erste Informationen über Petrol. Chefarzt seit zwei Jahren, ein Haus in Eltville, eine Wohnung in Frankfurt. Hochangesehen bei seinen Mitarbeitern, die ihm ausgesprochen hohe Führungsqualitäten bescheinigen. Nicht verheiratet ...«

Julia Durant meinte, ihr Herz bliebe gleich stehen, sie sagte mit belegter Stimme: »Entschuldigung, ich muß mal schnell raus, meine Blase.« Sie rannte aus der Tür, über den Flur zur Toilette. Ihr war speiübel, sie übergab sich. Einen Moment lang blieb sie vor der Kloschüssel knien, schließlich stand sie auf, ihre Beine zitterten. Sie ging zum Waschbecken, ließ kaltes Wasser über ihr Gesicht laufen, trocknete es ab. Sie zitterte noch immer. *Was hat Berger eben gesagt, Petrol war nicht verheiratet? Wer ist dann die Frau mit den Kindern auf dem Foto, das er mir gezeigt hat?* Sie spürte ihr Herz bis in die Schläfen pochen, sie atmete schnell, meinte, gleich ohnmächtig zu werden. *Ich muß zurück ins Büro, sonst wird Berger vielleicht noch mißtrauisch.*

Hellmer wandte den Kopf, als Julia Durant das Büro wieder betrat. Sie fühlte sich elend wie schon lange nicht mehr. Sie ver-

suchte, so ruhig wie möglich zu wirken, steckte sich eine Zigarette an, stellte sich wieder ans Fenster.

»Ist Ihnen nicht gut?« fragte Berger.

»Es geht schon wieder«, sagte sie mit fester Stimme, »ich merke
nur den fehlenden Schlaf der vergangenen Tage. Es war alles ein
bißchen anstrengend.«

»Wollen Sie lieber nach Hause gehen?«

»Nein, so schlimm ist es nun wirklich nicht. Wo waren wir stehengeblieben?« fragte sie.

»Bei Petrol. Daß er nicht verheiratet war. Da liegt es natürlich
nahe, daß er eine feste Beziehung hatte. Nur, wer das war, das
müßten wir wissen.«

»Und was«, sagte Durant, »wenn er nicht nur eine, sondern
gleich mehrere Frauen hatte? Sie hätten sein Penthouse sehen
sollen, na ja, das hat Hellmer ja schon erwähnt. Und es ist bei erfolgreichen Männern nicht unüblich, daß sie entweder häufig
wechselnde Liebschaften haben oder sich sogar gleich mehrere
Geliebte auf einmal halten. Wobei keine von der andern weiß.«

»Das klingt aber ein bißchen sehr weit hergeholt«, sagte Berger
kopfschüttelnd. »Ich meine, im Film gibt´s so was, aber im richtigen Leben …«

»Im richtigen Leben, Chef, gibt es mehr, als wir uns träumen lassen. Ich habe schon längst jegliche Illusion verloren, was das
Verhalten von Menschen angeht. Es gibt nichts, was es nicht
gibt. Und ich verwette meinen Arsch, Petrol hatte nicht nur eine
Frau. Männer wie er, die auf solche Praktiken stehen, haben
meist mehr als eine Geliebte. Er hatte das nötige Kleingeld, warum also sollte er nicht zwei oder drei Frauen gehabt haben?«

»Sie wirken ziemlich gereizt«, sagte Berger und sah Durant von
der Seite an. »Was ist los?«

»Mich kotzt dieser Fall nur an, das ist alles«, erwiderte sie unwirsch.

»Welcher, die ganze Giftgeschichte oder das mit Petrol?«

»Einfach alles. Vor genau einer Woche wurde Rosenzweig ermordet und wir haben bisher nicht einen einzigen Hinweis darauf, wie zum Beispiel das Gift in seinen Schreibtisch gekommen ist. Wir können bisher nicht einmal sagen, diese oder jene Frau hätte ein Motiv. Und warum nicht? Weil es bis jetzt noch nicht mal den Hauch eines Motivs gibt. Schön und gut, Rosenzweig und Schönau waren Hurenböcke, Petrol vielleicht auch, bei Hauser wissen wir es nicht. Bis jetzt dachte ich, wir müßten unseren Täter in der Kirche suchen, doch dann wird mit einem Mal jemand umgebracht, der mit dieser Kirche absolut nichts zu tun hatte! Das ist doch die große Scheiße an diesem Fall. Wir laufen uns die Hacken wund, aber wenn wir mit jemandem sprechen, sei es Frau Rosenzweig oder Frau Schönau oder einer von den Finks, von keinem bekommen wir auch nur den geringsten Anhaltspunkt, an dem wir ansetzen könnten. Und das macht mich einfach wütend!«

»Ihre Wut in allen Ehren, aber wie wollen Sie weiter vorgehen?« fragte Berger.

»Keine Ahnung. Finks Vergangenheit durchleuchten, vielleicht noch einmal mit seiner Frau sprechen, und vor allem mit seiner Tochter. Ich möchte ihr am liebsten heute noch die Kopie des Abschiedsbriefes ihres Bruders vorbeibringen. Die Kollegen sollen doch mal sehen, ob sie irgend etwas finden, das Aufschluß darüber gibt, was zum Beispiel Finks Vater in der Hitlerzeit für eine Funktion innehatte, ob er überhaupt in irgendwelche Nazi-Aktivitäten verwickelt war. Wir sollten uns auch eingehend mit Petrols Leben beschäftigen, was ich ganz gerne mit Hellmer tun würde. Und ich hatte eigentlich vor, ein paar Worte mit dieser Psychologin zu wechseln. Sie scheint mir so ziemlich die einzige zu sein, die wirklich offen ist. Mal sehen, ob sie in ihrer Mittagspause Zeit für mich hat.«

Julia Durant nahm den Hörer ab, wählte die Nummer von Sabine Reich.

»Psychologische Praxis Reich.«

»Hier Durant …«

»Sie haben aber Glück, daß Sie mich erreichen, ich bin gerade auf dem Sprung zur Beerdigung von Bruder Rosenzweig und Bruder Schönau und hab nur mal kurz in der Praxis vorbeigeschaut. Was kann ich für Sie tun?«

»Hätten Sie heute mittag Zeit für mich? Ich meine, nach der Beerdigung?«

»Wofür? Eine Therapiestunde?« fragte Sabine Reich lachend.

»Nein. Vielleicht könnten wir wieder zu dem Italiener gehen, und diesmal lade ich Sie ein. Ich muß mich einfach noch einmal mit Ihnen unterhalten.«

»Und worüber?«

»Das möchte ich Ihnen lieber beim Essen sagen. Wann glauben Sie denn, wird die Beerdigung zu Ende sein?«

»Ich denke mal, so spätestens Viertel vor zwölf. Ich habe für heute alle Termine abgesagt, deshalb hätte ich Zeit für Sie. Treffen wir uns doch um halb eins beim Italiener. Ich muß jetzt aber Schluß machen, ich will nicht unbedingt zu spät kommen, wenn der Mann einer meiner Patientinnen bestattet wird. Bis nachher dann.«

Die Kommissarin legte auf. Berger sah sie nachdenklich an.

»Was erwarten Sie sich von diesem Essen?« fragte er.

»Ich glaube, wenn uns jetzt überhaupt noch jemand helfen kann, dann die Reich. Vielleicht hat sie Informationen, von denen sie noch gar nicht weiß, wie wichtig sie für uns sein könnten. Ich will sie speziell zur Familie Fink befragen. Sie kennt die Rosenzweigs sehr gut, die Schönaus ebenfalls, warum sollte sie mir also nicht auch etwas über die Finks sagen können? Einen Versuch ist das allemal wert.« Es war zehn Uhr, als sie sagte: »Komm, Frank, wir sollten uns die Beerdigung nicht entgehen lassen. Aber wir fahren mit zwei Autos, ich will hinterher gleich weiter nach Höchst.«

»Wie du meinst«, sagte er und stand auf, wandte sich an Berger: »Wir sind dann erst mal weg. Sollte in der Zwischenzeit irgendwas Besonderes sein, warten Sie lieber mit dem Anruf bis so gegen zwölf. Es wäre nicht sehr taktvoll, wenn mitten in der Trauerfeier plötzlich das Handy klingeln würde.«

Berger erwiderte grinsend: »Keine Angst, Kollege Hellmer, ich werde Ihre Trauer nicht stören.«

Julia Durant und Frank Hellmer liefen über den langen Flur, begegneten ein paar Kollegen von der Sitte, die sich laut schwatzend und lachend unterhielten. An der Treppe, die ins Erdgeschoß führte, blieb die Kommissarin mit einem Mal stehen. Sie lehnte sich an das Geländer, fingerte eine Zigarette aus ihrer Tasche, steckte sie in den Mund. Sie sah Hellmer mit einem Blick an, den er an ihr noch nie gesehen hatte, traurig und verletzt und irgendwie hoffnungslos.

»Ich wollte dir noch danken«, sagte sie nach dem ersten Zug an der Gauloise, »daß du mich gedeckt hast.«

»Ich habe dich nicht gedeckt, ich wollte nur nicht, daß das ganze Präsidium über dich herzieht. Es geht schließlich keinen etwas an, daß du mit diesem Petrol was hattest. Aber es war ein ganz schöner Schock für dich, oder?«

»Was?« fragte sie zurück, sie schien mit ihren Gedanken weit weg zu sein.

»Na, daß Petrol nicht verheiratet war. Du hättest dich sehen sollen, wie du plötzlich ausgesehen hast. Kreidebleich. Ich glaube, es hätte nicht viel gefehlt und du hättest angefangen zu heulen.«

Sie seufzte, nahm einen weiteren Zug, zwei Beamte, die sie gut kannte, kamen die Treppe hoch, sie wartete, bis sie vorbei waren, bevor sie sagte: »Ich weiß nicht, ob du mich verstehen kannst, aber das eigentlich Schlimme ist nicht die Tatsache, daß er eine andere hatte, das Schlimme ist vielmehr, daß er mich von Anfang an belogen hat. Er hat mir *seine* Familie gezeigt, die gar nicht seine Familie ist. Weiß der Geier, wer die Frau und die Kinder auf dem Foto sind, aber es war nicht *seine* Frau. Er hat mir ein riesiges Lügengebilde aufgetischt, und ich bin darauf reingefallen. Er hat gesagt, er wollte sich scheiden lassen, es gäbe da aber noch ein paar Dinge, die er vorher regeln müsse. Seine Frau sei psychisch nicht sonderlich stabil, und, und, und … Er hat mich benutzt, einfach nur benutzt. Und das ist es, was so unheimlich weh tut. Ich habe wirklich geglaubt, ein Mann seines Formats und seiner Stellung wäre vertrauenswürdig. Aber so kann man sich in einem Menschen täuschen. Er war so ein perfekter Lügner, ich hätte vermutlich nie herausgefunden, wie und vor allem, wer er wirklich war. Aber jetzt weiß ich es … Ich werde darüber hinwegkommen, irgendwann, aber es wird dauern. Mir kam vorhin sogar der perfide Gedanke, daß er es nicht anders verdient hat. Ich weiß, das klingt hart, doch wenn man so gedemütigt wird … Du bist ein Mann, Frank, sag mir, was ich falsch mache! Was ist an mir, daß ich keinen Mann finde?«

Hellmer zuckte verlegen die Schultern. »Ich kann´s nur wiederholen, du bist eine tolle Frau, und du hast das gewisse Etwas, auf das Männer fliegen.«

»Und warum habe ich dann immer Pech mit ihnen?«

»Keine Ahnung. Aber wenn´s dir hilft, ich bin immer für dich da. Und vielleicht solltest du mal mit Nadine reden, ich denke, so ein Gespräch von Frau zu Frau kann ganz hilfreich sein. Kotz dich einfach mal bei ihr aus. Ihr seid beide etwa im gleichen Alter, Nadine hat auch schon eine Menge durchgemacht, sie kann sich bestimmt in deine Lage versetzen.«

»Danke, vielleicht komme ich auf das Angebot zurück. Aber wir sollten jetzt fahren.«

Hauptfriedhof. Durant schätzte die Zahl der Trauergäste auf etwa dreihundert. Der Regen hatte aufgehört, doch der Wind war nach wie vor böig und kühl. Die Kapelle war bis auf den letzten Platz besetzt, einige Besucher mußten draußen bleiben und die Trauerfeier von dort verfolgen.

»Meinst du, unsere Mörderin ist auch hier?« fragte Durant.

»Ich könnte es mir vorstellen«, sagte Hellmer. »Solange sie sich in Sicherheit wiegt …«

»Mein Gott, wenn ich mir vorstelle, wie viele der hier anwesenden Frauen allein vom Äußeren her in Frage kommen könnten! Vielleicht ist es ja jemand, den wir noch gar nicht kennen. Es ist der blanke Wahnsinn, was hier passiert.«

»Doch, wir kennen die Dame. Warum sonst hätte sie dich am Sonntagabend angerufen? Es muß jemand sein, den wir kennen, alles andere wäre unlogisch. Das Problem ist nur, sie ist uns im Augenblick immer einen Schritt voraus. Die Spurensicherung hat absolut nichts Brauchbares gefunden, die Gerichtsmedizin konnte auch nichts Auffälliges feststellen … Wir müssen wohl oder übel auf den großen Zufall warten oder den *einen* Fehler abpassen, den sie irgendwann begeht.«

»Du hast gut reden. Was, wenn Fink wirklich der nächste auf ihrer Liste ist und vielleicht schon für heute oder morgen sein Tod geplant ist? Und wir können es nicht verhindern. Wir müßten ihn schon in Sicherungsverwahrung nehmen, damit sie nicht an ihn rankommt.«

»Und wie lange? Einen Tag, eine Woche, ein Jahr? Sie hat Zeit, wahrscheinlich hat sie alle Zeit der Welt. Sie ist wie eine Spinne, die längst ihr Netz gesponnen hat und nur darauf wartet, daß ihr Opfer reinfällt.«

Die Kapelle begann sich zu leeren, der Zug hinter den beiden Särgen setzte sich in Bewegung.

»Komm«, sagte Hellmer, »ich habe keine Lust mehr, hier rumzu-
stehen. Es ist vertane Zeit. Du machst dich jetzt auf den Weg
nach Höchst, und ich werde mal den lieben Kollegen ein bißchen
unter die Arme greifen. Mal sehen, ob wir was über Fink raus-
kriegen. Wir sehen uns später.«

Montag, 12.30 Uhr

Julia Durant war schon um kurz nach zwölf in Höchst, stellte ihren Wagen in der Nähe des Bahnhofs ab, kaufte sich in der Bahn-
hofsbuchhandlung die *FAZ* und ging zum Restaurant. Etwa die
Hälfte der Tische waren besetzt, sie suchte sich einen am Fenster
aus. Sie blätterte in der Zeitung, in der erneut ein ausführlicher
Bericht über die mysteriösen Morde stand, die Polizeiarbeit aber
glücklicherweise noch nicht in Frage gestellt wurde. Sie bestellte
ein kleines Bier und wartete auf Sabine Reich. Sie kam um kurz
nach halb eins, sie trug ein dunkelblaues, knapp über dem Knie
endendes Kleid und dazu passende blaue Schuhe.
»Warten Sie schon lange?« fragte sie, während sie sich setzte.
»Nein, ich bin auch eben erst gekommen. Was möchten Sie trinken?« fragte die Kommissarin.
»Das gleiche wie Sie, nur alkoholfrei. Seit ich der Kirche ange-
höre, ist Alkohol tabu. Nun, man muß eben immer irgendwelche
Konzessionen machen. Aber es schadet nicht. Früher war ich
dem Alkohol recht zugeneigt, ich habe geraucht und ständig
wechselnde Beziehungen gehabt. Das ist jetzt alles vorbei. Das
Problem ist nur, ich finde keinen Mann. Jeder will sofort mit mir
ins Bett, aber ich habe mich für diesen Glauben entschieden und
damit auch beschlossen, meine sexuellen Bedürfnisse zurückzu-
stellen, bis ich den Mann gefunden habe, der mich so nimmt und
auch respektiert, wie ich es mir wünsche. Aber leider war die Suche bisher erfolglos.«

»Wem sagen Sie das!« erwiderte Julia Durant seufzend. »Mein Leben ist auch ziemlich männerlos. Hier und da gibt's mal jemanden …«

»Aber Sie sehen doch toll aus, wenn ich das mal sagen darf. Und da gibt es niemanden, der …«

»Danke für das Kompliment, aber … Na ja, es gibt schon jemanden, doch ich vertraue ihm nicht ganz. Die Geschichte, die er mir von seiner ach so entsetzlichen Ehe auftischt, und … Ach, was soll's, ich habe mich damit abgefunden, solo zu sein. Und so wird es wohl auch bleiben.«

»Sie haben also etwas mit einem verheirateten Mann. Das ist immer schlecht, das weiß ich aus Erfahrung. Sie sagen immer, sie würden sich scheiden lassen, oder die Scheidung liefe schon, und letztendlich ist alles nur heiße Luft. Sie wollen ihren Spaß im Bett und sonst nichts.«

»Das ist genau das Problem … Aber ich will Sie nicht mit meiner Geschichte langweilen. Es gibt einen Grund, weshalb ich mich mit Ihnen hier treffe. Doch bevor ich näher darauf eingehe, sollten wir uns etwas zu essen bestellen. Ich sterbe fast vor Hunger.«

Sabine Reich bestellte eine Vier-Jahreszeiten-Pizza, Julia Durant Tagliatelle mit Basilikumsoße. Nachdem der Ober die Bestellung aufgenommen hatte, sagte die Kommissarin: »Also, um es kurz zu machen, es hat noch einen Mord gegeben. Ebenfalls durch Gift, doch diesmal kein Mitglied Ihrer Kirche. Und es gibt eine Morddrohung gegen Dr. Fink …«

»Moment, von diesem Mord weiß ich noch gar nichts. Wurde er nicht bekanntgegeben?«

»Er ist erst letzte Nacht passiert; Sie werden morgen darüber in der Presse lesen, oder schon in der Nachmittagsausgabe der *Rundschau*. Allerdings haben wir wesentliche Details zurückgehalten. So was nennt man Polizeitaktik. Darum geht es aber nicht. Mich würde vielmehr interessieren, was Sie über die Familie Fink wissen.«

Sabine Reich drehte ihr Glas alkoholfreies Bier zwischen den langen, schlanken Fingern. »Vielleicht wäre es besser, wenn Sie mir konkrete Fragen stellen würden. Außerdem habe ich von dem Selbstmord von Jürgen Fink gehört, den ich allerdings nur vom Hörensagen kannte.«

»Ja, das ist eine tragische Geschichte, die aber nichts mit den aktuellen Mordfällen zu tun hat. Wie gut kennen Sie die Finks? Ich meine, haben Sie irgendeinen privaten Kontakt zu ihnen?«

Sabine Reich nickte. »Laura ist meine beste Freundin. Ich habe immer das Gefühl, daß uns mehr verbindet als nur Freundschaft. Nur ist dieses Gefühl schwer zu beschreiben. Es ist einfach so, daß wir über alles, wirklich alles reden können. Aber nicht nur das, wir sind fast so etwas wie Schwestern; nicht nur in der Kirche, auch privat. Wenn es mir einmal nicht gutgeht, kann ich sicher sein, daß Laura anruft, weil sie das Gefühl hat, sie müßte es tun. Und umgekehrt verhält es sich ähnlich. Die eine ist immer für die andere da. Dabei kennen wir uns noch gar nicht so lange. Sie wurde in die Kirche geboren, während ich mich erst vor ein paar Jahren zur Taufe entschlossen habe. Die Missionare hatten es nicht leicht mit mir, ich bin von Natur aus rebellisch und hinterfrage alles, aber jetzt fühle ich mich rundum wohl in dieser Gemeinschaft. Ich habe meinen Platz gefunden.«

Das Essen wurde serviert, sie schwiegen einen Moment, aßen ein paar Bissen.

»Was für ein Mensch ist Laura?« fragte Durant.

»Sie ist einfach eine ganz besondere junge Frau. Eine, die es geschafft hat, den Widrigkeiten des Lebens zu trotzen. Sie hat sich nie unterkriegen lassen, schon gar nicht von ihrem Vater.«

»Was meinen Sie damit?«

»Sie haben Fink doch selbst kennengelernt und können ihn wahrscheinlich einigermaßen einschätzen. Er ist ein harter Brocken.«

»Ich erinnere mich, wie Sie mir letzte Woche gesagt haben, es gäbe in der Kirche einen liberalen, einen konservativen und einen ultrakonservativen Zweig. Über Schönau sagten Sie, er wäre ultra. Wo würden Sie Fink einstufen?«

Sabine Reich lachte leise auf, schnitt ein Stück Pizza ab. »Fink paßt in keine der drei Kategorien. Er ist superultra, wenn Sie damit etwas anfangen können. Er ist wohl das, was man landläufig einen Fanatiker nennt. Er schaut nicht nach rechts und nicht nach links, sondern immer geradeaus. Er bestimmt den Weg, den seine Familie zu gehen hat, und wenn einer nicht so spurt, wie er das will, dann hat derjenige Pech gehabt. Jürgen, den ich nur aus Lauras Erzählungen kenne, hatte dieses Pech. Fink läßt keine andere Meinung gelten als seine. Auch nicht in der Kirche. Was er sagt, ist Gottes Wort, und die meisten akzeptieren das auch. Fink zählt jedenfalls nicht zu meinen Lieblingsmitgliedern. Seine Härte sich selbst und vor allem andern gegenüber ist bisweilen erschreckend. Aber der Mann hat so viel Einfluß, daß jeder nur denkt, er wird schon recht haben. Auch wenn es viele gibt, die zweifeln. Das Problem ist nur, es traut sich kaum einer, Fink zu widersprechen. Er ist jemand, der ungeheuren psychischen Druck ausüben kann. Er nutzt das Dogma der Kirche auf seine ganz besondere Weise. Wenn er wüßte, was ich von einigen Mitgliedern weiß, er würde sie allesamt exkommunizieren, ohne mit der Wimper zu zucken.«

»Darf ich fragen, ohne indiskret sein zu wollen, was das ist, was Sie von diesen Mitgliedern wissen?«

»Natürlich. Wie Sie wissen, wird bei uns nicht geraucht, nicht getrunken, Sex vor der Ehe ist offiziell verpönt, inoffiziell sogar verboten, vor allem in unserer Region, wo Fink das Sagen hat. Unkeuschheit hat bei uns zwangsläufig den Ausschluß aus der Kirche zur Folge. Ehebruch ist ein noch viel schlimmeres Vergehen, das selbstverständlich sofort mit Rausschmiß geahndet wird. Außerdem soll man sich nicht mit Esoterik beschäftigen, dazu zählt Kartenlegen, Astrologie, Handlesen, Pendeln und so

weiter. Ich muß aber einschränkend hinzufügen, daß es besonders in unserer Region sehr autoritär und streng zugeht. Hamburg, Berlin oder München sind völlig anders, viel liberaler. Es
hängt eben vom jeweiligen Regionshirten ab. Glücklicherweise
dauert eine Amtsperiode maximal sieben Jahre, danach kommt
ein anderer. Aber um auf Ihre Frage zurückzukommen – es gibt
eine ganze Reihe von Mitgliedern, die mit enormen psychischen
Problemen zu kämpfen haben und die meiner Ansicht nach unbedingt psychologisch betreut werden müßten. Ich kenne einige,
die alkohol- oder drogenabhängig sind. Ich weiß von zwei Fällen, in denen die Männer ihre Frauen regelmäßig körperlich miß-
handeln, und leider auch von einigen Fällen, in denen Kinder
permanenter psychischer und physischer Gewalt ausgesetzt sind;
die Interpretation des letzteren überlasse ich Ihnen. Ich könnte
die Liste beliebig fortführen, aber es würde Ihnen letztendlich
nichts bringen. Ich weiß von diesen Fällen, und Laura auch. Zum
Glück gibt es eine Schweigepflicht, und kein noch so hohes Tier
in der Kirche kann uns zwingen, Details aus dem Leben eines al-
koholkranken oder unkeuschen Mitglieds preiszugeben. Würden
wir das tun, würde sich die Mitgliederzahl in unserer Region innerhalb kürzester Zeit um etwa die Hälfte reduzieren, und ich
würde schon bald eine Reihe meiner Patienten verlieren.«
»Wie viele Ihrer Patienten sind Kirchenmitglieder?«
»Warum wollen Sie das wissen?«
»Reine Neugier. Nennen Sie mir eine Prozentzahl.«
»Etwa vierzig bis fünfzig Prozent. Es variiert. Sie müssen wissen, ich biete mehrere Therapieformen an, dazu gehören Einzel-
gespräche, Gruppentherapie und Hypnosetherapie, wobei letzte-
re nur von sehr wenigen in Anspruch genommen wird, da die
meisten sich davor fürchten, unter Hypnose Dinge zu sagen, die
sie nicht sagen wollen. Dabei ist gerade diese Therapieform eine
der erfolgreichsten überhaupt, weil man damit an die Wurzeln
bestimmter Krankheitsbilder gelangt.«

»Und gab es schon Mitglieder, die sich von Ihnen in Hypnose versetzen ließen?«

»Eine Handvoll. Es herrscht leider immer noch die Meinung vor, Hypnose sei vergleichbar mit Narkose, was natürlich völliger Quatsch ist, doch es gibt kaum jemand, der nicht Angst davor hat, in Tiefschlaf versetzt zu werden. Aber bringen Sie den Leuten mal bei, daß Hypnose weder lebensgefährlich noch sonst in irgendeiner Form schädlich oder bedrohlich ist! Und es hat auch überhaupt nichts mit Esoterik oder irgendwelchem anderen Humbug zu tun.«

»Machen Sie auch Rückführungen?«

»Sie meinen, ob ich in der Lage bin, das Unterbewußtsein eines Patienten in ein früheres Leben zu führen?« Sabine Reich schüttelte lachend den Kopf, aß noch ein Stück von ihrer inzwischen abgekühlten Pizza. »Nein. Ich hatte jedoch vor nicht allzu langer Zeit einen Fall, wo ich den Patienten bis zum Zeitpunkt seiner Geburt führen konnte. Das war auch für mich ein ganz besonderes Erlebnis. Aber wir wollen uns doch nicht über meine Arbeit unterhalten ...«

»Richtig, auch wenn es interessant ist ... Gabriele Fink, was fällt Ihnen zu ihr ein?«

»Du meine Güte, Gabriele Fink!« Sie zog für einen Augenblick die Stirn in Falten, blickte auf ihren Teller, sagte schließlich: »Lassen Sie es mich vorsichtig formulieren – Fink hat sie in den vergangenen fast vierzig Jahren systematisch fertiggemacht. Nicht auf einmal, er hat sich Zeit gelassen damit. Und jetzt ist sie genau das, was er immer wollte, eine Marionette in seinen Händen, eine Frau ohne eigenen Willen, ohne Selbstbewußtsein, ohne Perspektiven; ein lebloses Individuum, das nur noch von der Hülle zusammengehalten wird. Sie ist ein körperliches und seelisches Wrack, und irgendwann wird sie untergehen. Sie wird sterben und keiner wird es bemerken, ich fürchte, nicht einmal Fink selbst. Laura leidet sehr darunter, und sie hat sich nicht nur einmal bei mir deswegen ausgeheult. Auch wenn man es Laura auf den ersten Blick nicht anmerkt, sie ist unglaublich sensibel.«

Julia Durant hatte aufmerksam zugehört und ließ sich mit der nächsten Frage lange Zeit.

»Frau Reich, eine letzte, sehr vertrauliche Frage – würden Sie einem Mitglied der Familie Fink einen Mord zutrauen?«

»Ich wußte, diese Frage würde kommen«, sagte Sabine Reich wieder lächelnd. »Aber Sie können suchen, soviel Sie wollen, Sie werden keinen Mörder oder keine Mörderin dort finden. Gabriele Fink ist, wie ich schon sagte, innerlich tot und unfähig, eine Entscheidung von solcher Tragweite zu treffen. Und Stephan kommt eher nach seinem Vater. Ich mag ihn nicht besonders, er ist arrogant, und ich habe das Gefühl, er biedert sich an, und zwar auf eine ziemlich schleimige Weise. Und Laura – niemals. Für sie lege ich meine Hand ins Feuer, selbst auf die Gefahr hin, mich gewaltig zu verbrennen. Aber ich habe keine Angst, mich zu verbrennen, denn Laura ist über jeden Zweifel erhaben. Dann könnten Sie schon eher mich auf Ihre Liste der Verdächtigen packen.«

»So? Weshalb?« fragte Julia Durant grinsend.

»Ich will damit nur sagen, daß Laura ein von Natur aus reines, gewaltloses Wesen besitzt. Das ist alles. Ich kann manchmal ganz schön aufbrausend und unbeherrscht sein, womit ich nicht sagen will, daß ich jemanden kaltblütig umbringen könnte.«

Julia Durant wollte sich schon von Sabine Reich verabschieden, als sie ihr eine letzte Frage stellte, die ihr plötzlich in den Sinn kam: »Frau Reich, ich gehe davon aus, daß Sie mit offenen Augen durchs Leben gehen. Sie kennen doch sicherlich einen Herrn Jung und auch seine Exfrau. Was wissen Sie über die beiden?«

Sabine Reich senkte den Blick, zögerte mit der Antwort, bevor sie sagte: »Er ist ein guter Mann, mehr will ich nicht sagen. Aufrichtig, offen, und er hat es nicht leicht gehabt. Und obgleich ich nicht über meine Arbeit sprechen darf, so kann ich Ihnen doch sagen, daß Frau Jung vor einigen Jahren meine Patientin war. Sie hatte Probleme, was eigentlich leicht untertrieben ist.«

»Was für Probleme?« hakte die Kommissarin nach.

»Tut mir leid, wenn Sie etwas Genaueres wissen wollen, dann sprechen Sie mit ihr selbst.«

»Frau Reich, ich bin nicht aus privater Neugier am Leben von Frau Jung interessiert, sondern rein beruflich. Und im Augenblick haben wir es mit vier Morden zu tun, und wir haben bis jetzt nicht die geringste Spur. Wir gehen aber stark davon aus, daß der Mörder in der Kirche zu suchen ist. Alles, was ich brauche, sind ein paar Informationen, die uns weiterhelfen könnten. Ich bitte Sie, machen Sie eine Ausnahme und erzählen Sie mir etwas über Frau Jung. Sie war, als ich mit ihr sprach, sehr verschlossen.«

Sabine Reich rollte mit den Augen, trank einen Schluck, sagte: »In Ordnung, aber nur dieses eine Mal. Und kein Wort, daß Sie es von mir haben, sonst komme ich in Teufels Küche.«

»Versprochen.«

»Sie kam zu mir, weil sie Alkoholprobleme hatte. Diese Probleme hatten allerdings eine Ursache. Sie hatte, als sie schon verheiratet war, ein Verhältnis mit einem älteren Mann, mit wem, wollte sie mir nicht verraten. Was sie mir allerdings verriet, war, daß das Kind, das angeblich von ihrem Mann war, aus diesem Verhältnis stammte. Ihr Mann kam durch Zufall dahinter, stellte sie zur Rede, worauf sie den Ehebruch zugab. Anfangs hat sie versucht, die Ehe zu retten, aber ihr Mann bestand auf der Scheidung. Schließlich hat sie eingewilligt, unter dem Vorbehalt, das Sorgerecht für ihre Tochter zu bekommen. Doch Herr Jung hatte einen cleveren Anwalt, nämlich Dr. Fink, der es schaffte, daß Jung das Sorgerecht zugesprochen bekam. Frau Jung ist dadurch in ein unendlich tiefes Loch gefallen, sie hat angefangen zu trinken, und einmal war sie sogar so betrunken, daß sie auf dem

Heimweg von einem Lokal beinahe von einem Auto überfahren worden wäre. Die Polizei hat sie daraufhin auf eigenen Wunsch zur Entgiftung in eine Klinik gebracht, wo ihr von einem Psychologen nahegelegt wurde, eine Therapie zu machen. Sie kam zu mir, wir haben über ihre Vergangenheit gesprochen, über ihre Ängste und das, was ihr widerfahren war. Und es war, aus meiner Sicht gesehen, eine erfolgreiche Therapie. Soweit ich gehört habe, geht es ihr wieder gut.«

»Sie sagen, sie wurde in eine Klinik eingeliefert. In welche?«

»Nun, es gibt im Prinzip für den westlichen Teil Frankfurts und den gesamten Main-Taunus-Kreis nur eine Klinik, wo man entgiften kann, und das ist das St. Valentius Krankenhaus.«

»St. Valentius?« fragte Durant. »Wann war Frau Jung dort?«

Sabine Reich überlegte, sagte dann: »Kurz nach der Scheidung. Ich würde sagen, etwa vor vier Jahren, plus minus einem halben Jahr.«

»Und wenn man dorthin geht, wie lange bleiben die Patienten in der Regel zur Entgiftung?«

»Es kommt drauf an. Wenn man freiwillig kommt, kann man unter Umständen schon nach zwei oder drei Tagen wieder nach Hause. Es gibt allerdings auch Fälle, denen ein richterlicher Beschluß zugrunde liegt, und dann kann es bis zu drei Monaten dauern, bis man wieder rauskommt. Es hängt wie gesagt vom Patienten ab, ob er freiwillig unterschreibt oder ob er sich gegen eine Aufnahme wehrt und dann wegen Selbstgefährdung oder Gefährdung anderer einen Beschluß bekommt. Frau Jung war freiwillig dort, sie hat unterschrieben, ihre Tage dort abgesessen und ist wieder nach Hause gegangen. Aber, um das zu Ende zu bringen, sie leidet meiner Meinung nach noch immer sehr unter der Trennung von ihrer Tochter. Sie hat nie begriffen und wird es wohl auch nie begreifen, weshalb ihr Mann darauf bestanden hat, das Sorgerecht zu bekommen, wo er doch gar nicht der leibliche Vater ist. Das scheint der Auslöser dafür gewesen zu sein, daß sie einen unbändigen Haß gegen ihn und alle Männer entwickelt hat, die für diese ungerechten Gesetze verantwortlich sind.«

»Und sie hat den Namen des leiblichen Vaters nie erwähnt?«

»Nein, zu keiner Zeit. Sosehr sie sich mir auch geöffnet hat, dieses Geheimnis hat sie für sich behalten.«

Julia Durant atmete tief durch, steckte sich eine Zigarette an, sah Sabine Reich nachdenklich an. »Vielen Dank, Frau Reich, daß Sie sich Zeit für mich genommen haben. Ich glaube, Sie haben mir sehr geholfen. Ich hoffe, ich kann mich bei Gelegenheit revanchieren. Ich muß jetzt aber leider los, im Präsidium wartet eine Menge Arbeit auf mich. Aber ich würde mich freuen, wenn wir uns irgendwann einmal wieder treffen könnten. Dann vielleicht unter etwas anderen Umständen.«

»Gern«, sagte Sabine Reich und schob den Teller beiseite. »Es ist für mich mal etwas anderes, mit jemandem von der Kriminalpolizei zu tun zu haben. Rufen Sie mich einfach an, wenn Ihnen danach ist … Sie sehen übrigens nicht gerade aus wie ein … Bulle. Ich finde Sie sympathisch, wenn ich das sagen darf.«

»Danke. Das beruht auf Gegenseitigkeit. Meine Telefonnummer haben Sie ja, oder?«

»Ja, ich denke schon«, erwiderte Sabine Reich. »Sie wird irgendwo im Büro sein. Aber vielleicht geben Sie sie mir noch einmal. Und diesmal stecke ich sie in meine Handtasche.«

Die beiden Frauen erhoben sich gleichzeitig, reichten sich die Hand. »War nett, mit Ihnen zu plaudern. Bis bald«, sagte Julia Durant, ging zum Kellner und zahlte. In ihrem Wagen dachte sie über die vergangene Stunde nach. Wenn das stimmte, was Sabine Reich ihr eben erzählt hatte, dann gab es eine Verdächtige, und vielleicht schon bald eine Verhaftung.

Sie fuhr zurück zum Präsidium. *Rita Jung*, dachte sie während der Fahrt, *Rita Jung*. Sie überlegte, ob sie am Nachmittag bei Vivienne Schönau oder in der St. Valentius Klinik vorbeischauen sollte. Sie schüttelte den Kopf, dachte: Es kommt sowieso anders als geplant. Als sie auf den Präsidiumshof fuhr, hörte der Regen auf und die Wolkenlücken wurden immer größer.

Montag, 14.15 Uhr

Hellmer saß am Computer und telefonierte, während er an einem Bericht tippte. Eine Zigarette glimmte im Aschenbecher vor sich hin. Berger war nicht im Büro, die Tür nur angelehnt. Sie setzte sich zu Hellmer, der sich immer wieder Notizen machte, und schaute ihm über die Schulter. Sie hängte ihre Tasche über die Stuhllehne, legte den Kopf in den Nacken, schloß die Augen. Als Hellmer den Hörer auflegte, sagte er grinsend: »Bingo! Diese Information wird dich umhauen. Finks Vater, Albert Fink, – und jetzt halt dich fest – war unter Hitler ganz wesentlich an der Produktion von Giftgas beteiligt. Er war einer der Chefchemiker bei der IG Farben und unter anderem für die Produktion des berüchtigten Zyklon B mitverantwortlich, mit dem Millionen von Juden umgebracht wurden. Und jetzt kommt's noch dicker – Albert Fink war zu diesem Zeitpunkt Mitglied der *Kirche des Elohim*. Jetzt frage ich mich, wie kommt ein angeblich guter Christ dazu, dabei zu helfen, Millionen von Menschen in den Tod zu schicken, wo doch eines der zehn Gebote lautet ›Du sollst nicht töten‹? Als ich das eben gehört habe, ist mir fast die Spucke weggeblieben.« Er sah auf den Aschenbecher, die verglimmte Zigarette, holte sich eine neue aus der Hemdtasche und zündete sie an. »Könnte das vielleicht ein Motiv für den Mörder sein? Haben wir es hier mit einem zu tun, dem Vergangenheitsbewältigung wichtig ist? Was meinst du?«

»Ich meine, wir sollten Rita Jung ins Präsidium holen«, erwiderte Durant lakonisch.

»Was?« fragte er ungläubig. »Warum?«

»Weil ich eben mit der Reich gesprochen habe, und die hat erzählt, daß die Jung vor etwa vier Jahren bei ihr in Therapie war. Nachdem ihr Mann rausgefunden hatte, daß das Kind nicht von ihm war, hat er sofort die Scheidung eingereicht. Sie hat eingewilligt, wollte aber das Sorgerecht für die Tochter haben. Sie bekam es aber nicht, und jetzt rate mal, wer sein Anwalt war?«

»Keine Ahnung, sag´s mir.«

»Fink. Fink hat dafür gesorgt, daß die Tochter dem Vater zugesprochen wurde. Seitdem hat die Jung einen unbändigen Haß auf Männer. Als die Scheidung durch war und sie nicht einmal das Sorgerecht für *ihre* Tochter bekam, hat sie ihren Kummer in Alkohol ertränkt, einmal sogar derart exzessiv, daß sie in eine Klinik eingeliefert werden mußte. Und jetzt rate noch mal – in welche Klinik ist sie damals wohl gekommen?«

»St. Valentius?«

»Der Kandidat hat neunundneunzig Punkte. St. Valentius«, sagte sie nickend. »Auf der Fahrt hierher habe ich mal folgendes Szenario durchgespielt; Rita Jung hatte vor etwa zehn Jahren eine Affäre mit Schönau. Sie wurde schwanger, hat ihrem Mann aber verheimlicht, daß das Kind in ihrem Bauch nicht von ihm war. Logisch, schließlich gehörte sie einer Kirche an, in der eheliche Treue eines der hehrsten Gebote ist. Er wurde aber, als das Mädchen älter wurde, mißtrauisch, aus welchen Gründen auch immer, und hat seine Frau zur Rede gestellt, worauf sie den Seitensprung gestand, ohne den Namen ihres Liebhabers zu nennen. Er hat sich einen Anwalt genommen, nämlich Fink, hat die Scheidung eingereicht und erwirkt, daß das Sorgerecht für das Mädchen ihm zugesprochen wurde. Das ist aber noch nicht alles. In der Kirche wird Ehebruch mit Exkommunikation bestraft, aber, und jetzt kommt´s, da Fink der Anwalt ihres Mannes war, und die Jung ihm gegenüber vielleicht unter vier Augen verlauten ließ, natürlich mit dem Hintergedanken, ihn dadurch auf ihre Seite zu bekommen, daß sie diese Affäre mit Schönau hatte, der ja zu Finks besten Freunden zählte, mußte Fink auf einmal um-

disponieren. Er gehört laut Sabine Reich zu den extrem konservativen Kräften in der Kirche, der jede noch so kleine Verfeh-
lung sofort ahndet, in diesem Fall aber mußte er plötzlich umden-
ken. Normalerweise wäre es ein leichtes für ihn gewesen, der
Frau nicht nur die Tochter wegzunehmen, sondern sie auch noch
zu exkommunizieren und sie der öffentlichen Schande preiszugeben. Doch mit einem Mal stellte sich für ihn eine völlig neue
Situation dar; wenn er Rita Jung aus der Kirche ausgeschlossen
hätte, dann hätte er das gleiche auch mit Schönau tun müssen.
Der Skandal wäre nicht auszudenken gewesen. Schönau wußte
aber mit Sicherheit Dinge über Fink, und vermutlich auch über
Rosenzweig, gegen die, um es gelinde auszudrücken, die
Sprengkraft einer Atombombe wie ein harmloser Feuerwerks-
körper gewesen wäre. Dann wäre der Skandal erst richtig perfekt
und das Ansehen der Kirche erst einmal dahin gewesen. Also beschloß er, keine kirchlichen Schritte gegen die Jung einzuleiten,
um zum einen seinen Freund zu decken und zum andern einen
Skandal zu vermeiden, der unweigerlich auch ihn persönlich betroffen hätte. Und ich möchte wetten, auch Rosenzweig war in
diese Sache involviert. Wir hätten auf jeden Fall zum ersten Mal
ein Motiv, nämlich Rache. Denn es war letztendlich Fink, der ihr
die Tochter weggenommen hat ...«
»Moment«, sagte Hellmer und hob die Hände, »da stimmt etwas
nicht an deiner Theorie. Wenn Fink ihr das Wichtigste im Leben
genommen hat, nämlich die Tochter, was hätte sie dann daran
hindern können, die ganze Sache mit Schönau publik zu machen? Sie hätte mit wenigen Worten nicht nur Schönau, sondern
auch Fink bloßstellen können. Warum hat sie es nicht getan?
Schließlich hatte sie nichts mehr zu verlieren.«
Julia Durant lehnte sich zurück, überlegte. »Du hast recht. Warum hat sie es nicht getan?« Sie fuhr sich mit der Linken übers Gesicht, sagte schließlich nach einer Weile: »Was, wenn sie unter
Druck gesetzt wurde und man sie mit einer hübschen Summe

Geld für ihr Schweigen abgefunden hat? Jeder Mensch ist käuflich, solange die Summe stimmt.«

»Schon, aber glaubst du allen Ernstes, sie hätte noch mal was mit Schönau angefangen? Und mit Rosenzweig?«

»Warum nicht? Sie hatte ab da, wie du schon sagtest, nichts mehr zu verlieren. Jetzt setzt sie ihre definitiv vorhandenen körperlichen Reize ein, macht einen auf unschuldig, gaukelt den werten Herren vielleicht sogar Liebe vor, wobei der eine nichts vom andern weiß, und schon hat sie sie dort, wo sie sie haben wollte – im Bett. Sie hat mit ihnen geschlafen, sie in Sicherheit gewogen und zugeschlagen, als keiner damit rechnete. Sie hatte vier Jahre lang einen Racheplan, den sie zu einem Zeitpunkt umzusetzen begann, den sie für angemessen hielt. Ich halte nichts für unmöglich. Dazu kommt noch, daß sie für kurze Zeit Patientin im St. Valentius Krankenhaus war, dort vielleicht Petrol begegnet ist und eine Liaison mit ihm angefangen hat, vermutlich, weil sie wirklich in ihn verliebt war und vielleicht hoffte, dadurch ihre Vergangenheit besser bewältigen zu können. Womöglich hat sie just zu diesem Zeitpunkt auch angefangen, sich für Gifte zu interessieren, was Petrol natürlich mitbekommen hat. Vielleicht war es wirklich Liebe zwischen den beiden, wer weiß?! … Aber Petrol wurde, nachdem er von den Morden hörte, hellhörig, weil er eben von ihrer unbewältigten Vergangenheit wußte, vor allem von der Tochter, die ihr einfach weggenommen worden war. Sie, eine von mindestens zwei Geliebten von Petrol, wurde jedoch ihrerseits stutzig und hat auch ihn beseitigt, vielleicht, weil eine innere Stimme ihr sagte, Petrol würde nicht mehr lange stillhalten und womöglich schon bald mit bestimmten Informationen zur Polizei gehen. Klingt doch logisch, oder?«

»Schon«, sagte Hellmer mit zweifelndem Gesichtsausdruck, »aber irgendwie ist mir das zu glatt. Ich kann´s nicht sagen, es ist bloß ein Gefühl. Ich kann mir einfach nicht vorstellen, daß *alle* diese Männer so blind gewesen sein sollen.«

»Wir sollten die Jung trotzdem verhören. Wenn sie für Mittwoch ein hieb- und stichfestes Alibi hat, okay, dann habe ich mich geirrt und gebe ein schickes Abendessen aus. Wenn sie allerdings sagt, sie wäre an dem Abend allein zu Hause gewesen …«

»Und wie kam das Gift in Rosenzweigs Haus?« fragte Hellmer.

»Darüber habe ich mir auch schon Gedanken gemacht. Rosenzweigs Pen war ja kaputt, wie wir wissen. Er hat also das Insulin mit in die Firma genommen, weil er es ja mehrmals am Tag spritzen mußte. Wie wir vermuten, hatte Rosenzweig am Tag seines Todes nicht nur mit der Neumann, sondern höchstwahrscheinlich auch noch mit einer andern Frau, nämlich Rita Jung, Geschlechtsverkehr. Was, wenn sie, als Rosenzweig vielleicht zur Toilette ging, die Flaschen vertauscht hat? Das würde erklären, wie das Fläschchen zu ihm nach Hause kam. Komm, wir fahren in die Bank und holen sie her.«

»Wenn das mal kein Fehler ist.«

»Quatsch! Warum sollte das ein Fehler sein? Wenn ich falsch liege, nehme ich die Schuld auf mich. Aber für mich ist sie im Moment die Hauptverdächtige. Sie kannte alle bisher ermordeten Männer, und sie kennt Fink, der vermutlich als letzter auf der Todesliste steht. Erst wenn auch *er* tot ist, ist ihre Rache vollendet.«

Sie standen auf, als Berger ins Büro kam. »Wo wollen Sie hin?« fragte er.

»In die Schönau Bank. Wir kommen gleich wieder und bringen Frau Jung mit, die uns ein paar Fragen beantworten wird. Wir erklären es Ihnen nachher.«

Berger sah den beiden Beamten stirnrunzelnd nach, setzte sich hinter seinen Schreibtisch, zog die unterste Schublade hervor und holte die halbvolle Flasche Cognac heraus. Er schraubte den Verschluß ab, schenkte sich etwas in den Kaffeebecher und trank ihn in einem Zug leer. Er schüttelte sich, legte die Flasche wieder in das Versteck und lehnte sich zurück. Er war müde.

Rita Jung hatte sich gerade einen Kaffee geholt, als die Tür aufging. Sie blickte erstaunt auf, stellte die Tasse auf den Tisch. *Du bist tatsächlich ein umwerfendes Weib,* dachte Hellmer, als er sie betrachtete, wie sie in ihrem pastellgrünen, ärmellosen und für das Büro ungewöhnlich tief ausgeschnittenen Kleid, das die Ansätze ihrer wohlgeformten Brüste deutlich sichtbar werden ließ, hinter ihrem Schreibtisch saß. Sie trug, wie Hellmer außerdem mit der ihm eigenen Beobachtungsgabe feststellte, keinen BH.

»Frau Jung, wir möchten Sie bitten, sich etwas überzuziehen und uns aufs Präsidium zu begleiten«, sagte Durant. »Wir hätten da ein paar Fragen an Sie.«

»Bitte, was? Ich hab doch schon alles gesagt.«

»Nein, das haben Sie nicht. Sie haben selbstverständlich das Recht, einen Anwalt hinzuzuziehen, doch bedenken Sie, daß alles, was Sie ab jetzt sagen, gegen Sie verwendet werden kann. Wenn Sie bitte mitkommen wollen.«

»Bin ich im falschen Film oder was passiert hier?« fragte sie mit ruhiger Stimme. »Was ist los?«

»Lassen Sie uns auf dem Präsidium darüber sprechen.«

Rita Jung zog sich einen Blazer über, schaltete den Computer aus, nahm ihre Handtasche. Sie schüttelte den Kopf, als sie mit Durant und Hellmer das Büro verließ. Während der kurzen Fahrt zum Präsidium sprach keiner ein Wort. Rita Jung setzte sich auf einen Stuhl im Vernehmungszimmer, Durant und Hellmer blieben stehen, er stellte die Videokamera an.

»Frau Jung, wo waren Sie am vergangenen Mittwoch zwischen siebzehn und zwanzig Uhr?«

»Mein Gott noch mal, was wollen Sie eigentlich von mir? Natürlich, jetzt weiß ich's! Sie glauben allen Ernstes, ich hätte etwas mit den Morden zu tun!« Sie lachte schrill auf. »Ich glaub, ich spinne! Wie sind Sie bloß auf diese absurde Idee gekommen? Ich kann´s nicht fassen, ich kann´s einfach nicht fassen!«

»Beantworten Sie bitte nur meine Frage«, sagte Durant kühl und setzte sich auf die Tischkante.

»Am Mittwoch wurde Schönau ermordet«, sagte Rita Jung mit einem undefinierbaren Lächeln. »Tja, werte Frau Kommissarin, am Mittwoch war ich kegeln. Ich habe die Bank um halb fünf verlassen, habe noch eine Kleinigkeit eingekauft und war um Punkt acht mit meinen Kegelschwestern verabredet. Es gibt mindestens zwölf Zeugen dafür.«

»Um acht? Um acht war Schönau schon über eine Stunde tot. Kann jemand bezeugen, daß Sie einkaufen waren? Hat Sie jemand gesehen, als Sie Ihr Haus betraten?«

»Keine Ahnung. Werden *Sie* immer gesehen, wenn Sie Ihr Haus betreten?«

»Frau Jung, wir wissen inzwischen, daß Sie eine Affäre mit Schönau hatten. Von ihm ist, nehme ich an, auch das Kind, das jetzt bei Ihrem Exmann lebt, der bei der Scheidung von Dr. Fink vertreten wurde. Und Sie waren vor etwa vier Jahren wegen Alkoholproblemen in der St. Valentius Klinik. Sind Sie dort auch mit Professor Petrol zusammengetroffen?«

»Petrol? Wer soll das sein?« fragte Rita Jung mit gerunzelter Stirn.

»Kennen Sie ihn oder kennen Sie ihn nicht?«

»Nein, verdammt noch mal! Ich kenne keinen Professor Petrol. Ich war nur sechs Tage in der Klinik, und in der Zeit war nur zwei- oder dreimal Visite. Ob da ein Professor Petrol dabei war, kann ich Ihnen beim besten Willen nicht sagen.«

»Wie gut kennen Sie sich mit Conotoxin aus?«

»Mit Cono was?«

»Conotoxin.«

»Nie gehört. Was ist das?«

»Und Taipoxin? Oder Dendrotoxin?«

»Wovon um alles in der Welt reden Sie eigentlich?« fragte sie aufgebracht und stand auf. »Wenn Sie mich beschuldigen wollen, Rosenzweig und Schönau umgebracht zu haben, dann sagen Sie´s, aber reden Sie nicht um den heißen Brei herum! Ich hab die Schnauze voll! Ich war´s nicht! Geht das in Ihren Schädel?! Ich habe noch nie einen Menschen umgebracht, ich habe noch nicht einmal einen Menschen geschlagen.«

»Aber Sie hassen Männer, nicht?«

Rita Jung lachte zynisch auf. »Ob ich Männer hasse? Mein Gott, soll das etwa mein Motiv sein?« Sie ging zur Wand, schloß die Augen, atmete tief ein, sagte: »Nein, ich hasse Männer nicht, zumindest nicht alle. Ein paar schon, aber deswegen würde ich sie nicht umbringen. Und wenn ich es täte, dann bestimmt auf eine andere Weise. Ich würde sie einfach erschießen oder erstechen, aber bestimmt nicht vergiften. Und sparen Sie sich Ihre nächste Frage – ja, ich habe oder hatte ein gespaltenes Verhältnis zu Rosenzweig und Schönau. Auch zu Fink, der es möglich gemacht hat, daß meine Tochter anstatt bei mir bei meinem Exmann lebt, der gar nicht ihr leiblicher Vater ist, der sie mir aber weggenommen hat, um sich an mir zu rächen für die Schande, die ich über die Familie gebracht habe. Aber wenn Sie´s genau wissen wollen, Fink hat mir einen Deal angeboten. Ich habe fünfhunderttausend Mark erhalten, nicht von meinem Ex, sondern aus der Privatschatulle von Fink oder Schönau oder Rosenzweig, oder von allen dreien zusammen. Ich wurde nicht aus der Kirche ausgeschlossen, ich mußte mich aber verpflichten, den Mund zu halten, denn hätte ich es nicht getan, wäre der liebe Herr Schönau ganz schön blamiert gewesen. Und seine beiden Kumpane auch. Die werten Herren haben sich gegenseitig gedeckt. Was weiß ich, was Rosenzweig oder Fink in ihrem Leben so alles angestellt haben! Aber es ging ja nicht an, daß wegen einer kleinen Hure wie mir die ganze Kirche in Verruf geriet! … Sie haben also zähneknirschend in den Tresor gegriffen und gesagt, ich solle das

Geld nehmen und mich einfach nur ruhig verhalten. Natürlich wollten sie den Deal schriftlich bestätigt haben, ein Gefallen, den ich ihnen gern getan habe, schließlich ist eine halbe Million kein Pappenstiel. Und ich wurde sogar noch befördert, habe eine geradezu fürstliche Gehaltserhöhung gekriegt, von der ich mir einiges leisten kann … Wissen Sie was, es ist mir scheißegal, was mit Rosenzweig und Schönau passiert ist, ich weine ihnen jedenfalls keine Träne nach. Zufrieden?«

»Hatten Sie nach Ihrer damaligen Affäre mit Schönau noch einmal sexuellen Kontakt mit ihm?«

»Um Himmels willen, nein! Diesen Drecksack hätte ich nicht mal mit einer Pinzette angefaßt. Das gleiche gilt für Rosenzweig und Fink, überhaupt für die meisten Männer in der Kirche. Ich würde mir nicht noch einmal an einem von diesen widerlichen Typen die Finger verbrennen. Dieser bigotte, verlogene Haufen kann mir gestohlen bleiben.« Sie stockte, rieb sich über die Handfläche, grinste auf einmal hämisch, sagte: »Halt, da fällt mir was ein. Mich hat am Mittwoch doch jemand gesehen. Ich kam so gegen Viertel nach sechs, halb sieben nach Hause und da hat mir mein Nachbar, ein gewisser Herr Müller, ein Paket in die Hand gedrückt, das am Morgen für mich abgegeben worden war. Fragen Sie ihn. Er wird es Ihnen bestätigen. Ein sehr liebenswürdiger, hilfsbereiter Mann.«

Durant blickte Hellmer an, der nicht wußte, wie er sich verhalten sollte.

»In Ordnung, wir werden Ihre Angaben überprüfen. Eine letzte Frage noch – wie lange brauchen Sie von der Bank nach Hause?«

»Ungefähr eine halbe Stunde, es hängt vom Verkehr ab. Kann ich jetzt gehen?« fragte sie mit einem beinahe maliziösen Lächeln, das ausdrückte, was sie für die Beamten empfand. Auf jeden Fall hatte sie gewonnen.

»Bitte, die Tür ist offen. Aber halten Sie sich trotzdem zu unserer Verfügung.«

Nachdem Rita Jung gegangen war, zündete sich Julia Durant eine Zigarette an, schwieg einen Moment, sagte dann: »Scheiße, das war wohl nichts. Und ich war mir so sicher.«

»Es war zumindest einen Versuch wert«, versuchte Hellmer sie zu trösten. »Komm, gehen wir ins Büro und bringen den Rest des Tages hinter uns. Kullmer müßte eigentlich schon zurück sein. Mal sehen, was der zu berichten hat. Und du kannst dir schon mal überlegen, wohin wir essen gehen. Nadine ist doch sicher auch eingeladen«, sagte er grinsend.

»Haha. Keine Angst, mir wird schon was einfallen.«

Montag, 16.45 Uhr

Sie hatte geduscht, sich umgezogen, frisches Make-up aufgelegt, ein Telefonat geführt. Dann ging sie ins Wohnzimmer, schaltete den Fernsehapparat ein und kurz darauf wieder aus, öffnete die Terrassentür und ging hinaus in den Garten, der jetzt, nachdem es fast drei Tage bewölkt gewesen war und viel geregnet hatte, in helles Sonnenlicht getaucht war. Sie betrat den Rasen, blieb stehen, zündete sich eine Zigarette an und genoß die wärmenden Strahlen der Sonne auf ihrem Gesicht und ihren nackten Armen. Es waren nur noch vereinzelt ein paar Wolken zu sehen, die Temperatur stieg mit jeder Minute an. Die liebevoll gepflegten Blumen strahlten in vollem Glanz, der Steingarten, den sie nach ihren eigenen Vorstellungen selbst angelegt hatte, war ihr ganzer Stolz. Sie freute sich, es geschafft zu haben, sich dieses Haus leisten zu können, in dem ihr niemand Vorschriften machte, was sie zu tun und zu lassen hatte. Viel zu viele Jahre hatte sie die Drecksarbeit für andere machen müssen, seit einigen Jahren aber war sie ihr eigener Herr. Sie bestimmte, was sie tat, wie sie es tat und wann; sie bestimmte über ihr Leben und ließ nicht mehr zu, daß irgendein anderer ihr hineinredete. Sie dachte an Hauser, an Schönau und Rosenzweig, an Fink.

Noch zwei Stunden, mein Lieber, und du wirst deinen Partnern Gesellschaft leisten, dachte sie mit unergründlichem Lächeln, das melancholisch und zynisch zugleich wirkte, traurig und doch irgendwie froh. Noch zwei Stunden, und sie würde auch den letzten derjenigen bestraft haben, die ihr Leben, und nicht nur ihres, ruiniert hatten. Sie hatte sie geschlagen, besiegt, wo sie sich doch für unbesiegbar, vielleicht sogar unsterblich hielten. Aber sie hatten erkennen müssen, daß Unsterblichkeit ein Wunschtraum war, der nie erfüllt werden würde. Sie war überzeugt von einem Leben nach dem Tod, doch sie hatte keine Vorstellung davon, wie das Leben nach diesem Leben aussah. Sie dachte auch an Petrol, den einzigen Mann, den sie je geliebt hatte. Doch auch er hatte sie enttäuscht, hintergangen, belogen und betrogen. Als sie es herausgefunden hatte, war nur unendliche Trauer und Leere in ihr gewesen. Eine Leere, die nie ein Mensch verstehen würde. Eine so umfassende, tiefe Schwärze, ein Loch, in das sie einfach hineingefallen war. Und sie wußte, Petrol hätte sie verraten, und das durfte sie unter gar keinen Umständen zulassen. Sie bedauerte, daß sie auch ihn hatte töten müssen, diesen großartigen, zu allem bereiten Liebhaber, doch hätte sie es nicht getan, könnte sie wahrscheinlich nie wieder in diesem Garten stehen und den Duft der Blumen und Sträucher einatmen, barfuß durch den Morgentau auf dem Gras gehen, das sanfte Kribbeln an ihren Füßen spüren; nie mehr in Ruhe und Frieden auf ihrem Sessel sitzen, die Beine hochgelegt, und einfach abschalten und den Tag Revue passieren lassen. Und sie würde nie mehr in die Klinik fahren können, um *sie* zu besuchen. *Sie*, die einzige, die wahrscheinlich jemals Liebe für sie empfunden hatte, doch selbst diese – *ihre* – Empfindung hatte man brutal zerstört. Sie hatten alles an und in ihr zerstört, dabei war sie noch so jung gewesen, so unschuldig und naiv, als es passierte. Und jetzt war sie gerade einmal Anfang Fünfzig, das Hirn kaputt von Alkohol und Tabletten, der Körper ruiniert, ein Wrack, das seit Jahren Tag für Tag in mumienhafter Starre vor dem Fenster auf dem Rollstuhl saß und hinausblickte in eine Welt, die sie nicht mehr wahrnahm, nicht mehr kannte. Sie lebte noch, doch das Leben hatte jeden Sinn verloren. Ihre Augen strahlten nicht, wie sie früher gestrahlt hatten, sie waren tot und leer, ihr Mund ein blasser Strich, der sich kaum abhob vom Grau der Haut, die wie altes Pergament ihre mageren Knochen umgab.

Am Mittwoch würde sie wieder hinfahren, um sie zu besuchen, ein paar aufmunternde Worte in ihr Ohr flüstern, sie streicheln. Es war doch sonst niemand da, der ihr wenigstens ein klein wenig körperliche Wärme gab, sie wie einen Menschen behandelte. Die Pfleger und Schwestern taten zwar ihr Bestes, aber sie konnten ihr keine Liebe geben. Sie konnten sie wickeln, sie füttern, sie ins Bett legen, aber Liebe konnten sie ihr nicht schenken. Wie auch, war sie doch nur eine Patientin unter vielen auf dieser geschlossenen Station, eine unter vielen verrückten, depressiven, vom Leben dort abgestellten Frauen. Sie war die einzige auf der Station mit dem Korsakow-Syndrom, die einzige, die nie redete, nie Gefühle zeigte, nie lachte, nie weinte, nie von ihren Erinnerungen sprach, von ihrer Jugend, ihrer ersten großen Liebe, ihrem ersten und einzigen Verhängnis. Korsakow und Schlaganfall – der Körper und der Geist hatten einfach schlappgemacht.

Die junge Frau ging zurück zum Haus, blieb auf der Terrasse stehen, drückte die Zigarette im Aschenbecher aus. Sie lächelte nicht mehr, ihr Gesichtsausdruck war ernst und entschlossen. *Fink*, dachte sie, *du bist das größte Dreckschwein von allen. Du hast es wahrhaftig nicht verdient, länger zu leben. Erst wenn du nicht mehr bist, wird Ruhe einkehren und dann werde auch ich endlich meinen Frieden finden. Und niemand wird je hinter mein Geheimnis kommen.*

Es gab niemanden mehr, dem sie vertraute, und sie würde auch nie wieder irgendwem etwas über sich preisgeben. Zumindest keinem Mann. Sie würde sich, wenn sie das Bedürfnis danach hatte, einen fürs Bett suchen, doch nie würde jemals wieder einer in ihrem Haus übernachten. Sie würde es machen wie vergangene Nacht; sich ansprechen lassen, keine Namen, keine Adressen, nur vögeln und verschwinden.

Sie schaute auf ihre Armbanduhr von Cartier, ein Geschenk von Schönau, nickte, ging ins Haus. Sie aß einen Apfel und eine Banane, trank ein Glas Orangensaft. Noch einmal ging sie die nächsten Stunden durch, dachte daran, daß sie allen ein Schnippchen geschlagen hatte. Ihr Plan war von Anfang an so gut durchdacht gewesen, daß niemand jemals darauf kommen würde, sie mit den Morden in Verbindung zu bringen. Sie lächelte süffisant, dachte, *Es müßte schon ein Wunder geschehen, damit ihr es herausfindet. Aber ihr kriegt mich nicht, denn es gibt keine Spur, die zu mir führt, denn ich habe sie alle verwischt und euch in die Irre geführt. Und in ein paar Jahren werdet ihr die Akten schließen und sie in irgendeinem Schrank verschwinden lassen.*

Sie ging zum Schrank, holte die Spritze hervor, betrachtete sie eine Weile mit verklärter Miene, die gelblich-braune Flüssigkeit, die Fink bald zum Verhängnis werden würde. Sie steckte sie in die Handtasche, rauchte eine letzte Zigarette, bevor sie das Haus verließ. *Du bist der letzte,* dachte sie, schüttelte den Kopf, lächelte abermals, verbesserte sich, *nein, du bist das letzte.*

Um halb fünf ging sie zu ihrem Alfa Romeo, öffnete das Dach, setzte sich auf die weichen Lederpolster. Sie steckte den Schlüssel ins Schloß, startete den Motor. Er würde sie schon sehnlichst erwarten, denn er konnte nicht genug von ihr bekommen. Seine Frau war ihm ja schon lange nur noch ein lästiges Anhängsel. Es war so einfach, viel einfacher, als sie es sich vorgestellt hatte. Anfangs hätte sie nicht für möglich gehalten, daß all die ach so honorigen Brüder so schnell schwach werden würden. Aber sie waren eben nur Männer. *Ihr denkt nur mit eurem Schwanz, nur mit eurem gottverdammten, dreckigen Schwanz!*

Sie lenkte den Alfa aus dem Wohnviertel, stand wegen eines Unfalls einige Minuten am Sindlinger Kreisel. Sie hatte es nicht eilig, sie wußte ja, daß er wartete.

Montag, 16.50 Uhr

Kullmer und seine beiden Kollegen waren zurück vom St. Valentius Krankenhaus, saßen in Bergers Büro und erstatteten Bericht. Kurz nachdem Kullmer begonnen hatte, stießen Durant und Hellmer zu ihnen und hörten zu.

»Also«, sagte Kullmer, der lässig auf dem Stuhl saß und dabei Durant ansah, »noch mal von vorn. Petrol war dreiundvierzig Jahre alt, ledig und, wie einige Mitarbeiterinnen im Krankenhaus sagen, bisweilen ein echter Macho. Allerdings konnten wir über sein Privatleben nichts von Bedeutung herausfinden, weder, ob er eine Freundin oder gar eine feste Beziehung hatte, noch ob er vielleicht sogar homosexuelle Neigungen hatte ...«

»Hatte er nicht«, unterbrach ihn Durant, »ein Kerl wie der ist nicht schwul. Außerdem würde es nicht in das Bild passen. Rosenzweig, Schönau und Hauser waren allesamt verheiratet, und zumindest die ersten beiden führten eine nach außen hin glückliche Ehe. Nein, Petrol war nicht schwul.«

Hellmer grinste verstohlen, zündete sich eine Marlboro an. Er stand an die Tür gelehnt, die Arme über der Brust verschränkt.

»Okay, er war also nicht schwul, aber das macht auch keinen Unterschied. Seine Karriere liest sich zwar nicht ganz so sensationell wie die von Hauser, aber mit dreiundvierzig Chefarzt einer derart großen Klinik zu sein, ist schon bemerkenswert ...«

»Was ist das genau für eine Klinik?« wollte Berger wissen.

»St. Valentius ist eine psychiatrische Einrichtung. Eine der größten im Rhein-Main-Gebiet und im Rheingau. Die meisten Patienten sind psychisch ziemlich angeschlagen, manche verbringen ihr ganzes Leben dort, andere bleiben nur ein paar Tage. Es gibt geschlossene und offene Abteilungen, na ja, was man eben in einer Klapsmühle so findet.«

»Und was sagt seine Sekretärin über ihn?« fragte Durant. »Er hat doch sicherlich eine, oder?«

»Na, logisch. Sie hatte, wie sie selbst sagte, ein recht neutrales Verhältnis zu ihm. Er war ihr Chef, er war umgänglich, meist ganz gut gelaunt und sie konnte auch sonst nichts Negatives über ihn berichten. Sie fand nur, daß er es manchmal mit seinem Äußeren etwas übertrieb, sie hängt wohl noch der antiquierten Vorstellung an, ein Chefarzt müsse immer im feinen Zwirn und möglichst mit Hornbrille rumlaufen.« Kullmer hielt inne, schlug eine Seite seines Blocks um.

»Und, war das alles?«

»Nein, aber das Wesentliche. Wir haben uns kreuz und quer durchs Krankenhaus gefragt, aber keiner konnte irgendwelche Auffälligkeiten bei Petrol feststellen. Er war der Chef, er trat niemandem auf die Füße, er war durchsetzungsfähig, entscheidungsfreudig und wohl eher beliebt.«

»Und was ist mit seinem Büro? Habt ihr euch da mal umgeguckt?«

»Klar. Aber wonach hätten wir suchen sollen? Wir haben seinen Terminkalender durchgeblättert, seinen Notizblock, in seinem Schreibtisch nachgesehen und ein bißchen an seinem Computer rumgespielt. Aber das Ergebnis war gleich null. Tut mir leid. Wir hatten uns von diesem Tag auch mehr versprochen.«

»Scheiße«, quetschte Durant durch die Zähne. »Ihr seid auf keinen Namen gestoßen, der auf unserer Liste steht? Keine Reich, keine Jung, keine Schönau, keine Rosenzweig? Oder Neumann, Wagner? Keine von denen?«

Kullmer schüttelte bedauernd den Kopf. »Kein bekannter Name, weder im Computer noch im Terminkalender, noch irgendwo in seinem Schreibtisch. Nur ein Foto haben wir gefunden, von dem uns aber keiner sagen konnte, wer da drauf ist.«

»Habt ihr es mitgebracht?« fragte Durant gespannt.

»Hier«, sagte Kullmer und holte ein Foto aus der Innentasche seiner Lederjacke. Er gab es der Kommissarin. Sie nahm es, warf einen langen Blick darauf, reichte es wortlos an Hellmer weiter. Sie sah ihn kurz an, nickte kaum merklich.

»Dann tun Sie Ihre Arbeit und finden Sie heraus, wer das ist«, sagte Durant leicht gereizt. »Das ist doch kein Phantombild, da sind eine Frau und drei Kinder drauf. Was, wenn sie etwas damit zu tun hat?«

»Die?« fragte Kullmer mit heruntergezogenen Mundwinkeln. »Also, ich bitte Sie, die hat doch mit Sicherheit in ihrem ganzen Leben noch mit keinem andern Mann gebumst außer mit ihrem eigenen. Wenn sie denn einen hat. Die hat mindestens dreißig Kilo Übergewicht und ist ganz sicher nicht die Frau, mit der sich Typen wie Schönau oder Rosenzweig einlassen würden. Vielleicht ist sie ja seine Schwester?«

»Ja, und, worauf warten Sie? Ich will so bald wie möglich alles über Petrol wissen. Wenn´s geht, heute noch.«

»Moment, dürfen wir uns vielleicht ein paar Minuten ausruhen?« fragte Kullmer ebenso gereizt zurück. »Sie tun ja gerade so, als wenn diese Frau der Schlüssel zu allem ist.«

»´tschuldigung, war nicht so gemeint. Lassen Sie sich Zeit. Ich wollte sowieso noch mal zu Fink fahren und ihn wegen seines Vaters befragen. Auch wenn ich nicht glaube, daß diese Nazisache irgendwas mit unsern Morden zu tun hat.«

»Nazisache?« fragte Kullmer und rieb sich übers Kinn. »Hab ich was verpaßt?«

»Lassen Sie es sich von Hellmer erklären, ich mach mich auf den Weg.« Sie nahm ihre Tasche, sagte: »Ach, Frank, könntest du mal kurz mit rauskommen? Es geht um was Privates.«

Sie gingen einige Meter über den Flur, bis Durant stehenblieb und Hellmer direkt ansah. »Das Foto ist genau das, das er mir gezeigt hat. Angeblich seine Frau, von der er sich scheiden lassen wollte. Wahrscheinlich hat er es allen seinen Liebschaften gezeigt … Oder auch nicht.«

»Und was machst du bei Fink? Was ist, wenn er gar nichts über die Vergangenheit seines Vaters weiß?«

»Na und, dann werde ich es ihm brühwarm servieren. Dieser Arsch kann mich mal!«

»Paß auf, was du sagst. Fink kann im wahrsten Sinn des Wortes ein Arsch sein.«

»Interessiert mich nicht. Ich bin heute einfach nur nicht gut drauf. Soll vorkommen, oder?« sagte sie schnippisch.

»Mach's gut. Und du kannst ja mal heute abend anrufen.«

»Mal sehen. Ciao.«

Montag, 17.35 Uhr

Julia Durant hielt gerade vor Finks Haus, als er zur Tür heraus kam. Er bot einen ungewöhnlichen Anblick, er trug Jeans und ein kurzärmeliges Hemd. Sie ging auf ihn zu, er roch nach einem herben, sehr männlichen Parfüm. Er musterte sie mit kaltem Blick, sagte mit arroganter Stimme: »Was verschafft mir die Ehre Ihres Besuchs?«

»Ich wollte mich eigentlich kurz mit Ihnen unterhalten. Hätten Sie ein paar Minuten Zeit für mich übrig?«

»Ich bin in Eile. Ein wichtiger Termin, wenn Sie verstehen … Aber gut, wenn es nicht länger als fünf Minuten dauert. Kommen Sie rein.«

Sie begaben sich in sein Arbeitszimmer, er schloß die Tür. »Also, machen Sie's kurz.«

»Dr. Fink, ich wollte mich mit Ihnen über Ihren Vater unterhalten …«

»Über meinen Vater?« fragte er und sah Durant wütend an. »Was um alles in der Welt geht Sie mein Vater an?«

»Nun, es besteht die Möglichkeit, daß Sie und auch Rosenzweig und Schönau für etwas herhalten müssen, was Ihr Vater getan hat. Können Sie sich vorstellen, was das sein könnte?« fragte sie und registrierte jede Reaktion ihres Gegenübers.

Fink hielt ihrem Blick stand, sagte: »Nein, ich wüßte nicht, was er getan haben sollte, das mehr als dreißig Jahre nach seinem Tod jemanden veranlassen könnte, solche Verbrechen zu begehen.«

»Was wissen Sie über seine Vergangenheit? Sie wurden doch, soweit ich informiert bin, 1937 geboren. Was war Ihr Vater von Beruf?«

Fink schluckte, ließ sich mit der Antwort Zeit. Schließlich sagte er: »Er war Chemiker, warum?«

»Und wie stand er zu Hitler und dem, was damals geschah?«

»Könnten Sie vielleicht etwas deutlicher werden?«

»Kann ich. Um es kurz zu machen, wir haben herausgefunden, daß Ihr Vater, Albert Fink, eine bedeutende Position bei der IG Farben bekleidete. Eine derart exponierte Position, daß er als Chefchemiker die Produktion von Giftgas überwachte, genauer gesagt die Produktion von Zyklon B. Wie Ihnen vielleicht bekannt sein dürfte, wurde dieses Gas in großen Mengen zur Massenvernichtung von Nichtariern, hauptsächlich Juden, eingesetzt. Was sagen Sie dazu?«

Finks Augen wurden zu Schlitzen, seine Nasenflügel bebten, sein Gesicht glühte. Er überlegte, wandte sich ab, trat ans Fenster, den Rücken der Kommissarin zugewandt. Seine Kiefer mahlten aufeinander, er wirkte auf einmal sehr angespannt und nervös.

»Ja, ich wußte es. Na und? Er hat es mir kurz vor seinem Tod gesagt. Als ich es erfuhr, wollte ich es zunächst nicht glauben, ich habe ihn zur Rede gestellt, wollte wissen, warum er das getan hat. Warum er für einen Massenmörder wie Hitler die Dreckarbeit gemacht hatte. Seine Antwort, das müssen Sie mir glauben, klingt auch heute noch sehr plausibel für mich. Als Hitler an die Macht kam, gab es nur zwei Möglichkeiten – entweder, man arbeitete für ihn oder gegen ihn. Die Kirche zählte damals allein in Deutschland rund einhunderttausend Mitglieder, einhunderttausend Menschen, die geschützt werden mußten ... Ist Ihnen eigentlich klar, wie viele Christen ihr Leben lassen mußten, weil sie sich weigerten, Hitler zu unterstützen? Und die *Kirche des Elohim* ist eine christliche Kirche, wir glauben an Gott, an Jesus Christus und an den Heiligen Geist. Wir glauben an ein Leben nach dem Tod und an das Leben selbst ...

Mein Vater sagte mir, er hätte mit sich gerungen, ob er für die Nazis arbeiten sollte; gerade er, der ein überzeugter Pazifist war, der Gewalt verabscheute, sollte auf einmal für ein Regime arbeiten, das nur von Gewalt lebte. Aber schließlich ging es auch um den Fortbestand der Kirche, darum, daß die *Kirche des Elohim* auch weiter in Deutschland aktiv sein konnte. Dazu mußte man Konzessionen machen ... Mein Vater war damals Regionshirte wie ich heute. Er war ein hochangesehener Chemiker bei der IG Farben, auf den einige Männer aus Hitlers Stab aufmerksam wurden. Sie kamen zu ihm und stellten ihn vor die Wahl – entweder sein Einsatz für die Nazis oder sofortiges Verbot der Kirche in Deutschland. Sie machten ihm außerdem unmißverständlich klar, daß für die Sicherheit der Mitglieder nicht mehr garantiert werden könnte, würde die Kirche verboten. Und Sie können sich vorstellen, daß das mehr als nur Worte waren, es war eine Drohung par excellence. Also gehorchte mein Vater, entgegen seiner inneren Überzeugung. Aber er tat es nur, um die Kirche und vor allem die Mitglieder nicht zu gefährden. Und bitte glauben Sie mir, so wie ich meinem Vater glaube – er wußte nicht, was diese elenden Schweine vorhatten. Er war zwar einer von vielen Chefchemikern, doch er dachte 1940, kurz nach Beginn des Krieges, nicht im Traum daran, wofür dieses Gas eingesetzt werden sollte. Sie sagten ihm nur, sie bräuchten es für Testzwecke … Als er schließlich die Wahrheit erfuhr, machte er sich nicht nur bittere Vorwürfe, für ihn brach eine Welt zusammen … Er hat es bis zu seinem Tod nicht verwunden, einer Maschinerie gedient zu haben, die nur eines im Sinn hatte, nämlich alles auszurotten, was nicht arisch war. Er war ein gebrochener Mann, der nie wieder Freude am Leben hatte. Kurz nach dem Krieg wurde er von den Alliierten verhaftet und monatelang eingesperrt, stundenlangen, zermürbenden Verhören unterzogen, weil man ihm unterstellte, von den Absichten dieser braunen Teufel gewußt zu haben … Sein Tod war eine Erlösung für ihn, weil er hoffte, im Jenseits all jenen zu begegnen, die durch seine Arbeit umgekommen waren, um ihnen zu sagen, wie leid es ihm tat und daß er das bestimmt nicht gewollt hatte. Das ist alles, was ich dazu sagen kann. Er wollte nie, daß irgendeinem Menschen körperliches Leid zugefügt wurde.« Er drehte sich wieder um, sah Julia Durant an, sein Blick war weder kalt noch zynisch, sondern nur noch traurig.

»Glauben Sie denn, daß diese Schuld, wenn es denn eine war, heute, mehr als fünfzig Jahre danach, der Grund für diese abscheulichen Morde ist? Glauben Sie das?«

»Hypothetisch …«, Durant zuckte die Schultern, schüttelte aber den Kopf. »Aber ich persönlich halte es eher für ausgeschlossen. Ich danke Ihnen für Ihre Offenheit, Dr. Fink. Trotzdem noch einmal die Frage – gibt es irgend jemanden aus Ihrem Freundes- oder Bekanntenkreis, dem Sie diese Morde zutrauen würden?«

Fink schüttelte den Kopf. »Nein, sosehr ich mich auch anstrenge, ich komme zu keinem Schluß. Es ist für mich alles ein großes Rätsel …« Er blickte zur Uhr, zum ersten Mal, seit sie Fink kannte, lächelte er. »Ich muß jetzt aber wirklich gehen.«

Sie gingen gemeinsam nach draußen, Fink fragte, bevor er in seinen Jaguar stieg: »Und wie sieht es mit Polizeischutz aus?«

»Ich werde mich drum kümmern. Darf ich fragen, wo Sie hinfahren?«

»Ich treffe mich mit einem Bruder aus der Gemeinde. Von ihm droht keine Gefahr.«

»Passen Sie auf sich auf«, sagte Durant und blickte ihm hinterher. *Eine blödsinnige Idee, das mit den Juden*, dachte sie kopfschüttelnd. Sie steckte sich eine Gauloise an, blieb an den Corsa gelehnt stehen, dachte über das eben Gesagte nach. Sie schüttelte den Kopf, setzte sich ins Auto, fuhr nach Hause. Unterwegs hielt sie an, kaufte ein paar Lebensmittel und Zigaretten. Sie nahm die Post aus dem Kasten, nur Reklame, die sie gleich in den Papierkorb warf. Sie stellte die Tasche auf dem Küchentisch ab, ging ins Bad, wusch sich die Hände. Sie nahm sich vor, heute abend bei ihrem Vater anzurufen. Sie fühlte sich miserabel.

Montag, 18.20 Uhr

Sie wartete einige Minuten in einer kleinen Nebenstraße, die nur zwei Fußminuten vom Gemeindehaus entfernt lag. Von ihrem Platz aus konnte sie sehen, wenn jemand auf den Parkplatz fuhr. Montag war der einzige Tag in der Woche, an dem sich niemand im Gemeindehaus aufhielt, nicht einmal der Hausmeister, da der Montagabend grundsätzlich der Familie vorbehalten war. Sie hatten sich für Viertel nach sechs verabredet, sie blickte ein ums andere Mal nervös zur Uhr, bis sie schließlich den blauen Jaguar sah. Sie wartete, bis er den Motor abgestellt hatte, stieg aus, lief die hundert Meter zum Gemeindehaus. Sie wußte, es war trotz allem ein riskantes Spiel, das sie trieb, doch gerade dieses Risiko, die Unwägbarkeit ihres Plans, machte es so spannend. Er war bereits an der kleinen, vom Parkplatz aus nicht sichtbaren Seitentür, schloß auf, als sie hinter ihm stand.

»Komm schnell«, sagte er, »ich will nicht, daß uns jemand sieht.«

»Heute doch nicht«, erwiderte sie mit einem entwaffnenden Lächeln, mit dem sie ihn schon einige Male um den Verstand gebracht hatte. »Du weißt doch, Liebling, am Montag sind wir hier völlig ungestört.«

»Ganz wohl fühle ich mich aber nicht dabei«, sagte er und schloß hinter sich wieder ab, ging vor ihr zu seinem Büro, an dessen Tür in großen Lettern auf einem goldenen Schild *Regionshirte* stand, schloß auch hier auf und hinter sich ab. »Wenn ich mir vorstelle, irgendeiner hat doch etwas hier zu tun … Nicht auszudenken!«

Sie stellte sich auf die Zehenspitzen, gab ihm einen Kuß auf den Mund, grinste ihn an und setzte sich in lasziver Haltung, die Beine übereinandergeschlagen, der Blick neckisch, die blutroten Lippen gespitzt, auf den Schreibtisch. Sie pendelte mit den Beinen, sah ihn herausfordernd an: »Hast du etwa Angst? Komm, großer Häuptling, du bist doch kein Hasenfuß. Es ist schließlich nicht das erste Mal, daß wir es hier machen.«

»Aber es ist das Haus Gottes«, sagte er. »Und wir entweihen es.«

»Das Haus Gottes!« erwiderte sie mit höhnischem Lachen, »dieses Haus ist schon lange vor uns durch ganz andere entweiht worden. Es sollte mich wundern, wenn Gott dieses Haus noch als das Seine ansehen würde. Es ist ein Haus wie jedes andere auch. Man gaukelt den Leuten zwar vor, es sei heilig, aber die Menschen haben es längst verunreinigt. Und was wir tun, ist im Grunde eine gute Sache. Ich liebe dich und du liebst mich. Und nur, weil irgendwer einmal gesagt hat, ein Mann und eine Frau dürften nicht miteinander schlafen, wenn sie nicht verheiratet sind, glauben alle, es wäre eine Sünde. Hat Gott das gesagt? Oder waren es die Menschen?«

»Er hat gesagt, du sollst nicht ehebrechen«, erwiderte Fink leise.

»Brechen wir die Ehe, wenn wir uns lieben?« fragte sie mit unschuldigem Augenaufschlag. »Liebe war noch nie verboten. Und ich gebe dir, was deine Frau dir schon lange nicht mehr geben kann. Jetzt sag mir bitte, was daran verboten sein soll. Sind wir nicht auf der Erde, um Freude zu haben?«

»Ich liebe dich«, sagte er und stellte sich vor sie. »Ja, ich liebe dich. Auch wenn ich weiß, daß ich dich bald verlieren werde.«

»Sag so was nicht«, sagte sie und berührte mit der Fingerspitze seinen Mund. »Du verlierst mich nicht, ich werde nur für eine Weile fortgehen. Aber ich komme wieder.«

»Mit einem andern Mann?«

»Nein, ganz sicher nicht.«

»Nun, ich bin nicht mehr der jüngste und irgendwann hört auch meine biologische Uhr auf zu ticken. Ich fürchte, ich muß unser Verhältnis bald beenden. Ich habe viel zu bereuen.«

»Gut, dann bereue. Tu´s jetzt«, sagte sie und sprang vom Tisch. »Sag mir ins Gesicht, daß es dir leid tut, mit mir geschlafen zu haben. Komm, sag es.«

Er zögerte, stand hilflos vor ihr, zuckte die Schultern. »Nein, das kann ich nicht.«

»Und warum nicht? Ich weiß es – weil es dir nicht leid tut. Weil du zu denen gehörst, die die Regeln und Gesetze aufgestellt haben und von Anfang an wußten, daß es von Menschen gemachte Regeln und Gesetze sind. Dir wird es nie leid tun«, sagte sie und ihr Stimme klang eine Spur schärfer. Sie drehte sich um, stellte sich ans Fenster, das den Blick zum Parkplatz freigab, schob die Jalousie ein wenig auseinander, schaute hinaus. »Weißt du, dir wird nie irgend etwas leid tun. Nichts, was du je in deinem Leben getan hast, nichts Schlechtes, meine ich. Du gehörst nicht zu denen, die bereuen. Nur nach außen hin, aber innen drin bist du eiskalt und hart wie Stahl.«

Er setzte sich in seinen großen, schwarzen Ledersessel hinter dem Schreibtisch, lehnte sich zurück, hörte ihre Worte, die wie Speerspitzen in seine Ohren drangen.

»Warum sagst du das?« fragte er leise. »Warum sagst ausgerechnet du so etwas? Ich bin nicht so hart, wie du denkst, es ist nur Fassade. In meinem Innern bin ich anders, jawohl, ganz anders.«

Sie lächelte, drehte sich um, trat hinter ihn, massierte seinen Nacken. »Ich habe es nicht so gemeint«, sagte sie sanft, »ich weiß natürlich, daß du in Wirklichkeit anders bist, als du dich sonntags gibst. Ich weiß ja alles von dir, ich kenne dich schließlich in- und auswendig ... Tut das gut?« fragte sie.

»Ich liebe deine Berührungen. Ich bin tatsächlich etwas verspannt, kein Wunder bei der Aufregung der vergangenen Tage.«

»Der Tod deines Sohnes hat dich sicher sehr mitgenommen, oder?«

»Es geht. Eigentlich nicht wirklich. Er hatte alle Chancen der Welt, aber er hat alles verspielt. Und jetzt heißt es: Rien ne va plus. Und sein Tod war die natürliche Konsequenz seines Handelns. Hätte er auf mich gehört, hätte er meine gutgemeinten Ratschläge nicht so achtlos in den Wind geschlagen, die Welt hätte ihm zu Füßen liegen können. Aber er hat es vorgezogen, sich zu verkriechen und sein Leben auf geradezu scheußliche Weise zu vergeuden. Nein, sein Tod war gerecht, und trotzdem fühle ich ein wenig Trauer, schließlich war er mein Sohn.«

»Und wie denken die andern darüber – Laura, Stephan, deine Frau?«

»Um ehrlich zu sein, ich weiß es nicht. Ich wußte nie, was Laura fühlt oder denkt, in den letzten Jahren wußte ich nicht einmal mehr, was meine Frau wirklich fühlt. Nur bei Stephan weiß ich, daß er denkt wie ich. Er ist der einzige, von dem ich behaupten möchte, er kommt nach mir. Ich bin stolz auf ihn.«

»Bricht auch er die Ehe?« fragte sie mit spöttischem Unterton.

»Keine Ahnung, aber frag ihn doch. Vielleicht würde er bei dir sogar seine Grundsätze vergessen.«

»Tut mir leid, aber Stephan ist nicht mein Typ. Er ist langweilig und irgendwie – ölig. So ölig wie seine Bilder, wenn du verstehst, was ich meine.«

Fink drehte sich um, sah sie verständnislos an. »Nein, ich verstehe nicht, was du meinst«, sagte er. »Er ist mein Sohn.«

»Ja, genau das meine ich, er ist dein Sohn. Genau wie Jürgen dein Sohn war, aber du wolltest ihn nicht als das sehen, was er war, ein Mensch. Du wolltest ihn nach deinem Ebenbild formen, du wolltest deine Eigenschaften auf ihn übertragen. Aber das ist dir nicht gelungen. Und jetzt hast du ihn verloren«, sagte sie kühl. »Du hast ihn verloren, wie du schon lange vor ihm Laura verloren hast. Wie kannst du mit diesem Gedanken leben?«

»Was willst du?« fragte er, die Augen zu Schlitzen verengt.

»Nichts, du hast davon angefangen. Du sagst, es wäre nicht richtig, wenn wir uns hier im Haus Gottes lieben würden. Du hast mir damit einfach die Stimmung verdorben. Es mag sein, daß ich ungerecht bin; wenn es so ist, dann verzeih mir bitte. Es soll nicht wieder vorkommen. Und bitte, leg nicht jedes Wort von mir auf die Goldwaage. Du kennst mich doch, ich bin ein Skorpion, und Skorpione haben nun mal die Eigenschaft, ab und zu den Giftstachel einzusetzen. Komm, lächle und laß uns die wenige Zeit, die wir haben, nutzen.«

»Warum kann ich dir bloß nie böse sein?« fragte er und lächelte wie auf Kommando.

»Weil ich anders bin als die andern. Das ist das ganze Geheimnis. Ich bin keine Marionette, mit der man spielen kann, ich bin jemand, der die Regeln in einem Spiel bestimmt. Und ich habe das Gefühl, meine Spielregeln gefallen dir. Warte«, sagte sie, nahm ihre Handtasche vom Schreibtisch, holte einen Zettel heraus, faltete ihn auseinander und stellte sich wieder seitlich hinter ihn. Sie hatte die Handtasche über die Schulter gehängt.

»Ich will dir etwas zeigen«, sagte sie mit einem Lächeln, das er nicht sehen konnte, vor dem er aber erschrocken wäre, hätte er es gesehen. Sie hielt den Zettel in der einen Hand, mit der andern griff sie in die Tasche.

»Mach die Augen zu«, sagte sie, »ich habe eine Überraschung für dich.«

»Ein Blatt Papier?« fragte er ungläubig lachend. »Was soll das für eine Überraschung sein?«

»Mach die Augen zu, du wirst es gleich sehen. Aber erst wieder aufmachen, wenn ich es sage.«

Sie holte vorsichtig die Spritze aus der Tasche, legte den Zettel auf den Tisch.

»So, du kannst die Augen wieder aufmachen«, sagte sie und hielt die Injektionsnadel etwa einen Zentimeter neben seinen Hals.

Er öffnete die Augen, blickte auf das Blatt Papier, griff in seine Hemdtasche, setzte die Brille auf. Er beugte sich vor, begann zu lesen. Mit einem Mal wich alle Farbe aus seinem Gesicht, Schweißperlen bildeten sich auf seiner Stirn, er las mit ungläubigem Staunen die Zeilen. Sein Mund und seine Kehle wurden trocken wie Wüstensand.

»Was ist das?« fragte er fassungslos, ohne sich umzudrehen.

»Was das ist?« fragte sie zurück. »Du weißt es doch. Du weißt es ganz genau. Lies weiter.«

»Woher hast du das?« fragte er mit belegter Stimme und wollte sich umdrehen, doch mit einem Mal spürte er etwas Spitzes an seinem Hals.

»Bleib ganz ruhig sitzen«, sagte sie kalt. »Du willst also wissen, woher ich das habe? Ich werde es dir sagen – von meiner Mutter. Oder besser gesagt, ich habe es bei ihr gefunden. Klingelt jetzt etwas bei dir?«

»Das ist eine Ewigkeit her«, stammelte er. »Eine Ewigkeit!«

»Nein, keine Ewigkeit, denn die Ewigkeit ist mathematisch nicht zu berechnen. Aber das hier läßt sich sehr leicht nachrechnen. Ich bin der lebende Beweis dafür.«

»Mein Gott, ich konnte doch nicht wissen, daß du …«

»Nein, das konntest du nicht, wie auch!« spie sie ihm verächtlich entgegen. »Meine Mutter mußte mich direkt nach meiner Geburt

462

weggeben. Sie mußte es, weil du sie dazu gezwungen hast. Du hast sie gezwungen, etwas zu tun, was sie niemals wollte! Und wenn sie in der Gosse gelebt hätte, sie hätte mich behalten wollen. Aber du hast all deine Macht eingesetzt, du hast sie gedemütigt und mißbraucht, du hast sie mit Schlägen gefügig gemacht, und als sie nicht mehr weiter wußte, hat sie dieses Papier unterschrieben. Zwanzigtausend Mark, auch damals nicht gerade eine Menge Geld. Weißt du eigentlich, was aus ihr und mir geworden ist ...?

Sie lebt, nein, sie vegetiert jetzt im St. Valentius Krankenhaus vor sich hin, ein Zombie, keine Sprache, keine Gefühle, keine Regungen, sie ist tot. Nur ihr Herz schlägt noch, das ist alles. Zweimal in der Woche besuche ich sie, und jedesmal bricht es mir das Herz, wenn ich sie so dasitzen sehe, diese junge und doch so uralte Frau ... Schon mal was vom Korsakow-Syndrom gehört? Im leichteren Fall verliert man das Kurzzeitgedächtnis, in den seltenen, schweren Fällen jedoch das gesamte Erinnerungsvermögen. Dazu kam noch ein Schlaganfall, der ihr den Rest gegeben hat. Als ich sie das erste Mal sah, vor etwa fünf Jahren, war sie sturzbetrunken. Ich habe sie zur Entgiftung in eine Klinik gebracht, aber sie konnte sich nicht an mich erinnern. Sie wußte nicht einmal mehr, daß sie eine Tochter zur Welt gebracht hatte, sie hat mich nur verständnislos angeschaut, eine Fremde, die mit mir nichts anfangen konnte.

Sie war siebzehn, als sie von dir schwanger wurde. Und sie war etwa achtzehn, als sie zur Flasche griff. Unschuldige achtzehn Jahre. Trinken und Tabletten, Schnaps und Rohypnol, eine verheerende, eine tödliche Mischung. Dreißig Jahre lang saufen und Tabletten schlucken, nur um zu vergessen. Was für ein elendes Leben. Sie wußte nicht, wo man mich nach meiner Geburt hingebracht hatte, aber ich werde es dir sagen, *Vater*!« zischte sie wie eine Giftschlange, strich mit der Nadel über seinen Hals, er zuckte zusammen.

»Ich kam in ein Waisenhaus, eines dieser netten katholischen Häuser, in denen Nonnen herrschen. Eigentlich sollte man meinen, in einem katholischen Heim regieren Liebe und Verständnis … Ja, sollte man meinen. Doch die Wirklichkeit sah anders aus. Wenn wir nicht den Teller leer aßen, wurden wir geschlagen. Haben wir während des Essens gesprochen, mußten wir vierundzwanzig Stunden hungern. Wenn wir ein falsches Wort zum ungeeigneten Zeitpunkt gesagt haben, setzte es Prügel. Auf die Finger, ins Gesicht, auf den nackten Hintern. Egal, was wir taten, es gab immer einen Grund, uns zu bestrafen. Und weißt du, was diese schwarzen Hexen uns gesagt haben, warum sie uns bestraften? Sie haben gesagt, wenn wir gute Menschen werden wollten, müßten wir zu jeder Sekunde die Regeln in diesem Heim befolgen. Gott würde jeden unserer Schritte genauestens beobachten, und sie wären die Stellvertreterinnen Gottes auf Erden. So einfach war das.

Die Krönung der Geschichte kommt aber noch. Als ich neun war, wurde ich zum Hausmeister bestellt. Drei Jahre lang wurde ich jede Woche mindestens einmal zum Hausmeister bestellt, weil irgendwelche Jungs aus dem Heim sich ein paar Mark verdienten, indem sie uns Mädchen an ihn verkauften. Ich weiß nicht, ob die schwarzen Hexen davon wußten, aber je mehr ich darüber nachdenke, desto überzeugter bin ich davon. Aber egal, auf jeden Fall ist dann etwas Seltsames passiert – ein nettes Ehepaar ist gekommen und hat mich adoptiert. Und ab da hatte ich den Himmel auf Erden. Ich durfte die Hölle verlassen und endlich ein Mensch sein. Sie gaben mir ihren Namen, ich hatte ein eigenes, großes Zimmer, ich habe mein Abi gemacht und studiert. Aber nie in all den Jahren habe ich aufgehört, an meine Mutter und meinen Vater zu denken. Was sie wohl machten, warum sie mich weggegeben hatten. Ich hab mir die Antworten selber gegeben, hab mir gesagt, sie waren vielleicht so arm, daß das Geld nicht für drei reichte. Oder meine Mutter war allein und nicht stark genug, mich großzuziehen. Ich fand so viele Gründe, aber da war auch Haß, Haß, daß sie mir das angetan hatten. Seit ich achtzehn war, habe ich nach meinen Eltern gesucht. Und es hat fast zwölf Jahre gedauert, bis ich wenigstens den Namen meiner Mutter herausfand. Und dann war es nicht schwer, sie zu finden. Den Rest kennst du ja. Und bei meinen Recherchen stieß ich zwangsläufig auf dich. Auf dich und deine Kumpane. Jeder von euch mit so viel Dreck am Stecken, daß es für ganz Frankfurt reichen würde!« sagte sie zynisch. »Aber du bist der schlimmste von allen. Du hast zeit deines Lebens mit den Menschen nur gespielt. Du hast sie ausgenutzt, sie mißbraucht und mißhandelt. Du, der große Karl-Heinz Fink! Was meinst du, gibt es einen Gott? Wenn ja, dann gibt es auch einen Teufel. Was glaubst du, wo du hinkommst, wenn du abtrittst? In den Himmel oder in die Hölle?«

Fink wollte sich umdrehen, doch die Spritze an seinem Hals ließ keine Bewegung zu.

»Hör zu«, sagte er mit zittriger Stimme. »Ich will es dir erklären. Das mit deiner Mutter wußte ich nicht, das schwöre ich. Ich hatte doch keine Ahnung, daß sie …«

»Daß sie was?«

»Sich so gehenlassen würde …«

»Hatte sie eine andere Wahl? Sie wurde von ihrer Familie verstoßen, genau wie dein Sohn Jürgen von dir. Die Schicksale ähneln sich irgendwie, findest du nicht? Sie hatte absolut niemanden, der ihr in ihrer schwersten Zeit beigestanden hat. Sie hatte nur dich und deine verfluchten Drohungen. Aber wahrscheinlich hat sie dich geliebt, zumindest bis zu einem gewissen Zeitpunkt. Wäre sie, wie ich, zu Haß fähig gewesen, dann hätte sie dich umgebracht, so wie ich es gleich tun werde. Aber sie war keine Frau, die hassen konnte. Sie konnte nur trauern. Doch als ich sie kennenlernte und ihre Geschichte gehört habe, kurz bevor sie in die Klinik kam, wußte ich, daß ich das tun würde, wozu sie nie fähig war …« Mit der freien Hand holte sie eine Zigarette aus ihrer Tasche, zündete sie an.

»Wie fühlst du dich jetzt? Beschissen? Reumütig? Hast du Angst? Siehst du dem Tod gelassen oder voller Furcht entgegen? Hast du Angst vor der Hölle? Ich an deiner Stelle würde mir jetzt vor Angst in die Hosen machen.«

»Ja, ich habe Angst«, flüsterte er. »Aber was nützt sie mir jetzt noch? Gibt es einen Weg zurück?«

»Nein, den gibt es schon lange nicht mehr. Ich mußte nur den geeigneten Zeitpunkt abwarten. Erst Rosenzweig, dann Schönau, jetzt du. Die gesamte Führungsspitze der Region innerhalb einer Woche ausgelöscht. Was für eine Sensation für die Mitglieder! Und was für eine Schmach für die Kirchenführer in Amerika. Ich bin schon gespannt, wie die Öffentlichkeit darauf reagieren wird. Nur schade, daß du das nicht mehr mitkriegst. Tja, ist der Ruf erst mal dahin … Und keiner wird je wissen, wer euch ins Jenseits befördert hat. Ich werde weiterhin jeden Sonntag die Versammlungen besuchen, ich werde mich um die jungen Erwachsenen kümmern, ich werde leben wie immer. Und vielleicht wird sogar in deiner Familie das Leben wieder Einzug halten. Ach, übrigens, das mit Laura war auch ein schwerer Fehler von dir. Wenn ich mir vorstelle, wie viele Leichen deinen Weg pflastern! Aber die letzte wirst du selber sein.«

»Warum Schönau und Rosenzweig?« fragte er mit auf einmal seltsam ruhiger Stimme.

»Warum? Weil sie davon wußten und nichts dagegen unternommen haben. Ihr drei habt immer wie Pech und Schwefel zusammengehalten, hat der eine einen Fehler begangen, der nicht im Einklang mit den Kirchenrichtlinien oder Geboten stand, dann wurde er von den andern gedeckt. Rosenzweig und Schönau waren, um es salopp auszudrücken, Hurenböcke. Und du wußtest davon. Ich nenne nur den Namen Rita Jung – ihr alle drei habt die Sache vertuscht. Nur mit dem Unterschied, daß sie eine halbe

Million als Abfindung für ihr Schweigen erhalten hat, ein Vielfaches von dem, was du meiner Mutter gezahlt hast. Aber sie hätte ohnehin nichts mehr von dem Geld, wahrscheinlich hätte sie sich längst totgesoffen, und ich hätte sie nie gefunden. Tja, wer weiß, vielleicht war es besser so, denn wie heißt es so schön – die Wege des Herrn sind unergründlich …«

»Du bist eine verdammte Zynikerin!« stieß Fink hervor. »Du mordest die Menschen einfach so dahin und schiebst Gott als Alibi vor?! Heißt es nicht auch in der Schrift, wir sollen vergeben? Wo ist dein Vergeben?«

»Ich sehe das anders«, sagte sie gelassen, nahm einen letzten Zug von der Zigarette, blies den Rauch in seine Richtung und ließ sie auf den Boden fallen, wo die Glut ein Brandloch in den Teppich fraß. »Wo war *deine* Güte und Barmherzigkeit, von der du immer sprichst, als du meine Mutter einfach im Stich gelassen hast? Wo? Wie kann ich dir vergeben, nach all dem, was du uns angetan hast? Es gibt Grenzen des Vergebens, und die haben du und deine Mitstreiter übertreten. Und jetzt kommt die Strafe dafür.«

»Laß mich leben«, sagte er leise, die Hände um die Armstützen verkrampft. »Ich bitte dich, mir zu vergeben. Ich werde versuchen, alles wiedergutzumachen. Ich verspreche es hoch und heilig.«

»Spar dir deine verfluchten Versprechungen! Und komm mir nicht mit heilig! Du weißt doch gar nicht, was das ist. *Du* bist der Zyniker von uns beiden, dein Leben hat seit jeher aus blankem Zynismus bestanden … Es tut mir leid, daß alles so gekommen ist, aber glaub mir, es ist besser für uns alle. Ich würde keine Sekunde mehr ruhig schlafen können, wüßte ich, du wärst noch am Leben.«

»Ich biete dir einen Vertrag an«, sagte er mit flehender Stimme, »einen, der dich und mich schützt. Einen absolut wasserdichten Vertrag. Kein Mensch wird je erfahren, was du getan hast, denn gleichzeitig würde jeder wissen, was …«

»Und wie soll dieser Vertrag aussehen?« fragte sie kalt. »Wieviel willst du mir bieten, eine Million, zwei Millionen? ... Ich pfeife auf dein verdammtes Geld, ich habe selbst genug davon. Du denkst wohl, jeder Mensch ist käuflich, doch du irrst. Es gibt auch andere, doch die hast du anscheinend noch nicht kennengelernt. Mich jedenfalls kannst du nicht kaufen. Und jetzt, Liebling, mach´s gut ...«

»Warte noch, bitte!« schrie er verzweifelt. »Was wirst du tun?«

»Dich töten, ganz einfach.«

»Und wie?«

»Langsam, ganz, ganz langsam«, flüsterte sie, ihren Mund an sein Ohr gelegt. »Langsamer jedenfalls als Rosenzweig und Schönau. Aber leider immer noch zu schnell. Ich habe hin und her überlegt, wie ich deinen Tod möglichst qualvoll gestalten könnte, aber mir ist keine Lösung eingefallen. Doch ich denke, eine Viertelstunde, vielleicht auch eine halbe, reichen aus, das ganze Leben noch einmal in Ruhe Revue passieren zu lassen. Und ich werde deine verfluchte Angst genießen, jede Sekunde davon.«

Er wollte noch etwas sagen, spürte jedoch im selben Moment den Einstich in seinen Hals, die Flüssigkeit, die schnell in seinen Körper gespritzt wurde. Sie trat zurück, blickte ihn an, er preßte die Hand auf die Einstichstelle, sie packte die Spritze in ihre Tasche.

Er sprang auf, rannte zur Tür, doch sie war abgeschlossen. Sie setzte sich auf den Schreibtisch, verfolgte jeden seiner Schritte, das blanke Entsetzen in seinen Augen. Sie steckte sich eine neue Zigarette an, inhalierte, blies gelassen den Rauch aus.

»Du kommst hier nicht raus«, sagte sie kühl, »ich habe den Schlüssel an mich genommen. Dumm gelaufen, sag ich da nur. Und, spürst du schon was?«

»Was hast du mir gegeben?« fragte er mit schwerer Zunge; er stand mitten im Raum, seine Beine gehorchten nicht mehr, er schlug auf dem Boden auf. Seine Augen waren weit geöffnet, der Blick starr zur Decke gerichtet.

»Dendrotoxin«, sagte sie leise. »So dosiert, daß dein Tod etwas länger dauert als bei den andern. Aber er wird eintreten. Wenn ich die Zigarette zu Ende geraucht habe, wirst du keinen Finger mehr bewegen können. Ich werde mir noch eine anzünden, und du wirst immer noch leben. Und wenn die ausgeraucht ist, wird deine Atmung immer schwerer und langsamer werden, aber du wirst noch denken können. Leider wirst du mir nicht mehr sagen können, was du denkst, denn deine Zunge wird gelähmt sein. Und allmählich wird auch die Lähmung der Atemmuskulatur einsetzen, du wirst das Gefühl haben, ein Tonnengewicht läge auf deiner Brust, aber da ist nichts weiter als diese kleine Menge Gift, die es mir ermöglicht, diese Welt von dir zu befreien. Ruhe in Frieden, Karl-Heinz Fink. Ich werde selbstverständlich auch zu *deiner* Beerdigung kommen, das bin ich allein schon Laura schuldig. Ich denke, ich werde Lilien auf dein Grab legen. Lilien machen sich immer gut.«

Finks Todeskampf dauerte sechzehn Minuten. Sie hob die drei Kippen vom Boden auf, zog sich Handschuhe über, wischte den Schreibtisch ab und alles, was sie angefaßt hatte. Sie stieg über Fink hinweg, schloß die Tür auf, ließ sie offenstehen, öffnete die Seitentür, ließ den Schlüssel stecken. Sie blickte um sich, konnte niemanden entdecken und ging mit langsamen Schritten zu ihrem Wagen. Sie stieg ein, startete den Motor und fuhr in die Stadt. Um kurz vor acht betrat sie eine Boutique, probierte ein paar Kleider an, entschied sich für ein gelbes und ein rotes, zahlte mit Kreditkarte. Anschließend kehrte sie bei dem Spanier ein, bei dem sie mit Petrol einige Male gewesen war. Sie trank ein Glas Wein und bestellte ein Steak und Salat. Sie hatte es geschafft. Und niemand würde je hinter ihr grausames Geheimnis kommen. Sie lächelte.

Julia Durant hatte sich Badewasser einlaufen lassen, eine Dose Bier getrunken, drei oder vier Zigaretten geraucht, wie viele genau, wußte sie nicht mehr, zwei Scheiben Brot mit Käse und Salami gegessen, auch wenn sie überhaupt keinen Appetit hatte und dieser Tag ihr immer noch in den Knochen steckte. Zu schaffen machte ihr vor allem die Gewißheit, von Petrol so schändlich belogen worden zu sein. Immer und immer wieder stellte sie sich die gleiche Frage – *was mache ich falsch?* Sie fand keine Antwort darauf, stieg in die Badewanne, eine Dose Bier auf dem Wannenrand, den Aschenbecher daneben. Sie blieb eine halbe Stunde im Wasser, versuchte, an nichts zu denken, einfach nur zu entspannen, doch in ihrem Kopf war ein einziges großes Durcheinander, das zu ordnen sie nicht vermochte. Sie trocknete sich ab, zog einen Slip und ein Trägerhemd an, setzte sich auf die Couch. Nach einer Weile griff sie zum Telefon, wählte die Nummer ihres Vaters. Er hob nach dem dritten Läuten ab.

»Hallo, Paps, hier ist Julia. Ich wollte mich einfach nur mal melden.«

»Du klingst etwas bedrückt«, sagte er. »Geht es dir nicht gut?«

»Du mußt auch immer alles merken, was?« sagte sie.

»Was ist los, meine Kleine?« fragte er. »Ärger im Beruf?«

»Das auch. Es kommen im Moment einfach zu viele Sachen auf einmal zusammen. Im Augenblick fühle ich mich einfach nur total leer. Das kennst du doch sicher auch, oder? Am liebsten würde ich alles hinschmeißen und auswandern, und nichts mehr mit der Polizei und mit Männern zu tun haben.«

»Aha, daher weht also der Wind. Ein Mann. Darf ich fragen, um wen es sich handelt?«

»Ich kenne oder besser kannte ihn seit gut einem halben Jahr ...«

»Wieso kannte?« fragte Durants Vater.

»Er wurde gestern abend umgebracht. Es ist einfach alles zum Kotzen.«

»Dein Freund wurde ermordet? Warum?«

»Das Warum kenne ich nicht. Ich weiß nur, daß er mich die ganze Zeit über belogen hat. Er hat gesagt, er wäre verheiratet, wollte sich aber angeblich von seiner Frau scheiden lassen ...«

»Wegen dir?«

»Nein, er hätte sich, wie er sagte, auch so von ihr trennen wollen. Er hat mir mal ein Foto von ihr und seinen Kindern gezeigt, aber jetzt mußte ich heute erfahren, daß er überhaupt nicht verheiratet war, und wir wissen bis jetzt auch nicht, wer die Frau auf dem Foto ist. Und dazu kommt, daß er Teil einer Mordserie ist, die im Augenblick in Frankfurt für ziemliches Aufsehen sorgt. Wir haben ja letzte Woche schon mal darüber gesprochen.«

»Du meinst die Giftmorde? Ja, ich habe gehört, daß noch einer umgebracht wurde. Einfach schrecklich.«

»Schrecklich ist eher milde ausgedrückt. Wir haben bis jetzt vier Tote, drei davon gehörten dieser *Kirche des Elohim* an, Werner dagegen hatte mit Religion überhaupt nichts am Hut. Er war Chefarzt einer großen Klinik hier in der Gegend. Und wir haben keine Ahnung, warum er sterben mußte. Es kommen auch so viele Personen in Frage, doch uns fehlt einfach ein Motiv. Wenn es sich ausschließlich um Morde an Kirchenmitgliedern handeln würde, könnte man unter Umständen einen Zusammenhang herstellen. Aber Werner? Er paßt überhaupt nicht in das Bild. Und besonders merkwürdig ist, daß gestern nacht, nachdem er umgebracht wurde, jemand bei mir angerufen und mir offensichtlich ein Band vorgespielt hat, auf dem nur Werners Stimme zu hören war, die allem Anschein nach kurz vor seinem Tod aufgenommen wurde. Ich bin natürlich gleich mit meinem Kollegen hingefahren und da haben wir die Bescherung gesehen. Und ich mußte feststellen, daß es außer mir noch eine andere Frau in seinem Leben gab, eine, die aber nicht mit ihm verheiratet war. Wir wissen aber inzwischen, daß der Mörder eine Frau ist. Mehr aber auch nicht. Wir gehen davon aus, daß sie sehr attraktiv ist, intelligent und daß ihre Opfer niemals vermuten würden, daß sie die sogenannte Schwarze Witwe ist. Sie geht unglaublich raffiniert vor und führt uns im wahrsten Sinn des Wortes an der Nase herum. Na ja, irgendwann werden wir sie schon kriegen.«

»Wie viele attraktive und intelligente Frauen hast du denn im Laufe deiner Ermittlungen bis jetzt kennengelernt?« fragte Durants Vater.

»Eine ganze Menge. Darunter Frauen von sehr hohem Niveau. Keine billigen Schlampen, sondern die meisten eben intelligent und auch selbstbewußt, zum Teil elegant, zum Teil aber auch eher sportlich, aber fast alle sehr gutaussehend. Und da wir bei der Täterin von einer Person zwischen Mitte Zwanzig bis Mitte Vierzig ausgehen, kommen natürlich eine ganze Reihe von Frauen in Frage. Und das ist unser Problem.«

»Kann ich verstehen. Nur helfen werde ich dir nicht können.«

»Das sollst du auch nicht, ich wollte es dir nur erzählen … Aber eine Kleinigkeit noch – du bist doch auch ein verkappter Kriminalist. Der erste Tote vom vergangenen Montag hat sich Insulin gespritzt, dem aber Schlangengift beigemischt war. Da wir jedoch Selbstmord ausschließen, stellt sich uns die Frage, wie das Gift in seinen Schreibtisch gelangt ist. Seine Frau scheidet mit ziemlicher Sicherheit aus, sie ist zwar auch attraktiv, aber psychisch kaum fähig, jemanden umzubringen, vor allem, nachdem mir ihre Therapeutin sagte, daß sie sehr an ihrem Mann hing. Genau wie die beiden Söhne.«

»Welche psychischen Probleme hat die Frau?«

»Angstzustände, Depressionen. Sie wird wie gesagt zur Zeit therapiert.«

»Und was sagt ihre Therapeutin?«

»Sie äußert sich grundsätzlich nicht im Detail zur Krankengeschichte ihrer Patienten, es sei denn, der- oder diejenige erklärt sich einverstanden. Sie ist aber auch eine Freundin des Hauses und gehört ebenfalls dieser Kirche an. Eine sehr sympathische Frau, recht offen und vor allem nicht verbohrt, was ihren Glauben angeht. Sie sieht die Dinge eher locker.«

»Interessant«, sagte Durants Vater und schwieg einen Augenblick. Sie hörte nur sein schweres Atmen am andern Ende der Leitung.

»Was ist los, warum sagst du nichts mehr?« fragte sie.

»Ich überlege gerade. Weißt du etwas über die Art der Therapie?«

»Nein, warum?« fragte Julia Durant. »Ist es nicht egal, wie jemand therapiert wird?«

»Nun«, sagte er mit einem Lächeln, das sie durch das Telefon zu sehen schien, »es gibt ja die absurdesten Fälle in der Kriminalgeschichte, wie du weißt. Wendet diese Therapeutin zufälligerweise auch Hypnose an?«

»Ja, das hat sie mir heute sogar selbst gesagt. Worauf willst du hinaus?«

»Na ja, du hast mir eben erzählt, keiner kann sich erklären, wie das Gift in den Schreibtisch des Toten gekommen ist. Was, wenn es – hypothetisch – durch einen hypnotischen Befehl ...«

»Paps! Glaubst du das etwa? Das würde ja heißen, daß die Therapeutin ... Nein, das kann ich mir nun beim besten Willen nicht vorstellen. Nein, jede, aber nicht die.«

»Es war ja auch nur eine Möglichkeit, die ich in Betracht gezogen habe. Aber wenn die Frau sauber ist ...«

»Paps, ich kenne, was Hypnose angeht, nur die Grundbegriffe. Beschäftigt habe ich mich nie damit. Was weißt du darüber?«

»Nicht viel. Aber es gibt Möglichkeiten, auf ein bestimmtes Wort oder Signal hin jemanden zu veranlassen, etwas zu tun, was er bei vollem Bewußtsein nicht tun würde. Wenn ich du wäre, würde ich zumindest einmal fragen, ob Hypnose bei der Behandlung eingesetzt wird. Wenn ja, dann könnte dies unter Umständen der Weg gewesen sein, wie das Gift in den Schreibtisch kam, wenn nicht, dann müßt ihr weitersuchen.«

»Paps, du hättest doch zur Polizei gehen sollen …«

»Nein, nein, das wäre nichts für mich gewesen«, erwiderte er lachend. »Ich bin glücklich, mich für meinen Beruf entschieden zu haben. Aber du, du bist einfach geschaffen für die Polizei …«

»Aber nicht für Männer. Leider. Und dabei hätte ich so gern … Ach was, es hat keinen Sinn, zu lamentieren, davon wird es auch nicht besser. Ich wollte nur mal deine Stimme hören. Vielleicht komme ich bald mal wieder für ein verlängertes Wochenende runter. Dann setzen wir uns auf die Veranda, trinken Tee und quatschen die Nacht durch.«

»Ich würde mich freuen. Weißt du, du bist eine Tochter, wie ich sie mir immer gewünscht habe. Und solange ich lebe, werde ich immer für dich dasein, das verspreche ich dir. Und wenn dich was bedrückt, du weißt, du kannst mich jederzeit anrufen oder besuchen. Kopf hoch, irgendwann kommt einer, der weiß, was er an dir hat. Glaub mir, jeder Topf findet seinen Deckel.«

»Ich hab dich lieb, Paps. Zum Glück gibt es dich, ich hätte mir auch keinen besseren Vater wünschen können. So, und jetzt hören wir auf mit dem Gesülze. Laß es dir gutgehen, ich melde mich bald wieder. Und, ach ja, vielen Dank für deinen Roman.«

»Welchen Roman?«

»Den Brief. Ich habe eine halbe Stunde gebraucht, bis ich ihn durchhatte.«

»Tja, das ist eben meine Art. Wenn ich allein zu Hause bin, was soll ich schon großartig machen. Und manchmal überkommt es mich einfach, und dann schreibe ich endlose Briefe.«

»Okay, hören wir jetzt auf. Ich werd gleich zu Bett gehen und hoffentlich einigermaßen gut schlafen können. Mach´s gut und bis bald.«

Sie legte auf, ging in die Küche, holte sich eine neue Dose Bier. Sie riß den Verschluß auf, trank in kleinen Zügen. Sie dachte über die Worte ihres Vaters nach, ließ sie auf sich wirken. Sie beschloß, Marianne Rosenzweig anzurufen. Ihr ging der von ihrem Vater geäußerte Gedanke mit dem hypnotischen Befehl nicht mehr aus dem Kopf.

Sie wartete noch einen Augenblick, suchte die Nummer heraus, wählte.

»Rosenzweig«, meldete sich eine männliche Stimme.

»Hier Durant von der Kriminalpolizei. Könnte ich bitte Frau Rosenzweig sprechen?«

»Moment, ich hole meine Mutter.«

Es dauerte einen Moment.

»Rosenzweig.«

»Hier Durant. Es tut mir leid, wenn ich jetzt noch störe, ich habe nur eine Frage an Sie. Es betrifft Ihre Therapie bei Frau Reich. Wird oder wurde bei Ihnen auch Hypnose angewandt?«

»Warum wollen Sie das wissen?« fragte Marianne Rosenzweig vorsichtig nach.

»Sagen Sie bitte nur ja oder nein.«

»Ja, wir führen auch Hypnosesitzungen durch.«

»Danke für Ihre Auskunft. Ich werde mich vielleicht schon bald noch einmal bei Ihnen melden. Gute Nacht. Und bitte, sprechen Sie vorläufig nicht mit Frau Reich darüber. Es ist sehr wichtig.«

»Moment, Sie denken doch nicht etwa …«

»Frau Rosenzweig, im Augenblick denke ich gar nichts. Und ich bitte Sie auch, keine falschen Schlüsse zu ziehen. Wir führen lediglich unsere Ermittlungen durch, nicht mehr und nicht weniger.«

»Gut, ich verspreche Ihnen, mit niemand darüber zu reden. Aber Frau Reich ist über jeden Zweifel erhaben.«

»Das stelle ich auch gar nicht in Frage. Nochmals vielen Dank. Auf Wiederhören.«

Julia Durant hielt den Hörer in der Hand, sie war wie elektrisiert. Es war eine Möglichkeit, und sie würde gleich morgen eine genaue Überprüfung von Sabine Reich veranlassen. Sie legte den Hörer auf, wollte gerade auf die Toilette gehen, als das Telefon klingelte. Sie nahm ab, meldete sich.

»Hier Fink«, sagte eine weibliche Stimme. »Frau Durant, es geht um meinen Mann. Er hat mir gesagt, er würde spätestens um acht zu Hause sein. Jetzt haben wir schon halb zehn, und er ist immer noch nicht da. Ich dachte, ich müßte Sie einfach anrufen.«

»Wissen Sie, wohin er gefahren ist?«

»Nein, er sagte nur, er hätte noch einen Termin mit einem Bruder aus der Gemeinde.«

»Aber Sie können mir den Namen nicht nennen?«

»Nein, leider nicht. Ich habe es auch schon in seiner Kanzlei versucht, aber dort ist nur der Anrufbeantworter an. Und auch auf seinem Handy und in seinem Gemeindebüro meldet sich niemand. Ich wußte nicht, an wen ich mich wenden sollte.«

»Sie haben das schon richtig gemacht. Ich werde mit meinem Kollegen erst in die Gemeinde fahren, und wenn er dort nicht ist, schauen wir mal in der Kanzlei nach. Aber Sie sollten sich nicht allzu viele Sorgen machen. Wir rufen Sie auf jeden Fall nachher noch an.«

»Ich mache mir keine Sorgen, es ist nur etwas merkwürdig. Vor allem, nachdem Sie mir sagten, daß mein Mann Morddrohungen erhalten hätte. Ich werde auf jeden Fall wach bleiben.«

»Gut. Sollte Ihr Mann inzwischen zu Hause eintreffen, dann rufen Sie mich bitte unter meiner Handynummer an. Bis später.«

Sofort, nachdem das Gespräch beendet war, rief sie bei Hellmer an.

»Hallo, Frank, ich bin´s, Julia. Zieh dich an, wir müssen Fink suchen. Er ist verschwunden.«

»Wo treffen wir uns?«

»Am besten am Präsidium. Und beeil dich. Ich habe ein ziemlich mulmiges Gefühl.«

»Okay, ich bin in zwanzig Minuten am Präsidium.«

Julia Durant zog sich an, bürstete sich noch einmal durchs Haar, nahm ihre Tasche und verließ das Haus. Eine düstere Ahnung sagte ihr, daß Fink seiner Mörderin bereits in die Arme gelaufen war.

Montag, 22.10 Uhr

Durant und Hellmer kamen fast gleichzeitig am Präsidium an. Sie stiegen aus, besprachen sich kurz.

»Also bis jetzt hat sich Frau Fink nicht bei mir gemeldet. Das heißt, ihr Mann ist immer noch verschwunden«, sagte Durant und schnippte die ausgerauchte Zigarette auf die Straße.

»Und wo fahren wir jetzt hin?« fragte Hellmer.

»Ich weiß nicht, aber mein Gefühl sagt mir, wir sollten als erstes im Gemeindehaus nachsehen …«

»Wieso ausgerechnet dort?« fragte Hellmer mit hochgezogener Stirn.

Julia Durant fuhr sich mit dem Finger über die Lippen, neigte den Kopf eine Idee zur Seite, hob die Schultern. »Weil die Morde an sich schon von einer gewissen Perfidie zeugen. Und ich könnte mir vorstellen, daß die Dame sich für zuletzt einen ganz ungewöhnlichen Ort ausgesucht hat. Einen, auf den niemand kommen würde. Erinnerst du dich, wie Marianne Rosenzweig uns gesagt hat, daß der Montag ausschließlich der Familie gehört? Das Gemeindehaus steht leer, Fink trifft sich dort mit seiner Geliebten, nichtsahnend, daß er dieses Haus nicht mehr lebend verlassen wird. Ich wette, wir finden ihn dort.«

»Du hast heute schon eine Wette verloren«, bemerkte Hellmer grinsend.

»Aber diese nicht. Los, fahren wir. Du kannst mich ja nachher wieder hier absetzen.«

Auf der Fahrt erzählte die Kommissarin von ihrem Gespräch mit ihrem Vater. Und von der Vermutung, die er ausgesprochen hatte. Hellmer hörte zu, nickte, sagte: »Wenn diese Theorie stimmen sollte, dann würde es tatsächlich erklären, wie das Gift in Rosenzweigs Haus gekommen ist. Aber wie wollen wir das beweisen?«

»Sollte Sabine Reich tatsächlich unsere Frau sein, was ich immer noch für ziemlich unwahrscheinlich halte, dann müssen wir sie überprüfen. Wir brauchen zum einen ein Foto von ihr, um es unter anderem einigen Leuten im St. Valentius Krankenhaus zu zeigen. Dann will ich alles über ihr Leben wissen, von ihrer Geburt bis heute, und wenn wir genug Fakten über sie zusammengetragen haben und sich ein mögliches Motiv herausschälen sollte, werden wir sie uns vornehmen. Aber erst, wenn wir wirklich Fakten haben. Ich will nicht, daß sie aufgescheucht wird und womöglich noch mehr Dummheiten begeht.«

»Wenn es nur Dummheiten wären«, sagte Hellmer sarkastisch.

»Aber ehrlich gesagt, ich halte es auch nicht für sehr wahrscheinlich. Sie ist mir einfach zu sympathisch. Ich beurteile Menschen immer nach ihrem Gesicht, wie sie lächeln, ob sie dich beim Sprechen ansehen, wie sie dich ansehen. Sollte sie tatsächlich die von uns gesuchte Person sein, dann alle Achtung. Eine solche Fassade habe ich bisher bei noch keinem erlebt.«

»Es gibt Dinge zwischen …«

»…Himmel und Erde, die sich mit unserer Schulweisheit nicht erklären lassen«, sagte Hellmer. »Ja, ja, ich weiß.«

Sie bogen in die Straße ein, in der sich das Gemeindehaus befand, fuhren etwa hundert Meter bis zum Parkplatz.

»Ich hatte recht«, sagte Durant leise. »Sein Wagen. Scheiße.«

Sie sprangen aus dem Auto, Finks Jaguar war abgeschlossen und leer. Sie gingen im Dunkeln auf die Eingangstür des Gemeindehauses zu, ebenfalls abgeschlossen.

»Es muß doch hier noch einen andern Eingang geben«, sagte Durant. »Hast du eine Taschenlampe?«

»Nicht hier, aber ich kann sie aus dem Wagen holen.«

Er kehrte nach einer Minute zurück, leuchtete den finsteren Weg ab. »Da hinten«, sagte er und deutete mit dem Strahl auf den vom Parkplatz aus nicht einsehbaren Seiteneingang. Er drückte die Klinke herunter, die Tür ließ sich öffnen.

»Der Schlüssel steckt von innen«, sagte Durant. »Mach mal Licht.«

Hellmer suchte nach dem Lichtschalter und betätigte ihn. Links von ihnen stand die Tür zu einem großen Büro weit offen. Sie gingen ein paar Schritte, schalteten auch hier das Licht an.

Er lag auf dem Boden, die geweiteten Augen starr nach oben gerichtet, die Hände unnatürlich verkrampft, ein Anblick, den sie schon von Schönau und Petrol kannten. Sie blieben einen Moment wortlos stehen, betrachteten Fink.

»Ich habe noch vor ein paar Stunden mit ihm gesprochen. Er war in Eile, sagte, er hätte eine Verabredung mit einem Bruder aus der Gemeinde. Ich bräuchte mir keine Sorgen zu machen. Schöne Verabredung!«

»Konntest du ihn auf seine Vergangenheit ansprechen?« fragte Hellmer, der sich über den Toten beugte.

»Ja, und nach einigem Zögern hat er zugegeben, vom Tun seines Vaters gewußt zu haben. Er hat mir einige plausible Gründe genannt, weshalb sein Vater für die Nazis gearbeitet hat, zumindest für ihn plausible Gründe. Aber das erzähl ich dir ein andermal. Ich schätze, wir sollten jetzt erst mal die Kollegen von der Spurensicherung, einen Arzt und den Fotografen verständigen. Was hältst du davon, wenn wir Laura Fink anrufen würden?«

»Du spinnst doch, oder? Seine eigene Tochter soll …«

»Ja, seine eigene Tochter. Ich will einfach nur wissen, warum Fink umgebracht wurde. Und Laura war auch die beste Freundin von Sabine Reich. Die hat nämlich heute nachmittag gesagt, sie und Laura seien die besten Freundinnen, sogar fast so etwas wie Schwestern. Ich möchte jetzt endlich herausfinden, wer hinter all dem steckt. Du rufst unsere Kollegen an, ich setze mich mit Laura in Verbindung. Ich bin mal auf ihre Reaktion gespannt.«

Sie zog sich Handschuhe über, griff zum Hörer des Telefons, das auf dem Schreibtisch stand, wählte die Nummer von Laura Fink. Es dauerte eine Weile, bis sie mit schläfriger Stimme abhob.

»Laura Fink?« fragte Durant.

»Ja, was gibt's?«

»Hier Durant. Ich möchte Sie bitten, ins Gemeindehaus zu kommen. Wir brauchen Ihre Hilfe.«

»Warum? Es ist spät und ich bin müde …«

»Nun, wir sind auch müde und trotzdem hier. Es geht um Ihren Vater – er ist tot.«

»Mein Vater?« fragte Laura Fink, mit einem Mal hellwach. »Im Gemeindehaus? Was ist passiert?«

»Vermutlich das gleiche, was auch Hauser, Schönau und Rosenzweig passiert ist.«

»Ich ziehe mir nur schnell was über. Ich bin in spätestens zwanzig Minuten bei Ihnen.«

Julia Durant blickte sich um. Sie befand sich in einem großen, hellen Raum, der etwas Ehrfurchtgebietendes hatte. Sie berührte nichts, wollte nicht eventuelle Spuren verwischen. Sie sah zu Boden, kniff die Augen zusammen, ging weiter durch den Raum, sagte schließlich: »Schau dir mal den Teppich an. Sieht aus wie Brandflecken.«

»Zigaretten?« fragte Hellmer.

»Könnte sein. Aber die Mitglieder hier rauchen nicht. Das ist allerdings merkwürdig. Fällt unsere Psychologin als Täterin doch aus? Ich hab sie bis jetzt dreimal getroffen, und sie hat weder Alkohol getrunken noch geraucht.«

»Was, wenn sie ein Doppelleben führt? Wäre ja nicht das erste Mal, daß …«

»Nein, unmöglich. Ich traue es ihr einfach nicht zu. Obwohl …«

Sie überlegte, während sie sich über Fink beugte, seine Hände und seine Arme befühlte und das Kiefergelenk zu bewegen versuchte.

»Obwohl was?« fragte Hellmer.

»Es gäbe doch einiges, was zusammenpassen würde. Zum Beispiel, daß Petrol und Reich beide Psychologen waren. Natürlich hatte Petrol eine wesentlich umfangreichere Ausbildung, aber … Scheiße, ich hoffe, ich habe unrecht.«

»Wie lange, glaubst du, ist er schon tot?« fragte Hellmer.

»Die Leichenstarre setzt allmählich ein. Und er fühlt sich auch nicht mehr warm an. Ich vermute, so dreieinhalb bis vier Stunden.« Sie drehte Finks Kopf ein wenig zur Seite, sah die Einstichstelle, winkte Hellmer heran. »Hier«, sagte sie und deutete auf die Stelle, »genau wie bei Petrol. Auch in den Hals. Ich vermute sogar, es handelt sich um das gleiche Gift. Warten wir einfach ab, was unsere Leichenfledderer dazu zu sagen haben.«

Laura Fink traf noch vor den Beamten der Spurensicherung ein. Sie machte einen abgehetzten Eindruck, stürmte in das Zimmer, in dem ihr toter Vater lag. Sie blieb abrupt stehen, blickte auf ihn herunter, keine Regung war in ihrem Gesicht zu lesen.

»Ist meine Mutter schon informiert worden?« fragte sie, während sie sich Handschuhe überzog.

»Nein, ich wollte eigentlich, daß wir nachher gemeinsam zu ihr fahren.«

»Von mir aus. Darf ich?« fragte Laura Fink und deutete auf ihren Vater. »Ich muß ihn mir anschauen. Wollen Sie auch wissen, wie lange er tot ist?« fragte sie mit unbeweglicher Miene.

»Wenn´s geht, ja.«

»Dazu muß ich seine Temperatur messen.« Sie holte das Thermometer aus dem Arztkoffer und bat Hellmer, ihr zu helfen, den Toten zu entkleiden. Sie maß die Temperatur rektal, wartete zwei Minuten, bis das Thermometer leise piepte, zog es aus dem

After, las die Temperatur ab. »33,4 Grad«, murmelte sie. »Ich würde sagen, der Tod ist vor drei bis vier Stunden eingetreten. Plus minus eine halbe Stunde. Genau müssen das Ihre Mediziner klären. Ich werde auf dem Totenschein ›Todesursache unklar‹ ankreuzen, alles weitere überlasse ich Ihnen.«

»Ist das ein großer Schock für Sie?« fragte Durant, bewußt jede Reaktion der Angesprochenen beobachtend.

Sie zuckte kaum merklich die Schultern, antwortete, während sie den Totenschein ausfüllte, lakonisch: »Der Tod ist nie etwas Schönes.«

»Damit haben Sie meine Frage nicht beantwortet.«

»Nein, es ist kein großer Schock für mich. Und jetzt werden Sie mich gleich fragen, warum nicht, aber ich werde Ihnen keine Antwort darauf geben.«

»Haben Sie Ihren Vater gehaßt?«

»Halten Sie mich für die Mörderin?« fragte Laura Fink ironisch lächelnd zurück. »Nein, ich habe ihn nicht gehaßt. Aber ich habe ihn auch nicht geliebt. Er war ein Fremder für mich. Genau wie für Jürgen ... So, wenn Sie mich nicht mehr brauchen ...«

»Moment, wir wollten gemeinsam mit Ihnen zu Ihrer Mutter fahren. Wir müssen aber noch warten, bis die Spurensicherung da ist.«

Kaum hatte sie es ausgesprochen, kamen die Männer herein. Julia Durant erteilte kurz Instruktionen, sagte, sie würde jetzt mit Hellmer und Dr. Fink zur Witwe des Toten fahren.

Dienstag, 0.05 Uhr

Gabriele Fink saß im Wohnzimmer, die Beine eng aneinandergelegt, die Hände wie zum Gebet gefaltet, die stumpfen Augen auf die Eintretenden gerichtet.

»Hallo, Mutter«, sagte Laura und setzte sich zu ihr. »Wir sind einfach reingekommen, ich hoffe, du bist mir nicht böse.« Sie legte einen Arm um ihre Mutter und drückte sie an sich. Hellmer und Durant standen mitten im Raum, schwiegen.

»Er ist tot, nicht wahr?« sagte Gabriele Fink mit tonloser Stimme.

»Ja, er ist tot.«

»Ich habe es gespürt. Schon als er das Haus verließ, wußte ich, er würde nicht wiederkommen. Ich weiß nicht, warum ich es gespürt habe, wo wir uns doch all die Jahre über nichts mehr zu sagen hatten.«

»Manche Dinge lassen sich nicht erklären. Kann ich dir irgendwie helfen?«

»Nein, Laura, es geht schon. Wie ist er gestorben?«

»Wie Bruder Rosenzweig und Bruder Schönau. Aber ich möchte dir keine Einzelheiten erzählen, nicht heute.«

Gabriele Fink schaute auf, sah die Kommissare an. »Sie brauchen nicht zu stehen. Nehmen Sie doch bitte Platz.«

»Nein danke, Frau Fink. Wir würden uns lieber verabschieden und Sie mit Ihrer Tochter allein lassen. Auf Wiedersehen.«

Draußen lehnten sie sich an Hellmers BMW und rauchten noch eine Zigarette. Der Himmel war wolkenlos und sternenklar, doch waren durch den Lichterkranz der Großstadt nur wenige Sterne zu sehen. Es war windstill, der Rauch stieg senkrecht nach oben.

»Keine Emotionen sind auch Emotionen«, murmelte Hellmer. »Die beiden da drin sind nicht im mindesten traurig, daß Fink tot ist. Ich habe eher das Gefühl, es ist für sie wie ein Sechser im Lotto.«

»Alter Zyniker«, sagte Durant grinsend.

»Was hat das mit Zynismus zu tun? Bei Fink war weit mehr im Busch, als wir bis jetzt wissen. Wahrscheinlich hatte er auch ein Verhältnis mit seiner Mörderin, vielleicht gibt es aber noch etwas anderes, Schwerwiegenderes, weshalb er umgebracht wurde. Und ich verwette meinen Arsch, die beiden da drin wissen es.

Aber aus denen ist ja nichts rauszukriegen ... Weißt du, was ich mir wünsche? Ich wünsche mir einen ganz normalen Mordfall, jemand wird abgeknallt, wir haben innerhalb von vierundzwanzig Stunden das Motiv und den Täter, und ...«

»Und was? Mir stinkt dieser Fall auch gewaltig. Vor allem raubt er mir im wahrsten Sinn des Wortes den Schlaf. Aber das interessiert ja keinen. Scheiße, bin ich müde. Komm, fahr mich zu meinem Wagen, ich will nur noch nach Hause und schlafen. Fünf Stunden! Ich komm mir vor wie eine alte Frau, meine Knochen tun mir weh, mir ist schlecht vor Hunger, und ich hasse diesen Job.«

»Das sagst du jedesmal, wenn wir einen kniffligen Fall haben. Und trotzdem werde ich das Gefühl nicht los, als wenn gerade solche Fälle dir insgeheim doch am meisten Spaß bereiten. Na ja, Spaß ist vielleicht nicht der richtige Ausdruck, aber sie sind eine Herausforderung, das mußt du zugeben. Und du stehst auf Herausforderungen, dazu kenne ich dich inzwischen zu gut. Du verbeißt dich in die Fälle wie ein Pitbull in sein Opfer. Hab ich recht?«

»Scheiße, ja. Das einzige, was ich nicht ausstehen kann, sind blöde Bullen, die mir psychologische Vorträge über meine Berufseinstellung halten«, sagte sie grinsend, ging um den Wagen herum und stieg ein.

»Paß auf, was du sagst. Zu Fuß sind es ein paar Kilometer bis zum Präsidium ...«

»Fahr schon los, sonst schlaf ich gleich hier im Auto ein. Morgen wird vielleicht der entscheidende Tag für uns, und da will ich nicht total übermüdet sein. Klar?« Sie hielt inne, holte das Handy aus der Tasche, wählte die Nummer des KDD, sagte: »Hier Durant. Hört zu, morgen früh, oder besser, heute früh soll sich ab sechs Uhr ein Wagen in Griesheim vor dem Haus einer gewissen Sabine Reich postieren, die Adresse hab ich jetzt nicht da, aber die könnt ihr ja mal schnell erfragen. Und ab der gleichen Zeit ein zweiter Wagen vor ihrer Praxis in Höchst, Die Adresse steht im Telefonbuch. Wir brauchen dringend Fotos von der Dame, sie ist vierunddreißig Jahre alt, sieht aber etwas jünger aus, knapp einssiebzig groß, kastanienbraunes Haar, braune Augen, schlank. Wenn ihr die Fotos im Kasten habt, bitte sofort entwickeln und gleich eine ganze Reihe von Abzügen machen lassen. Am besten wäre es, wenn wir die Fotos bis gegen zehn auf dem Tisch hätten. Ist alles angekommen? ... Okay, dann macht´s mal gut. Und bitte, sie darf euch nicht bemerken.« Sie atmete tief durch, sagte: »Und jetzt ab ins Bett.«

»Aye, aye, Captain. Dann mal los.«

Dienstag, 0.10 Uhr

Sie stand vor dem Spiegel, frisch geduscht und nackt, sie fühlte sich frisch und erholt, obgleich sie seit mehr als achtzehn Stunden auf den Beinen war. In Zukunft würde ihr Leben in ruhigeren Bahnen verlaufen, jetzt, wo sie sich der Last entledigt hatte. Sie ging an den Schrank, öffnete das Barfach, holte die Flasche Cognac heraus, schenkte sich ein. Dann zündete sie sich eine Zigarette an, löschte das Licht, stellte sich ans Fenster und blickte hinaus auf den im Dunkeln liegenden Garten. Sie dachte an die vergangene Woche und daran, daß ihr nichts von dem leid tat, was sie getan hatte. Es gab nichts, wofür sie sich entschuldigen müßte, sie hatte nur vollbracht, wofür andere zu feige waren. Ihr Hunger nach Rache war gestillt.

Sie genoß den Cognac und die Zigarette. Um halb eins legte sie sich nackt ins Bett, blieb auf dem Rücken liegen, der Königsstellung, wie man sagte, die Arme an der Seite ausgestreckt, die Beine eng beieinander. Sie schloß die Augen und schlief ein. Sie hatte es geschafft.

Julia Durant fühlte sich ausgeruht, trotz der nur fünf Stunden Schlaf. Als sie im Präsidium ankam, waren Berger und Kullmer sowie einige weitere Beamte, die mit den Ermittlungen beschäftigt waren, schon da.

»Also hat es Fink doch noch erwischt«, murmelte Berger, kaum daß Durant das Büro betreten hatte. »Wie konnte das passieren?«

»Es war seine eigene Schuld. Er hat mir gestern gesagt, er würde sich mit einem Bruder aus der Gemeinde treffen, was eine glatte Lüge war. Und wenn er uns in einer derart kritischen Situation anlügt, können wir ihm nicht helfen. Haben die Kollegen schon irgendwelche Fotos parat?«

»Sie sind gerade auf dem Weg hierher. Glauben Sie wirklich, diese Reich hat etwas damit zu tun?«

»Glauben«, sie zuckte die Schultern, »glauben tue ich gar nichts. Es ist nur eine vage Vermutung.«

»Und wie sind Sie zu dieser Vermutung gekommen, wenn man fragen darf?«

»Das Ganze mag sich irrwitzig anhören, aber ich habe gestern abend mit meinem Vater telefoniert und mit ihm über einige Details gesprochen. Unter anderem habe ich erwähnt, daß wir immer noch nicht wissen, wie das Gift in Rosenzweigs Haus gelangt ist. Ich weiß nicht, wie wir drauf kamen, jedenfalls hat er mich gefragt, ob die Reich auch Hypnosetherapien macht. Ich sagte ja, weil sie es mir selbst gesagt hatte, woraufhin mein Vater meinte, das könnte doch unter Umständen die Lösung sein. Eine Patientin, die von ihrer Therapeutin mittels eines hypnotischen Befehls manipuliert wird, die Flaschen zu vertauschen …«

»Das würde bedeuten, Frau Rosenzweig hat ihrem Mann das Gift untergejubelt?«

»Ja und nein, wenn wir von dieser Theorie ausgehen. Sie hat es getan, aber nicht bewußt. Es war, wenn überhaupt, ein Befehl, den sie wie ein Roboter ausführte.«

»Klingt wirklich etwas absurd …«

»Sicher, aber nach dem Gespräch mit meinem Vater habe ich bei Frau Rosenzweig angerufen und sie gefragt, ob die Reich bei ihr auch Hypnose anwendet. Und sie hat es bestätigt. Ich habe sie natürlich gebeten, niemandem, vor allem der Reich nichts von unserem Gespräch zu erzählen, was sie mir auch versprochen hat. Warum sind wir bloß nicht früher darauf gekommen?«

»Weil wir auch nur Menschen sind«, sagte Kullmer, der wie immer lässig und kaugummikauend auf seinem Stuhl hockte.

»Aber ich hätte drauf kommen müssen, spätestens, als die Reich mir sagte, daß sie unter anderem Hypnose als Therapieform anbietet. Warten wir einfach ab. Solange wir keine handfesten Beweise haben, können wir überhaupt nichts unternehmen.«

»Und wie soll es Ihrer Meinung nach jetzt weitergehen?« fragte Berger.

»Wir werden uns das beste Foto raussuchen und es allen zeigen, mit denen wir bisher gesprochen haben, mit Ausnahme der Mitglieder der Kirche natürlich. In Rosenzweigs Firma, in der Schönau Bank, im St. Valentius Krankenhaus … Sollte allerdings niemand die Frau kennen, sind wir, auf deutsch gesagt, ganz schön angeschissen. Trotzdem, ich will alles wissen, was die Reich gemacht hat, von ihrer Geburt an. Ich will wissen, wo sie herkommt, wer ihre Eltern sind, wie lange sie der Kirche angehört, einfach alles. Wir brauchen einen lückenlosen Lebenslauf von ihr. Und vielleicht stoßen wir da ja schon auf ein paar Ungereimtheiten.« Sie machte eine Pause, zündete sich eine Zigarette an, lehnte sich zurück und blickte in die Runde. »Also, Männer, an die Arbeit. Und sobald die ersten brauchbaren Fotos fertig sind, machen Kullmer, Hellmer und ich uns auf den Weg zum St. Valentius Krankenhaus. Ich will diesen verdammten Fall gelöst haben. Und noch was – ich will nicht nur alles über die Reich wissen, sondern endlich auch über Petrol. Sein Leben von Geburt an, ob er je verheiratet war, ob er Geschwister hat, ob es Unregelmäßigkeiten in seiner Vita gibt; ihr wißt schon, was ich meine. Befragt die Bewohner des Hauses, in dem er gewohnt hat. Und die Ergebnisse sollten am besten noch heute mittag auf dem Tisch liegen.«

Berger grinste sie an. »Das ist genau das, was ich so an Ihnen schätze – Ihren unbedingten Willen zum Sieg.«

»Es ist kein Sieg«, erwiderte sie ernst. »Dazu hat es zu viele Verlierer gegeben. In unserem Beruf haben wir es eigentlich immer nur mit Verlierern zu tun. Und das kann manchmal ganz schön deprimierend sein.«

Die Fotos, die von Sabine Reich gemacht worden waren, als sie das Haus verließ, wurden um Viertel nach neun in Bergers Büro gebracht. Eins davon zeigte ihr schönes Gesicht in Großaufnahme. Es waren insgesamt zwanzig Abzüge gemacht worden.

»Okay«, sagte Durant zu Hellmer und Kullmer und stand auf, »gehen wir. Marxen und Heinze, ihr fahrt bitte zu *Rosenzweig und Partner*, Kunz und Müller, ihr übernehmt die *Schönau Bank*. Alle anderen kümmern sich um den Lebenslauf von Sabine Reich. Wenn wir wiederkommen, will ich Ergebnisse auf dem Tisch haben«, fuhr sie mit entschlossener Miene fort.

Sie nahmen den Lancia Dienstwagen, fuhren über die A66 in Richtung Wiesbaden und weiter bis zur Ausfahrt Eltville, und von dort in das verschlafene Nest, wo sich das St. Valentius Krankenhaus befand. Ihr erster Weg führte sie zu Petrols Sekretärin. Durant hielt ihr das Foto von Sabine Reich vors Gesicht, fragte, ob sie diese Frau schon einmal gesehen habe.

»Tut mir leid, ich kenne diese Dame nicht.«

»Sie war nie hier?«

»Frau Kommissarin, das hier ist nur das Sekretariat. Hierher verirrt sich nur selten ein Besucher. Sie sollten vielleicht mal auf den verschiedenen Stationen nachfragen. Wie gesagt, ich habe sie nie gesehen, schon gar nicht mit Professor Petrol.«

»Danke«, sagte die Kommissarin. »Eine Frage noch, wie viele Stationen gibt es hier?«

»Insgesamt siebzehn, die kleinen eingerechnet. Genau gegenüber befinden sich die beiden geschlossenen Männer- und Frauenstationen sowie die beiden offenen, gemischten Stationen, im Flachbau ist die Entgiftungsstation, wo die meisten Patienten in der Regel nicht länger als zehn Tage bleiben. Im Altbau gibt es insgesamt acht kleinere Stationen für Patienten mit unterschiedlichen Krankheitsbildern wie Schizophrenie, Depressionen et cetera, und im Nebenhaus sind noch einmal vier offene Stationen mit jeweils nur sechs bis zehn Patienten. Außerdem befinden sich auf dem Gelände noch die Räume für die Beschäftigungstherapie, und im Haupthaus ist im Keller eine Turnhalle. Nicht zu vergessen die Cafeteria, die allerdings nur zwischen fünfzehn und siebzehn Uhr geöffnet hat. Und wenn Sie wissen wollen, wie viele Angestellte es hier gibt – es sind insgesamt etwa hundertachtzig Ärzte, Pflege- und Therapiekräfte.«

Als sie auf dem Parkplatz standen, sagte Durant: »Wir verteilen uns. Ich übernehme die geschlossenen und offenen Stationen sowie die Entgiftungsstation, ihr teilt euch die anderen auf. Ich würde sagen, wir treffen uns in einer Stunde vor dem Haupteingang.«

Durant hielt das Foto in der Hand, trat durch die Glastür, begab sich in den ersten Stock. Station 11. Die Tür war abgeschlossen. Sie sah einige Männer auf dem Flur, ein Pfleger lief mit schnellen Schritten den Gang entlang. Sie drückte auf die Klingel neben der Tür, Sekunden später kam eine große, etwa fünfzigjährige Schwester mit Brille auf sie zu und steckte einen der vielen Schlüssel, die sie an ihrem weißen Hosenbund befestigt hatte, ins Schloß.

»Tut mir leid«, sagte die Schwester mit dunkler, etwas barscher

Stimme, bevor Durant überhaupt etwas sagen konnte, »aber die Besuchszeit ist von vierzehn bis neunzehn Uhr. Steht da.«

»Das ist nicht zu überlesen«, erwiderte die Kommissarin kühl. »Durant, Kriminalpolizei. Ich möchte Ihnen und Ihren Kollegen nur ein Foto zeigen und Sie fragen, ob Sie die Dame kennen. Mehr nicht.«

»Oh, Entschuldigung«, sagte die Schwester mit verlegenem Gesichtsausdruck, »das ist natürlich etwas anderes. Kommen Sie rein.«

»Das ist also eine geschlossene Station«, sagte Durant. »Was haben die Männer hier ausgefressen, daß sie eingesperrt werden müssen?«

»Ausgefressen hat keiner etwas, sie sind nur krank und sollten möglichst nicht unter die Leute gelassen werden. Das ist alles ... Geht es um den Tod von Professor Petrol?«

»Ja, unter anderem. Kennen Sie diese Frau?« sagte Durant und hielt ihr das Foto hin. Die Schwester betrachtete das Bild eine Weile, schüttelte den Kopf. »Tut mir leid, hab ich noch nie gesehen. Zumindest hier nicht. Aber Sie können gern meine Kollegen fragen.«

»Das hatte ich ohnehin vor.«

An diesem Vormittag hatten vier Pflegekräfte auf der Station Dienst, diese Schwester und drei Pfleger, einer davon ein bulliger Mann mit kurzgeschorenem Haar und leicht sächsischem Dialekt. Der Bullige sagte nach einigem Überlegen: »Ich glaube, ich habe die Frau schon mal gesehen. Aber ganz sicher bin ich mir nicht. Es könnte oben auf der Zwölf gewesen sein ... Aber mit Bestimmtheit kann ich es nicht sagen. Obwohl ... Nein, ich will nichts Falsches sagen, auch wenn sie mir irgendwie bekannt vorkommt. Fragen Sie doch mal oben nach, ein Stock drüber. Vor einem halben Jahr oder so sind drei Pfleger auf einmal ausgefallen, und da mußte ich auf die Zwölf. Darf ich fragen, wer die Frau ist?«

»Nein, das dürfen Sie nicht. Trotzdem vielen Dank.«

Auf Station 12 das gleiche. Sie klingelte, diesmal öffnete ein Pfleger, ein kleiner, mißmutig dreinblickender Typ, der die Kommissarin mit stechendem Blick aus fast schwarzen Augen musterte. Drei alte Frauen standen wie angewurzelt auf dem Gang, starrten die Kommissarin wie ein Wesen aus einer andern Welt an. Sie wies sich aus, zeigte dem jungen Mann, auf dessen Namensschild Mirko stand, das Bild. Er schaute es kurz an, dann die Kommissarin.

Er schien einen Moment unschlüssig, schließlich sagte er mit unverkennbar slawischem Akzent: »Doch, ich kenne diese Frau. Sie kommt mindestens einmal in der Woche her.«

Julia Durant war wie elektrisiert. »Wirklich? Wie heißt sie?«

»Wie sie heißt?« Er zuckte die Schultern. »Ich müßte in den Unterlagen nachsehen. Aber ich kann Ihnen sagen, wen sie besucht. Zimmer 214, Frau Ehrentraut …«

»Kann ich mit der Frau sprechen?«

Mirko lächelte verkniffen, sagte: »Sie können es versuchen, aber ich glaube kaum, daß sie Sie verstehen wird. Sagen wir es so, sie sitzt den ganzen Tag nur da und … ihr Geist ist tot.«

»Was fehlt ihr?«

»Korsakow-Syndrom, ein Schlaganfall, Leberzirrhose, eigentlich alles, was nötig ist, um langsam zu sterben. Sie ist ein hundertprozentiger Pflegefall.«

»Korsakow-Syndrom?« fragte die Kommissarin. »Könnten Sie mir das näher erklären?«

»Am besten fragen Sie Dr. Schermer, er ist im Arztzimmer. Er kann Ihnen genau sagen, was mit Frau Ehrentraut ist. Augenblick, ich begleite sie.«

Mirko klopfte an die Tür, ein kaum hörbares »Herein«.

»Dr. Schermer, das ist Kommissarin Durant von der Kriminalpolizei. Sie würde gern mit Ihnen reden.«

Schermer stand auf, kam hinter seinem Schreibtisch hervor, reichte der Kommissarin die Hand. Er war kleiner als sie, sehr schlank, sein Alter schätzte sie auf Ende Dreißig bis Anfang Vierzig, was auch täuschen konnte, denn seine fast vollständige Glatze und der etwas strenge Blick ließen ihn älter wirken. Er bot ihr einen Stuhl an, setzte sich ihr gegenüber.

»Was kann ich für Sie tun? Geht es um Professor Petrol?«

»Auch. Aber zuerst, kennen Sie diese Frau?«

Schermer nahm das Foto in die Hand, nickte. »Ja, warum?«

Julia Durant ließ die Frage unbeantwortet, sagte: »Diese Frau besucht regelmäßig eine Patientin dieser Station, Frau Ehrentraut. Können Sie mir etwas zu ihr sagen? Wie lange sie hier ist, warum sie ein Pflegefall ist, und so weiter?«

Dr. Schermer lehnte sich zurück, die Hände aneinandergelegt, die Fingerspitzen berührten seine Nase. »Frau Ehrentraut ist das, was man einen klassischen Suchtpatienten nennt. Zwar ist die Station 10 die eigentliche Alkoholikerstation, doch ab und zu bekommen wir auch welche hierher, wenn unten kein Platz mehr ist. Wenn Sie einen Moment warten wollen; ich zieh mir schnell die Akte, damit ich nichts Falsches sage.« Er erhob sich, holte einen prallgefüllten Hängeordner aus dem Schrank, legte ihn auf den Tisch, schlug ihn auf. Nach einer Weile sagte er: »Sie kam zu uns am 3.6.95. Sie war erst auf der Zehn zur Entgiftung, wo sich aber schnell herausstellte, daß mit ihr etwas nicht stimmte. Sie war auch nach mehreren Tagen nicht ansprechbar, murmelte unverständliches Zeug, weshalb wir ausführliche physiologische, aber auch neurologische Untersuchungen bei ihr durchgeführt haben. Dabei haben wir nicht nur eine fortgeschrittene Leberzirrhose festgestellt, sondern auch das sogenannte Korsakow-Syndrom, das nicht selten nach langem Alkoholmißbrauch auftritt. Allerdings wird in der Regel nur das Kurzzeitgedächtnis in Mitleidenschaft gezogen, kann aber in besonders schweren Fällen, wie hier, fast das gesamte Erinnerungsvermögen betreffen.

Wir haben versucht, ihr medikamentös wenigstens ein bißchen zu helfen, aber leider hat sie während der Behandlung am 30.7.95 auch noch einen Schlaganfall erlitten. Nach einer Computertomographie ihres Kopfes war uns klar, daß diese Frau nie wieder ein normales Leben würde führen können. Frau Ehrentraut führt kein Leben im eigentlichen Sinn mehr, es ist, um es salopp zu formulieren, eher ein Dahinsiechen. Wir wissen nicht, ob sie denkt, fühlt, riecht, schmeckt … Die Medizin weiß einfach zu wenig über diese Erkrankung des Gehirns. Fest steht jedenfalls, daß die Ursache in jahre-, wenn nicht gar jahrzehntelangem Alkohol- und Medikamentenmißbrauch liegt.«

»Wie alt ist Frau Ehrentraut?«

»Augenblick – geboren am 23.7.46. Also ist sie zweiundfünfzig Jahre alt, nächsten Monat wird sie dreiundfünfzig. Eigentlich noch kein Alter zum Sterben.«

»Wie lange geben Sie ihr noch?«

»Das ist schwer zu sagen. Es kann durchaus noch zehn oder sogar zwanzig Jahre dauern, bis sie … Es hängt davon ab, wie die Zirrhose verläuft. Sie hat Ösophagusvarizen, sogenannte Krampfadern in der Speiseröhre. Wenn solche Krampfadern platzen, besteht kaum eine Überlebenschance. Dann erstickt man quasi an seinem eigenen Blut. Ein qualvoller Tod, ich habe einmal einen Mann daran sterben sehen.« Er schüttelte den Kopf, fuhr fort: »Aber ich glaube nicht, daß Frau Ehrentraut es noch lange macht. Sie ist einfach zu krank, wenn Sie verstehen. Der Tod kann im Prinzip jederzeit eintreten.«

»Und diese Frau hier«, sagte Durant und deutete auf das Foto von Sabine Reich, »kümmert sich um Frau Ehrentraut?«

»Nun, sie ist meines Wissens die einzige Bezugsperson. Einen Moment, hier hab ich´s, Sabine Reich. Sie war auch diejenige, die Frau Ehrentraut zu uns gebracht hat.«

»Wissen Sie, in welchem Verhältnis Frau Reich zu Frau Ehrentraut steht?«

»Hier steht nur, daß sie eine Nichte ist. Mehr kann ich nicht sagen.«

»Eine letzte Frage noch – ist Ihnen vielleicht bekannt, ob sie etwas mit Professor Petrol hatte? Eine Beziehung, ein Verhältnis?«

»Tut mir leid, aber über das Privatleben von Professor Petrol kann ich Ihnen nun wirklich nichts sagen. Wir Ärzte gehen privat sehr getrennte Wege.«

»Vielen Dank für Ihre Auskunft«, sagte Durant und erhob sich.

»Wäre es vielleicht möglich, wenn ich Frau Ehrentraut kurz sehen könnte?«

»Selbstverständlich«, sagte Schermer. »Warten Sie, ich begleite Sie. Sie sollten aber keinen Schreck bekommen …«

Frau Ehrentraut saß am Fenster, die Hände auf dem Schoß, den Blick nach draußen gerichtet. Ihre Haut wirkte grau und krank, ihr Gesicht war faltig und eingefallen, die grauen Haare streng zurückgekämmt, sie trug einen Bademantel und Pantoffeln. Auf dem Beistelltisch neben ihrem Bett stand eine Vase mit einem Strauß aus gelben, weißen und rosa Rosen, verziert mit Schleierkraut. Es war ein Einzelzimmer, und der einzige Mensch, der sie je besuchte, war Sabine Reich.

»Diese Blumen …«, sagte die Kommissarin, wurde von Schermer aber sofort unterbrochen, » …sind von Frau Reich.«

Sie verabschiedete sich von Dr. Schermer, lief die Treppe hinunter, setzte sich in der Parkanlage auf eine Bank. Sie zündete sich eine Gauloise an, inhalierte, dachte nach. Sie drückte die Zigarette aus, steckte sich hektisch gleich eine neue an, ein Zeichen übermäßiger Nervosität. Sie blickte zur Uhr. Die Stunde war noch nicht vorüber, als Hellmer und Kullmer aus dem Haus kamen.

»Fehlanzeige«, sagten sie übereinstimmend. »Hier kennt sie keiner.«

Durant blickte auf, sie wirkte bedrückt. »Doch, man kennt sie.

Sie besucht regelmäßig eine Frau Ehrentraut auf Station 12. Diese Frau ist sehr krank, nicht ansprechbar. Zweiundfünfzig, das Hirn kaputtgesoffen, dazu ein Schlaganfall und Leberzirrhose. Ihr Tod ist nur eine Frage der Zeit.«

»Scheiße«, quetschte Hellmer durch die Lippen, »ausgerechnet die Reich.«

»Was ist an der so besonderes?« fragte Kullmer.

»Alles, du Idiot!« fuhr Hellmer ihn an. »Das ist ein absolutes Spitzenweib! ... Aber leider auch eine Schwarze Witwe.«

»Noch haben wir keinen endgültigen Beweis«, sagte Durant. »Wir wissen bis jetzt lediglich, daß sie regelmäßig diese Ehrentraut besucht. Angeblich sind die beiden verwandt, Tante und Nichte. Bin gespannt, was die Nachforschungen unserer Kollegen ergeben haben.«

»Das geht dir ganz schön an die Nieren, oder?« sagte Hellmer. Er hatte Mitleid mit Julia Durant, die in den letzten Tagen eine Menge durchgemacht hatte. Sie verzog den Mund zu einem verkniffenen Lächeln und stand auf. »Ach was, was soll mir schon an die Nieren gehen. Sie war mir nun mal vom ersten Augenblick an sympathisch«, sagte Durant. »Und irgendwie wäre ich nie auf die Idee gekommen, sie mit diesen Morden in Verbindung zu bringen. Aber noch ist es nicht soweit. Ihre Besuche hier beweisen noch überhaupt nichts.«

»Aber Petrol hat hier gearbeitet, wahrscheinlich haben sie sich sogar hier kennengelernt. Es macht auf einmal alles Sinn.«

»Und warum hat sie die Männer umgebracht?« fragte Durant und steckte sich eine weitere Gauloise an, während sie zum Wagen liefen.

»Keine Ahnung, aber wir werden es herausfinden. Kommt, laßt uns fahren, es wartet noch eine Menge Arbeit auf uns.«

Präsidium. Besprechung.

Durant berichtete von ihrem Besuch im St. Valentius Kranken-haus. Als sie geendet hatte, sagte Berger mit ernster Miene: »Gut, ich habe ebenfalls Neuigkeiten für Sie. Sabine Reich wur-de am 1.11.64 in Wiesbaden geboren. Direkt nach ihrer Geburt kam sie in ein katholisches Waisenhaus, das ›Haus der lieben Mutter Maria‹. Mit zwölf wurde sie von Hermann und Renate Reich adoptiert, einem sehr wohlhabenden Unternehmerehe-paar. Sie wuchs bei ihnen auf, machte mit neunzehn ihr Abitur, studierte anschließend Psychologie, arbeitete danach zwei Jahre in einer Gemeinschaftspraxis, bis sie sich mit sechsundzwanzig selbständig machte. Sie betreibt seit acht Jahren eine Praxis hier in Höchst, ihre Spezialgebiete sind Psychoanalyse, Einzel- und Gruppentherapie sowie Hypnosetherapie. Diese Informationen haben wir von ihrer Adoptivmutter, der Adoptivvater ist vor vier Jahren an Krebs gestorben. Den Namen ihrer leiblichen Mutter haben wir nach endlosen Telefonaten herausgefunden – und jetzt halten Sie sich fest, es ist Erika Ehrentraut, die Frau, die Sie in der Klinik gesehen haben. Der Name des leiblichen Vaters ist un-bekannt. Seit vier Jahren ist die Reich Mitglied der *Kirche des Elohim.*

Jetzt zu Petrol. Sie wollten ja alle Daten haben, hier sind sie. Ge-boren am 3.4.56 in Karlsruhe. Eine Schwester, verheiratet, drei Kinder. Das Foto, das Kullmer gestern mitgebracht hat, zeigt diese Schwester und ihre Kinder. Er wohnte seit 1992 in Elt-ville, hat aber seit ´96 eine Wohnung in Frankfurt. Seine Eltern kamen vor elf Jahren bei einem Autounfall ums Leben und hin-terließen ihm und seiner Schwester ein nicht unbeträchtliches Vermögen; deshalb konnte er sich wahrscheinlich auch diese Lu-xuswohnung leisten. Ein paar der Hausbewohner wurden be-fragt, aber keiner konnte sich an Sabine Reich erinnern.« Er machte eine Pause, zündete sich eine Zigarette an, lehnte sich zurück. Es herrschte absolute Stille im Raum, man hätte eine Stecknadel fallen hören. Berger ließ seinen Blick in die Runde schweifen, sagte, an Durant gewandt: »Und jetzt? Welche Theorie haben Sie? Ich sehe es Ihnen doch an, daß in Ihrem Kopf etwas vorgeht.«

»Ja«, erwiderte sie zögernd, »allmählich fängt das Puzzle an zusammenzupassen. Also, Erika Ehrentraut wurde mit siebzehn schwanger, von wem, wissen wir nicht. Sabine Reich beziehungsweise Ehrentraut wurde in ein Waisenhaus gegeben, in dem sie zwölf Jahre zubrachte. Irgendwann fing sie an, nach ihren leiblichen Eltern zu suchen und fand schließlich ihre Mutter. Doch die war längst ein körperliches und geistiges Wrack, vermutlich hatte sie da schon längst vergessen, daß sie einmal schwanger war und ein Mädchen zur Welt gebracht hatte. Als ausgebildete Psychologin wußte Sabine Reich natürlich um den Zustand ihrer Mutter. Sie brachte sie ins Krankenhaus, wohl in der Hoffnung, daß ihr dort geholfen werden könnte. Allerdings war es da für Hilfe schon längst zu spät. Als sie erfuhr, daß ihrer Mutter nicht mehr zu helfen war, keimte in ihr der Gedanke, Rache zu üben, weil sie vielleicht spürte, daß die Alkohol- und Tablettensucht ihrer Mutter nicht von ungefähr kamen. Wer weiß, aber womöglich fand sie einen Hinweis auf ihren leiblichen Vater. Sie schloß sich dieser Kirche an, weil eben genau dort ihr Vater zu finden war. Nur, sie gab sich nicht zu erkennen, wollte wohl erst einmal ausloten, mit was für Menschen sie es dort zu tun hatte … Na ja, weiter komme ich nicht. Wer ist denn nun ihr leiblicher Vater? Rosenzweig, Schönau, Fink?«

»Fink«, sagte Kullmer in seiner gewohnt lässigen Art. »Sie ist nach einem bestimmten System vorgegangen, und ihn hat sie sich extra für zuletzt aufgehoben. Warum aber auch die andern dran glauben mußten …« Er zuckte ratlos die Schultern.

»Kriegen wir einen Durchsuchungsbefehl für ihr Haus und ihre Praxis?« fragte Durant.

Berger grinste sie an, schob das Papier über den Tisch. »Hier, alles schon veranlaßt. Wenn Sie wollen, können Sie das Haus und die Praxis auf den Kopf stellen. Ich bin sicher, Sie werden nicht mit leeren Händen zurückkommen.«

»Okay. Ich will aber erst einmal mit ihr allein sprechen.«

»Kein Problem«, sagte Hellmer. »Wir warten solange draußen im Wagen.«

»Also los, auf geht´s.«

Dienstag, 15.05 Uhr

Sabine Reich hatte gerade mit einer Sitzung begonnen, als es klingelte. Sie sagte zu Marianne Rosenzweig »Einen Moment bitte« und ging zur Tür.

»Frau Durant«, sagte Sabine Reich mit einem Lächeln. »Es tut mir leid, aber ich bin gerade in einer Sitzung. Wenn es Ihnen nichts ausmacht …«

»Doch, es macht mir was aus«, sagte die Kommissarin und trat einfach ein. »Frau Reich, ich muß mich mit Ihnen unterhalten. Und zwar jetzt und unter vier Augen. Schicken Sie Ihren Patienten nach Hause, es wird länger dauern.«

»Oho, scheint sich ja um was Ernstes zu handeln.«

»Ja, das tut es.«

»Einen Augenblick, ich sage nur schnell Frau Rosenzweig Bescheid. Wenn Sie bitte warten wollen.«

»Ich komme mit«, sagte Durant entschlossen und folgte Sabine Reich.

»Tut mir leid, Schwester Rosenzweig, aber wir müssen die Sitzung leider abbrechen. Die Kommissarin möchte sich mit mir unterhalten. Wir telefonieren heute abend wegen eines neuen Termins.«

Marianne Rosenzweig erhob sich, warf Durant einen vielsagenden Blick zu, sagte »Guten Tag«, nahm ihre Tasche und ging. Sabine Reich setzte sich auf den Schreibtisch, stützte sich mit beiden Händen ab. Die Kommissarin blieb stehen und wartete, bis die Tür hinter Marianne Rosenzweig ins Schloß gefallen war.

»Frau Reich, warum haben Sie Hauser, Rosenzweig, Schönau, Petrol und Fink getötet?«

Das Lächeln verschwand augenblicklich aus dem Gesicht der Angesprochenen, ihr Blick wurde kühl und abweisend.

»Wie kommen Sie ausgerechnet auf mich?« fragte sie.

»Ein wirklich dummer, dummer Zufall. Oder ein genialer, je nachdem, von welcher Seite man es betrachtet. Wir haben uns immer den Kopf zerbrochen, wie das Gift in Rosenzweigs Schreibtisch gelangen konnte. Dann haben Sie mir gestern erzählt, daß Sie unter anderem Hypnosetherapien durchführen, was für mich aber nichts Besonderes war. Bis ich am Abend meinen Vater angerufen und mit ihm über diese wirklich ausgefallenen Morde gesprochen habe, und er mir diese geradezu abenteuerliche Theorie präsentiert hat, daß das Gift aufgrund eines hypnotischen Befehls dorthin gekommen sein konnte. Ich hielt das zunächst für etwas zu weit hergeholt, habe aber später trotzdem bei Frau Rosenzweig angerufen und Sie gefragt, ob sie jemals von Ihnen in Hypnose versetzt worden war, was sie bestätigt hat. Tja, und dann kam eins zum andern. Als sie heute morgen Ihr Haus verließen, wurden Sie fotografiert, die Fotos wurden sofort entwickelt und mehrere Abzüge gemacht. Meine Kollegen und ich sind zum St. Valentius Krankenhaus gefahren, und was wir dort gehört haben, läßt das Bild noch deutlicher werden …«

»Na und«, gab sich Sabine Reich gelassen, »was ist schon dabei, wenn ich Hypnosebehandlungen durchführe und meine Mutter besuche? Haben Sie sonst noch etwas vorzuweisen? Das Ganze ist ja wohl ein bißchen sehr dünn, finden Sie nicht?«

»Wer ist Ihr leiblicher Vater?« fragte Durant.

»Keine Ahnung, woher soll ich das wissen? Ich wurde gleich nach meiner Geburt weggegeben.«

»Ach kommen Sie, vor ziemlich genau vier Jahren haben Sie Ihre Mutter zur Entgiftung ins St. Valentius Krankenhaus gebracht. Im gleichen Jahr starb Ihr Adoptivvater an Krebs. Sie haben von der unheilbaren Krankheit Ihrer Mutter erfahren – Korsakow-Syndrom – und haben, wie auch immer, herausgefunden, wer Ihr leiblicher Vater ist. Vielleicht haben Sie den Namen in einem Brief oder einem Tagebuch Ihrer Mutter gefunden, es ist im Prinzip auch egal. Jedenfalls haben Sie sich 1995 der Kirche angeschlossen, aber nicht, weil Sie an das glaubten, was dort gepredigt wurde, sondern weil Sie einen Plan hatten. Und dieser Plan ist aufgegangen. Sie haben ihn in aller Konsequenz zu Ende geführt. Alle Achtung.«

Sabine Reich grinste überheblich. »Hypothesen, Frau Durant. Oder sollte ich sagen, Spekulationen? Wo ist Ihr Beweis?«

»Unter Umständen hier«, sagte die Kommissarin und zog den Durchsuchungsbefehl aus ihrer Tasche. »Wir werden sowohl Ihr Haus als auch Ihre Praxis durchsuchen. Wir werden alles auf den Kopf stellen, und ich garantiere Ihnen, wir finden etwas. Sie können uns das natürlich auch ersparen, indem Sie sich kooperativ zeigen …«

»Sie spinnen ja! Sie spinnen wirklich! Aber bitte, suchen Sie ruhig.« Sie griff nach ihrer Handtasche, Julia Durant sagte: »Nichts anfassen. Ein paar von meinen Kollegen werden gleich reinkommen und eine Durchsuchung vornehmen. Die andern warten schon vor Ihrem Haus. Ich brauche nur kurz anzurufen. Wenn Sie mir jetzt bitte Ihre Handtasche geben wollen«, sagte sie und streckte die Hand aus.

»Was wollen Sie mit meiner Handtasche? Ich wollte mir nur einen Lippenstift rausholen.«

»Das können Sie gleich, nachdem ich die Tasche untersucht habe. Wenn ich bitten darf!«

Sabine Reichs Gesichtsausdruck wurde mit einem Mal zu Stein. Sie zögerte, hielt die Tasche fest umklammert, schluckte schwer. Schließlich gab sie nach, als Durant sie mit entschlossenem Blick ansah.

»Hier«, sagte Sabine Reich und reichte der Kommissarin widerwillig die Tasche.

»Ich rufe jetzt meine Kollegen.« Sie nahm das Funkgerät, gab den Einsatzbefehl. Einige Sekunden später standen fünf Beamte im Raum, die Kommissarin gab die Anweisungen für die Durchsuchung.

Sabine Reich saß starr auf dem Schreibtisch und beobachtete wie gebannt das Treiben um sich. Julia Durant öffnete die Handtasche, schüttete den Inhalt auf den Boden.

»Da schau einer an, Sie rauchen ja! Ich denke, Rauchen ist in der Kirche verboten?«

»Kann ich eine haben?« fragte Sabine Reich leise.

»Bitte, ich habe nichts dagegen.« Sie gab ihr die Zigarettenschachtel, Sabine Reich zündete sich eine Davidoff an.

Die Kommissarin hob einen in ein Taschentuch eingewickelten Gegenstand vom Boden auf. Sie entfernte das Taschentuch, hielt eine kleine Plastiktüte in der Hand. Sie sah Sabine Reich wortlos an, hielt den Gegenstand hoch. »Was ist das?« fragte sie.

»Eine Spritze, das sehen Sie doch«, erwiderte die Psychologin mit gespielt gelangweilter Stimme.

»Und wofür haben Sie die gebraucht? Für Fink?«

»Sie haben doch Labors. Lassen Sie sie untersuchen.«

»Das werden wir, darauf können Sie sich verlassen.« Die Kommissarin stand auf, stellte sich direkt vor Sabine Reich. »Frau Reich, ich muß Sie leider wegen dringenden Mordverdachts festnehmen. Wenn Sie mich bitte zu meinem Wagen begleiten wollen.«

»Kann ich meinen Anwalt sprechen?« fragte sie mit tonloser Stimme.

»Sie können ihn vom Präsidium aus anrufen. Im übrigen möchte ich Sie über Ihre Rechte aufklären. Sie haben das Recht zu schweigen; alles, was Sie sagen, kann jedoch gegen Sie verwendet werden. Und natürlich haben Sie das Recht, einen Anwalt zu Rate zu ziehen.«

»Können wir unterwegs anhalten? Ich möchte mich nur noch mit Zigaretten eindecken. Ich schätze, es wird eine lange Nacht.«

»In Ordnung. Wenn Sie mir Geld geben, besorge ich die Zigaretten für Sie.«

»Danke. Ach, übrigens, sparen Sie sich die Durchsuchung, ich weiß, wann ich verloren habe«, sagte sie mit einem traurigen Lächeln. »Tja, ich war tatsächlich der Meinung, niemand würde je hinter meinen scheinbar so perfekten Plan kommen. So kann man sich täuschen. C'est la vie. Hätte ich nur diese verdammte Spritze gleich gestern abend entsorgt. Mein Fehler. Gehen wir.«

Im Auto sagte sie: »Eine Bitte hätte ich noch – könnten wir noch einmal kurz zu meinem Haus fahren?«

»Warum?« fragte Durant, Hellmer schüttelte den Kopf.

»Ich möchte noch einmal meinen Garten sehen. Es wird eine Ewigkeit dauern, bis ...« Sie senkte den Kopf, ein paar Tränen liefen über ihr Gesicht.

»Einverstanden. Aber nur ein paar Minuten. Und keine Tricks.«

»Keine Angst, ich laufe Ihnen nicht davon. Sie können mir ja Handschellen anlegen.«

Julia Durant dachte kurz an Werner Petrol, wollte schon eine zynische Bemerkung wegen der Handschellen machen, ließ es dann aber doch. Sie hielten vor dem Haus, Durant und Hellmer nahmen Sabine Reich in die Mitte. Die Sonne schien, das Thermometer zeigte knapp über zwanzig Grad, ein leichter Ostwind ließ die Blätter in den Bäumen rascheln.

Sabine Reich blieb auf der Terrasse stehen, sah hinaus auf den Garten. Sie ging ein paar Schritte weiter, zog ihre Schuhe aus, betrat den Rasen. Sie legte den Kopf in den Nacken, sog die frische Luft tief in sich ein, fuhr sich mit beiden Händen durchs Haar, drehte sich ein paarmal im Kreis. Nach fünf Minuten sagte sie: »Ich wollte nur dieses Gefühl mitnehmen, mehr nicht. Ich bin bereit.«

Dienstag, 17.00 Uhr

Julia Durant hatte zwei Stangen Zigaretten für Sabine Reich gekauft; das Verhör wurde mit einer Videokamera und einem Tonband aufgezeichnet.

»Fink war mein Vater. Ich habe einen Stapel Briefe gefunden, in denen alles stand, was ich wissen mußte. Ich hatte mir immer eine Mutter und einen Vater gewünscht, zumindest so lange, wie ich in diesem gottverdammten Waisenhaus war. Ein katholisches Haus, von Nonnen geführt!« spie sie höhnisch aus. »Ein Haus Gottes, ein Haus der Prügel und der Demütigungen, ein Haus, in dem Gott verhöhnt und verspottet wurde. Ein Haus, in dem Kinder auf schändlichste Weise mißbraucht wurden … Ich war neun, als der Hausmeister, ein ekelhafter, ständig besoffener Kerl, mich zum ersten Mal vergewaltigt hat. Drei Jahre ging das so, aber ich war beileibe nicht die einzige. Fast jedes Mädchen mußte irgendwann dran glauben, weil irgendwelche Jungs sich ein paar Mark verdienen wollten. Dieses alte Dreckschwein hat nur gesagt, er würde uns zu Frauen machen. Er würde uns zeigen, wie das Leben außerhalb dieser Mauern wäre … Wie gern hätte ich diesen Schweinehund verrecken sehen! Na ja, man kann nicht alles haben.«

»Und welche Rolle spielten die andern – Hauser, Rosenzweig, Schönau?« fragte Durant. »Hatten Sie mit Hauser ein Verhältnis?«

»Ja. Wir sind uns rein zufällig begegnet, und er hat mir von seiner Arbeit mit Schlangengiften erzählt. Ich war fasziniert, und da ich schon lange nach einer etwas ausgefallenen Methode gesucht habe, diese Männer zu beseitigen, kam mir die Idee, es mit Gift zu probieren. Eines Tages habe ich ihn in seinem Labor besucht. Er hat mir alles erklärt, und ich wußte schon nach kurzer Zeit ziemlich viel über Gifte und deren Wirkungsweise. Das Problem war nur, wenn ich diese Methode angewendet und Hauser am Leben gelassen hätte, wäre schon nach dem ersten Mord alles aufgeflogen. Aber ich wollte diese Idee umsetzen, unter allen Umständen. Er war sozusagen meine erste Versuchsperson. Und es hat wunderbar geklappt. Ich habe bei ihm ein Gift benutzt, das eine fast ausschließlich nervenlähmende Wirkung hat, also kaum nekrotisierend wirkt. Um ihn hat es mir irgendwie leid getan, er war ein guter Mann, aber eben nur ein Mann. Ich brauchte nur mit den Augen zu zwinkern und schon hatte ich ihn da, wo ich ihn haben wollte. So einfach war das. Ich glaube, seine Frau ist nie dahinter gestiegen. Ist auch besser so. Sie soll ruhig weiter glauben, ihr Mann wäre ein treuer Ehemann gewesen.« Sie lachte auf, zündete sich eine Zigarette an.

»Und warum Rosenzweig und Schönau?«

Sabine Reich sah Durant an, ein verklärtes Lächeln umspielte ihren Mund. Sie zog an der Zigarette, blies den Rauch aus, sagte: »Ich wollte wissen, ob nur mein Vater ein Schwein war, oder ob die beiden ähnlich gelagert waren. Ich habe einen Privatdetektiv engagiert, der mir alle Informationen geliefert hat, die ich brauchte. Rosenzweig hat seine Frau seit Jahren nach Strich und Faden betrogen, entgegen allen Richtlinien der Kirche. Und nicht nur das, er hat auch ein paar Geschäfte getätigt, die der Firma eine Menge Geld brachten und das Finanzamt um einige Millionen schädigten. Aber keiner hat etwas davon gemerkt. Rosenzweig und Schönau haben zusammengearbeitet. Richtig schön brüderlich zusammengearbeitet. Der eine wollte Geld beiseite schaffen, der andere hat ihm dabei geholfen. Beide waren nicht nur Betrüger dem Gesetz nach, sie waren gleichzeitig auch Betrüger ihren Familien und der Kirche gegenüber. Beide waren raffgierig und bigott und haben sich alles genommen, was sie nur kriegen konnten. Schönau ging sogar so weit, eine seiner Mitarbeiterinnen zu schwängern, die auch verheiratet war; leider kam ihr Mann dahinter, daß das Kind nicht von ihm war. Sie kennen die Geschichte; Rita Jung, eine liebenswerte Person, die wohl niemals auch nur im Traum daran gedacht hätte, daß ihr je so etwas passieren könnte. Aber das Leben geht manchmal seltsame Wege. Jetzt ist sie ihren Mann los, und ihr Kind auch … Na ja, Schönau hat aber nicht mal vor kleinen Mädchen haltgemacht. Er war einfach ein mieses Schwein.

Aber das allein wäre für mich kein Grund gewesen, die beiden umzubringen. Das eigentlich Schlimme für mich war, daß sowohl Rosenzweig als auch Schönau von den Verfehlungen meines Vaters gewußt haben. Und ich habe sehr schnell gemerkt, daß alle drei sich gegenseitig deckten. Wie erklären Sie sich sonst die jahrelange enge Zusammenarbeit der drei?« Sie hielt inne, drückte ihre Zigarette aus, faltete die Hände im Schoß.

»Hassen Sie Männer?« fragte Durant.

»Nein, ich bin keine Männerhasserin. Es gibt auch anständige unter ihnen.« Sie fuhr sich mit zwei Fingern über die Lippen, sah Durant mit merkwürdig verklärtem Blick an. »Petrol war so einer, dachte ich zumindest. Ich habe ihn wirklich geliebt, ich habe ihn mehr geliebt als irgend jemand sonst auf der Welt. Ich habe alles geglaubt, was er sagte, ich war überzeugt, wir wären aus demselben Holz geschnitzt. Er war der Mann, den ich mir immer gewünscht hatte. Bis ich das mit Ihnen herausgefunden habe. Er hat mir am Donnerstag gesagt, er würde das Wochenende über bei seiner Schwester in Karlsruhe sein«, sie senkte den Blick, preßte die Lippen aufeinander, es schien, als wollte sie ihre Gedanken ordnen. Schließlich fuhr sie fort: »Ich weiß nicht, was es war, aber irgend etwas hat mich mißtrauisch gemacht. Ich habe bei ihr angerufen, wollte ihn sprechen, aber sie hat nur gesagt, er wäre nicht da und sie wüßte auch nichts davon, daß er kommen wollte. Also habe ich mich am Freitagabend vor seinem Haus postiert. Ich habe Sie hineingehen sehen, und ich habe vor allem die rührende Abschiedsszene gesehen. Küßchen hier, Küßchen da! … Es war ein unendliches Scheißgefühl, eine Demütigung ohnegleichen. Für mich ist nicht nur eine Welt zusammengebrochen, für mich bedeutete es, daß ich keinem, aber auch wirklich keinem Mann jemals mehr würde trauen können. Nicht nur, daß er mich mehr als drei Jahre lang belogen und betrogen hat, es war vor allem der Schmerz, daß er ausgerechnet mit *Ihnen* rumgevögelt hat. Und ich hatte ihm einfach zu viel von mir erzählt, er wußte im Prinzip alles über mich. Ein Wort von ihm, und Sie hätten mich sofort verhaftet. Ich bin ihm am Samstag zur Klinik gefolgt, habe ihn mit den Akten herauskommen sehen und wußte genau, wie sein nächster Schritt aussehen würde. Aber dazu durfte ich es nicht kommen lassen. Von diesem Moment an habe ich jeden seiner Schritte beobachtet. Und am Sonntagabend war es dann soweit. Wir haben ein letztes Mal …« Sie stockte, kämpfte mit den Tränen, wischte sich mit einer Hand über die Augen. »Es war immer so schön mit ihm gewesen. So wunderschön. Und ich hätte nie für möglich gehalten, daß er mich nur benutzt hat. Ich habe ihn geliebt, aber er mich nicht. Das war die beschissenste Erkenntnis seit dem Waisenhaus … Manche Menschen haben eben immer Pech. Und ich frage mich, ob es wirklich einen Gott gibt, wenn er einem nicht einmal das kleinste Glück gönnt.«

»Sie hatten doch wunderbare Pflegeeltern, einen tollen Beruf, Sie hatten das Waisenhaus lange hinter sich gelassen. Warum sagen Sie, Ihnen wäre kein Glück vergönnt gewesen? Sie haben es nur nicht gesehen, Sie waren so von Ihrem Haß zerfressen …«

Berger stürmte ins Zimmer, sein Blick sprach Bände. »Frau Durant, ich möchte Sie bitte kurz unter vier Augen sprechen!« sagte er unmißverständlich scharf.

»Sicher«, sagte Durant und folgte ihm nach draußen.

»Hab ich das eben richtig gehört, Sie hatten ein Verhältnis mit Petrol? Sagen Sie, daß das nicht wahr ist!«

»Doch, das stimmt«, sagte sie und sah Berger geradeheraus an. »Und ich schäme mich nicht dafür, falls Sie das glauben sollten. Für mich war es genauso ein Schock, zu wissen, daß der Mann, der mich angeblich heiraten wollte und mir etwas von seiner Familie und dieser ach so unglücklichen Ehe vorgejammert hat, der mir gesagt hat, er würde sich scheiden lassen, daß dieser Mann plötzlich tot war.«

»Sie hätten es mir sagen müssen!« fuhr Berger sie wütend an.

»Nein, das hätte ich nicht! Mein Privatleben geht keinen Menschen etwas an …«

»Wenn es um Mord geht, gibt es kein Privatleben mehr«, sagte Berger sichtlich erregt. »Sie können von Glück sagen, wenn diese Sache keine Konsequenzen für Sie hat.«

»Dann suspendieren Sie mich doch vom Dienst! Ich scheiß auf diesen Job, ich kann mir auch was Besseres suchen, etwas mit geregelter Arbeitszeit, angemessener Bezahlung …«

Berger verdrehte die Augen, schnaufte wie ein Nilpferd, sagte schließlich beschwichtigend: »Es tut mir leid, aber Sie hätten wenigstens mich einweihen können. Sie wissen doch, daß Sie mir vertrauen können … Und ich will Sie nicht verlieren.«

Julia Durant zuckte mit den Achseln, verzog die Mundwinkel. Sie sagte leise: »Es war einfach zuviel für mich. Ich weiß, ich habe Bockmist gebaut, aber ich habe dadurch die Ermittlungen nicht behindert. Im Gegenteil, dadurch wußte ich zumindest, daß der Täter mich kannte. Und damit hat sich der Kreis der Verdächtigen erheblich eingeschränkt. Und jetzt haben wir doch unsere Killerin.«

»Machen Sie weiter, wir sprechen ein andermal über die Sache. Und ich werde die Kollegen instruieren, kein Wort über Ihre Liebelei mit Petrol zu verlieren. Jetzt gehen Sie schon wieder rein.«

Julia Durant spürte ihr Herz bis in die Schläfen pochen, sie blieb noch einen Augenblick auf dem Gang stehen, wartete, bis ihr Herzschlag sich beruhigt hatte. Sie atmete tief durch, trat wieder ins Vernehmungszimmer. Sabine Reich stand am Fenster und sah hinunter auf die Straße. Sie drehte sich um, blieb am Fenster stehen.

»Wir können weitermachen«, sagte die Kommissarin und steckte sich eine Gauloise zwischen die Lippen. »Was war weiter?«

»Der letzte war Fink, mein ach so liebevoller, treusorgender Vater«, sagte sie mit abgrundtiefem Zynismus. »Er hatte meine Mutter auf dem Gewissen, er hat sie auf die schändlichste Weise mißbraucht. Es gibt sogar ein Tagebuch, in dem meine Mutter festgehalten hat, daß er gedroht hat, sie umzubringen, sollte sie publik machen, daß er sie geschwängert hat. Er hat ihr läppische zwanzigtausend Mark für ihr Schweigen gezahlt, und ließ sich das auch noch notariell beglaubigen. Laut dieser Urkunde hat meine Mutter das Geld erhalten, mußte sich aber als Gegenleistung verpflichten, die Schwangerschaft niemals zu erwähnen, mich direkt nach der Geburt wegzugeben und nie mehr mit ihm in Kontakt zu treten. Der feine Herr Anwalt hatte eben alle Tricks drauf. Und soll ich Ihnen noch etwas erzählen?« fragte sie und sah Durant herausfordernd an.

»Was?«

»Sie wollen doch unbedingt wissen, was mit der Familie Fink los ist …« Sie machte eine Pause, fuhr sich mit der Zunge über die Lippen, lächelte still vor sich hin. »Ich sage es Ihnen, aber nur, wenn Laura dabei ist. Lassen Sie sie holen, aber sagen Sie ihr nicht, daß *ich* hier bin. Sie werden ein streng gehütetes Geheimnis erfahren – und Laura auch«, fügte sie leise hinzu.

Julia Durant griff zum Telefonhörer, rief bei Laura Fink an. Die Sprechstunde war vorüber, sie hob ab.

»Hier Durant. Frau Fink, wäre es Ihnen möglich, gleich hier im Präsidium vorbeizukommen? Es ist dringend.«

»Darf ich erfahren, um was es geht?«

»Wir haben den Mörder Ihres Vaters hier. Mehr will ich jetzt am Telefon nicht sagen. Sagen Sie beim Pförtner Bescheid, wir sind im zweiten Stock. Ich schicke jemanden runter, der Sie abholt.«

»Ich komme.«

»Sie wird gleich dasein. Wir können so lange eine Pause machen, wenn Sie möchten.« Sie schaltete die Videokamera aus, trat neben Sabine Reich.

»Ja, das wäre mir auch recht. Ich habe Hunger und Durst. Gibt es hier etwas zu essen?«

»Was hätten Sie denn gerne?«

»Am liebsten eine Currywurst mit Pommes. Die Pommes aber mit doppelt Ketchup. Und eine Cola, am besten gleich eine ganze Flasche.«

»Ich werde einen Kollegen losschicken. Es gibt gleich um die Ecke einen guten Imbiß.«

Sie bat einen uniformierten Beamten, das gewünschte Essen zu besorgen, und sagte ihm, er solle sich beeilen.

»Sagen Sie«, sagte Durant, »unter uns Frauen, warum mußten Sie diese Männer alle töten?«

»Wird das auch aufgezeichnet?«

»Nein, die Kamera ist ausgeschaltet.«

»Weil ich es mir vorgenommen hatte. Ich habe im Waisenhaus gelernt, daß man nur überlebt, wenn man einen eisernen Willen hat. Und den habe ich. Und ich gehöre nicht zu den Menschen, die vergessen. Das mit Werner tut mir leid. Ehrlich. Aber er hat auch Sie nur benutzt, das wissen Sie … Aber er war ein wunderbarer Liebhaber, nicht?«

»Soll ich Ihnen darauf wirklich eine Antwort geben?« fragte Durant kühl.

»Nein, das brauchen Sie nicht. Ich weiß es, und Sie wissen es auch. Er war einfach genial. Er wußte genau, wie man eine Frau befriedigen konnte. Sie werden vielleicht wieder die Gelegenheit haben, jemanden kennenzulernen, mit dem Sie glücklich sein können, aber sollte ich jemals wieder aus dem Gefängnis kommen, wird mir der Sinn sicher nicht mehr nach Sex stehen. Na ja, es gibt Wichtigeres im Leben … Trotzdem, Sie waren mir von Anfang an sympathisch. Das mit Werner hatte nichts mit Ihnen persönlich zu tun. Glauben Sie mir. Ich mußte es tun.«

Julia Durant erwiderte nichts darauf. Sie wußte nicht, ob sie Mitleid mit Sabine Reich haben sollte, auf jeden Fall war ein Gefühl in ihr, das sie nicht beschreiben konnte. Sie schwiegen fünf Minuten lang, bis der Beamte mit dem Essen kam. Kaum war Sabine Reich mit dem Essen fertig, ging die Tür auf und Laura Fink stürmte herein. Sie machte einen abgehetzten Eindruck, blieb in der Tür stehen, sah von Durant zu Reich und wieder zu Durant. Sie schluckte schwer, trat näher. Julia Durant schaltete die Videokamera wieder ein.

»Was machst du denn hier?« fragte Laura Fink.

»Was glaubst du denn, was ich hier mache?«

»Sag, daß das nicht wahr ist! Du hast …«

»Ich habe es getan. Nicht nur für mich, auch für dich.«

Laura Fink setzte sich, schwieg einen Moment, verengte die Augen zu Schlitzen. »Für mich? Was um alles in der Welt hast du für mich getan?«

»Ich habe dich befreit. Du brauchst keine Angst mehr zu haben.«

»Ich habe keine Angst! Ich hatte nie welche.«

»Ach, komm, Laura, oder sollte ich besser sagen, Schwesterherz? Wir sind doch Schwestern, oder?«

»Wir sind Freundinnen, zumindest habe ich das bis eben noch geglaubt. Aber …«

»Kein aber, *Schwester*! Ich verrate jetzt nämlich etwas, was keiner von euch sich je zu sagen getraut hat. Unser Vater …«

»Unser Vater? Was faselst du da für einen Blödsinn?«

»Laura, dein Vater ist auch mein Vater. Und welche Ironie des

Schicksals, du wurdest am 31.10.64 geboren, ich einen Tag später. Man könnte fast meinen, wir seien Zwillinge. Aber wir haben nur denselben Vater … Einen Vater, der die Seele vieler Menschen kaltblütig getötet hat … Du hast mir erzählt, was er mit dir gemacht hat. Jahrelang! Und deine Mutter hat davon gewußt, sogar deine Brüder. Aber ihr hattet eine solche Angst vor ihm, daß ihr euch nie getraut habt, etwas zu sagen. Aber ich werde es jetzt tun. Frau Durant, ich werde jetzt das Geheimnis der Familie Fink lüften …«

»Nein, ich verbiete es dir! Das ist etwas, das ich nur dir, dir ganz allein, erzählt habe. Und du stehst unter Schweigepflicht! Hörst du, es geht keinen Menschen etwas an!« schrie Laura Fink mit hochrotem Kopf.

»Ich breche hiermit meinen Eid. Frau Durant, Laura wurde sechs Jahre lang von ihrem Vater sexuell mißbraucht. Sechs verfluchte, lange Jahre. Dieser Mann hat mehr Schuld auf sich geladen, als man jemals vergeben könnte. Und die Familie hat geschwiegen. Sehen Sie sich doch Frau Fink an, diese alte, verhärmte Frau! Und Jürgen, der es nicht mehr ausgehalten hat und sich in seiner Verzweiflung vom Hochhaus gestürzt hat! Das ist die Wahrheit. Bei Gott, das ist die Wahrheit! Laura, ich habe es nicht nur für mich und *meine* Mutter getan, auch für *dich*!«

»O nein, damit will ich nichts zu tun haben! Was immer du getan hast, du hast es ganz allein für dich getan. Ich weiß nicht, was vorgefallen ist, ich weiß nicht, ob mein Vater auch dein Vater ist, ich weiß überhaupt nichts. Aber für *mich* hast du absolut nichts getan, hörst du! Es war mein Leben, ganz allein meines! Und ich bestimme, ob ich mit etwas klarkomme oder nicht! Was immer deine Beweggründe waren, sie hatten nichts, aber auch gar nichts mit mir zu tun.«

»Laura, hör doch auf, dich länger selbst zu belügen. Bitte. Ich weiß, was in dir vorgeht oder vorging, ich weiß, wie schrecklich diese Bürde der Vergangenheit auf dir lastet, du hast es mir oft genug erzählt. Weißt du noch den einen Abend, wir haben bei mir gesessen und Tee getrunken, als du mir zum ersten Mal davon erzählt hast? Du hast den ganzen Abend lang nur geweint und geweint und geweint. Du hast diesen Mistkerl verflucht, du hast ihm die Pest an den Hals gewünscht ... Du hast deinen Kopf an meine Schulter gelegt und wir haben zusammen geweint. Weißt du das etwa nicht mehr? Und sag mir um Himmels willen nicht, daß diese Gefühle sich geändert hätten, denn das wäre eine glatte Lüge. Du hast mir so unendlich leid getan, ich habe meine eigene Schwester im Arm gehalten und konnte ihr nicht einmal sagen, wer ich wirklich bin ...«

»Warum nicht?« fragte Laura Fink traurig und setzte sich neben Sabine Reich. Sie legte eine Hand auf ihren Arm, sah sie an. »Warum hast du nie über deine Gefühle gesprochen?«

»Warum?« Sabine Reich zuckte die Schultern. »Vielleicht wollte ich wirklich nur Rache nehmen. Rache an diesen Menschen, die mein, die unser Leben zerstört haben. Und glaub mir eines, auch Rosenzweig und Schönau wußten von dem, was dein Vater getan hat. Aber sie haben nichts gesagt, und die Gründe dafür kannst du dir denken.«

»Aber du hättest sie doch nicht gleich alle umbringen müssen! Mein Gott, warum?«

»Für meine Mutter, für dich, für mich. Ich weiß, ich habe keine Zukunft mehr, doch dir steht die ganze Welt offen. Bis jetzt hast du dich in dein Mauseloch verkrochen und keinen Menschen an dich rangelassen. Du schleppst deine Vergangenheit wie ein tonnenschweres Gewicht mit dir herum. Such dir endlich einen Mann, geh unter die Leute ...«

»Ich habe jeden Tag mit Leuten zu tun!«

»Du weißt genau, was ich meine. Wir haben oft genug darüber gesprochen. Laß die Vergangenheit ruhen.«

»Das mußt ausgerechnet du sagen! Wer hat denn diese Männer umgebracht, weil die Vergangenheit sie nicht ruhen ließ?« Sie schüttelte fassungslos den Kopf. »Und ich dachte, du wärst meine beste Freundin.«

»Das bin ich immer noch. Sicher, ich habe getötet, doch ich habe es weder aus Habgier oder Neid oder Eifersucht getan. Und diese Kirche …«

»Diese Kirche ist wahr, ganz gleich, was du sagst. Ohne sie wäre ich zugrunde gegangen. Meine Freunde habe ich in der Kirche.«

»Sieh doch endlich ein, daß alles nur Fassade ist. Sie alle spielen das Spiel mit, die einen führen, die andern gehorchen. Sie sind wie Lemminge, die eines Tages an die Klippen gelangen und ins Meer stürzen. Das ist die Kirche. Mach die Augen auf und beobachte die Menschen dort, und du wirst sehen, sie unterscheiden sich in nichts von all den anderen Menschen auf der Welt. Sie sind gierig, machthungrig, arrogant, auf Ansehen bedacht, neidisch und verlogen; sie brechen die Ehe, mißbrauchen Kinder, ziehen den Namen Gottes, wenn es denn einen gibt, in den Schmutz. Am Sonntag sind sie Heilige, den Rest der Woche über benehmen sie sich wie Heiden. Nicht alle, aber viele …

Laura, du bist eine ganz besondere Frau. Mach etwas aus deinem Leben. Und wenn du wirklich so fest von diesem Evangelium überzeugt bist, dann sei du die Führerin dieser Menschen, die glauben oder glauben wollen, und zeige ihnen den richtigen Weg. Ich hab dich wirklich sehr, sehr lieb, nicht nur, weil du meine Schwester bist. Ich hab dich lieb, weil du du bist. Einfach so.«

Laura Fink hatte Tränen in den Augen, ihre Mundwinkel zuckten, wie durch einen Nebelschleier sah sie Sabine Reich an.

»Du bist meine Schwester«, sagte sie mit schwerer Stimme. »Und ich dachte immer, du redest das nur so daher, dabei war es dir immer ernst. Was hat man dir bloß angetan?«

»Du wirst es irgendwann erfahren. Doch bevor du gehst, noch eines – wenn es einen Menschen gibt, an den ich immer denken werde, dann wirst du es sein. Mach's gut und vergiß mich nicht. Und vor allem – paß auf dich auf.«

»Ich verspreche es, Schwester. Ich werde immer für dich beten.«

»Du kannst es versuchen, aber ich fürchte, dafür ist es zu spät. Aber das macht auch nichts mehr. Mein Leben war wohl von Anfang an vorherbestimmt. Vielleicht mußte ich tun, was ich getan habe. Ich weiß es nicht. Im Gefängnis werde ich jedenfalls genug Zeit haben, darüber nachzudenken. Und jetzt geh bitte, ich will nicht, daß du länger weinst. Leb einfach, tu´s für dich.«

Laura Fink erhob sich, umarmte ihre Schwester. Sie schluchzte, hielt sie eine Weile fest umklammert.

»Hau jetzt endlich ab, sonst werde ich noch sentimental, und das steht mir nicht«, sagte Sabine Reich mit einem Lächeln. »Du kannst mich ja mal besuchen kommen.«

»Versprochen, Schwester.« Laura Fink wollte gerade gehen, als ihre Schwester sie zurückhielt.

»Einen Moment noch, Laura.« Sie warf einen Blick auf Julia Durant, sagte: »Wäre es vielleicht möglich, wenn ich mit Laura einen kurzen Augenblick allein sprechen könnte? Nur eine Minute. Ich möchte ihr etwas unter vier Augen sagen. Und stellen Sie bitte diese Kamera aus. Nur diese eine Minute. Bitte.«

Julia Durant zögerte, Hellmer nickte nur. »Okay, ich gebe Ihnen genau fünf Minuten. Und die Tasche von Frau Fink nehme ich mit, vorsichtshalber.«

»Und die Mikrofone sind auch wirklich ausgeschaltet?« fragte Sabine Reich. »Es ist wirklich sehr persönlich. Ich möchte nur mit meiner Schwester sprechen.«

»Sie sind völlig ungestört.«

Nachdem die Kommissarin und Hellmer den Raum verlassen und die Tür hinter sich schlossen, setzte sich Sabine Reich auf den Tisch, sah Laura mit unergründlichem Lächeln an.

»Wie konnte das passieren?« fragte Laura flüsternd. »Es ist doch alles so perfekt gelaufen!«

»Ich hab die verdammte Spritze ausgerechnet gestern nicht

gleich entsorgt. Aber egal, es ist zu spät, um zu lamentieren, sag mir lieber, wie´s jetzt weitergehen soll?«

»Sollte irgendwas schiefgehen, haben wir doch alles schon bis ins letzte Detail durchgekaut. Du bekommst den besten Anwalt, den du dir nur wünschen kannst, du weißt ja, den, der meinen, oder besser gesagt, unseren Vater am liebsten selbst umgebracht hätte. Außerdem hab ich noch ein paar Trümpfe im Ärmel, auf die selbst im Traum keiner kommen würde. Ich hab doch gesagt, eine Hand wäscht die andere. Glaub bloß nicht, ich würde meine Schwester im Stich lassen.«

»Das wußte ich sowieso. Aber es war eine verdammt gute Show, die wir abgeliefert haben, oder?« sagte Sabine Reich grinsend. »Mann, kannst du dir Tränen rausquetschen! Du hättest Schauspielerin werden sollen.«

»Man tut, was man kann«, erwiderte Laura Fink und grinste ebenfalls.

»Was glaubst du, wie lange muß ich in den Bau?«

»Vergiß das Gefängnis, wir schaffen das anders. Kindheitstrauma und so weiter. Du weißt schon, was ich meine. Zwei Jahre in einer psychiatrischen Anstalt, dann aber schon nach einem halben Jahr ein Gutachten von meinen speziellen Freunden, die mir noch einen großen Gefallen schulden. Sie werden dir akute Suizidgefährdung bescheinigen, na ja … Ich denke, du bist spätestens in einem Jahr wieder draußen. Und dann fangen wir an zu leben. Wir kaufen uns ein Haus irgendwo im Süden, und lassen es uns einfach gutgehen. So, jetzt hau ich aber wirklich ab, ich hab noch eine Menge zu erledigen. Und danke noch mal, daß du mich nicht verraten hast.«

Sie umarmten sich noch einmal, sahen sich in die Augen, lächelten. »Das ist unser Geheimnis, und keiner wird es jemals herausfinden. Mach´s gut, und laß dich von denen nicht unterkriegen. Wir packen das schon«, sagte Laura Fink augenzwinkernd.

Sie ging an die Tür, klopfte. Julia Durant öffnete von draußen, reichte ihr die Tasche, sah der jungen, gebrochenen Frau nach, wie sie langsam über den langen Flur lief, ihre schweren Schritte hallten von den Wänden wider.

Hellmer stellte sich neben die Kommissarin, sagte mit nachdenklichem Blick: »Ich weiß nicht, aber ich hab so ein komisches Gefühl …«

»Was meinst du?« fragte Durant mit gekräuselter Stirn.

»Irgendwas mit den beiden stimmt nicht … Aber ich kann mich auch täuschen … Blödsinn, was red ich da!«

»Was soll denn da nicht stimmen? Komm, gehen wir wieder rein, der Tag ist noch nicht zu Ende.«

Dienstag, 22.00 Uhr

Julia Durant war nach Hause gefahren, sie war nicht nur müde, sie war völlig leer und ausgebrannt und fühlte sich einfach elend. Sie aß eine Scheibe Brot, trank eine Dose Bier, setzte sich auf die Couch, die Beine hochgelegt. Sie schloß die Augen, dachte über den vergangenen Tag nach. Sie telefonierte noch einmal kurz mit Hellmer, sie tauschten ein paar Belanglosigkeiten aus, auch er empfand eine tiefe Leere, wie er sagte.

Sie nahm ein Bad, trank noch ein Bier, rauchte, legte die neue CD von Bryan Adams ein, drehte die Lautstärke hoch. Ihr war es egal, was die Nachbarn sagten, sie brauchte das jetzt. Um halb zwölf legte sie sich ins Bett, zog die Decke bis unter das Kinn und drehte sich auf die rechte Seite. Sie konnte nicht einschlafen. Sie trank noch ein Bier, nahm ein paar Tropfen Valium dazu.

Das war also das Geheimnis der Familie Fink gewesen, dieses furchtbare Geheimnis, das eine ganze Familie über so viele Jahre für sich behalten hatte und auf das sie, wenn sie recht überlegte, schon früher hätte kommen können.

Sie fühlte, wie ihre Augen immer schwerer wurden und sie schließlich weit nach Mitternacht in eine andere Welt glitt. Sie schlief tief und traumlos bis um acht Uhr.

Das nächste Verhör von Sabine Reich war für zehn Uhr angesetzt, sie hatte also noch genügend Zeit, um sich auf den Tag vorzubereiten. Am Abend würde sie ihren Vater anrufen und vielleicht auch noch Susanne Tomlin. Die nächste Telefonrechnung würde astronomisch hoch sein, doch das störte sie nicht.

Und noch drei Wochen, und sie würde ins Flugzeug steigen, es sich in Südfrankreich gutgehen lassen, an nichts denken als an sich selbst und Frankfurt für eine Weile hinter sich lassen.

Sie dachte an Sabine Reich, diese wunderschöne, intelligente Frau, diese Schwarze Witwe, die ihr auch jetzt noch sympathisch war, warum, vermochte sie nicht zu sagen. Sie wußte lediglich aus ihren Schilderungen, diese Frau hatte in ihrem jungen Leben eine Menge erleiden müssen, und nicht nur sie, sondern auch andere, ihr nahestehende Personen. Was sich wirklich in ihrer Seele abspielte, das würde wohl nie jemand ergründen können. Und sie dachte an das Leben, das bisweilen so unglaublich ungerecht schien. Und irgendwie wünschte sie sich ein mildes Urteil für Sabine Reich, trotz all dem, was sie getan hatte.

Aber sie wußte nichts über das wahre Geheimnis von Sabine Reich und Laura Fink, das sie glaubte, entschlüsselt zu haben. Schwestern.

Als sie sich auf den Weg ins Präsidium machte, schien die Sonne. Es würde ein guter Tag werden.

Andreas Franz
Jung, blond, tot

Eine Serie mysteriöser Mädchenmorde beunruhigt die Bevölkerung von Frankfurt/Main. Alle Ermordeten sind blond. Der Mörder vergewaltigt seine Opfer, tötet sie und vollzieht sodann ein Ritual, bei dem er die Haare der Mädchen zu zwei Zöpfen mit roten Schleifchen bindet.

Die Polizei steht vor einem Rätsel. Die Kommissarin Durant leitet die Ermittlungen, die sie in die »feinere« Gesellschaft Frankfurts führen. Hier stößt sie vorwiegend auf Ablehnung, obwohl fast alle Mädchen aus diesen gehobenen Kreisen stammen und eine schnelle Aufklärung der Morde eigentlich erwünscht sein müßte.

Fast hilflos jagen Kommissarin Durant und ihre Kollegen scheinbar hinter einem Phantom her – bis ein nahezu unglaublicher Zufall den Täter enttarnt.

Ein atemberaubender und psychologisch dichter Roman.

Andreas Franz ist ein glanzvolles Krimidebüt gelungen.
Hamburger Abendblatt

Beschrieben mit einer derart klinischen Grausamkeit,
daß man kaum zu atmen wagt.
Petra

Knaur Taschenbuch Verlag

Andreas Franz
Das achte Opfer

Ein Unbekannter schickt der Frankfurter Kripo obskure Bibelzitate. Man denkt zuerst an einen geschmacklosen Scherz. Als aber zur gleichen Zeit auch ein abscheulicher Mord begangen wird, vermutet Hauptkommissarin Durant einen Zusammenhang.

Das Morden geht weiter und trägt immer dieselbe Handschrift: Die Opfer sind alle nackt, und auf ihrer Stirn steht in blutigen Ziffern die Zahl 666. Die Kriminalpsychologen glauben an einen religiösen Fanatiker, aber Durant hat eine andere Theorie: Der Täter muß ein Mensch sein, der in seinem Leben viel gelitten hat und der sich nun für das erduldete Leid rächen will. Bei ihren Ermittlungen gerät die Polizei immer tiefer in einen Sumpf aus organisiertem Verbrechen, Korruption und Machtmißbrauch.

Eine gut recherchierte Geschichte mit einer
atemberaubenden phantastischen Mordserie.
Ein Netz, in dem sich der Leser verfängt.
Berliner Morgenpost

Knaur Taschenbuch Verlag

Andreas Franz
Die Bankerin

David von Marquardt ist das, was man einen erfolgreichen Jung-
unternehmer nennt: Mit knapp vierzig Jahren hat er sich bereits
ein florierendes Unternehmen aufgebaut und lebt mit seiner Frau
Johanna und seinen vier Kindern in einer luxuriösen Wohnung.
Doch das schöne Leben bricht jäh zusammen, als David erkennt,
daß sein Kompagnon ihn betrogen hat. Von einem Tag auf den
anderen steht er vor dem Nichts. Seine letzte Hoffnung ist die
Bank. Hier begegnet er einer Frau, bei der er auf guten Willen zu
stoßen glaubt. Doch ihre Hilfsbereitschaft ist an ein paar höchst
merkwürdige Bedingungen gebunden …

*Ein spannender Krimi, den man von der ersten Seite
an nicht beiseite legen möchte, bis man am
Ende des Buches angelangt ist.*
Darmstädter Echo

Knaur Taschenbuch Verlag

Andreas Franz
Der Finger Gottes

Waldstein, eine kleine Stadt in Franken. Auf den ersten Blick ein
Ort wie tausend andere. Doch etwas ist anders in Waldstein: Seit
die Bewohner zurückdenken können, wird die Stadt von der
mächtigen Familie Vandenberg beherrscht. Ihr Geld und ihr
Einfluß reichen weit und haben schon so manchen Menschen
vernichtet.
Als die alte Maria Olsen stirbt, stößt der Polizist Brackmann
unvermutet auf ein düsteres Geheimnis, das seit Jahren verbor-
gen schien und bei dem die Vandenbergs wieder einmal ihre
Finger im Spiel hatten.
Während sich Brackmann auf die Suche nach der Lösung des
Rätsels macht, nähert sich ein Wirbelsturm der Stadt.
Innerhalb kürzester Zeit überstürzen sich in Waldstein die Ereig-
nisse.

Ein spannender Roman des begabten
Autors von »Jung, blond, tot«!

Knaur Taschenbuch Verlag